广东改革开放30年研究丛书

广东省哲学社会科学“十一五”规划2007年度规划特别委托项目

告别乡土社会

—— 广东农村发展30年

周大鸣等　著

廣東省出版集團

广东人民出版社

·广州·

图书在版编目（CIP）数据

告别乡土社会：广东农村发展30年／周大鸣等著．—广州：广东人民出版社，2008.11

（广东改革开放30年研究丛书）

ISBN 978－7－218－05982－2

Ⅰ．告…　Ⅱ．周…　Ⅲ．农村—社会主义建设—成就—广东省—1978～2008　Ⅳ．F327.65

中国版本图书馆CIP数据核字（2008）第165024号

出 版 人	金炳亮
责任编辑	谢海宁
装帧设计	张力平　陈小丹
责任技编	周　杰
出版发行	广东人民出版社
印　　刷	佛山市浩文彩色印刷有限公司
开　　本	787毫米×960毫米　1/16
印　　张	28.25
插　　页	1
字　　数	407千
版　　次	2008年11月第1版　2008年11月第1次印刷
书　　号	ISBN 978－7－218－05982－2
定　　价	57.00元

如果发现印装质量问题，影响阅读，请与出版社（020－83795749）联系调换。

【出版社网址：http://www.gdpph.com　　电子邮箱：sales@gdpph.com

图书营销中心：020－37579695　37579604】

总　　序

汪　洋

中国的改革开放走过了30年的伟大历程。广东是中国改革开放的先行地区，在改革开放和现代化建设中一直走在全国前列，充分发挥了“试验田”、“窗口”和“示范区”作用。在纪念中国改革开放30周年之际，认真研究总结广东改革开放的成就和经验，有助于深化人们对改革开放重要意义的认识，对于全省人民深入贯彻落实科学发展观，继续解放思想，坚持改革开放，促进经济社会又好又快发展，夺取全面建设小康社会的新胜利，加快推进社会主义现代化，具有深远的历史意义和重大的现实意义。

第一，研究广东改革开放，要系统总结广东改革开放30年的伟大成就，进一步坚定深化改革、扩大开放的信心和决心。

30年来，广东历届省委、省政府团结带领全省人民，高举中国特色社会主义伟大旗帜，发扬敢为天下先的精神和“杀出一条血路”的勇气，解放思想，实事求是，与时俱进，开拓创新，推动经济社会发展取得了举世瞩目的巨大成就。

实现了从一个经济比较落后的农业省份向全国第一经济大省的历史性跨越。1978—2007年，全省GDP总量增长41倍，人均生产总值翻了四番，经济总量先后超过了亚洲“四小龙”中的新加坡、香港和台湾地区，已处于世界中等收入国家水平。目前，全省经济总量约占全国的1/8，源于广东的财政总收入约占全国的1/7，进出口总额占全国的近30%。

实现了从计划经济体制向社会主义市场经济体制的历史性转变。30年来，广东人民以改革创新精神推动着改革开放的伟大实践，率先创办经济特区，率先引进“三来一补”、海外的先进技术设备和管理经验及创办“三资”企业，率先进行价格改革，率先改革投资体制，率先进行金融体制改革，率先实行土地有偿转让，率先实行产权制度改革，等等，在建立和完善社会主义市场经济体制方面走在全国前列。同时，政治、文化和社会等领域的改革也取得了重大进展。

实现了从封闭半封闭向全方位开放的历史性转变。积极加强对外往来和友好合作，努力推进与港澳地区和内地省市区的区域经济合作，大力实施“走出去”战略，形成了多层次、多形式、多功能的全方位对外开放新格局。对外贸易不断扩大，1978—2007年，广东进出口总额增长近400倍，约占全国的30%；到2007年底，累计实际利用外资达到1945亿美元，约占全国的1/5；全省经核准的非金融类境外企业已超过1800家，业务遍及90多个国家和地区。

实现了从温饱向宽裕型小康迈进的历史性跨越。改革开放30年是人民群众得到最多实惠的时期。1978—2007

年，全省城镇居民人均可支配收入、农民人均纯收入分别增加了43倍和29倍，居民消费结构优化，公共服务明显增加，人民生活水平总体达到小康，珠三角地区率先达到宽裕型小康。经济快速发展提供了越来越多的就业岗位，大量的外来务工人员在广东安居乐业。社会保障体系加快向城乡居民覆盖，保障能力不断增强。教育、文化、卫生、体育等各项事业迅速发展。

30年来，广东充分利用毗邻港澳的地理优势，大力推进粤港澳合作，对香港、澳门顺利回归祖国并保持繁荣稳定发挥了重要的促进作用，为彰显“一国两制”伟大构想的成功实践作出了积极贡献。作为中国先发展起来的区域之一，广东十分注重推动国家区域发展总体战略的实施，努力帮助和带动中西部地区发展，为促进全国共同发展、共同富裕发挥了重要作用。

广东的实践雄辩地证明，改革开放符合党心民心、顺应历史潮流，方向和道路是完全正确的。只要坚定不移地推进改革开放，广东就一定能继续书写科学发展的奇迹，中国特色社会主义道路就一定会越走越宽广。

第二，研究广东改革开放，要深入概括广东改革开放30年的宝贵经验，进一步开创改革开放和社会主义现代化建设新局面。

广东作为全国改革开放的试验区，每前进一步都离不开党中央的亲切关怀和正确领导，都是坚定不移学习实践中国特色社会主义理论、坚定不移贯彻党的路线方针政策的结果。1992年春，邓小平同志视察南方发表重要谈话，要求广东“力争用二十年的时间赶上亚洲‘四小龙’”。2000年春，江泽民同志视察广东，提出了“三个代表”重

要思想，要求广东“增创新优势，更上一层楼，率先基本实现社会主义现代化”。2003年春，胡锦涛总书记视察广东，提出了科学发展观的思想，要求广东抓住机遇，加快发展、率先发展、协调发展，在全面建设小康社会、加快推进社会主义现代化进程中更好地发挥排头兵作用。广东时刻牢记中央的重托，始终坚持以邓小平理论、“三个代表”重要思想为指导，深入贯彻落实科学发展观，坚定不移地用党的创新理论武装头脑、指导实践、推动工作，结合广东实际创造性地贯彻落实中央的路线、方针、政策，努力为全国的改革开放探索道路、积累经验做出贡献。

坚持以解放思想引领改革开放，不断冲破不合时宜的观念束缚。我们深刻认识到解放思想是正确行动的先导，是扫除思想障碍、引领发展的“法宝”，是推动改革开放的强大动力。我们坚持一切从实际出发，求真务实，求新思变，积极将解放思想形成的共识，转化为政策、措施、制度和法规，把解放思想贯穿于改革开放和社会主义现代化建设的全过程。

坚持以经济建设为中心，推动经济社会又好又快发展。我们深刻认识到发展对于全面建设小康社会、加快推进社会主义现代化，具有决定性意义。我们坚持把发展作为党执政兴国的第一要务，牢牢扭住经济建设这个中心，坚持聚精会神搞建设、一心一意谋发展，不断解放和发展社会生产力。着力把握发展规律、创新发展理念、转变发展方式、破解发展难题，不断提高发展质量和效益，推动经济社会又好又快发展，为率先基本实现社会主义现代化打下坚实基础。

坚持以人为本，激发和保护人民群众的积极性和创造

性。我们深刻认识到全心全意为人民服务是党的根本宗旨，党的一切奋斗和工作都是为了造福人民。我们始终把实现好、维护好、发展好最广大人民的根本利益作为党和国家一切工作的出发点和落脚点，尊重人民主体地位，发挥人民首创精神，保障人民各项权益，走共同富裕道路，促进人的全面发展，做到发展为了人民、发展依靠人民、发展成果由人民共享。

坚持全面协调可持续发展，积极构建社会主义和谐社会。我们深刻认识到社会和谐是中国特色社会主义的本质属性，科学发展与社会和谐是内在统一的，没有科学发展就没有社会和谐，没有社会和谐也难以实现科学发展。我们按照民主法治、公平正义、诚信友爱、充满活力、安定有序、人与自然和谐相处的总要求和共同建设、共同享有的原则，着力解决人民最关心、最直接、最现实的利益问题，努力形成全体人民各尽其能、各得其所而又和谐相处的局面，为发展提供良好社会环境。

坚持统筹兼顾，以世界眼光谋划广东的发展。我们深刻认识到统筹兼顾是在新的历史条件下保证中国特色社会主义事业顺利推进的根本方法。我们统筹城乡发展、区域发展、经济社会发展、人与自然和谐发展、国内发展和对外开放，统筹个人利益和集体利益、局部利益和整体利益、当前利益和长远利益，充分调动各方面积极性。着力把握国内国际两个大局，树立世界眼光，加强战略思维，善于从国际形势发展变化中把握发展机遇、应对风险挑战，营造良好国际环境。

坚持加强和改进党的自身建设，充分发挥党的领导核心作用。我们深刻认识到做好各项工作关键在党。我们坚持党要管党、从严治党，以提高执政能力和保持先进性为重点，贯彻为民、务实、清廉的要求，抓理想塑灵魂，抓班子带队伍，抓基层打基础，抓作风反腐败，全面加强党的自身建设，充分发挥领导核心作用，不断提高各级党组织的凝聚力、创造力和战斗力，为促进改革发展稳定提供坚强政治保证。

这些经验，既是广东历届省委、省政府带领全省干部群众锐意进取、开拓创新取得的宝贵精神财富，又是广东继续开创改革开放新局面必须坚持的重要原则。

第三，研究广东改革开放，要继续解放思想、坚持改革开放，努力争当实践科学发展观的排头兵。

改革开放是广东的魂。广东靠改革开放起步，也靠改革开放起飞；广东靠改革开放赢得今天，也必须靠改革开放开创未来。经过30年的快速发展，广东已经站在新的历史起点之上，改革开放面临着新机遇、新挑战和新任务。我们要继承和发扬改革开放初期敢为人先的精神和气魄，继续解放思想，坚持改革开放，努力争当实践科学发展观的排头兵，把广东建设成为提升我国国际竞争力的主力省，探索科学发展模式的试验区，发展中国特色社会主义的先行地。

一是继续解放思想，坚定不移地走在实践科学发展的前列。解放思想永无止境。要按照科学发展观的要求，打破阻碍科学发展的思维定势，加快转变发展方式，着力提高自主创新能力，积极建设现代产业体系，切实增强可持续发展能力，使速度、结构、效益相协调，人口、资源、环境相协调，消费、投资、出口相协调，城乡、区域发展相协调，促进经济社会又好又快发展。

二是不断深化改革，坚定不移地走在构建有利于科学发展体制机制的前列。以行政管理体制改革、财政和投融资改革、要素市场体系建设等为重点，统筹经济和社会事业改革，加快建立完善的市场经济体制机制，形成市场配置资源、企业自主发展、政府科学调控的良好格局。建立健全科学发展的综合考核体制，把贯彻落实科学发展观的目标要求转化为可考核的客观指标。

三是继续扩大开放，坚定不移地走在提高区域国际竞争力的前列。要树立全局和世界眼光，抢抓经济全球化和区域经济一体化的发展新机遇，加快构建粤港澳紧密合作区，加强与美国、日本、欧盟等发达国家和地区以及与东盟等新兴经济体的合作，加快完善内外联动、互利双赢、安全高效的开放型经济体系，不断扩大开放领域，优化开放结构，提高开放水平，增创广东国际竞争新优势。

四是着力改善民生，坚定不移地走在构建社会主义和谐社会的前列。要坚持民生为重，稳步实施城乡居民收入倍增计划，加快完善覆盖城乡惠及全民的社会保障网，切实解决住房、医疗、教育和食品安全等突出民生问题，使全体人民学有所教、劳有所得、病有所医、老有所养、住有所居，努力实现好、维护好、发展好最广大人民群众的根本利益，推进和谐广东建设。

五是以改革创新精神全面推进党的建设新的伟大工程，坚定不移地走在加强和改进党的建设的前列。要把党的执政能力建设和先进性建设作为主线，坚持党要管党、从严治党，以坚定理想信念为重点加强思想建设，以造就高素质党员、干部队伍为重点加强组织建设，以保持党同人民群众的血肉联系为重点加强作风建设，以健全民主集中制为重点加强制度建设，以完善惩治和预防腐败体系为重点加强反腐倡廉建设，使党始终成为领导改革开放和社会主义现代化建设的坚强核心。

广东有辉煌的过去、美好的现在，一定会有灿烂的未来。这次出版的《广东改革开放30年研究丛书》，对广东改革开放30年巨大成就、实践经验和未来前进方向等问题进行了系统总结和深入研究，内容涵盖经济、政治、文化、法律、城市、农村、科技、教育、社会、党建等10个方面，为全面深入研究广东改革开放做了大量有益工作，迈出了重要一步。在隆重纪念改革开放30周年之际，希望全社会高度重视广东改革开放问题的研究，希望有更多的专家学者和实际工作者积极投身到广东改革开放问题研究中去，进一步把广东改革开放的伟大意义、巨大成就、成功经验和前进方向总结好、阐述好、宣传好，为推动广东现代化建设迈上新台阶，开辟广东更加美好的未来作出更大的贡献！

（作者系中共中央政治局委员、广东省委书记）

目　　录

前　言

费孝通先生在成书于1947年的《乡土中国》中，开篇就写道："从基层上看去，中国社会是乡土性的。"这一论断，直到20世纪70年代末，都是适用于中国社会的。虽然自近代以来，传统的中国农耕文明就开始受到西方文明的冲击，工业化和城市化都有所发展，但总体上，广袤的中国腹地还是一个以乡村为主导的农业社会。良好的社会学科背景的训练和敏锐的洞察力，使费先生半个世纪以前对乡土社会的特性作出的描绘和观察，至今仍然具有旺盛的生命力，受到学界和社会的普遍认可。

费先生为我们展现的乡土社会，是一个有其自身的社会结构特征、人际关系特征以及权力结构特征的社会。在这种社会里，文字无足轻重，人与人之间依据"差序格局"划分亲疏远近，男女授受不亲，依据礼治而不是法治对社会进行规范管理……这种图景，几乎够得上费先生的老师——著名英国人类学家马林诺夫斯基——所称的"优美"。然而，即使在当时，睿智的费先生便已经看到了乡土的危机：传统的乡村生活方式与现代社会格格不入；快速的社会流动，日益异质性的由陌生人组成的社会，更是让安土重迁的乡民手足无措；乡村的经济落后、人力资源流失，乡村精英纷纷离开乡村迁往城市。于是，持续了几千年的乡土文明的地位一落千丈，"土气成了骂人的词汇，‘乡’也不再是衣锦荣归的去处了”。

不仅如此，20世纪后半叶激烈的社会、政治变革还对乡村社会带来了前所未有的冲击。1949年新中国成立，乡土社会在经济生产基础和政治模式上都发生了巨大变化；1978年拉开序幕的改革开放大潮，更是从根本上动摇了乡土文明的根基——大量农民被从土地中解放出来，经济生产不再仅仅只依赖于土地。尤其是在经济发达的东南沿海地区，摆脱了土地束缚的乡村一举扭转了千百年来缓慢前进的“内卷化”发展，在以乡镇企业为支柱的工业化的支撑下，经济上获得了突飞猛进的发展，乡村面貌发生了巨大改变。乡镇企业异军突起，在经济总量中的比重迅速超过农业，占有压倒性优势，并且还在逐年增加；从事农业的人口迅速减少，昔日的农民纷纷“洗脚上田”，进入工厂做工，或者从事各种商业经营；农业生产实现了规模化、产业化，彻底改变了精耕细作的小农经营模式；农村景观也发生了巨大变化，宽阔的马路、林立的楼房、成片的工业区、优美的公园、大型购物中心、设施齐全的村民住宅小区……城乡界限日益趋于模糊。

改变的不仅是可见的物理现象，更是各种深层次的社会运行机制和人们的思想观念。一是农民的个人素质有所提高，效能感、创新精神和适应变化的能力增强，能够逐渐适应工业社会所要求的严格的劳动分工、细致的管理层级和严厉的工作纪律。二是农民生活范围扩大，与外界交往的能力增强，在传统地缘、血缘交往的基础上，扩大和增加了业缘、友缘交往。三是农民的市场观念增强，闯荡市场，创办企业培养了农民企业家的市场观念。如今，头脑敏捷、信息灵通，具有各种社会关系网络的农民企业家，正在农民的经济、政治、文化生活中发挥着越来越重要的作用。四是商品经济促进了新型社会关系和人际关系的形成，人们在交往中不仅注重人本身，而且由于受

到利益的驱使，使得传统的人情和礼俗受到了挑战。当前，广东农民的人际关系开始出现明显的契约化倾向，他们的法律意识也因此大为增强。五是市场化为农村民主法制的建设提供了可能。包产到户意味着农民的财产权和人身地位开始得到保障，而村民自治制度的确立和实施，则是国家在市场经济背景下对农民个人权利和保护的制度性承诺。随着改革的深化，农民的权益意识不断得到增强，对个人经济权益的维护，成为推动农村民主法制进程最直接和最深刻的动力。

可以说，广东地区的农村，尤其是珠三角农村，已经逐渐开始从传统乡村经济中剥离，走向了现代化发展之路。在物质和文化上，置于西方的示范效应之下；在经济上，以现代商业和现代工业为主轴；在文化上，向工商社会的价值观念转移。今天的广东农村，已经在很大程度上告别了昔日的乡土社会，阔步向城乡一体化迈进。法国社会学家孟德拉斯说得好，“农民的终结”并不是“农业的终结”或“乡村生活的终结”，而是“小农的终结”。同样，在人类学家眼里，告别乡土社会，并不是简单地指乡村演变为城市或城镇，而是指一种乡村文明与城市文明整合后的新的社会理想。

经过30年的改革开放，广东农村的面貌发生了深刻变化，乡村社会经历的快速而剧烈的变革并未结束，而是仍然在持续进行。传统上完整而封闭的乡村社会被打破了，新的稳定的社会规范还未确立，仍在进一步地探索尝试之中。从某种意义上说，告别乡土社会是中国社会变迁转型的一个缩影，需要经历漫长的时间才能得以完成。

导　　论

一

中国是一个农业大国，无论是农业人口，还是农业经济，在很长时间内，都占有举足轻重的地位。中国革命胜利走的是“农村包围城市”的道路，1978 年中共十一届三中全会后的改革开放也是率先从农村突破，并以磅礴之势迅速蔓延全国，取得了举世瞩目的伟大成就。在中央赋予的“特殊政策、灵活措施”的条件下，广东先于全国一步走上了改革开放的道路。在农村改革领域，广东走得比全国其他地区更远，改革的步子也更大。30 年来，在各届政府和全省人民的共同努力下，广东大胆开拓，勇于进取，用好用足中央政策，在改革开放的道路上披荆斩棘，创造了大量解决实际发展问题的方式方法，充分体现了广东人民的勇气和智慧。

本书希望通过回顾广东农村改革开放 30 年的历程，追溯乡村变迁的内外源动力、路径、特色，在中国乡村变迁过程中寻找广东农村变迁的个性因素，从纷繁复杂的历史脉络中理顺广东农村变迁的一脉相承的“红线”，并展望广东农村未来的发展道路。30 年来，广东农村的变迁呈现了其普遍性、特殊性和历史性，由此我们需要追溯更长远的历史，把这一课题置于“全球”和“地方”的两个场景中加以审视。

关于乡村社会变迁的研究首先是一个世界性的研究课题。工业

革命以来，全球各地的农村都不可避免地经历了新的变迁。众所周知，英国通过“羊吃人”的圈地运动迅速地摧毁了作为一个阶级的农民。孟德拉斯的《农民的终结》一书以法国农村的现代化道路为背景，分析了欧洲乡村社会“二战”后的变迁过程。孟德拉斯指出，“农民的终结”并不是“农业的终结”或“乡村生活的终结”，而是“小农的终结”，从“小农”到“农业生产者”或“农场主”的变迁，是一次巨大的社会革命。在一个传统的农业社会转变为工业社会和后工业社会的过程中，农民的绝对数量和人口比例都会大幅度减少，但无论社会怎样发展，无论乡村怎样变化，农民不会无限地减少，作为基本社会生活必需品原料的生产供应者——农业的从业者——也不会消失（中文版再版译者前言）。

什么样的农业基础决定什么样的非农化，非农化的出现也不是工业革命以来的新鲜事物。早在汉代，我国农村就已经存在农业以外的产业和谋生方式。中国自农业产生，也就是新石器时代，就倾向于精耕细作，而非粗放农业。如在黄河中下游流域发现的新石器文化聚落的密度相当大，这在世界上其他地方是没有的。西汉时期中原由于人口多、耕地有限，就形成了精耕细作的农业。不断改进农业技术，在已有土地上提高产量，这是中国历史上采用最普遍的方法。汉朝的中原，冬季颇长，生长季节受气候的影响而缩短（霜冻期无法从事农业生产）。于是一年中，免不了有劳动力需求季节性不均匀的现象。春耕秋获时最忙碌，而冬季则为闲季。这样在农闲时，主要劳动力和次要劳动力都有相当多的时间从事其他非农业性的工作。这些工作是为农业间接服务或是生产可出售的产品，也就是家庭手工业。而家庭手工业的生产又会由近村贸易逐步形成贸易市场网，其网络足以联系若干分散的聚落，是当地交易构成市场性质的农业经济。贸易形成的圈子，与大城市、小城市、集市联结起来。既有交易，一定程度的专业性也就不可避免了。这种专业性，一是导致为盈利而非消费的商业活动，二是导致某些作物的专业化生产。汉代的一些地方性产品通过商业网络可以流通到全国。市场交易网把农业社会中个别成员结合到一个巨大的经济网之

中。中国的农业社会并非过去所认为的自给自足的村落合成的，彼此之间各不相涉。事实上，汉代已有二三十个具有相当规模的城市，坐落在联络各地区的交通要道上。汉代的生产力足可以产生繁荣的工商业。但是汉代重农轻商的政策使活泼的充满生机的工商业刚发芽就夭折于强大皇权的压力之下。[①] 工商业受到压制的原因是汉代的官僚机构已成气候，士大夫不容政治之外的工商力量构成对其政治独占的挑战。中国将发财与升官连成一个词语，可见政治之外不再容许另一平行的致富途径。商业活动在汉武帝以后不可能有全面发展的机会，于是不仅生产食物的责任，而且连原可由工商业专门担任的其他货品的生产工作，也不得不由农村担任，转而吸引了农村中季节性多余劳动力。

精耕细作农业与家庭手工业相结合，将农闲时节的过剩劳动力转化为手工业的人手。换句话说，农业的生产者即是手工业的生产者，手工业的产品变成市场里的商品。以我之所有易我之所无，就有了市场网的出现。这种情况不仅在中国，在欧洲法国的南方和波兰大平原上的精耕农业也都配合当地市场交换网的发展。但家庭手工业的产品的销售是有条件的，如从未发展出作坊工业，或作坊工业被其他力量摧毁时，才有家庭手工业发展的机会。作坊工业都发生在城市，而精耕农业的家庭手工业和城市化有互相排斥的现象。中国精耕细作的历史背景，则是政治力量摧毁掉城市，摧毁作坊工业，摧毁私家经济。战国时代以城市为基地的作坊工业已经萌芽，汉代国家力量的强大，打击社会力量，摧毁了私家经济，于是造成家庭手工业的发展机会和市场网的成长。[②]

虽然精耕细作使得人们不愿轻易放弃土地、离开故土，并产生安土重迁的观念，可当人口发展到精耕细作农业无法维持生存时，移民就开始了。但中国的移民是逐渐的，移民在新的地方，仍然保持精耕细作的方式。而原有的土地并不因为人口减少而改变耕作方

① 许倬云：《求古编》，联经出版事业公司 1982 年版，第 543 ~ 560 页。
② 许倬云：《历史的分光镜》，上海文艺出版社 1998 年版，第 114 ~ 119 页。

式。岭南本来是地旷人稀的地方，可是唐宋以降的移民，使得在明清时代人口的压力已相当大。穷则思变，明清时代广东开始向海外大量移民。这一传统一直延续了很长时期。广大华侨对广东的改革开放有着不可估量的作用。

人口密集以及特殊的政策也影响着我国农村城市化的进程。在无荒可垦、无地可移的情况下，都市化和工业化是解决乡村人口过密化的一个途径。我国1949—1978年所制定的一系列政策造成了“二元”结构的出现，“二元”结构是由一系列具体的政策建立起来的，这主要包括户籍制度、土地制度和社会保障制度。① 按照“二元”，话分两头来谈，先谈农村。

首先是新的过密化问题。1949年以后的合作化运动，一方面，强调以粮为纲，将所有的农民都束缚在土地上；另一方面，把家庭手工业视为资本主义的“尾巴”而被“割掉”或严格限制，因而将农闲时的剩余劳动力花在兴修水利、建大寨田等农田基本建设上。加上合作化的集体劳动，农民没有什么工作积极性。所以粮食产量虽然很高，可边际效用却极低；没有手工业的收入作补充，集体的分配有限，农民的生活水平无法提高。按照黄宗智先生的话说：人民公社创造了新的“过密化”。

其次是市场网络的断裂。农村的自由市场被取缔，市场全部由供销合作社控制，这包括农产品和农业物资的购销。这样乡村集镇萎缩，从城市到不同层次集镇的市场网络破裂，使得信息来源减少、通婚圈范围缩小，村民生活在一个隔离的社区中。村民被禁锢在极小的圈子里，每天按照生产队的安排和时间表工作，过着自给但不能自足的生活。

再次是人口迁移的限制。本来中国城市的居民与农村有着极广泛的联系，相互的通婚、迁移没有什么问题。可是严格的户籍制度建立起来后，人们再也不能自由迁移。不仅城乡之间不能随意迁

---

① 周大鸣、郭正林：《论中国乡村都市化》，《社会科学战线》1996年第4期。

移，就是乡村与乡村之间，城镇与城镇之间的迁移也受到严格的限制。更不可能向海外移民。这样随着人口的自然增长，农村人口过密化的现象越来越严重。

另一头的城市呢？共和国的创立者强调优先发展城市，可是城市虽有优先的政策，却没有优先发展起来。在苏联模式的影响下，首先是优先工业化而忽视都市化，我们将这种工业化与都市化不同步发展称为“二化异步”。① 同时，在工业的发展中，强调发展重工业，而压抑第三产业。错误地认为第三产业没有创造真正的财富不是真正的生产，甚至认为服务业、商业是属于“资产阶级”的而砍掉。这样造成城市的交通、能源、通讯，以及水、气、环卫设施的严重滞后；金融业、商业等服务业的萎缩，使得城市成了不流通的死水。仅就解决就业方面来看，重工业的有机构成高、投资成本大，而就业率低，加上城市服务业的压缩减少了大量就业机会。所以尽管城市居民节衣省食领取最低限度的工资，让国家能够积累更多的资金投资工业。可是工业的增长和就业机会的增长，还赶不上城市人口的自然增长。这样城市本身的劳动力都难以被吸收，更不要说吸收乡村剩余劳动力了。

自 1978 年起，我国农村实行家庭联产承包责任制，农村人口过密化的问题暴露出来，大批农村劳动力需要寻找出路。农村剩余劳动力的规模有多大呢？据有关调查平均剩余率为 40%，总量为 2.2 亿人口。据世界银行预计，1980—2000 年中国劳动力每年将增加 1000 万，据国内调查估计为 1200 万人以上，其中农村占总量的 70%。② 如此大规模的劳动力出路在哪里呢？原有的城市根本无法容纳这么多的剩余劳动力，因此农村劳动力就地转移成为必然的选择。在乡村普遍是走非农化和发展乡镇企业的道路，走发展小城镇的道路。对于这一发展趋势，有的称为“城乡一体化”，有

---

① 郭正林、周大鸣：《乡村都市化背后的政策分析》，《社会科学战线》1995 年第 4 期。

② 中国农村劳动力流动与课题组：《中国农村劳动力就业现状及发展情景研究》，《农业经济问题》1989 年第 7 期。

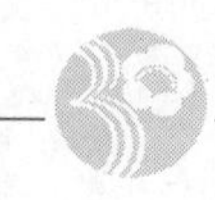

的称为“城乡协调发展”，有的称为“城镇化”等，但核心的内容是一致的，就是如何转移农村劳动力和协调城乡关系。[①] 从20世纪90年代开始围绕乡村都市化的研究逐渐增多，尤其是费孝通先生对乡镇企业与小城镇的研究[②]，兴起了乡村都市化的热潮。这些研究的成果已吸纳到中国政府的决策之中，在中共中央、国务院和全国人大的报告和远景规划中乡村都市化是一项重要的内容。[③]

人类学家认为：“都市化并非简单地指越来越多的人居住在城市和城镇，而应该是指社会中城市与非城市地区之间的来往和相互联系日益增多这种过程。”[④] 即城市与乡村的相互影响，乡村文化与城市文化互相接触融合后，产生了一种整合的社会理想，即既含有乡村文明的成分，又含有城市文明的成分，这种现象即为“农村城市化”（Rurbanization）。随着农村城市化而来的是城乡差别的缩小，农村的生产力结构、生产经营方式、收入水平及结构、生活方式、思维观念等的变化与城市逐渐接近、趋向统一。我们认为都市化，如果从人口来看，一方面是居住在都市中的人增加，另一方面是享有都市化生活方式的人增加；如果从空间来看，一方面是原有都市的扩展，另一方面是乡村的就地都市化；如果从过程看，经历着村的集镇化、乡镇的市镇化，县城和小城市的大都市化，大中城市的国际化和大都会区这么几个阶段。

从广东的实践看，乡村都市化可归结为五个方面：一是人口结构的分化，从事非农业的人增多；二是经济结构的多元化，第二、第三产业比重逐渐增加，农业经营方式从传统农业向外向型、商品化、现代化农业的转变；三是生活方式的都市化，人们的衣食住行

---

① 周大鸣、郭正林：《论中国乡村都市化》，《社会科学战线》1996年第4期。

② 参见费孝通：《小城镇、大问题》，江苏人民出版社1984年版；费孝通：《城乡发展研究》，湖南人民出版社1989年版。

③ 1996年3月17日全国人大八届四次会议批准《国家国民经济和社会发展“九五”计划和2010年远景目标纲要》，该纲要中专门论及了乡村都市化的问题。

④ Gregory E. Guldin：*Urbanizing China*，*Contributions in Asian Studies*，Number2，Greenwood Press，1992.

和休闲生活向都市生活的转变；四是大众传播的普及化，随着乡村生活水平的提高，大众传播日益渗透到乡村社会，成为乡村社会变迁的动力之一；五是思想观念的现代化，人们的思想观念从保守、落后、守成转为开放、先进和进取，人的文化水平提高，人的总体素质提高。广东农村30年来的历史表明，这五个方面的变化都已发生，只是程度不同而已。乡村都市化并不是都市化的终结，而是都市化的起步。随着经济的发展，当一个地方变富以后，集镇化和市镇化的步子就开始了；村变得更像乡镇，乡镇变得更像市镇，县城和小城市变得更像大城市，大中城市变得更为国际化。

围绕广东农村30年变迁展开的研究同时也是一个地方性的研究主题。如果我们把研究的目光推及广东发展的近现代史，可见广东农村的变迁脉络具有显著的地方性特点。表现在：

一是广东乡村变迁进程中的商品化传统。早在明清时期，广东的农业商品化程度就已经在全国独树一帜。明朝开始，富庶的珠江三角洲真正形成并有效开发。16世纪以后，西方殖民者东来，广东本地两个重要的三角洲的开发，都为海上贸易的发展带来了动力。海上贸易的发展，使广东商人学会了跟西方人打交道。美洲大陆的发现、白银的开采，给广东的经济发展带来了根本性的变化。当时有一条由西班牙人开辟的横跨太平洋的、从墨西哥到吕宋岛的航线，把美洲白银运到吕宋。广东海商从大陆运去大量的日常用品，包括棉花、丝绸、陶瓷等，换回了大量的白银。经济史专家估计自1500—1640年间，约有1亿两白银流到中国，其中绝大部分流入广东和福建。到18世纪时，流入的白银大约有4亿两，使得中国的物价温和地上升。这种温和的通货膨胀，促进了中国东南沿海地方经济的发展。康熙二十二年（1683）以后，清政府开海禁，允许中国商人出海贸易，也允许西方商人到中国沿海做买卖，乾隆中期以后更确定了广州“独口通商”的地位。海上贸易的合法化，促进了广东具有出口导向性质的经济作物种植的专业化，珠江三角洲的桑基鱼塘就是在那个时候大量形成的。韩江三角洲则大量种植

甘蔗，潮州的食糖远销全国各口岸。[①] 这些都极大地促进了广东商品经济的空前发展，更重要的是，它促使了民众商品意识和重商传统的形成，这一传统使广东在现代史上成为西方新事物传入中国的窗口，以及早期现代化先行一步的地区，对改革开放以后的广东发展乃至今天的广东发展仍然有潜在的影响。

但这一传统并不必然导致资本主义的产生。黄宗智先生对古典经济学家亚当·史密斯以及马克思提出的商品化必然导致近代化或资本主义的论点提出了质疑。他认为，亚当·史密斯和马克思都是依据英国的现状，没有把产量与劳动生产率加以区分，没有把增长与发展加以区分。而这些区分对理解中国农村经济史非常重要。他也引用人类学关于农民研究的成果和 C. Geertz 的“过密化”（Involution）来讨论中国商品化的问题。他认为中国农村最大的问题是人口对土地的压力。人均耕地面积的减少促使农民逐渐过密化，即不断在单位面积上增加劳动力投入来换取作物产量的有限增加，用经济学的术语就是单位劳动日边际报酬递减。长江三角洲的过密化主要是通过扩大经济作物种植和经营，尤其是种植棉花和发展棉纺手工业。这是一种应付人口压力下维持生计的策略，而非为了追求最高利润的资本主义经营策略，因此也不会带来资本积累。所以说这种由人口压力推动的过密化的商品化，与近代资本主义兴起的商品化有本质的区别。

许倬云先生也认为精耕农业阻碍资本主义的产生。首先是精耕细作造成的亲缘土著团体在长久的帝国结构上，这类团体的稳定性极强，自我调节能力也很强。除了社会的稳定性强外，社会也可以造成跟国家对抗的力量，在长期的结构中，国家权力占据了上层，社会的力量占据了基层，国家的权力永远无法完全渗透到基层，反过来，国家权力的维持要靠基层出来的人参与国家权力方可。在这一常态上，国家权力与社会权力的均衡状态中，最吃亏的是两者之

① 陈春声：《广东发展史》，中共广东省委中心组“广东学习论坛”第八期报告会录音，2004年6月24日。

间的交接点——大地主，因为国家权力第一个要侵犯的是大地主，而社会力的主力不是大地主，所以大地主不能长久保持。为什么中国没有走向资本主义化？从纯经济的角度，也就是从精耕细作农业的角度看，一方面资金是分散的，不容易集中；另一方面资金长期束缚在小块农地上。精耕细作的农业需要经常改良土壤以维持生产力，需要长期的资金投入。大量的资金无法转化成别的东西，这是中国没有产生资本主义的重要因素之一。[①] 许先生与黄先生的结论有异曲同工之感。

尽管改革开放以后广东农村的变迁是在社会主义市场经济逐步形成和完善的框架内进行的，但由于广大农村精耕农业的传统没有改变，所以规模化、产业化的进程不是农业内部变革的结果，而是工业对农业反哺的结果。这也导致工业化程度不高的东西两翼、粤北山区农业发展仍没有真正意义上摆脱精耕农业的影响，直接影响区域平衡发展。

二是广东乡村变迁进程中的“国家”和“社会”。中国是一个有国家的社会，不过王朝的行政架构基本上到县这一级为止，在朝廷委派的官员中，最基层的就是县一级的官员，县下面或许还会有几个巡检司，但巡检司的主要职掌在治安方面，且一个巡检司控制的地域远远要比今天的乡镇大。在这样的国家治理体系下，如何将一个一个的村落以及村落里一群群的人统合到一起？明代以降，随着士庶宗法观念的改变，逐渐形成了近世宗族制度的新规范，在这样的规范下建构的地方宗族，成为建立正统化社会秩序的基本方式。在明清宗族规范建立和衍变的过程中，宗族内部的权力关系及管理运作机制的改变常常是通过祖先祭祀制度的变化、里甲户籍登记和赋税征收方式的改变来实现的。[②] 广东自明清以后才基本奠定了今天汉人的基本居住格局，作为远离中央集权中心的“边陲地

---

① 许倬云：《中国古代文化的特质》，联经出版事业公司 1988 年版，第 32 ~ 33 页。

② 刘志伟：《宗法、户籍与宗族——以大埔茶阳〈饶氏族谱〉为中心的讨论》，《中山大学学报》2004 年第 6 期。

区”，广东宗族组织异常的发达，宗族观念代代相传，成为当地社会秩序的主要法则及人们日常生活的依赖。新中国成立以后，宗族作为封建糟粕而被国家压制，然而现实乡村社会和乡村文化的复杂程度远远超出了革命家和社会改造者当年的预想，国家对乡村社会的改造出现了很多意想不到的结果。在国家控制力量再次放松后，人们发现，广东村落的社会文化变迁一直是持续而不可分割的。政治的变迁，虽然引起了村落各方面的变化，但一些最基本的因素却顽强地保存着没有发生质的变化。宗族的形式也许发生了变化，但宗族谱系、信仰和习俗却一直延续。而宗族复兴、传统文化的再创造也为广东农村改革开放30年来的发展带来了机遇。

从乡土的自给自足社会到市场的风险社会，农民和村落的终结，是一个巨变，但也是一个漫长的过程，其间伴随着无数不足以外人道的喜怒哀乐，既有摆脱农耕束缚、踏上致富列车的欣喜和狂欢，也有不堪回首的个体和集体追忆。一个由血缘、亲缘、地缘、宗族、民间信仰、乡规民约等深层社会网络联结的村落乡土社会，其终结问题不是非农化和工业化就能解决的。广东农村改革开放30年的历程无疑也离不开全球广大乡村共同经历的非农化、城市化这一主线，但也同样离不开深层次的社会结构与精神文化变迁。

因此，在这些背景下展开的广东农村改革开放30年，实际上是原有乡村社会经济—政治—社会—文化秩序和制度变迁与重建的30年；广东农村改革开放30年，既是政府主导和政策不断调适完善的结果，更是农民在生存和发展过程中，爆发出无穷创造力，从而成为推动广东现代化进程最积极动力的过程，这是足以让城市里的经济学家、社会学家、政治学家等专家们惊诧的社会变迁，更是足以让世界瞩目和学习的内源发展之路。

二

（一）广东改革开放概况

30年来，广东农村改革开放一路高歌勇进，实现了三次质的飞跃。

首先，实行家庭联产承包责任制，废除人民公社，突破计划经济模式，初步构筑了适应发展社会主义市场经济要求的农村新经济体制框架。这个根本性改革，解放和发展了农村生产力，带来农村经济和社会发展的历史性巨变：粮食和其他农产品大幅度增长，由长期短缺到总量大体平衡、丰年有余，基本解决了全省人民的吃饭问题；以外向型为主的乡镇企业异军突起，带动农村产业结构、就业结构变革和小城镇发展，开创了一条有中国特色的农村现代化道路；农民生活水平显著提高，农村总体上进入由温饱向小康迈进的阶段；农民的思想观念顺应时代要求发生着深刻变化，农村精神文明和民主法制建设取得了明显进步。

其次，走农业产业化道路，发展农业适度经营和规模经营，大力发展“三高”农业，建立农产品商品基地。为提高农业经营效率，为适度经营和规模经营创造条件，广东在稳定家庭联产承包责任制和尊重农民意愿的基础上，积极推广农村土地股份合作制和“反租倒包”等土地流转办法，使耕地适当地向种田能手集中。农村股份合作经济的推行，为农村第二步改革找到了一个突破口，为发展规模经营提供了重要出路，为实现农村第二次飞跃奠定了基础，取得了显著成效：实现了农村生产要素的优化组合，提高了农业劳动生产率，为农业集约经营和规模经营创造了条件；为实行土地整体规划创造了条件，加快了小城镇建设和城乡一体化进程；为壮大集体经济开拓了新的路径，为农村社区公共福利设施建设提供了资金，改善了农村的生产和生活条件；明晰了集体资产产权关系，改善了农民与集体的关系，规范了经济行为，促进了农民民主政治建设。

再次，实施工业反哺农业，城乡一体化发展战略。经过改革开放30年来的发展，广东已基本具备了工业反哺农业、城市支持农村的经济实力和条件。近年来，广东对“三农”的政策支持力度明显加大，延续了两千多年的农业税已经退出历史舞台，公共财政投入向保护支持农业的政策倾斜，城乡统筹发展大步向前推进。农业和农村经济结构不断优化，第一、二、三产业协调发展；全省城镇化水平明显提高，农村富余劳动力基本实现充分就业；农民生活水平和质量显著改善，城乡居民收入差距明显缩小；农村公共服务更加完善，农村教育、科技文化、医疗卫生、人口和计划生育等社会事业显著进步，农村社会保障体系基本建立，城乡经济社会协调发展。

与1978年相比，广东农业和农村发生了翻天覆地的变化。

第一，农业和农村经济全面、高速增长，农业主要经济指标和主要农产品总量位居全国前列，农业整体素质和综合生产水平有了较大提高。粮食生产稳步发展，种植结构进一步优化。主要农产品在空间布局上逐渐向适宜区集中，形成了具有区域特色的主导产品和支柱产业。粤西、粤东和珠江三角洲成为我国最大的南亚热带水果、蔬菜和花卉主导产区，粤东成为我国名优单枞茶商品生产基地，粤西为我国糖蔗最重要的生产基地之一；畜禽生产规模化、现代化程度提高，牧业结构逐步优化；农业机械化加速发展，农机拥有量不断增加，装备结构进一步优化，服务方式不断创新，作业领域不断拓宽；农业科技工作取得新成效，农村劳动力素质得到提升；先进适用技术得到广泛推广应用，科技成果的转化率和转化速度进一步提高；启动基层农业技术推广体系改革试点工作，共培训骨干农民近36万人（次）。

第二，农业生产结构进一步调整优化，效益农业和特色农业迅速发展。种植业稳定发展，畜牧业比重提高，林业发展加快，海洋经济进一步壮大，产值约占全国的1/5。种植业比重继续下降。从种植结构和品种看，优质、特色、适销、高效园艺作物持续发展，

综合经济效益显著提高。农村工业发展迅速，农产品品种资源丰富，质量提高快。

第三，农业产业化经营水平进一步提升，农业现代化建设继续推进。截至2005年，广东省有各类型农业产业化组织8732家，带动农户535.8万户；各级扶持的农业龙头企业1482家，带动农户421.4万户，户均增收1401元。农民专业合作经济组织试点范围扩大，2005年广东省农民专业合作经济组织1100家，农产品专业市场218家，农村经纪人1517个。完成了珠江三角洲十大农业现代化示范区建设，东西两翼和粤北地区12个农业现代化示范区建设进展顺利，示范辐射效应逐渐显现。

第四，农产品质量安全生产工作取得新进展，竞争力日益增强。截至2005年，累计创办了97个省级农业标准化示范区和一批市级示范区，组织制定省级农业标准111个，广东省21个地级市、56个县以及27个大型农产品批发市场建立了农产品质量安全检测中心（站），农产品质量安全监测体系进一步完善。全面实施“无公害食品行动计划”，通过认证的省级无公害农产品基地660个，产品1206个；绿色食品企业110家，有效期内产品个数224个；累计评出“广东省名牌产品（农业类）”182个。

第五，广东省与珠江流域区域农业合作扎实开展，外向型农业发展态势良好。建立起珠江流域农业合作联席制度，积极搭建区域农业交流和合作平台。与此同时，各地积极发展具有国际竞争力的农产品，尤其是园艺产品及其制品的出口增幅较大。

第六，对农业农村的扶持政策力度加大。“十五”时期省级财政用于支农的资金达467亿元。2005年，广东全面免征农业税，继续实行粮食最低收购价政策，种粮补贴覆盖面扩大，补贴种粮大户和农机专业服务组织购买农机具。这些政策措施直接调动了农民种粮的积极性，稳定了全省粮食生产。广东省开通了鲜活农产品流通“绿色通道”，保障了农产品运销畅顺，缓解了农产品销售困难问题。省委、省政府出台了《关于统筹城乡发展，加快农村“三化”建设的决定》，实行城市支持农村，工业反哺农业战略，相关

配套措施正在落实。省人大将《关于加强农田水利基本建设议案》列为重点办理议案，省政府设立了地力培育专项资金，增加了沼气建设补助专项资金，这些对推进农田基础设施建设和农业生态建设，改善农业生产条件将发挥长期的积极作用。

第七，农民收入持续增加，生活质量不断提高。农村收入来源多元化，工资性收入快速增长，成为农民增收最直接、最重要的推动力。农民家庭资产增多，财产性收入增长加快；货币收入比重快速提高，农民参与市场能力增强。收入水平的提高，使农村消费能力显著增加。农民生活质量明显改善，从温饱生存型开始向质量发展型过渡，农村家庭的耐用消费品的普及程度提高，升级换代速度加快。

第八，县域经济取得新突破。县域经济作为国民经济的基本支柱，在广东省国民经济和社会发展中占有重要地位。30 年来，广东县域经济取得了较大发展，综合实力日益增强。① 全省县域农业产业化经营有了较快的发展，初步形成了龙头企业带动型、中介组织带动型、专业市场带动型等不同类型的农业产业化经营组织体系和“生产有基地、营销有组织、流通有市场、出口有渠道”的农业产业化经营基本框架；② 县域经济结构逐步优化，各县（市）充分发挥比较优势，形成具有县域特色的工业结构；③ 城镇化进程不断推进，坚持“乡镇工业小区、市场建设、城建发展”三位一体的发展路子，初步形成了以县城为核心，中心镇为重点，建制镇为基础，辐射带动全县的城镇体系；④民营经济已成为县域经济的主导经济，成为县域国民经济发展的重要支撑力量和实现社会稳定的重要经济支柱；⑤ 专业镇成为县域经济的生力军。专业镇由规模化、专业化生产并形成产业链，逐步发展成为现代“簇群经济”，推动了县域经济转型升级。

第九，农村社会事业全面发展，生产生活条件大大改善。全面实行农村九年免费义务教育，农村职业教育和高中教育蓬勃发展；农村卫生服务网络不断完善，农村合作医疗全面实现县级统筹，新型农村合作医疗覆盖面不断扩大；农村“五保户”供养机制和最

低生活保障制度健全；农村人口增长得到有效控制；加快农村道路、饮水、沼气、电网、通讯等基础设施建设；加强村庄规划和人居环境治理，逐步实现网络到镇、信息进村。扶贫开发工作扎实推进，水库移民后期扶持试点工作启动，沿海捕捞渔民转产转业顺利。乡镇综合配套改革试点稳步进行。

第十，实施村民自治制度，农村民主政治建设稳步推进。1998年，广东撤销农村管理区体制，全面实行农村村民自治制度。农村基层党组织的战斗力、凝聚力和创造力加强；建立健全民主选举、民主决策、民主管理和民主监督的社会主义新农村的乡村治理机制；完善村务公开、财务公开制度，进一步理顺村党组织和村民自治组织的关系，理顺村“两委”与村集体经济组织之间的关系，完善“一事一议”等民主议事制度，党群干群关系得以改善。建立完善的社会治安防范体系，依法打击“两抢”、盗窃、黑恶势力等各种犯罪活动，坚决扫除“黄赌毒”、非法传销、邪教等社会丑恶现象。积极推进农村文化建设。全面实现村村通广播电视，继续实施农村电影放映工程，发展文化信息资源共享工程农村基层服务点。积极开展群众喜闻乐见的健康文化体育活动，保护和发展有地方特色的优秀民族民间文化和传统体育活动，深入开展文化、科技、卫生“三下乡”活动。

（二）广东改革开放的发展阶段

从广东农村改革开放的发展轨迹来看，大致可以划分为四个阶段。

1．农村改革起步阶段（1978—1984 年）。

这一阶段，家庭联产承包责任制初步建立。到 1984 年底，全省大部分地区都完成了调整土地，延长承包期的工作，家庭联产承包责任制作为农村的一项基本经济制度稳定下来。与此同时，对农产品流通体制和价格体制进行了配套改革，提高农产品收购价格，适当调整粮食等产品统、派购任务，缩小派购农副产品范围，赋予农民生产自主权。这一时期改革的另一个重点是实行政社分开，建

立乡政府。从1983年下半年开始，广东省全面开展了对人民公社体制的改革，实行政社分开，公社设区，大队设乡。到1984年上半年，广东省改革人民公社体制工作基本完成。这些改革措施极大地解放了农村生产力，农村经济全面发展，主要农产品产量大幅增长，农业生产结构优化，农业生产从自给自足走上商品化发展轨道。总体而言，这一时期的农村改革核心内容是实行以家庭承包经营为基础、统分结合的双层经营体制，其实质是从计划经济体制转变到市场经济体制上来，逐步建立与社会主义市场经济发展要求相适应的农村经济体制和基层社会管理体制。

2. 农村改革全面发展阶段（1985—1991年）。

这一阶段，出现了第一个“黄金发展期”。全省围绕发展商品经济的目标，继续完善以家庭联产承包责任制为主的基本经营制度，深化农村各个经济领域的改革，建立健全新的商品经济运行机制，大幅度调整产业结构，广泛开发利用农业资源，大量引进新技术、新品种改造传统农业，以农（特别是开发性农业）林牧副渔业迅速崛起，农村工业、建筑业、商饮业综合发展为标志，推动广东农业和农村经济迈上了一个新台阶。这个阶段较为突出的特点是：① 全省展开了大规模的造林绿化活动，造林种果成为改变山区农村面貌，改善生态环境，支持城乡建设的重大举措。结合全省造林绿化高潮，掀起持续五年的农业综合开发热潮，加快了农村经济发展步伐。② 乡镇企业异军突起，迅猛发展。农村实行联产承包后，全省实行第一、二、三产业一齐上，大、中、小企业一齐上，集体、联户、个体企业一齐上的乡镇企业发展方针，坚持因地制宜，放手发展的原则，突破了发展乡镇企业的各种禁锢，促成乡镇企业向多层次、多成分、多形式全方位发展。至1988年，全省乡镇企业已发展到115.83万个，从业人员645万人，总产值476.32亿元。③ 个体经济、私营经济和“三资”企业也开始稳步发展，形成公有经济与多种经济成分共同发展的局面，大大改变了全省经济落后的状况。到1991年，广东的经济，已经形成“三分天下”的格局：即一是国有经济，一是集体经济，一是非公有制

经济。乡镇企业和多种经济成分的非公有企业吸纳了大量的农村剩余劳动力和城镇的就业人员。④ 这一时期广东农村改革的另一个亮点是农村股份合作制在珠江三角洲的推行。珠三角的农村股份合作制孕育于20世纪80年代初，发展于80年代中后期，到1989年，这一制度在广州郊区、深圳郊区和江门等地的试点取得较大成功。1991年10月29日至11月2日，在广东宝安县召开的“广东省农村股份合作制经济研讨会”标志着农村股份合作制在珠三角农村全面推开。

3. 进入发展农业产业化阶段（1992—2001年）。

1992年，邓小平同志视察南方，发表重要讲话，掀起了新一轮的改革开放高潮。这一阶段，广东基础设施和各种建设迅猛发展，对外开放扩大，大量引进外资。农业方面，这一时期，随着开发性农业和农村产业结构调整的不断发展，传统农业得到改造，主要农产品大幅增产。乡镇企业加速发展，农民收入不断增加，农村温饱基本解决，社会对农产品的消费需求由数量型向质量型转变，农业生产根据这一变化，及时调整品种结构，发展高产、优质、高效农业。“三高”农业蓬勃兴起，向现代农业迈进了一大步。“三高”农业的兴起，是广东农业发展史上的重大突破和转折点，标志着广东农业从单纯追求数量向质量、数量、效益三者统一转变，由传统的自给自足小农经济向现代商品经济农业转变。近年来，“三高”农业已由珠江三角洲向东西两翼和北部山区迅速发展，成为广东农业农村经济持续稳步发展的重要力量。一是“三高”农业产品在全省农产品总量增长中起关键作用，“三高”农业总产值占全省农业总产值比重超过六成；二是“三高”农业优化了农业生产结构，提高了农业经济效益，初步建立起有广东特色的现代农业产业框架；三是建立了一批各具特色的“三高”农业基地，形成了一批主导产业及名牌农产品。

4. 城乡统筹发展的农村改革新时期（2002年至今）。

这一时期，我国社会经济已进入新的发展阶段，初步具备了对农业进行支持和保护的能力和条件。2002年10月党的十六大召

开，提出了“统筹城乡经济社会发展”的重大战略指导思想，标志着我国农村改革进入了一个以调整国民收入分配关系为核心的重大历史转变时期。从2004年到2006年，中共中央、国务院按照“以人为本”的科学发展观、“多予少取放活”的六字方针、“工业反哺农业、城市支持农村”的科学论断和“建设社会主义新农村”、“构建社会主义和谐社会”等一系列的重大战略部署，着眼于从根本上改变城乡“二元”结构和体制机制。这一时期，农村改革采取的重要措施有：公共财政投入向保护支持农业的政策倾斜，全面取消农业税，加大农业投入，建立健全新型农村合作医疗、农村养老保险和农村最低生活保障制度，推进以促进农村上层建筑变革为核心的农村综合改革。

（三）广东农村改革基本经验

中共十一届三中全会以来，广东农村改革开放和发展的实践，在解决农业、农民、农村问题上取得了突破性的重大进展，创造了十分丰富、极为宝贵的经验。

——坚持解放思想、实事求是的思想路线，不是停留在口头上，而是实实在在地体现在改革的探索和实践中，体现在以解放思想、更新观念为先导，从实际出发探索和开辟前进的道路中。广东善于从实际出发，在积极领会中央精神中寻找发展的空间，善于在创造性落实中央的要求中开辟道路。

——坚持以市场为取向的改革，为农村经济注入新的活力。确立农户自主经营的市场主体地位，鼓励农民面向市场发展商品生产，进入流通领域。改革农产品流通体制，主要由市场形成价格，在国家宏观调控下发挥市场对资源配置的基础性作用。加强和改善国家对粮食这一特殊商品的宏观调控，保护农民积极性，保证供给和价格基本稳定。农村经济转入社会主义市场经济的轨道，在这个新的条件下把农民的积极性引导到更高的阶段，对于实现农业的专业化、市场化、现代化具有全局性意义。

——承认并充分保障农民的自主权，重视人民群众的首创精

神，尊重群众的实践经验，把调动广大农民的积极性作为制定农村政策的首要出发点。对各地的改革试验，不急于下结论，不争论，不刮风，不搞“一刀切”，切实保护广大干部群众从实际出发进行改革探索的积极性。广大人民群众中蕴藏着巨大的生产力，只要政策对头，措施得当，将其引发出来、释放出来，就会创造巨大的财富，推动经济社会发展。

——发展公有制为主体的多种所有制经济，探索和完善农村公有制的有效实现形式，促进公有制经济与其他所有制经济成分有序竞争、共同发展，形成了不同所有制经济互相促进的综合优势，使生产关系适应生产力发展要求。非公有制经济对于加速广东经济的发展，增强综合实力，减少改革的震动，发挥了很大的作用。大力发展非公有制经济，有效地促进了广东社会生产力的发展，在增加社会物质财富，增加政府税收的同时，还解决了大批闲置人员的就业问题，促进了社会稳定。

——从全局出发，高度重视农业，使农村改革和城市改革相互配合、协调发展。坚持以农业为基础，从政策、科技、投入等方面大力支持农业。首先启动农村改革，以农村的改革和发展推动城市，又以城市的改革和发展支持农村，这是广东改革的成功之路。

——因地制宜，分类指导，大力发展乡镇企业。乡镇企业的迅猛发展，是广东农村改革开放最大的成果。目前，乡镇企业在全省农村经济和国民经济中处于越来越重要的地位，已成为农村经济的支柱和国民经济的重要组成部分。广东乡镇企业的发展，对于壮大农村集体经济，促进农业现代化建设，加速农村剩余劳动力转移，加快农村工业化、城镇化步伐，逐步缩小工农差别和城乡差别发挥了重要作用。

——实行对外开放，坚持以改革促开放，以开放带动发展。中共十一届三中全会后，广东利用中央给予的特殊政策，率先一步推行对外开放，大量引进港澳地区及国外的资金、技术、人才，发展外向型经济。广东对外开放对农村经济发展起到了重要推动作用，不仅兴办了大量“三来一补”乡镇企业，促进了珠三角地区的农

村工业化和城镇化，使之成为全国范围内首屈一指的经济发达地区，而且在利用外资发展农业方面的成绩也十分显著。外向型农业的发展，还促使广东与国际农产品市场接轨，直接促进了农业生产向规模化、效益化和商品化的现代农业转型。

——大力推进农村民主政治建设。通过全面实行村民自治，推进民主政治建设，不断增强党和全社会的活力，是广东农村经济腾飞的奥秘之一。广东经济腾飞具有深刻的政治意义。

——党建先行。强有力的领导班子和各级党组织，有利于促进改革开放和党的建设良性互动。广东的实践提供了一个观察和理解中国政治优势的范本，证明中国共产党可以领导和驾驭市场经济。

广东农村改革开放的巨大成就，主要是党的路线、方针、政策和邓小平建设有中国特色的社会主义理论指导的结果，是贯彻执行党中央、国务院方针政策的结果。广东党政领导充分利用中共中央和国务院给予广东的“特殊政策、灵活措施”有利条件，坚持以发展商品生产和市场经济为取向的农村经济改革，和实行对外开放、对内搞活的发展经济方针，以改革促发展，在发展中深化改革，通过深化改革进一步推动农业和农村经济的增长，是广东农业和农村经济取得巨大成就的一个根本原因。

推广广东农村变革与发展的成功经验，对于人们深化对建设中国特色社会主义理论的理解，对于各级党政领导在有关农村问题上进行正确的指导和决策，对于社会各方面和全国了解广东农村改革和发展的历史、现状与趋势，具有十分重要的意义。同时，中共十六届五中全会提出了建设社会主义新农村的重大历史任务。总结广东农村改革开放30年来的发展经验，看清自身的发展历程和特点，并对进一步发展所面临的主要矛盾、挑战和发展方向进行分析和预测，将为实现新的社会经济发展目标，谱写改革开放新篇章提供有价值的参考。

第一章
变革始于土地制度

一、新中国对土地制度的探索

传统中国是在农耕经济基础上形成的乡土社会，在这种社会中，土地是农民的“命根子”，因此，土地关系的变动从来不是社会变革的副产品，而是与社会变革相互促进。以最近的史实来说，许多学者都将1949年作为研究中国的分水岭，因为共产党在这一年取得了对国民党完全的军事和政治胜利，执掌了中国大陆的政权。土地制度在国共两党的斗争中扮演了关键角色。中共采取的将地主的土地分给贫苦农民的土地政策赢得农民的热烈拥护，从而为革命胜利奠定了坚实基础。毛泽东敏锐地认识到，“两党的争论，就其社会性质来说，实质是在农村关系的问题上”①。著名历史学家黄仁宇先生也承认，毛泽东选择的道路，是中国唯一可走的道路，“透过土地改革……革命让中国产生某种新力量和新个性，这事蒋介石政府无法做到的”②。在革命胜利后，中共继续推进未完成的土地改革事业，重新在农村分配土地资源。其具体做法是“损有余补不足”，将地主阶级的土地收回，分配给无地或少地的

---

① 毛泽东：《论联合政府》，转引自周晓虹：《传统与变迁——江浙农民的社会心理及其近代以来的嬗变》，三联书店1998年版，第149页。

② 转引自吕正惠：《三十年后反思“乡土文学”运动》，《读书》2007年第8期。

贫雇农，使农村人均占有土地面积趋于相同。这一改革兑现了中共对农民阶级“耕者有其田”的承诺，再一次塑造了一个普遍平均的小农社会。

土改实现了均田地的小农理想，但也创造了遍布中国乡村的众多小土地私有者。虽然土地改革使中国大多数地区取得了大幅度的农业进步，农户生活水平也有了一定提高，甚至在一定程度上出现了“中农化”趋势。但这场改革也具有重大缺陷。首先，土改之后的农民仍然处于土地规模狭小，农作技术落后，农业资金投入严重不足的境地；其次，地权的平均化并不能防止土地在农户间的自发转移，从而导致土地重新集中于少数农户的趋向；再次，这一改革将一部分已经从农村分流出去的劳动力重新拉回到土地上，并因此强化了广大农民对私有土地的依附性；最后，孤立、分散、守旧和落后的小农经济无法为工业的起步提供更多的原始积累。因此，新中国成立后的土地改革所建立的土地制度既不符合生产力发展需要，也与社会主义政治目标相左，迫切需要进行进一步改革。

围绕土地制度应该向何种方向改革的问题，当时党内的最高决策层产生了严重分歧。争论主要在毛泽东和刘少奇之间展开，毛主张立即否定土地私有制并向集体化过渡，而刘反对这种激进的思想和行为，主张长期保留富农经济。争论的结果是最终采取了毛泽东提出的方案，再次变革土地所有制关系，将土地私有制转变为土地集体所有制。在这一指导思想下，集体化运动轰轰烈烈开展起来。这场运动以兴办互助组开始，经土地、农具入股分红的初级农业生产合作社，再到土地集体所有的高级农业生产合作社，止于人民公社。人民公社的建立，标志着土地私有制彻底被消灭。这场土地关系变革，从开始到完成，只经过了短短八年时间。如此仓促的改革，导致了大量遗留问题，也使人民公社制度遭到了种种怀疑和危机。1959年后，因面临普遍的危机，人民公社被迫将初期的公社单一所有制改为“三级所有，队为基础”。此后，这一土地所有制形式基本稳定下来，一直持续到改革开放前的1978年。

土地集体化成功地防止了农民贫富分化，却没有能够实现农民

的共同富裕。集体化的初衷是希望通过集体的协作劳动产生比单个农户经营更好的经济效应，但其实施的客观效果恰恰与最初的设想背道而驰：集体单位的成员对集体、集体化根本不热心。消极怠工的现象比比皆是。在黄宗智看来，这是集体组织以相对低效率和就业不足为代价，为每个人提供就业机会，导致了与之前的小农家庭经济别无二致的“过密化”。集体化时期“过密化”的主要特征，是没有发展的增长。[①] 显然，这样的结果不符合一个发展中的大国对“发展”的强调和追求。这也意味着，对土地所有制的艰苦探索必须继续进行。

二、家庭联产承包责任制：对集体化的修正

由于在集体制下，社员不能满足追求自己劳动所得的天性，因而即使顶着强大的政治压力和风险，广大农民也从未放弃使用各种方式来对国家政权强加的集体化进行反抗。在当时的时代背景下，农民们只能在不改变土地的集体所有制形式，不改变与国家的交换关系的前提下为自己争取利益空间。如此一来，各种将个人的生产责任与劳动所得相联系的承包制变成为数不多的可以采取的变通、反抗方式之一。有意思的是，集体化与承包制几乎产生在同一时间。虽然为了集体化的顺利推行，各种承包制都受到了严厉的批判和压制，但始终都不能被彻底根除。小岗村民又一次尝试承包制的冒险之所以成为改革的先声，完全是一场历史的巧合。这些村民无论如何没有想到，国家上层也在酝酿改革求变之举。同一时期召开的中共十一届三中全会锐意改革，决定使国家摆脱“政治漩涡”，重新回到社会主义建设中来。小岗村的“包产到户”正好为这股激荡的思潮提供了现实出口，承包制顿成燎原之势。

同全国其他地区类似，广东的农村经济体制变革也是从推行家庭联产承包责任制开始的，并构成了农村经济体制变革初始阶段的

① 黄宗智：《长江三角洲小农家庭与乡村发展》，中华书局2006年版，第11页。

主旋律。

（一）联产承包责任制的发展阶段

1. 农业生产责任制出现与初步推行阶段（1978年夏至1979年冬）。

从1978年夏季开始，广东一些贫困地区的生产队开始试行包产到户和包干到户的联产承包责任制。同年，中共广东省委决定在冬种生产中普遍推广定人工、定产量、定成本到作业组，超产奖励的"三定一奖"到组责任制。1978年12月，中共十一届三中全会召开，深入讨论了农业问题，制定了恢复和发展农业生产的一系列措施。会议同意将《中共中央关于加快农业发展若干问题的决定（草案）》和《农村人民公社工作条例（试行草案）》发到各省、自治区、直辖市讨论和试行。这些初步改革措施，对于纠正农村工作长期的"左"倾错误，调动广大农民的生产积极性，促进农业生产发展，起到了很大的推动作用。经过深入农村的调查研究，总结经验，1979年2月，广东省委决定把"三定一奖"责任制扩展为"五定一奖"责任制（即定劳力、定地段、定产量、定成本、定工分到作业组，超产奖励）。对于当时某些地方自发搞的"联产到劳"责任制，既不轻易否定，也不提倡，留下较大的思考观察空间；对于田间管理责任到人，认为可以试行；对于零星少量经济作物，认为可以"联产到劳"；对于"五边地、边远地、山坡地"，认为可直接实行"五定一奖"责任制，亦可包产到人、包产到户。

"五定一奖"生产责任制较好地体现了按劳分配、多劳多得的社会主义原则，有利于调动广大农民生产的积极性、主动性和创造性，对于改变农村普遍存在的吃"大锅饭"现象，起到了很好的作用，被认为是中国农业体制改革的最初实验之一。①

2. 生产责任制逐步推广阶段（1980年春至1981年底）。

这一阶段，全省农村实行多种形式的生产责任制，但劳动成果

---

① 《调动农民积极性的一项有力措施》，《人民日报》1979年5月20日。

的大部分仍然按工分分配到人，农民的生产积极性仍受到限制。1980年5月，广东召开了全省农村工作会议，对包产到户展开了热烈的讨论。省委在会后印发了《农村工作会议纪要》，一方面要求各地纠正分田单干，另一方面则根据会议讨论意见，决定允许特殊困难地区的生产队可以搞包产到户，作为解决困难的权宜之计（要经县委或地委批准才能实行）。[①] 1980年9月，中央下发25号文件，提出边远山区和贫困落后地区可以包产到户，也可以包干到户。许多过去搞了包产到户、包干到户而不敢公开的生产队，纷纷化暗为明；过去想搞不敢搞的生产队也很快搞起来。各级领导对此项工作加强了指导，实行包产到户、包干到户的生产队大幅度增加。1981年1月，广东全省已包产到户的队占总队数的10.7%，已包干到户的队占30.2%，大大调动了群众生产积极性，粮食获得了较大幅度的增产。此后，包产到户，特别是包干到户，不仅在贫困地区，而且在一些生产水平较高、集体经济较多的地方也实行了；不仅粮食生产包干到户，而且林业、畜牧业、渔业和乡镇企业也实行了各种形式的承包责任制。

3. 家庭联产承包制总结、完善和普遍推行阶段（1982年1月至1983年5月）。

1982年1月中央下发1号文件，对“包”字的定性进一步突破，认为“包产到户”也是社会主义集体经济的生产责任制。这个重要历史文献，给广东省干部群众推行“包产到户”责任制以极大鼓舞。12月，省委召开会议，要求在全省农村坚持实行农业联产承包的责任制。有了省委的明确支持和大力推动，全省农村的家庭联产承包责任制改革迅速发展起来。1983年中央1号文件下发后，家庭承包制的实行范围进一步拓展。到1983年5月，全省包干到户和包产到户的队占总队数的98%。至此，大包干的家庭联产承包制已成为生产队的主要经营形式，统称为家庭联产承包责

① 王涛、黄频英：《改革开放以来广东农业经营体制改革的历程》，《华南农业大学学报》2005年第3期。

任制。家庭联产承包责任制把国家、集体、个人三者利益有机统一起来，把农民的劳动同物质利益直接联系起来，调动了广大农民的生产积极性，极大解放了农村生产力，促进了农村经济的快速发展。1983年广东省粮食大丰收，总产量达1817万多吨，农业总产值130.2亿元，农村状况和农民生活大大改善。

（二）联产承包责任制的稳定和完善

1984年1月1日，中共中央发出《关于一九八四年农村工作的通知》，提出要稳定和完善联产承包责任制，帮助农民在家庭经营的基础上，扩大生产规模，提高经济效益，延长土地承包期；为完善统一经营和分散经营相结合的体制，一般应设置以土地公有为基础的地区性合作经济组织。为贯彻中央精神，根据省委部署，全省各地开展了延长承包期和调整土地的试点工作。1984年9月28日，省委转批了省委农村工作部《关于延长土地承包期，完善联产承包责任制的意见》，对落实有关政策提出具体要求。到1984年底，全省大部分地区完成了调整土地、延长承包期的工作，家庭联产承包责任制作为农村一项基本经营制度，长期稳定下来。

家庭联产承包责任制的普遍实行，活跃了农村经济，促进了农业生产的发展，也促成了政社合一的人民公社制度的解体。1983年10月，中共中央作出实行政社分开、建立乡镇政府的决定。1984年上半年，广东省改革人民公社体制的工作基本完成。根据中央和广东省的要求，全省各地又陆续设置了农村社区合作经济组织，即在原生产队一级设置经济合作社，在原大队一级设置经济合作联社，在原公社一级设置经济合作总社，有的建立了公司。

此后，加强和改进农村经营管理，完善承包制，一直是农村工作的主要任务。1985年9月，省委、省政府召开农村经济经营管理工作会议，会议将农村经营管理工作的基本任务概括为“指导、组织、管理和服务”，强调要建立和健全地区性经济合作组织，完善家庭联产承包责任制；要抓好农村土地管理、合同管理、财务管理、劳务管理；切实加强对农村经营管理工作的领导。1989年5

月召开的全省农村工作会议，提出要充分发挥合作经济组织为家庭经营服务的职能，有效提供产前、产中、产后服务；完善土地承包制，逐步实行土地有偿承包；群众要求调整承包土地的，可以在“大稳定”的前提下，适当进行“小调整”。1990 年 5 月，省政府颁布了《广东省农村社区合作经济组织暂行规定》，对农村改革后农村经济组织的组织形式和权利义务、成员的权利义务及经营管理方式作了规定。1990 年 7 月，省委转批了省委农村工作部《关于完善农村集体土地经营管理体制的意见》，对实行土地有偿承包、土地承包经营权流转和加强承包合同管理等问题提出了政策意见。1992 年 5 月，省人大常委会公布了《广东省农村社区合作经济承包合同管理条例》，把承包合同管理纳入了法制轨道。[①] 1993 年通过的《宪法》修正案规定：农村集体经济组织实行以家庭联产承包为主的责任制、统分结合的双层经营体制。这就使家庭承包经营的地位进一步得到法律保障。1998 年 10 月，中共十五届三中全会通过的《关于农业和农村若干重大问题的决定》重申：“实行家庭承包经营……具有广泛的适应性和旺盛的生命力，必须长期坚持。”

（三）家庭联产承包责任制的作用

伴随着家庭联产承包责任制的推行，农村生产力得到了极大的解放和发展，农村经济呈超常规增长。从 1979 年到 1984 年六年间，农业总产值增长 55.4%，平均每年增长 7.6%。粮食产量增长 33.6%。连续几年粮食大幅度增产，1984 年粮食总产量达到 40731 万吨，人均 800 斤，为有史以来最高水平，接近世界人均水平；农业总产值达到 3214.13 亿元人民币。而 1978 年中国粮食总产量只有 30477 万吨，农业总产值只有 1397 亿元人民币。1978 年农民人均收入 133.6 元，1984 年达到 545 元。1984 年国务院向世界粮农

① 中共广东省委党史研究室等：《中国新时期农村的变革 · 广东卷》，中共党史出版社 1998 年版，第 39 ~ 41 页。

组织宣布，我国已基本上解决了温饱问题。①

广东农村经济在这时期也获得了巨大发展，实现了第一个飞跃。

一是农村经济全面发展。1987年全省农村社会总产值753.56亿元，比1978年增长5倍，其中农业占51.8%；1987年全省农业总产值389.87亿元，比1978年增长3.86倍；乡镇企业发展很快，全省有乡镇企业118万多个，企业人数609万人，总产值342.8亿元，总收入387.97亿元。

二是主要农产品产量大幅增长，1987年全省粮食总产量比1978年增长12.9%，糖蔗总产量比1978年增长78%，油料总产量比1978年增长51%，水果总产量比1978年增长7.9倍。

三是农业商品率有较大提高，1987年与1978年相比，粮食商品率从20.46%提高到25.4%，生猪商品率从22.9%提高到88.7%，社会农产品商品率从41.7%提高到64.1%。

四是外向型农业迅速发展，全省建立起三大类外向型商品基地：粤东和雷州半岛果菜基地、粤北土特产基地和珠三角优质农产品基地。1987年全省农副产品及加工出口创汇共83.85亿美元，占全省同期出口商品总值的30.1%。

五是农民生活水平有很大提高，1987年全省农民人均纯收入645元，比1978年增加2.34倍。农村居住条件有较大改善，人均居住面积从1978年的8.4平方米，增加到1987年的16.05平方米。电视机、收录机等现代生活设备进入寻常百姓家，农村储蓄存款大幅增加。②

① 李正华：《论邓小平的"三农"思想对中国农村改革的重大意义》，《当代中国史研究》2005年第2期。

② 广东省地方史志编纂委员会：《广东省志·农业志》，广东人民出版社2002年版，第12页。

三、农村股份制：对集体化的否定之否定

（一）微观经营与宏观经营的矛盾

农村经济的微观经营与国民经济的宏观发展的矛盾一直是困扰中国农村发展的主要问题之一。新中国成立之初制定的土地政策由于过于浓厚的小农经济色彩而被集体化所取代，但集体化同样没有能够解决微观经营与宏观经营之间的对立，最终无法坚持而被放弃。取而代之的是家庭联产承包责任制，这种制度试图以“统分结合，双层经营”来调和微观与宏观之间的矛盾，既给农户一定的生产经营权，又不至于使集体经济完全解体，令集体化的成果付之东流。那这项政策的实际应用效果如何呢？

家庭联产承包责任制改革一个优先的目标，就是解决农村微观经营机制的问题。可是，仅仅这一步，并没有解决经济发展的宏观机制，即市场经济机制问题。改革的目的是发展生产力，特别是发展商品生产。忽视这一条，家庭经营就被限制于自给经济水平。[①]由于改革重点始终放在家庭承包经营制的完善和强化上，所以农业改革实际上走的是一个“实化家庭承包经营权，虚化土地集体所有权”的道路，农业双层经营事实上逐渐演变成了农户单层经营，分（单户生产）被强化，统（联产）则日益淡化。加上农业生产手段等方面仍没有大的改观，因而单家散户、简单劳动与土地直接结合的传统式小农生产方式在我国复活并重新统治广大农村。这一“小农经济”经营管理体制，使联产承包责任制在五至十年内体制能量释放殆尽。这种带有“农民福利性”的农村集体土地产权制度设计，是与我国农业和农村社会化、专业化、商品化的发展趋势

---

① 杜润生：《中国农村体制变革重大决策纪实》，人民出版社2005年版，第146页。转引自张新光：《中国近30年来的农村改革发展历程回顾与展望》，乌有之乡网站，2007年1月15日。

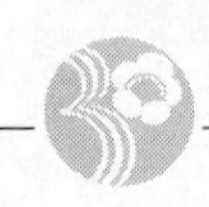

自相矛盾的。家庭联产承包责任制的局限性，一家一户的分散经营，使得土地、资金、人力、物力受到制约，难以进行较大规模的现代农业开发，难以从事农田、水利等基本设施建设，难以适应各种非农产业发展的需要。此外，城市化问题、土地问题、集体企业的发展问题、农民组织化程度问题、规模化经营问题等也较为突出。若想从根本上解决上述问题，解决“三农”问题，从而推动中国农村经济步入新的发展阶段，必须变革现有的生产关系，建立与社会主义市场经济发展相适应的新的农业生产经营模式。作为我国改革开放的前沿阵地，广东再一次走在了探索的前列。

一是对既定政策进行修订，适当强化家庭联产承包责任制中“统”的方面，减少因过于强调“分”而造成的消极影响。尤其是倡导在珠三角一些经济发达，原先集体经济发展得比较好的地区适度恢复和发展集体经济。1985 年 9 月，广东省召开了全省农村经营管理工作会议，形成了《关于改革和加强农村经营管理工作的意见》，要求把设置社区合作经济组织，完善家庭联产承包责任制当做农村一项基本功来抓，进一步改革和完善统分结合的双层经营体制。1990 年夏，省委、省政府相继批转、颁布了酝酿已久的《广东省农村社区合作经济组织暂行规定》和《关于完善农村集体土地经营管理体制的意见》，把农村建立合作经济组织和完善双层经营体制工作，纳入规范化管理。到 1990 年，全省农村以原生产队或自然村的联队为基础设置的经济合作社有 17 万多个，占应设的 91%；以原生产大队为基础设置的经济联合社有 2 万多个，占应设的 95%。至此，广东农村已基本形成分户经营和集体统一经营相结合的新格局。这种创新使广东农民群众得到了许多实惠。1989 年全省农民人均从集体合作经济中得到的收入为 76.63 元，占当年人均生产性纯收入的 8.8%。

二是发展农业适度经营和规模经营。改革开放后，广东尤其是珠江三角洲地区，经济迅速发展，劳动力大量转向第二、三产业。但实行家庭联产承包责任制后，农户分散经营少量耕地，粮食价格偏低，使得丢耕弃耕现象严重，农业生产发展面临危机。为寻求出

路，珠江三角洲一些地方开始实行农业规模经营，在稳定家庭联产承包责任制和尊重农民意愿的基础上，积极推广农村土地股份合作制和“反租倒包”等做法，把一些耕地适当集中于种田能手，使其具有一定的规模，形成以家庭农场为主体的规模经营形式，促进农业企业化经营。发展农业适度规模经营和集约经营，逐步提高劳动生产率、土地产出率和农业经济效益，是对以家庭联产承包为基础的双层经营体制的进一步完善和发展，也是农业实现专业化、商品化、现代化的客观要求。

三是建立农产品商品基地，促进珠江三角洲农业的商品化、现代化。为了发展外向型农业，促进农业向现代化和商品化转化，珠三角建立了一批以十大农业现代化示范区为龙头的优质农产品生产、加工基地。在基地建设中，珠三角主要抓住了三个关键环节：抓好优质种苗繁育基地、建立农副产品加工基地和建立将生产、加工、销售为一体的农产品商品生产体系。目前，商品基地企业已开始向综合生产和综合性的集团公司发展。

这些制度的推行不仅调整了农村各种不合理的生产关系，而且再一次解放了生产力，较好地解决了家庭联产承包制所未能解决的一系列难题。但在对家庭联产承包制进行的健全和完善中，最具有突破性的就是农村股份制的出现。

（二）广东农村股份制改革

我国农村自合作化建立了集体经济以来，对集体经济体制的探索和变革，一直没有停止过。改革开放以来，在邓小平改革思想指引下，我国农村集体经济体制经历了两次极为深刻的变革。第一次是20世纪80年代初，把承包机制引入原来的集体经济，全面推行家庭联产承包责任制，使广大农民走上自主经营、脱贫致富的道路；第二次是90年代，引入股份制机制，发展集体经济，建立多种形式的股份合作制，给集体经济注入活力，使农村经济更好地与市场经济相衔接。

广东，更确切地说是珠江三角洲，是我国农村股份合作经济的发祥地。珠三角利用中央给予的优惠政策与灵活措施，经过坚持不懈地大胆探索试验，把以明晰产权为核心的股份合作制引入农村集体资产经营管理，从而成功地把农村集体经济组织推上了市场经济发展轨道。农村股份合作制是农村改革开放以来的又一经营组织制度创新，它标志着珠三角农业发展史上又一新起点的开始。同时，也为我国农村经济的进一步发展奠定了经营组织制度基础。

农村股份合作制是一种崭新的经济组织形式，它是在合作制的基础上，吸收整合了股份制的一些优点，以自然人或法人的资金、实物、技术等形式入股，联合经营，提取公共积累，并独立承担民事责任的经济组织形式。农村股份合作制融集体所有制和个人所有制于一身，兼有合作制和股份制双重特征。一方面，它具有自愿互利、互助合作、利益共享、提供公共积累后按照一定比例按劳分配等合作经济的特征；另一方面，又具有合股集资、按股分红、风险共担、独立经营等股份制的特征。但是，农村股份合作制既不同于一般意义上的股份制，也不同于传统意义上的合作制。主要表现在：在联合方式上，股份制是资金的联合，合作制是劳动的联合，股份合作制却是资金、劳动双层联合；在分配原则上，股份制是按资分配，合作制是按劳分配，股份合作制既实行按劳分配，又实行按股分红；在生产资料与劳动者结合的方式上，合作制是直接结合，股份制是间接结合，股份合作制既有直接结合，又有间接结合；在股权配置上，合作制实行一人一票制，股份制实行一股一票制，股份合作制是劳股结合制。①

1. 广东农村股份合作制的出现及推广。

广东农村股份合作制产生于20世纪70年代末80年代初，在承包制基础上产生联合体；形成于80年代中期，各种形式的股份合作制不断涌现；盛行于90年代以后，渗透到各地农村、各行各业，并产生一些较高形式的股份企业。

广东农村股份合作制是从农村经济联合体、合伙企业开始的。

① 韦俊虹：《对农村股份合作制的多维思考》，《农村经济》2006年第4期。

实行大包干以后，农民有了土地使用权和生产自主权，逐渐从自给自足生产转向发展商品经济。但分户经营在发展商品经济中，缺技术、资金、市场信息和购销渠道，难以适应市场竞争。于是农民自发自愿组织起来，共同出劳力、出资金、出土地组成经济联合体、合作企业，以克服这些不足。1979 年，化州县农民柯华土，联合 26 户农民，以劳带资，成立化州同庆果菜北运公司，帮助当地农民向北方推销蔬菜。这是广东较早的农民股份合伙企业。以后，各地相继出现各种各样的民办联合体、合伙企业。到 1989 年，全省民办的联合、合伙企业达 6 万多家，分布在农村的三大产业。早期的联合体、合伙企业多采取带劳带资带土地办法，股东既是所有者，又是劳动者、管理者，合作制因素重一些。随着这些企业的发展壮大，除了原有股东追加投资以外，参股、入股人员范围逐渐扩大，因此在分配上既按劳分配，也按股分红，股份制因素增加。联合体、合伙企业在发展中，一些演化为个体、私营企业，一些仍保留合伙制度，而另一些则经过不断完善发展成为规模较大和较为规范的股份合作企业。

80 年代中期起，股份合作制渗入农村集体经济领域，对社区集体经济组织进行改造。主要内容是折股量化，还股于民，把社区合作经济组织改造成人人有份的股份合作经济组织。

进入 90 年代以来，珠三角地区的顺德、南海、中山、番禺，以及江门市、东莞市的农村也不同程度地推行了这一改革。其中顺德市、南海市大部分的管理区、大部分合作社完成了折股量化、还股于民、建立股份合作经济组织的工作，江门市到 1995 年也有 87 个农村管区实行改革，建立了 1206 个股份合作组织。

90 年代中期以来，广东农村股份合作制走出了新路子，主要是对折股量化、还股于民进一步深化、完善，将社区股份合作经济组织中的社员虚股变为实股，使股权财产化，进一步明晰产权，强化监督机制，规范分配制度。股权财产化的特征，是将社区股份合作组织的产权主体逐渐人格化，使产权边界进一步清晰，社员逐渐成为产权的终极所有者，成为合作社的真正社员；社员股东履行所

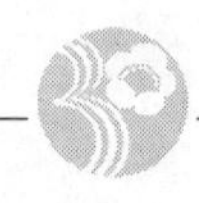

有者的义务、责任，行使其权利和取得收益。① 改革的形式主要有三种：① 取消集体股，全部量化给社员，这是广州市天河区的做法；② 改福利股为普通股，以深圳市布吉镇木棉湾村为代表；③ 土地股权可以继承、转让，这一尝试在南海市里水镇草场管理区展开。1994年4月，省委、省政府在南海召开珠三角地区农村股份合作制改革座谈会。会议认为股份合作制是家庭联产承包责任制的发展，在珠三角地区可以逐步推行，粤东、粤西地区有条件的地方可搞试点。此后广东加快了试点工作，在大部分农村推行股份合作制试点，总结股份合作制经验，形成比较规范的做法。到1995年，珠三角及一些经济比较发达地区，农村股份合作制得到全面推广。

股份制能够充分调动参股各方积极性，保证股东、入股者权益，因此发展很快，渗透到农业各个领域。到1995年，全省有股份合作渔船2万艘，占渔船总数的40%；海水养殖实行股份合作经营的面积约占海养面积的20%，渔业后勤服务企业实行股份合作经营的约占25%。一些林区在稳定林业责任制的基础上，也于1990年开始推行林业股份制。

股份制也为集体乡镇企业带来了生机。乡镇企业引入股份制，比社区合作经济组织实行折股量化、还股于民的改革要早，但最初只出现在沿海开放区、珠三角个别发达地区、城市郊区农村，之后才逐渐推广至各地农村。到1995年，全省实行股份合作制的乡镇企业达14万家，约占乡镇企业总数的10%。有160家超亿元的乡镇企业按《公司法》改造成股份公司或股份有限公司，组建了企业集团107家。

广东农村股份合作制的主要特点是：以解决土地问题为主要内容，以社区合作经济组织为基础，把集体土地、财产、资金等作价折股量化到人，成立股份合作社或股份合作公司，全面转换农村经营机制，同时明确集体产权与农户个人产权关系，促进土地流转和

① 参见罗必良、温思美主编：《技术创新、制度创新与农村发展："新世纪中国农村经济发展"学术研讨会文集》，中国数字化出版社2002年版。

劳动力转移，推动农业规模经营和农村现代化建设。

2. 广东农村股份合作制产生的动因。

农村股份合作制的产生是经济发展的必然趋势。随着农村经济的发展，一部分人先富起来，有了闲散资金，需要寻找新的出路。股份合作制把闲散的社会资源引导到商品生产中，满足社会扩大再生产的需要，实现生产要素的优化配置、组合。

此外，集体经济、乡镇企业迅速发展，产生了两方面变革要求。一方面来自集体经济组织本身的改革要求，不断壮大的集体经济日渐暴露出很多弊端，产权关系模糊，产权结构单一，产权主体虚化，分配制度不健全、不透明、随意性大，集体经济内部积累、发展和社员收入的关系很不确定。管理体制不改革，集体经济很难获得进一步发展。另一方面，第二、三产业的发展使大量农民转移出农业领域，有的离乡进城。他们与集体经济有着千丝万缕的联系，面对日益壮大的集体经济和不断增值的利益，他们以各种形式要求明确属于自己的份额和权利，分享利益。因此，以产权明晰、规范分配制度、完善经营管理机制为主要内容的股份合作制，自然成为农村改革内容被提上议事日程。

农村股份合作制也是现代化的要求。专业化和社会化发展，使农村生产日益走向规模经营、专业化布局，要求社会资源、生产要素在更大的空间进行重组、配置。股份合作制，是在市场经济条件下实现资源优化组合、配置的较好形式。

（三）广东农村股份合作制的几种典型模式

中共十一届三中全会以来，广东农村出现了多种形式的股份合作经济。主要类型有三种：第一种是由农村集体牵头，包括集体与集体、集体与全民、集体与外商、集体与个人合股联营办起来的各种形式的股份合作经济。第二种是原有的集体经济引入股份制，改造为股份合作经济，有分股、售股和扩股等形式。第三种是农民之间自发、自愿组成的股份合作，由若干农民根据生产需要共同出资金、出劳力、出技术、出土地等，组成股份合伙、合作企业。由于

这些股份合作制都是在一定社区范围内实行，因此也被统称为社区型股份合作制。

1. 天河模式。

天河是1985年从广州市郊区分离出的一个市辖区，现为广州市的中心城区，它是全国最早实施农村集体资产产权制度改革的地方。20世纪80年代中期，广州市制定并实施城市中心东移战略，天河区农村耕地大量被征用，大批农民被招工“农转非”。按照征地有关规定，被招工的农民只获得青苗补偿款，而大量的土地补偿费则由村集体留作发展经济之用。这样，留村的人收入不断提高，而“转居”的农民由于身份变化，无法享受集体财产带来的收益分配，生活得不到保障。这种情况导致留村的农民说什么也不肯转居招工，招工出去的农民要求重回农村，“赎”回农民身份，瓜分集体财产的呼声越来越强烈。一些“转居”的农民经常找村干部、镇政府闹事，严重影响了城市发展和社会稳定。为了解决这个问题，1987年，这个区在广州市农委的支持和指导下，开始探索集体资产收益分配的办法，决定在原有的社区集体经济组织中引进股份制和合作制，改革产权边界不清的农村社区集体资产产权制度和分配制度。到1990年，天河区12个村相继建立了这种体制。经过探索改进，目前，天河区实行的社区型股份合作制较为规范。其基本做法是：① 在土地不能折价入股、不瓜分集体财产的前提下，对集体资产进行清产核资，造册登记，并折价以股份的形式全部量化到人，变集体资产“共同共有”为“按份共有”。② 量化到个人的股权，按其股份数量享受集体经济利益分配，并可依法继承。③ 对股权实行“一刀断”的固化政策，即“生不增，死不减，迁入不增，迁出不减”。所有股权都不能买卖、抵押、抽资退股。④ 集体资产折股一般以人口股、工龄股、劳动安置股、福利股四个方面计股到人。集体不留任何“发展股”或“积累股”。股权配置按照公平、公开、公正和一视同仁的原则，统一明确配股对象、范围和标准。⑤ 在村一级成立股份合作经济联社，生产队（村民小组）一级成立股份合作经济社。经济联社设立董事会、监事会。联社成

员（即本村村民）统称股东。股东大会或股东代表会议是经济联社的最高权力机构。一般经济联社、村委会、党支部“三驾马车，一套人马”。历经十多年的改革、提高、完善，目前天河区农村全部建立起了以完全的个人持股为特征、个人财产所有权和法人财产所有权相结合的产权制度框架。全区农村股份合作经济组织的资产已经超过100亿元，它由6万名股东完全持有，集体经济组织没有任何股权，但又把握着这100多亿元的法人财产所有权。现在天河区农村社区型股份合作经济组织正在向城市社会型有限责任公司转型，制度创新将上升到一个新境界。

2. 南海模式。

南海市推行的是以土地为中心的股份合作制，其改革的基本思路是：在不改变家庭联产承包制的基础上，把股份制引入土地制度建设，通过明晰产权，折股量化，建立以土地为主要内容的农村股份合作制。主要做法是：① 以原有社区经济组织为基础，组建股份合作组织。具备条件的管理区以法人单位组建股份合作公司，以在更大区域内优化生产要素，实施小城镇规划。③ 在资产折价上，根据不同的资产条件选择不同的折价形式。其中，土地折价有三种方式：一是土地数量、质量较均匀的地方，一般按政府规定的征地价折价；二是土地等级和人均占有数量差别大的地方，主要按土地的经营效益折价；三是集体经济较落后，农民土地观念淡薄的地方主要按农村综合因素折价，即按配股需要的数量折价。其他固定资产折价有两种方式：一是以账面上的资产净值折价，二是以固定资产的现值折价。③ 在股权配置上，根据农民的不同情况，主要有三种配股方法：一是综合因素配股。按农民对土地的承包数量和对集体的贡献程度等因素，计算每个农民享有的股权数额。二是两级配股。对以管理区为单位组建的股份公司，先由经济合作社以土地向公司入股，再由各经济社向农民配股。三是年龄配股。对一些经济相对落后的地方，以农民不同的年龄段为界线计算农民的股权。④ 因地制宜选择股份形式。主要有三种：一是社区组织股份制。即把社区内集体所有的土地、资金和企业等集体资产，全部评价折

股，量化到社区组织内全体农民。二是土地股份制。只将土地评价折股，直接配置给农民，土地由股份合作组织统一规划开发。三是企业股份制。新组建的股份合作组织，把集体和农民的闲散资金以入股形式集中起来办企业，或各社区组织单纯以企业资产折价向股份合作组织入股。⑤ 在股权构成上，可集体股和个人股共设，也可在明确集体提留比例的前提下，不设集体股，把全部股权配置给农民。个人股一般又由资源股、物业股两部分组成，其中资源股是由原经济社的土地、厂房等构成的，属自然配给，人人有份，每年按人口变动进行一次核实调整，它不能继承、转让、买卖、抵押和退股取值。物业股由本村净资产构成，它可在特定的时间特定的人群中用现金扩股、退股，可在本合作经济组织内部买卖、转让、抵押。⑥ 在股东资格上，每个合作经济组织必须按统一标准公平公正认定。从1992年下半年试点、1993年下半年全面推开，到1997年南海市已建立农村股份合作组织1870个，其中管理区级组建的集团公司192个，占管理区总数的79.7%，股份经济合作社1678个，占经济社总数的99.8%。

3. 顺德模式。

顺德的农村股份合作制是从1994年初开始推行的。其基本做法是：① 取消经济社（自然村或原生产队）一级建制，原则上以行政村为单位组建股份合作社，即把一个村内的多个经济社合并组建成一个股份合作社。人口多、规模大的村可以自然片为单位组建股份合作社。② 清产核资。把原经济社的财产按合理比例并归股份合作社：集体财产抵消债务后，按实有金额（净值）入社；集体生产性投资，统一定出使用年限，扣除实际损耗后余下部分折价归社；对集体所得的征地补偿费，除按征地后到入社时的实际年数计算承包收入给原经济社、青苗补偿费给承包者外，余下部分一律入社；原经济社的土地属集体所有，不作价入社。③ 把原经济社财产净值作股本金量化到个人入社。股本金量化到人，原则上以各经济社财产净值的平均值为标准，高于平均值的，超出部分用于该经济社的群众性福利开支；低于平均值的，可在以后的股红分配中

逐年补平，也允许农民用现金一次性补平。对股本金悬殊大的，可用“股值相同、股数不同”的办法设置股权，以此体现差别，不搞大拉平。④ 股权配置。股份合作社的股权配置分为集体股和个人股，其中集体股占有的比例一般为20%左右；个人股以农业人口为依据，原则上按少年、壮年、老年分三档。配置给农民的股权不能转让、继承、买卖和抵押。⑤ 成立股东代表大会，设立理事会和财务监督小组。目前顺德191个村委会，已组建股份合作社267个，其中一村一社的有178个村。

4. 龙岗模式。

龙岗是深圳市1993年撤销宝安县后新成立的一个市辖区。龙岗区的农村股份合作制起步于1988年。1998年以来，龙岗区对原来的“横岗模式”进行了改造和完善，创造了独特的“荷坳经验”，形成目前代表性的“龙岗模式”。其主要做法和特点是：① 股东资格的界定不仅仅依据户籍关系，而是考虑各种情况，界定为三类股东。② 把股权结构设置为集体股、合作股（人头股）、募集股三部分，三者在总股本所占的比例为3∶6∶1，并规定在未来发展中“保留集体股、凝固合作股、扩大募集股”，逐步提高募集股的比例。③ 实行有偿配股，根据不同类型的股东，实行不同标准的有偿配股。一类股东需交纳20%～30%的股份金额方可享受全额的合作股权和分红权；二类股东除交纳与第一类相同的股份金额外，还需补交占合作股20%～30%的股金作为集体经济“贡献断层”的补偿金，方可享有全额合作股权和分红权；三类股东需以一次性等额认购的方式交纳股金后方可成为新股东。④ 实行股份流转制度，明确股东对股份具有处置权，允许合作股、募集股在本股份合作组织内依法继承和转让。股份合作组织对合作股的转让有优先购买权。⑤ 凝固合作股股数，一次性将合作股配置给股东，“生不增，死不减，迁入不增，迁出不减”。⑥ 股权管理以户为单位。即股权量化到个人，股权证的发放和股权管理则以户为单位，户主有权决定股权的继承和处置事宜。⑦ 股份合作经济组织通过股份流转和股份分配实现社会管理功能。⑧ 股份合作经济组织分三个层次体系：自然村一级设股份合作社，行政村一级设股份合作联社，镇一级设股份合作公司。三者之间相互独立，在地位上都是独立的法人，但下一级经济组织参股于上一级经济组织，即自然村股份合作社参股于行政村，行政村股份合作联社参股于镇股份合作公司。同时下级经济组织接受上级经济组织的行政管理。“龙岗模式”的股权设置更加科学简便，易于操作，而且“龙岗模式”赋予了股东包括财产处置权、继承权、所有权在内的完整的产权，产权关系更明晰有效。此外它的有偿配股力度也比较大，因而融资功能也更强。①

四、万丰共有制：提前实现的共产主义样板？

共有制是在农村经济体制改革过程中，由深圳万丰村首先创造出来并加以实践，证明是行之有效的一种新型农村股份制形式。所谓共有制，就是以财产社会化为特征，具有多元产权主体的一种新型公有制形式，直接表现为股份公司。即由原来单一公有制成分改变为多元公有成分并存，使资产社会化更加名副其实，使公有制更有生命力。

万丰村是我国第一个实行股份制的农村，也是最早进入亿元村行列的农村之一。万丰村自1984年开始引入股份制，利用股份制成功筹集到了本村工业化的启动资金。1987年，万丰村只有45%的村民持有股份，当村里发现股份制只是解决了资金积累和发展问题，还没有解决共同富裕的问题时，为避免村民两极分化，万丰村又适时对股份制进行了改革，开始试行共有制。村党支部决定从集体资金中拿出400万元，按人均5000元贷给没有股份的村民。这样，每个村民至少有5000元股金。从此，万丰村民人人是股东，人人享有集体经济的发展成果。同时，万丰村还制定了按劳分配、

① 《赴广东考察农村股份合作制情况报告》，石家庄农业信息网，http://www.sjz.heagri.gov.cn.

按股分配和扶助老幼病的分配制度，最终形成了具有万丰特色的共有体制，实现了共同富裕，充分体现了社会主义新农村的优越性。

共有制是随着万丰村的高速发展而伴生的生产组织形式，它的实行，打破了常规经济积累，实现了生产水平的快速飞跃，使一个贫困落后的农村焕然一新，基本实现了农业、工业、教育、生活水平等方面的现代化。1997 年，万丰村总资产达到 9.6 个亿，工农业总产值近 7 亿元，总收入 1.2 亿多元，村财政收入 3500 万元，人均年收入 2.2 万元。村里基础设施完善，兴建了自己的医院、影剧院、酒店和公园。群众生活水平极大提高，人均住房超过 100 平方米，可以享受各种村集体提供的福利，如免费医疗、教育、养老基金等。

有分析认为，共有制的出现，从一定程度上宣布了农村现代化探索的初步成功。

首先，共有制以一种新型的所有制形式推动了生产力发展。它以股份制的形式联合多元利益主体，适应产业社会化的潮流，把多方面力量联合起来，构成经济发展的启动基础。产权的规定，按股分利，将大量的农村闲置资金从消费资金转化为生产基金，有效实现了健康的投资渠道，有助于社会的良性发展。由许多投资形成的共有制集体经济，使产业结构在充足的资金基础上得以转型，建立现代化企业，并在吸收外资、合作、合资方面能够进行自主选择，以建立适合自身发展的产业结构。

其次，共有制对现代化的社会关系进行了初步勾勒。一是共有制把人们通过产权关系固定下来，建立了一种“个人所有制的联合体”，从而在这种基础上实现了人与人的平等和互利；二是共有制贯彻了社会主义原则，通过集体的力量消灭不平等，从而消除了剥削和分化。共有制是社会主义优越性的突现，它使公有制的三个本质特征得到更为充分的体现：① 生产资料更体现出共同占有的性质。共有制包括国家、法人、企业集体、企业职工个人、社会个人五种成分，有效地提高了个人对国家集体财产的关注程度，彻底改变了以前“人人都是主人，人人不把自己当主人”的怪现象。

② 在经营制度和操作运转方面，共有制实行政企分开，国家作为社会管理者的职能和作为资产所有者的职能分离，企业的经营运行主要受市场的引导，国家不再干预。③ 共有制分配制度包括按劳分配与按股分利两种方式。其中按股分利是劳动者将自己劳动所得投资企业，获取回报，不存在剥削成分，与资本主义的按资分配有质的分别。

再次，共有制对社会主义初级阶段的产权制度进行了新的阐释。共有制作为股份制的一种形式，其产权关系是明确的而不是模糊的；产权主体是具体的，而不是虚置的。它承认社会主义经济是市场经济，全民所有制经济是它的主体；承认全民所有制内部存在市场关系，企业是自主经营、自负盈亏的商品生产者和经营者，拥有独立产权。共有制不是对公有化程度的单纯追求，而是将更好地发展生产力作为其目标。实践证明，共有制既壮大了集体经济，同时也壮大了个人力量。从这种意义上说，产权的变动在互利的前提下不是没有可能的，有时甚至是有效的。因此，共有制在产权问题上的创造对我们理解有中国特色的社会主义现代化模式是有益的。①

如此看来，共有制无疑是现实社会中存在的最接近共产主义理想的范本，实行这种制度的村庄，自然也就是达到了“大同”境界的“极乐世界”，是目前存在的所有社会形式中最为先进的。事实果然如此吗?

事实上，万丰并不是中国唯一实行“共有制”的村庄。改革开放以来，在经济基础良好的珠江三角洲和长江三角洲，产生了一批高度工业化的“超级村庄”（折晓叶，陈婴婴，2000）。这些“超级村庄”都无一例外地采取了以集体为主导的合作主义，都推行让村民“共同富裕”的社区政策，通过集体的人均分配和福利等社区收益再分配形式，保障村民较高的基本生活水平，在广大农

---

① 周大鸣、曹孟君、林玉萍：《共有制与现代化——改革开放后的一个中国村落》，中山大学出版社 1998 年版。第 258 ~ 261 页。

村中形成一个个“共产主义”孤岛。这种以地缘为基础的村庄合作主义，在经济上追求的不是绝对利润的最大化，也不是单纯的经济目标，而是以保障村民利益为前提的相对利润的最大化以及让村民“共同富裕”的社会目标。这一目标使村庄在工业化过程中的举措得到村民的认同，从而吸引了村民的资金和劳力，迅速地实现了土地、资金、劳力和其他社区资源向大村的集中，并确有成效地保留了村财，完成了村庄的原始积累和扩大再生产，建设了村政设施，发展了福利事业。

但是，这种以共享社区资源和利益为目的的村庄合作主义，仍然具有很大的局限性，最明显的表现就是这种以村集体为主导的合作主义的封闭性。社区经济发展要求与社区以边界封闭为前提的整合之间的矛盾，是这类社区发展面临的一个重要问题。自然生成的社区整合是以它在空间上和心理上的边界封闭为前提的，这种封闭既保证了社区整体对其共同利益的控制和成员共享，同时也限制了社区经济发展，尤其是成员个体（通过摆脱群体束缚）自主发展的可能性①。在实行高度集体化的村庄里，与内部产权相比，外部产权的边界要明显得多，因为这是以全体村民为法人成员的共同所有权，是以村民身份为边界的。此外，村内的各种社会关系都是以亲缘或地缘为基础划分的。因此，“村里人”和“村外人”或“本地人”与“外地人”的分野和排斥，不仅存在于村庄意识中，也已经是制度化了。这道鸿沟的存在也使大部分超级村庄面临人才无法合理流动的难题。一方面，外来人才无论怎样努力，都有可能永远处于“打工者”的地位，村庄不接纳他们，他们也不认同村庄。这样，村庄既不可能拥有稳定的技术人员、治理人员和工人队伍，也不可能保持稳定的人口聚集规模。同时，也限制了村民向村域外的合理的职业流动。村民因利益所在固着在村庄，也是以牺牲个人日益多元化的需求为代价的。在有的村庄，村民为了保住既得利

① 参见冯钢：《整合与链和——法人团体在当代社区发展中的地位》，《社会学研究》2002 年。

益，甚至不愿意外出上大学。另一方面，村民特权的强化，已经使一些村庄出现了治理人才在村域内“近亲繁殖”及权力结构家族化等倾向。

从乡村工业化的角度来看，这种集体合作主义的问题主要表现为企业发展原则与社区发展原则的矛盾。传统社区关系主要是一种面对面的互惠关系，这种社区共同体具有封闭的内在倾向。然而，现代企业发展主要根据市场原则来进行，它需要突破这种封闭性质。村落社区的集体制在工业进村的初期，曾经是村办工业得以成功的合作前提和有利条件。但也正是这种集体制，使得村落工业逐渐被“社区化”。随着市场化程度的逐渐提高，村落集体经济面临的竞争也愈来愈激烈，以往那种“工业社区化”的做法愈来愈显现出它与市场原则、效益原则格格不入的方面。

因此，在这些实行高度集体化、经济高度发达的村庄中，虽然工业化的冲击和经济边界的开放性使其经济结构、人口结构和生活方式都发生了向“准城镇”类型的转化，但传统农业社区文化仍然在顽强而有效地起作用，在现代化的形式下延续着以往的乡村社会规范和乡村生活秩序，没有彻底让位于工业和城市文明，在社区形态上也只完成了向“工业村”的转型。

五、广东农村股份制合作制的意义及问题

（一）广东农村股份合作制的创新

现阶段的股份制是在合作制基础上和商品经济发展到一定程度后产生并迅速发展起来的，在产权制度、分配制度、分配方式上都有创新和突破，成为推进农村商品经济发展的重要力量。

1．产权制度的创新。

产权制度的创新是农村股份合作制最根本的创新。农村股份合作制在坚持集体财产实物完整的前提下，在价值上以股份的形式将集体财产具体量化到每一个社员身上，从而形成了一种新的产权制

度安排，这样每个社员都清楚地知道自己在集体财产中的份额和权利，从而由过去笼统无差别的集体所有，转变为具体的有差别的个人按股所有。农村股份合作制通过折股量化，不仅把原来笼统的集体所有改变为个人按股份所有、共同占有，并且引入个人财产入股，在纯粹的公有中掺入了私有因素，这是农村传统集体公有制的一个重大变化。

2. 分配制度的创新。

农村股份合作制的分配借用了股份制按股分红的形式。一般是首先由董事会把当年的收入和支出向股东大会公布，并制定具体分配方案，经股东大会讨论通过后实施。分红资金必须是当年股份合作经济组织生产经营的纯收入扣除了上缴税费、公积金和公益金后的余额。但是，农村股份合作制的分配又与股份制不完全相同。农村股份合作制一般都要求把集体经济收入的大部分（一般把税后利润的10%列为法定公积金，税后利润的5%～10%列入法定公益金）用于集体扩大再生产和公共福利事业，保证集体经济不断发展壮大。农村股份合作制分配制度的另一特点是把股份分红与股东履行社会义务和责任紧密结合。

3. 配股方式的创新。

在股权配置过程中，各地普遍实行以劳动力等级或农（工）龄配股，“多劳多配”，并且人力资本因素也被考虑进去，管理和经营才能这些重要的人力资本要素在制度安排中得到肯定，表现为承担一定领导职责的则相应增加配股，这是效率优先的最好诠释。配股过程中又时时兼顾公平，折股到人的做法各地虽不尽相同，但基本的做法是首先确定股东资格，即规定一个期限，在此期间凡户口在本村、劳动服务在本村、行政管理在本村，对本村的经济、社会承担责任和义务的村民都拥有股东资格，然后按照大多数人认可的办法把股份基本是无偿地分到每个成员头上。在股份的配置中，公平无疑具有优先的地位，不仅人人有份，而且对曾经为集体积累做过贡献、现在已经离开的也予以某种追认。个人配置的股份每隔二三年调整一次的目的也是力图从动态上保持公正。①

（二）广东农村股份合作制的意义

农村股份合作制经济为农村第二步改革寻到了一个突破口，为发展规模经营提供了一条重要出路，为实现农村第二次飞跃奠定了基础，为农村集体经济的管理和分配找到了一条较为科学的途径，是集体经济管理水平和经济分配上一次突破性改革。实行农村股份合作制的意义具体表现为：

第一，解决了农村生产要素的优化组合，有利于提高农业劳动生产率，实现集约经营和规模经营。一是实行土地股份合作，农户以承包经营权做股权，既保持了农户土地承包经营权的长期稳定，又以股份的形式实现了土地在不同程度上的“社会化利用”，使农民真正拥有了长期而有保障的土地收益权。这不仅使农民能够安心外出打工，而且有利于他们大胆增加对土地的物质技术投入。实行土地股份合作是推进现代农业建设的有效选择，它不仅有利于专业化生产、产业化经营，也有利于标准化生产，确保农产品质量，有利于技术推广，普及知识，提高农民素质。二是使生产要素流向趋于合理。股份合作制不仅承认社员的个人股份权，还允许社员对个人股份权（包括集资入股和分配股）进行继承、转让，有利于农业劳动力、土地、资金、技术、设备等生产要素按照经济效益原则合理流动、优化组合，提高资源利用效益。建立股份合作组织后，集体收益、提留资金及土地征用补偿款不再分光吃净，而是转化为股权配置给农民参加分配，同时，股份合作组织还将集体和个人的闲散资金集中起来投入生产，既解决了发展经济资金短缺的困难，又增加了集体积累和农民股红分配。

第二，有利于统筹城乡经济社会发展，促进农村物质文明、精神文明建设。推行农村股份合作制，为解决土地增值、流转、重组以及开发利用等创造了条件。各股份合作组织在土地整体规划上，

---

① 韦俊虹：《对农村股份合作制的多维思考》，《农村经济》2006年第4期。

普遍实行了农田保护区、工业开发区、商业住宅区的三区设置，较好地改善了农村功能布局分散的状况，使基础设施、交通、能源、通讯等能够有计划地进行，从而加快了小城镇建设和城乡一体化进程。此外，实行股份合作制，还为壮大集体经济开拓了新路，通过集体股分红或在收益分配前提取公积金和公益金，为公共福利设施建设等提供了资金支持，改善了农村的生产和生活条件，推动了社会主义新农村的建设。

第三，明晰了集体资产产权关系，有利于维护农民权益，改善农民与集体的关系。我国《土地法》、《农业法》等法律法规都明确规定，农村所有的土地、集体资产依法属于农民集体所有，由村集体经济组织或村民委员会经营管理。但在实际贯彻中，有不少错误的理解和做法。土地、企业等农村集体资产都存在产权悬空不明晰的问题。推行股份合作制，通过对集体的土地、企业等资产和资金进行评价，按其总价值量化成等额股份配置给农民，并向农民发放股权证书，真正体现了集体资产由全体农民所有的原则。同时，股份合作经济发扬民主，形成了多重监督、多方制衡的约束机制，强化了股东对集体资产运行的关切度，形成了人人关心集体的新局面。农村股份合作制使集体经济收入再分配的方式得到改善，主要在以下三个层次得到体现：一是按劳分配，即在集体企业参加劳动的农民以工资的形式领取报酬，按劳计酬；二是按股分红，即每个股份合作组织成员都享有的、按其所占股份进行分配；三是按需分配，即用于社区保障和福利的老年退休金、养老金、入学补贴、医疗补助等。集体收入分配的合理细分，承认差别，使每个股民的利益在集体经济再分配中能充分体现，并通过章程相对固定下来，减少了农村因集体收益分配带来的矛盾，密切了农民和集体的关系、干部和群众的关系。

第四，实行股份合作制不仅有利于规范经济行为，也有利于促进农村民主政治建设，为农村工作规范化管理找到了一条路子。实行股份合作，农民直接参与民主管理、民主决策，从制度上改变了少数人说了算、村干部独断专行的做法。股份合作制的管理者由股东大会推选或由董事会聘任，他们由原来的对行政领导负责转变为对董事会负责，割断或弱化了农村行政组织对股份合作经济组织的直接干预。股份合作制在制度上，用股民占有制代替集体所有制；在组织形式上，以股东代表大会、董事会、监事会“三会制”代替原来的领导干部家长制；在经营运作上，用市场调节代替指令性计划；在组织管理上，以章程、合同等制度规范股民的行为，代替用指令性权力约束农民的行为；在利益分配上，以按股分红，按劳分配代替平均主义。这样一来，农村工作向民主化、公开化、规范化迈进了一步。总之，推行农村股份合作制，可以促使农村社区管理体制从传统的行政领导体制向民主科学管理体制过渡，可以促使分散经营向集约经营转变，可以变无序管理为有序管理。

六、广东农村土地制度创新历程

（一）广东土地制度创新背景

发达地区经济的发展对土地制度变革的要求更加迫切，迅速发展的经济会致使其更早遇到土地制度的缺陷带来的限制。经过30年发展，广东已成为我国经济增长最快、经济发展水平最高的一个地区。农村工业化与城市化的迅速发展，使原来隐藏在以“均包制”为特征的土地制度背后的一系列现实问题，在广东变得异常突出。

第一，随着农村非农产业的发展，广东普遍出现了半自给性小规模土地经营基础的农户兼业化。农户的抛荒，土地的分散使用，经营规模的狭小，在资源配置上造成了巨大的效率损失。由此，改变原有的分散、低效的土地使用格局，造就土地集中机制，从而实现规模经营，创立土地流转制度被提上日程。

第二，随着农村城市化的快速推进，广东每年都有大量农地转为工业用地，地价及土地资本收益也随之提高。农户原来视土地为不可或缺的福利保障，现在却进一步视土地为增值手段。在此情形

下，土地的集中与流转对土地的管理使用制度提出了重新调整的要求。

第三，由于土地资源增值收益的直线上扬，如何合理地分配利益，处理好政府与农民、农民与社区集体的关系，并保障农民合法权益，也直接涉及土地制度的产权安排问题。

第四，从市场机制发挥作用的角度而言，在产权所包含的使用权、收益权和转让权中，转让权是最重要的。如果转让权受限制，资源配置效率会受到损害，并导致有效竞争的缺乏，还会使收益权也受到限制。

对产权明晰的需求和对利益调整的需求同样提供了土地制度创新的动力。生产性努力对提高资源配置效率，明确产权关系提出了越来越高的要求，分配性努力则对利益的公平调整与组织创新提出了越来越迫切的要求。

30 年来的农村改革，尽管在农村土地制度建设上已经取得了若干阶段性成果，但这些成果却有着继续深化与扩张的必要性。农民生产性努力与分配性努力的不断增强，表明农村土地制度的创新活动异常活跃，同时也表达出对制度安排的修正与重新选择的强烈呼唤。

（二）广东土地制度创新的具体举措

广东土地制度的创新通过产权制度的调整与安排进行，其基本思路是：将土地所有权以宪法规定为基准，置其于集体所有的所有制框架，并在此基础上强化土地的农户经营权（使用权）以及与之相应的收益权与流转权，进而对平均地权的资源配置低效率方式进行修正，构建土地流转的集中机制，推动土地经营的规模化与企业化。

第一，建立了土地有偿承包制度，从经济关系上体现了土地所有者的主体地位。珠江三角洲南海试验区通过有偿承包，向经营者收取一定地租，把过去平均分包改为投包，在投包中引入竞争机制，从而激发了经营者的进取精神，促进了规模经营和先进科学技

术推广，发挥土地使用的潜力。珠三角的土地有偿承包先在经济效益较高的地区开展，逐级推进，如先是经济效益较高的基塘区的有偿承包，然后再是禾田有偿承包。实践表明，实行有偿承包，有助于进一步明确土地所有权，增加集体经济组织的经济收入；有助于生产管理措施、“五统一”服务、土地保养和国家计划的落实；有助于进一步完善合作经济组织内部的收益分配制度。

第二，建立了土地的适时调整与流转制度。珠三角针对过去土地承包期过长出现的矛盾和问题难以解决的情况，根据作物生产特点与经营周期，对土地承包做了灵活的处理。承包原则上由发包单位与承包者协商确定，承包期分别按种植品种的不同而不同，如稻田5~7年，鱼塘3~5年，水果10~15年，蔬菜、花卉2~4年，林业20~30年。目前承包期15年的，只要群众要求，经协商可延长或缩短。同时明确农村在承包期内享有土地的使用权、收益权和部分处分权，在有偿使用基础上可有偿转让，并允许土地转出、转入户通过协商，获得适当的经济利益，从而形成了多种多样的土地流转与集中形式，如投标承包、租赁、合伙、联营、股份、专业承包等等。

第三，实行了土地达标管理制度，强化了集体的土地管理权。现行的家庭联产承包，没有明确产量要求，不利于农户更好地经营土地，因而珠三角开始把达标引入家庭承包的内容，作为承包者的义务。在土地承包合同中，明确规定承包者要按集体规定的指标经营耕地，实行达标者奖，不达标者罚的制度。规定经营者必须达到的指标有：① 产量、产值指标；② 地力保护指标，规定按比例科学施肥和种植绿肥；③ 良种指标，按规定种植良种；④ 完成国家与集体计划指标；⑤ 农业基础设施的建设和保养指标。这些规定促进了土地的用养结合，为农业持续、稳定协调发展奠定了基础。

第四，建立农业发展基金制度，形成对土地建设的积累和投入机制。珠三角不少市县从1989年开始，县、镇、村三级都建立了农业发展基金制度。农业发展基金制度规定：① 农村集体收入中，按一定比例提取出来作为发展农业的专用基金；② 集体向土地承

包者收取的土地有偿使用费用上缴农业发展基金会；③ 征用土地的部分补偿费归农业发展基金会；④ 集体经营的第二、三产业和其他收入用于支农的部分资金交给农业发展基金会。虽然各地农业发展基金的来源有一定差异，但都以一定比例用于土地建设。如南海农村改革试验区四个基塘镇（西樵、南庄、九江、沙头）1991年共筹集农业发展基金 1504.5 万元。其中用于土地建设的达 1087.7 万元，共整治鱼塘 6012 亩，初步改善了基塘地区的“基崩、塘浅、路难行”的问题。①

第五，土地股份合作制在广东大力推行。土地股份制是解决土地的法律所有与土地的占有和经营之间矛盾的一次成功尝试。广东省南海市以土地使用权入股的做法较为典型，目前，南海被列为全国农村土地制度建设试验区之一。

广东沿着农地集中—使用权流转—规模经营的线索，拉开了土地制度创新活动的序幕，进而推动了整个广东农村土地制度的变迁。

（三）广东土地流转

所谓土地流转，严格意义讲，是指农地的承包经营权流转。在家庭承包制的制度框架下，农地产权结构被分解为三种权利：其一是所有权，其二是承包权，其三是经营权（使用权）。因此，土地使用权流转的涵义，就是拥有农地承包经营权的农户将土地经营权（使用权）转让给其他农户或经济组织，也即保留承包权，转让使用权。土地使用权流转形式多样，但应该严格地界定为发生于农户与农户之间或农户与企业、社区等经济组织之间，基于市场交换原则，通过土地使用权流转价格反映的特定经济行为。其主要形式有转让、转包、入股、互换等。

土地流转是影响农村经济发展的关键因素，因此广东关于土地

---

① 王光振：《珠江三角洲经济社会文化发展研究》，上海人民出版社 1993 年版，第 112 页。

流转制度的探索创新，格外引人注目。广东土地承包权流转始于第一轮土地承包期，各地在做好农村土地承包，稳定和完善统分结合的双层经营体制的基础上，结合农业结构调整和农村劳动力转移等情况，对土地承包经营权进行了大胆探索。据调查统计，目前全省流转土地面积为495.5万亩，其中农户自发流转的面积为181.4万亩，占土地流转面积的36.6%；集体统一流转面积314.1万亩，占63.4%；土地流转涉及农户136.1万户，占实行家庭承包农户数的12.6%。[①] 流转主要发生于珠三角地区，流转方式有转包、转让、互换、小调整、入股、租赁等多种方式。伴随着理论的创新与实践的探索，在全国及广东农村，多种具有重要开拓价值的土地流传制度及制度安排形式已经悄悄开始出现，尽管创新活动还只是星星点点，但却隐含着许多发人深省的政策和理论问题，从而呼唤着对农村土地制度的完善及其市场发育作出新的探索。其中，以土地使用权入股为主要形式的土地经营流转制度创新，无疑为我们进行土地制度的变革提供了新的思维方式。

1. 广东土地流转的宏观背景。

农民拥有长期稳定的土地承包经营权。到2000年，广东农村土地延包工作完成，农民普遍获得长达30年的土地承包经营权，这就为农民放手发展农业和从事第二、三产业经营解除了后顾之忧，为农民在不放弃土地承包经营权的前提下，通过土地使用权流转，提高土地利用率，参与产业化经营，增加收入提供了可能。

国民经济结构战略性调整为土地流转提供了历史机遇。为应对亚洲金融危机和我国加入WTO新形势，广东采取了扩大内需，大力推进国民经济结构调整的政策，社会资金和技术开始在农业领域寻找新的经济增长点，农业增长方式开始向调整和优化结构、提高农产品质量和经济效益、增加农民收入的方向转变，从而促使农业逐步成为投资新领域，扩大了对流转土地的需求，促使农民家庭经

---

① 杨志平、林少俊：《广东农户土地承包经营权流转的现状、问题与对策》，《南方农村》2002年第6期。

营分工分业进一步分化，部分农民可以流转土地，专业从事农村第二、三产业的经营。这是导致农村土地流转早期由珠三角向全省范围扩展的主要因素。

坚持农产品市场化取向的改革加速了农村土地的流转。近年来，随着部分粮食品种保护价收购的取消，农民真正获得了经营自主权，有效地推进了农业结构调整，加速了农村土地流转。农村税费改革和乡镇机构改革的试行，加大了地方发展经济的压力，通过实行土地流转，发展产业化经营，成为发展地方经济，减少税收征管环节的首要选择。

2. 广东土地流转的主要形式。

反租倒包。由镇村集体或农业服务组织分别向农户租用土地，经调整成片后再行发包。其具体形式有：一是利用建设农业示范基地或科技园等机会，通过使用权流转的方式将农户的承包地集中，再通过招标方式，由原有的农户或公司承包经营。二是由集体经济组织将农户承包的土地以支付一定流转费的形式集中，然后统一招标承包。三是先由农户之间通过协商达成流转意向，然后由集体经济组织以土地所有者身份出面办理流转手续，这种转移既有一次性交易，也有采用分成制的长期流转合约。

租赁。广东农地租赁有四种类型：出租给外商、出租给国营事业单位或国家机关部门、社区外租地、出租给开发商用于兴办工贸小区。

入股。全省采用这种形式流转的土地面积 133. 2 万亩，占流转面积的 26. 9% ，是主要的土地流转形式。广东省土地股份合作制，主要有三种形式：一是以集体经济组织的资产与土地一起折价入股，参与股份合作组织的利润分配。这是南海、中山、番禺等市的普遍做法。二是仅以土地折价入股，参与入股土地产出的利润分红，如顺德的做法。这两种属于社区型土地股份合作，即在一个管理区或自然村的范围内，以原有合作经济组织为基础成立股份合作社（公司），社区内的村民都拥有股权。三是在开发农业中，以一个生产项目为主，吸收土地入股，参与项目产出的利润分红，如淡水养殖、林果种植等股份合作。①

转让。全省采取这种形式流转的土地面积38.2万亩，占流转面积的7.7%。

互换。全省采取这种形式流转的土地面积12.5万亩，占流转面积的2.5%。

3. 广东土地流转的特点。

一是土地的流转不牵涉土地的所有制问题，土地仍然是集体所有，制度创新主要表现为土地使用权的界定。

二是不改变原来的家庭联产承包责任制，承认农户的土地承包权即使用权，并通过分配流程在经济上得到体现。坚持平等协商、自愿有偿、流转期限不超过原承包合同规定期限，加强对土地承包经营权流转工作的领导，立足规范土地流转，保护农民的长远利益。

三是对于土地入股来说，其形式不是股份制，而是股份合作制，只有社区集体成员才有资格成为股东，产权平均，股权转移受到高度限制。

四是土地流转暂以集体统一组织为主。现阶段，全省由集体统一流转土地面积占总土地流转面积的63.4%。集体统一组织的土地流转，一般是由农户委托集体经济组织出面，或是集体经济组织在征得农户同意的基础上进行。在推行土地股份合作制的地区，则土地经营由股份合作组织统一规划，农民凭股权证享有集体分红收益，从而有效地集中土地，实行规模化经营。

五是土地承包经营权流转的数量与区域经济的发展成正比。经济发达的广州、深圳、珠海、汕头、惠州、东莞、中山、佛山、顺德等市土地流转面积占全省土地流转面积的65%。其中，土地股份合作制实行的条件要求较高。1994年广东省委、省政府根据各地实践，提出了实行土地股份合作制的基本条件，即：当地第二、三产业比较发达，占经济比重一般在七成以上；从农业转移出来的

① 房慧玲：《广东农村土地股份合作制研究》，《中国农村经济》1999年第3期。

劳动力较多，达到七成以上，并且已经有较稳定的收入来源；当地农民多数愿意放弃承包土地；管理区集体经济实力较强，足以保证实行土地股份合作制后，股东收入有所增加；干部素质好，有较高的经营管理水平、较强的市场经济意识和民主管理意识。

六是流转的土地主要用于高附加值农业生产。广东土地承包经营权的流转形式多样，但土地的流向，特别是由集体统一组织流转的，主要用于发展优质经济作物、反季节作物和水产养殖等高附加值农业。

七是土地使用权流转市场处于发育阶段，农业用地的配置效率趋于改善，土地利用效果有所提高。但土地使用权的市场流转机制还未真正形成，阻碍了土地配置效率的进一步提高，使土地资源难以实现优化配置。

4. 土地流转的绩效。

第一，促进了农村生产要素的合理流动和优化组合，推动了土地规模经营，促进了农业结构调整，提高了农业经济效益。土地流转，实现了土地所有权、承包权、使用权三权分离，突破了原来一家一户承包土地的凝固格局，有利于实现土地由分散经营向集约经营过渡。一部分不愿耕田的农民可以在完成土地流转后安心地去从事第二、三产业，愿意耕田的农民则有了更多承包土地的机会，从而使土地和劳动力得到了合理的调整。在实行土地股份合作制的地方，集体收回土地使用权后，改分包为投包，使土地向种田能手集中，推动了土地规模经营，促进了农业结构调整。如中山市通过土地流转带动全市农业结构调整，目前全市淡水养殖、规模化蔬果、生态牧业三大主产占农业总产值八成以上。在土地流转度较高的珠江三角洲地区，大批规模经营户成为该地区农村发展“三高”农业的载体和示范点，成为推行农业产业化的主要力量。

第二，促进了农村劳动力转移。土地流转促进土地向种田能手集中，加快了农民向非农产业的转移，使越来越多从事非农产业的农民逐步让出土地承包经营权，安心经商或外出打工。目前，中山市已出让土地承包经营权的农户达 5.8 万户，占全市农户总数的

25.5%。其中坦洲、古镇、沙溪、小榄等地高达50%以上。

第三，增加了农民收入。在实行土地股份合作制的集体经济组织中，村民收入由两部分构成，一是集体经济组织的股份分红，二是村民的劳动收入，以土地股权确保农民长期的土地收益权，使集体和农民收入实现双赢。土地股份合作组织还注意在经济实力逐步壮大的同时，加强农村基础设施建设，发展农村集体福利事业，促进共同富裕。

第四，有利于保护耕地和土地合理规划与开发。不少地方利用土地流转，尤其是实行土地股份合作制的时机，将土地划分为农田保护区、工业区、商住区，进行整体规划，既保住了农田面积，又能通过合理布局，减少资源浪费。

5. 土地流转存在的问题。

一是农村土地市场的法律法规相对滞后，致使农村土地流转缺乏相应的法律保障。

二是我国现阶段还没有专门从事农村土地流转的中介组织，致使农村土地流转因缺乏土地市场信息以及无完善的市场操作而无序进行。农户之间自发的土地流转，往往采用口头协议的方式进行，而不通过签订合同或契约来规范双方的权利和义务关系。这种无序流转造成土地承包关系的混乱，造成流转成本较高，流转效益差。

三是各级组织干涉农民承包经营的土地，使农村土地流转缺乏市场机制的调节，农民的利益受到侵害，致使农村土地流转纠纷增加。个别地方政府把土地流转作为增加乡村收入的手段，或者作为地方“政绩”工程，强迫农民出让已经承包的土地，搞重新发包、出租或集体统一经营，严重违反相关政策规定，造成社会不稳定因素。还有的地方政府在大多数社区成员不知情或不赞同的情况下，采取工商企业和大户进入农业的经营形式，以较长的租赁期限和强制性手段承租大面积耕地，使农民失去生存和发展的保障。还有的在推进土地流转时，只顾当前利益，根本不考虑未来市场的风险和不确定性，造成诸多隐患。

四是一些农户的土地承包经营权向低素质者流转。在一些边远

和低产田地区，农户或集体经济组织常常以低价或无偿的方式，引进代耕农承种。其中的部分代耕农既无资金也无技术，素质较低，不利于农业结构调整和提高农业经济效益。而且，代耕制很难限制代耕农的短期行为，对土地的长远保护不利。

五是部分农民的土地流转收益权没有体现。个别地方在山地等成片承包中，镇、村、组级级提留，分到农民手中的土地收益所剩不多；还有一些地方部门或农业开发商租赁农民土地搞开发性农业，由于生产效益低，难以兑现土地租金；还有的地方甚至在收回农户承包地后，不对农户作任何经济补偿。①

六是农村社会保障制度严重滞后，是制约土地流转的重要原因。目前我国农村社会保障制度总体水平较低，绝大多数农村地区社会保障制度还处于完全空白。农村社会保障制度的严重滞后，使农民长期依赖土地，从而限制了土地的流转。②

要解决这些问题，除了认真落实好农村土地承包政策，切实维护农户承包土地流转的合法权益，切实加强农户土地流转管理外，更为紧迫和重要的是尽快出台土地承包经营权流转管理的相关规定，真正做到职责明确，手续完备，有法可依，规范管理。

个案：南海市的土地流转制度

南海是广东的一个县级市，隶属佛山市，地处广东中部、珠江三角洲腹地，邻近港澳，环抱佛山，素有“鱼米之乡”美誉。辖20个镇（区）、250个行政村，户籍总人口108.53万。农村耕地面积51.1万亩，养殖水面17.7万亩，农村经济总收入709.7亿元。2000年国内生产总值305亿元，全部财政收入50.21亿元，地方财政收入14.52亿元。第一、二、三产业占国内生产总值的比重为

① 杨志平、林少俊：《广东农户土地承包经营权流转的现状、问题与对策》，《南方农村》2002年第6期。

② 刘汉成、夏亚华、梅福林：《现阶段我国农村土地流转状况的实证分析与政策建议》，《商业研究》2006年第20期。

8.1：48.3：43.6。目前，南海的综合经济实力位居全国前列、广东之冠。这个市还以农村信息化为起点，以信息化带动工业化、城市化，是全国闻名的信息市。

从1993年开始，顺德、南海、番禺、龙岗、宝安等地尝试多种方式推进土地经营权流转，其中尤以南海市土地使用权入股最为典型。南海作为全国农村土地制度建设试验区之一，在这方面的变化和制度安排格外值得注意。

南海推行土地股份合作制试验的前提条件，一是区域经济高度发达，二是农业劳动力大幅度转向第二、三产业，三是地价的上升促导了土地要素的重新配置。

南海土地股份合作制的基本做法是：对土地实行全面规划，将其分为经济开发区、经济作物区和粮食种植区；对不同区域采取不同开发经营方式；吸收股份制的因素和组织形式，进行农民土地使用权入股，集体组织专业化农业公司承包、企业化经营试点。

南海土地股份制的发展分为三个阶段：探索阶段（1992年—1993年6月），将土地所有权、承包权、使用权三权分离，把农民的土地承包权改为股权；推广阶段（1993年7月—1994年），先后建立农村股份合作组织1870个，其中以村委会为单位组建的集团公司191个，以村民小组为单位组建经济合作社1687个；规范阶段（1994年至现在），一批股份合作组织以股权配置、股权界定、股权流转为突破口，开展了“固化股权、出资购权、合理流动”或“生不增、死不减，迁入不增，迁出不减”为主要内容的股权改革。至2001年5月，完成改革的股份合作组织130个，占全部股份合作组织的8%。

南海市推行土地股份合作制的绩效十分显著。该市在推行股份合作制过程中，通过对全市农村土地、财产进行评估折股，将130亿元的价值，以股份形式配置给全市76.6万农民，并向其发放股权证书，确认其在集体经济中的股份。这一制度的推行，使全市土地能够重新规划组合，全市建立了3万公顷农田保护区，0.5万公顷经济开发区和0.17万公顷商住区。实行农村股份合作制以后，

大大促进了农村经济发展。1998 年全市农村经济总收入 638.6 亿元，集体经济纯收入 34 亿元，农民人均纯收入 6214 元，分别比推行股份合作制以前的 1992 年增长 370%、149.6%、150.4%。全市集体经济股份分红 6.1 亿元，人均分红 808 元；市、村两级集体提留 8 亿多元，比 1992 年增长 199%。五年间，全市农村区、村两级共投入 20.5 亿元发展精神文明建设，投入 96.8 亿元发展集体经济。

实践证明，南海市的土地股份合作制克服了土地细碎化与分散经营，使土地集中与规模经营成为可能；促导了农业劳动力转移，充分保障了土地的福利功能；为农业企业化经营创造了条件；避免了农民因职业转换可能造成的产权侵蚀，进一步保护了农民利益；节约产权运作成本，有利于农村生产要素市场发育，使农村家庭承包制更具激励机能。

但南海在推行土地股份合作制的过程中，也表现出一些制度上的缺陷。

首先，持股上福利色彩较浓，村民凭借其农业人口身份天然地成为股东并享受分红，而且年龄越大股份越多。这种户籍与股权紧密挂钩的股份合作制，导致人口难以转移，制约了农村城市化发展。

其次，封闭性较强，目前的农村股份合作制基本上局限于村组织范围内，股东资格以本地农业人口为前提，异地人没有资格成为股东，这种封闭性导致股份合作制的融资功能受到严重限制，不利于农村经济的持续发展。

再次，股东参与积极性不高。一方面股权是集体无偿配送的，股东缺乏风险压力；另一方面股权作为分红的分配凭证，村民没有处置权，大都规定不能继承、转让、买卖、赠送、抵押等，股东不关心集体资产运营好坏，只注重分红的多少，缺乏长远预期。尤其在村民拥有投票权的自治条件下，这种短期行为对农村基层干部造成相当大的压力。①

① 罗必良、温思美主编：《技术创新、制度创新与农村发展：“新世纪中国农村经济发展”学术研讨会文集》，中国数字化出版社 2002 年版，第 176 页。

土地流转是一项意义重大、影响深远的改革，全国各地都在理论和实践中探索各种有效的土地流转方式。南海市作为全国农村土地制度建设试验区之一，其在土地流转制度中取得的成效和遇到的问题在一定程度上反映了土地流转的共性，值得借鉴和进一步思考。

第二章
乡村工业化与广东乡镇企业的兴起

一、乡村工业化溯源

（一）新中国成立前的乡村工业化

早在20世纪二三十年代，一批有识之士就已经在思考中国往何处去的问题，并在学术界展开了大规模的讨论。当时的意见主要分为两派，一派主张农业立国，另一派主张工业立国，其中，乡村工业化就在工业化实现途径的讨论中被提出。当时，一位叫郑林庄的学者在《我们可走第三条道路》一文中提出，鉴于中国当时的国情，无力在农业之外另建立大规模的都市工业，但却可以在农村里面培植小规模的农村工业。他把这种观点称为“第三条道路”。这种观点在当时产生了一定影响，但随后就归于沉寂。

与此同时，另外一些学者也在探索如何改造农村社会结构和改善农民生活的过程中，将工业化的问题作为解决农村人口过密化问题和提高农民生活水平的措施之一提了出来。

早年最广为人知、从功能角度提倡农村工业化的学者是费孝通。费孝通在其写于1938年的博士论文《江村经济》中，旗帜鲜明地提出中国现代化的可能性在于发展乡村工业。半个世纪以后，费孝通的主张在中国农村得到了大力推行，成为发展小城镇和乡镇企业的理论源泉。

开始于20世纪30年代中期的"乡村建设运动"，则将乡村工业化引入实践。"乡村建设运动"的领袖之一梁漱溟把乡村建设视为农村政治上由散而合、经济上从农到工的过程。他在《乡村建设理论》一书中，还专门写了《工业化问题》一节。另一位"乡村建设运动"的代表人物晏阳初也曾试图在其开展活动的定县兴办工厂。但由于当时社会经济条件的限制，和"乡村建设"思想理论上的认识缺陷，这一时期的乡村工业化浪潮没有取得成功。

（二）新中国成立后至改革开放前的乡村工业化尝试

新中国成立以后，以毛泽东为代表的国家领导人提出了一个"农业现代化"的宏大战略构想，乡村工业化是农业现代化的一部分。他提出，"由农业基础到工业基础，正是我们革命的任务"。毛泽东主张实行合作化以变革个体的、分散的、落后的生产关系，实行农业机械化和乡村工业化以发展社会生产力，确立工业基础。在此基础上，改革开放前的新中国政权掀起了两次工业化浪潮。

第一次是1958年，随着人民公社运动的兴起，在全国范围，包括广大乡村在内，掀起了一股"大办工业"的浪潮。在这次浪潮中诞生了属于人民公社或生产大队所有的社队企业。这标志着独立的农村工业从此诞生，不再只是附属于农业的"副业"。但由于缺乏经验和指导思想上的急于求成，这一次的乡村工业化在实践上存在着盲目发展、抽调资金和农业劳动力过多、效益差等方面的问题。[①] 由于社办工业发展过快过猛，导致工农业比例失调，农业的基础地位被削弱，此次乡村工业化浪潮以失败告终。尽管如此，这一时期的乡村工业化努力还是被认为是为日后乡镇企业的兴起打下了坚实基础。对此，甘阳的看法具有一定代表性："中国乡镇企业的基础事实上是当年"大跃进"奠定的，"大跃进"本身当时虽然

---

① 徐柳凡：《毛泽东现代农业思想简论》，《当代世界与社会主义》2006年第3期。

失败，但却在很多乡村留下了所谓社队企业，这些社队企业就是日后中国乡镇企业的基础。”① 他认为，毛泽东从“大跃进”开始力图把中国的工业化过程引入乡村，不断把中国的企业和经济下放到社会基层，使得中国的乡土社会没有被摒弃于中国的工业化过程之外。在毛泽东时代，交通、水电以及至少小学教育和赤脚医生进入乡村，都是中国乡镇企业在20世纪70年代后可以大规模发展的根本性基础。

第二次乡村工业化浪潮始于1970年。这一年国务院召开的北方农业会议提出，加快发展农业机械化，这一决策将我国乡村的工业化再度推向高潮。② 这一次的乡村工业化取得的成效较为明显。这是因为：① 由于“文化大革命”的影响和破坏，此时的城市工业大多处于停产瘫痪状态，但城乡人民对于工业品的需求仍然存在，亟待满足的市场需求为乡村工业的发展提供了大好时机。②“文化大革命”还使一大批城市知识分子、技术人员、熟练工人及知识青年被下放到农村，为农村工业化提供了技术和经营人才。③ 虽然当时实行的集体生产以一种“过密化”的生产方式，在一定程度上掩盖了农村劳动力过剩的事实，但现实情况还是对农业剩余劳动力转移提出了要求。这也为农村工业的发展提供了可能。这一次的乡村工业化浪潮一直持续到改革开放，在此期间，以社队企业为代表的农村工业获得了较大发展。从全国范围内来看，从1971年到1978年，社队企业总产值的年增长速度都在14%以上，最高的1976年甚至达到43%以上。③

（三）广东乡镇企业发展历程

广东乡镇企业萌芽于20世纪50年代，它的前身是农业生产合作社的工副业小组，1983年以前统称为社队企业，1983年9月改

---

① 甘阳：《中国道路：三十年与六十年》，《读书》2007年第6期。

② 周晓虹：《传统与变迁》，三联书店1998年版，第239页。

③ 国家统计局：《国民经济统计提要1949—1979》，第128页。转引自周晓虹：《传统与变迁》，三联书店1998年版，第239～240页。

称农村集体企业，1984年1月又改称乡镇企业。中共十一届三中全会以来，广东乡镇企业异军突起，蓬勃发展，已成为广东省农村经济的主体力量、工业经济的半壁河山、国民经济的一大支柱。乡镇企业对发展农业、富裕农民、繁荣农村，对促进全省经济和社会发展，作出了巨大贡献。

广东乡镇企业发展历程，分为改革开放前和改革开放后两个时期。从1955年到改革开放前的1978年间，是乡镇企业创办及缓慢发展时期。其主要特点是从组织工副业小组到办社队企业，企业规模小，设备差，产业单一，产品档次低，经济效益差，持续时间长。这一时期，乡镇企业发展缓慢。1955年，全省社队企业4万个，从业人数40万人，年收入5.3亿元。到1978年，企业总数发展到8.57万个，从业人员180万人，年总收入30.55亿元。

改革开放后，广东乡镇企业全面快速发展，经历了五个发展阶段。

第一阶段，1979—1984年，乡镇企业起步阶段。1979年，广东省委、省政府提出，珠三角社队企业发展要走农工副相结合的道路，要充分利用毗邻港澳的有利条件，引进技术，吸引外资，大搞加工装配、补偿贸易、发展旅游业，增加外汇收入，以加速广东的现代化建设。1980年，提倡公社、大队、生产队三级办企业，实行“三匹马拉车”，突破了以前不准生产队办企业的限制。1982年，针对全省社队企业中存在的问题，有计划、有步骤地分期分批进行整顿，把经营承包责任制和市场机制引入社队企业。1984年，把省社队企业管理局改为乡镇企业管理局，充实机构和人员，全省各地也相应充实和加强了乡镇企业管理机构，使乡镇企业的管理工作正常化和规范化。至1984年底，全省乡（镇）、村、联户和个体几个层次乡镇企业发展到47.62万个，销售总收入122.89亿元，比1978年分别增长4.89倍和3.19倍。尤其是联户和个体企业从无到有，发展到36.33万个，总收入25.1亿元。

第二阶段，1985—1988年，全面发展阶段。全省实行集体、联户、个体企业“三个一齐上”，较早突破了发展乡镇企业的各种

禁锢，坚持了因地制宜、放手发展的原则，推动了全省不同类型地区、不同层次乡镇企业的蓬勃发展。全省乡镇企业发展到115.83万个，从业人员645万人，总产值476.32亿元，分别比1984年增长1.43倍、近1倍和2.7倍。这一阶段，乡镇企业发展的特点是：农民联户办和户办企业发展迅速，横向经济获得广泛发展，由“三就地”逐渐转向国际市场，由运用传统技术向运用现代科学技术转化。

第三阶段，1989—1991年，整顿提高阶段。1989年，国家开始实行宏观调控，紧缩银根，对企业进行治理整顿，乡镇企业被列为治理整顿的重点，不仅遇到资金困难，还受到不公正指责。对此，1990年7月，广东省委、省政府发出《关于稳定发展乡镇企业若干问题的通知》，重申对发展乡镇企业的各项政策。之后，各地抓住机遇发展乡镇企业，使乡镇企业保持了稳定发展的势头。这三年间乡镇企业发展速度减弱，但另一方面，由于资金短缺、市场疲软，许多企业被迫苦练内功，调整结构，积极开拓国际市场，使得乡镇企业素质不断提高，产品质量明显改善；投资结构有所改善，产业结构趋于合理；外向型经济不断发展，出口创汇能力迅速提高。

第四阶段，1992—1996年，乡镇企业第二个发展高峰。随着三年治理整顿工作的基本结束，整个国民经济发展重新趋于活跃，乡镇企业也呈现出强劲的上升势头。1992年1月，邓小平南方视察发表讲话后，乡镇企业的市场调节机制得到普遍承认和接受，为乡镇企业的发展创造了空前良好的外部环境，一大批中型企业和企业集团涌现出来，乡镇企业进入了第二个发展高潮。1993年、1994年、1995年全省乡镇企业总产值分别比上年增长60.1%、47.6%、36.5%。到1996年为止，全省乡镇企业发展到144.99万个，比1978年增长16.92倍；职工人数1118.63万人，增长4.74倍；总产值5484.47亿元，增长185.80倍；总收入5335.12亿元，增长180.71倍；年末固定资产原值1784.38亿元，增长126.54倍。

第五阶段，1996年以后，广东省乡镇企业开始由量的扩张转向质的提高，乡镇企业发展速度明显回落，开始进入稳步发展阶段。这一时期乡镇企业经济运行平稳，速度和效益同步增长，企业集约化经营水平不断提高，体制改革进一步深入，资本结构及生产要素配置不断优化。

（四）广东乡镇企业发展特点、成就

1．广东乡镇企业发展特点。

第一，广东乡镇企业主要通过三种途径创办：一是在原有社队企业的基础上，由乡镇政府或行政村通过自筹资金或向银行借贷兴办起来的集体企业；二是由农民个人或联户合伙出资兴办的个体私营企业；三是由外商出资、出设备兴办的外商投资企业和“三来一补”企业。

第二，层次结构以区、乡镇企业为骨干，区、乡、村、联、个体企业共同发展；乡镇企业分为农业、工业、建筑业、交通运输业以及商业服务业五大部门，以工业为主体；在工业行业中，轻纺、电器发展较快，占主导地位。

第三，外向型企业发展迅速，在乡镇企业中占突出地位。广东毗邻港澳，华侨众多，对外开放历史悠久，与海外社会、经济联系密切。改革开放后，广东充分利用这些优势，一方面大力发展“三来一补”企业和“三资”企业，另一方面积极组织企业发展商品出口。

第四，地区差异明显。广东乡镇企业大体可以分为三种地区和类型：一是珠三角。这一地区乡镇企业发展较早，基础好，发展快，具有一定的规模和技术水平。珠三角地区现在着重发展骨干企业和外向型创汇企业，并向系列化生产和集团化经营方向发展，顺德、南海、东莞和中山表现尤为显著，被誉为广东“四小虎”。二是沿海和内地部分条件较好的地区。乡镇企业在这类地区逐步发展，急起直追，但缺少骨干企业和外向型企业。三是山区、半山区和丘陵地区。这类地区资源丰富，但交通不便，技术落后，人才缺乏，乡镇企业发展比较缓慢，企业素质较差。

2. 广东乡镇企业发展成就。

广东省是全国乡镇企业发展时间最早、速度最快、业绩最好、对当地经济发展和社会进步贡献最大的省份之一。早在20世纪70年代末80年代初期，人多地少资源缺乏的广东省充分利用了政策、地缘、人缘等各方面的优势，率先在广州及珠江三角洲地区发展以市场为导向，以加工业为主的乡镇企业，并使其很快成为广东农村经济的主体力量和经济社会发展的一大支柱。30年来，广东乡镇企业依靠人民群众自身力量，在改革开放中迅速发展，取得了显著的成就。

一是乡镇企业各项经济指标上升，总体实力增加，其性质从补充型经济向支撑型经济转变。1978年，全省乡镇企业只有8.57万个，至2005年，全省乡镇企业增加到1212946个，从业人员1207.90万人，营业收入13993.09亿元，利润总额653.29亿元，固定资产总额5059.13亿元。目前，广东乡镇企业已经成为全省农村经济的主体——1999年，乡镇企业总产值占全省农村社会总产值的七成多，全省有近四成农村劳动力成为乡镇企业的职工，乡镇企业工业总产值占全省工业总产值的46%，乡镇企业缴纳的税金相当于全省当年地方财政收入的20%左右。

二是产权结构从产权主体单一化向多元化转变。1995年开始，全省各地结合当地实际，以“三个有利于”为标准，开展镇、村集体企业的改革和转制工作。到目前为止，全省已有七成以上的镇村集体企业完成了改革和转制工作。通过改革，探索了公有制的多种实现形式，同时鼓励个体私营企业发展，形成了乡镇办、村办、联户办和个体私营办的多成分、多层次、多形式、全方位发展的格局，呈现出集体经济、股份经济、股份合作经济、个体经济、私营经济、混合经济等“百花盛开”的局面。

三是企业规模从“三就地”的小型企业为主向大、中、小型企业并举的格局转变，企业素质明显提高。从生产工具、厂房看，目前，全省有许多乡镇企业具有20世纪80年代和90年代的世界先进水平的生产工具和现代化厂房。从管理水平看，广东不少乡镇

企业的管理水平比较先进，按现代市场经济规则运作。从科技水平看，目前科技的应用在乡镇企业比较普遍，有些乡镇企业有自己的研究所，广东科龙集团还把研究所办到了日本。从生产的产品来看，全省乡镇企业生产的产品，许多获得国家级、部级、省级优质产品称号，产品远销世界各地。从乡镇企业所在的行业看，当前全省乡镇企业分布在电子信息、机械、化工、电器、食品加工、五金等等各行各业，完全可以与同行业的国有企业竞争。

四是发展空间从以国内市场为主向国内、国际两个市场并举转变。1999年，乡镇企业出口创汇达236.07亿美元，占全省出口创汇总额的30.39%，占全国乡镇企业出口创汇的1/5。

五是经济增长方式从以数量扩张型为主向质量效益型转变。多年来，通过依靠科技进步和加强企业管理，全省大多数乡镇企业的整体素质不断提高，竞争能力逐步增强，知名企业和优质品牌大量涌现。

六是企业布局从零星分散向连片集中转变。广东各地在发展乡镇企业的实践中，采取有力措施，合理规划，积极引导，努力建设各具特点的工业小区，使之成为发展乡镇企业的主要载体。此外，各地乡镇企业根据本地实际和产业特色，逐渐形成以某一产业为主导的企业集群和专业镇，形成集聚效应，促进小城镇建设。

二、摸着石头过河

（一）四处找钱

乡镇企业诞生之初，面临的最大困难往往是资金问题。乡镇企业的创办者们不得不使尽浑身解数，通过一切可能的渠道获得创业所需的原始资本。正是在四处筹集资金的过程中，乡镇企业摸着石头过河，在竞争残酷的市场经济中闯出了一条路，并开创了许多新制度。这些资金筹集方式包括：借贷、集资和吸引外资。

顺德的乡镇企业就选择了一条“负债经营”之路。负债的主

要渠道是当地银行的借贷。改革开放后，由于金融体制的改革，银行信贷不仅可以多贷多存，同时也可以通过同业拆借向外地借入资金。这就使得银行可以充分动员本县和其他地区的长短期闲置资金，投入到工业发展中去。从1978—1985年，县银行用于工业的贷款每年以53.2%的速度递增，七年间增加了19.8倍。同时，顺德还寻求向外资借贷，不但寻求国外银行和中国银行的外汇贷款，还发展了一部分国际租赁及买方信贷等。顺德人把他们的这种做法形象地称为"先当债主，后当财主"，"借别人的钱来发财"。这种负债经营的做法，使全县从1978—1987年短短九年时间得到了巨额资金集中进行大规模工业投资，创办了大批企业。这九年，全县新增镇以上工业企业212家，比1978年增长了62%。其中，大部分新增企业是城镇集体所有制企业和农村镇办企业，后者占新增企业的74%。[①] 不止是顺德，当时几乎所有珠江三角洲城镇都在向外寻求贷款。佛山的借贷也是出了名的，当时佛山市市长于飞不惜冒险公开运用私人关系，向香港金融界借贷，被报纸称为"借债市长"[②]。

此外，引进外资也是珠三角乡镇企业获得启动资金的主要方式之一。与其他地方不同，由于毗邻港澳，加上改革初期正好赶上世界产业结构调整，香港制造业急需寻求转移，珠三角乡镇企业在引进港资方面，具有得天独厚的优势。珠江三角洲利用港资的主要形式是建"三来一补"企业，这些工厂从香港进口原材料，再将成品运回香港，销往国际市场。在内地建立加工厂对香港商人很有吸引力，因为内地的劳动力非常廉价，通过采用廉价劳动力进行劳动密集型生产，他们可以在国际市场保持竞争优势。而珠三角的地方政府也很乐于与香港合作，他们发现，这样做可以为干部和群众提供就业机会，为县镇政府增加收入，并能促进当地发展。于是，珠

① 王光振、张炳申、赵瑞彰、左正、刘少波：《广东四小虎》，广东高等教育出版社1989年版，第19～20页。

② ［美］傅高义著，凌可丰、丁安华译：《先行一步——改革中的广东》，广东人民出版社1992年版，第199页。

三角各县镇领导纷纷动员包括私人关系在内的各种资源，竭尽所能吸引、鼓励香港商人前来投资。合作办厂的谈判主要是在港商和当地县镇领导人之间进行。有投资意向的港商会与当地政府领导联系、洽谈，珠江三角洲县镇政府通常也会委派部分官员专门负责与港商联系和会谈。他们往往会创造各种机会，增加港商对本地的了解，说服他们前来投资办厂。东莞为了吸引外商前来投资，采取的主要措施有两条：一是落实华侨政策，纠正冤假错案，争取华侨人心；二是邀请华侨、港澳同胞回乡观光，看龙舟，尝荔枝，度中秋，过春节，参加各种喜庆活动，联系感情，加强联系，扩大对外宣传，发动他们回乡投资，或介绍外商前来投资，支持家乡建设。

在这两种筹资方式中不难发现，基层政府在乡镇企业的资金筹措中起着重要作用。基层政府之所以对乡镇企业的发展如此热心，是因为乡镇企业的发展与基层政府和官员的利益密切相关。首先，乡镇企业的主体脱胎于集体社队企业，企业负责人往往也在基层政府中任职，他们的政绩和个人收入与乡镇企业经营状况直接相关；其次，乡镇企业上缴的各种税费是乡镇财政的主要来源，获得尽可能多的可支配的财政收入，成为地方政府大力发展乡镇企业的主要动力；再次，农村经济的非集体化改革削弱了乡村干部的正式组织权力，迫使他们在乡镇企业经济发展中，获得以关系网络为基础的新的权力资源，重新建立个人权威。基于这些因素，地方乡镇政府不遗余力地帮助乡镇企业发展，常常会动员他们所掌握的一切行政、人力和财力资源，为企业直接提供土地和资本等投入品或提供信息交换、信誉担保、安全保障等多方面的服务。[①] 正是由于农村基层政权在农民与市场之间充当着中介，乡镇企业才以其独特的组织方式在市场竞争中牢牢地占据了一席之地。因此，有学者得出结论说，基层政权对企业的干预是市场化的重要组成部分，导致中国

① 郭正林：《当代农村政治研究的理论视界》，地方政府与社会治理研究网，http://www.clgs.cn/Article_Show.asp? ArticleID = 1207.

平稳地确立了市场经济。[①]

集资方式主要为村办企业所采用。上文所述的万丰村是中国最早实行股份制的村庄，这个村庄在乡镇企业集资过程中开创了农村股份制之先河。1983 年，一家香港企业想与该村共建一家合资企业，条件是村里必须修建所有的必需基础设施。这个项目利润可观，但村里要为水、电、通讯、宿舍和标准厂房所支付的成本预算高达 1000 万元，而万丰村只有 400 万元的集体积累。经过多方努力，他们争取到了 100 万元的银行贷款。为了补上其余的资金缺口，村干部走投无路，要求村干部和全体党员每人集资 5000 元。这实际上相当于村里发行的债券。后来部分群众看到了投资的前景，跟着购买了债券，终于办成了这家合资企业。尝到了“股份”的甜头之后，万丰村于 1986 年将所有的村集体工厂都改成了股份合作制企业。

（二）“星期六工程师”

随着乡镇企业的发展，对现代科学技术的依赖也不断增加，但本地乡镇企业无法提供经营企业所需要的技术和人才。此时乡镇企业面临的人才、技术缺乏问题就显现出来了。由于乡镇企业暂时还无法具备吸引城里的技术人才下乡的竞争力，同时，国有企业实行的工资制度和单位所有制也使得调动工作困难重重。在这种背景下，“星期六工程师”应运而生，一些乡镇企业积极与省、地区和县的技术人员或专家取得联系，以优厚的条件吸引他们下乡，为其提供技术指导和咨询。除了优厚的报酬，这些企业还使用专车接送“星期六工程师”，为他们提供舒适优美的住房。当时的南海县是离广州最近的县，该县的乡镇企业充分利用这一优势，“借别人的脑袋”发财，大量聘请“星期六工程师”，使广州市不少在职的教育、科研单位和企业的技术人员成了村镇企业发展的技术后盾，不少离退休的技术人员和工人师傅成为乡镇企业的顶梁柱。

---

① 潘维：《农民与市场》，商务印书馆 2003 年版，第 318 页。

来自乡镇企业的竞争有力地冲击了当时实行的工资制度，许多城市技术人员在高工资和福利待遇的吸引下，放弃城市的工作，转而来到乡镇企业任职。1984年，中山市沙溪镇联合企业公司对电子、化工、制药等科技人员实行公开招聘，给出的待遇条件是：助理工程师每月工资300元以上，工程师400元以上，并根据应聘人员家庭成员状况，分配60～80平方米的住房，还一次性补助5000元购置家具，如有发明创造另行奖励。短短一个月中，他们收到了全国各地的应聘信件500多封，直接找上门的几十人。据《人民日报》报道，1992年全国乡镇企业总共聘用了130万名兼职和全职城市工程师。①

除了大规模引进人才，一些乡镇企业还发展出了一些新型的智力成果运用方式，那就是与大专院校、科研单位合作，使这些拥有技术的单位以技术入股、技术培训、技术咨询、技术承包等方式参与到乡镇企业的运营生产中来。这些体制创新不仅解决了乡镇企业人才缺乏、生产技术水平低等问题，而且加强了科研与应用之间的联系，促使科技成果迅速转化为生产力。这样，乡镇企业就突破了与技术人员个人之间的合作，而使合作扩展到整个科研单位，直接推动改革深入发展。

（三）无孔不入的推销员

推销员对于乡镇企业的发展壮大功不可没，他们是改革开放初期最具有市场意识的一批社会成员。在整个社会的供求还在靠计划决定的年代，他们率先对计划经济体制发起冲击。当时关于乡镇企业推销员流行一种说法，叫“四千四万”，就是说干推销要说“千言万语”，想“千方百计”，走“千山万水”，吃“千辛万苦”。这些来自乡村的推销员往往有着惊人的敬业精神，四处游说，请客、送礼、吃饭，不屈不挠，不达目的誓不罢休，为所在的企业找

① 《人民日报》（海外版）1992年5月11日，转引自潘维：《农民与市场》，商务印书馆2003年版，第173页。

市场、跑订单，然后回来组织企业生产。这些推销员之所以具有如此的热情和干劲，与乡镇企业的薪酬激励机制密切相关。企业通常按销售回笼款计提推销员个人收入，上不封顶，下不保底，这种完全市场化的经营机制和激励机制，造就了一大批具有市场经济意识和一定创业资本的销售员乃至企业家，也造就了乡镇企业的竞争力。

（四）大树底下好乘凉——挂靠

除了集体所有制企业，个体和私营经济也是乡镇企业的重要组成部分。相对于与基层政权紧密联系、具有官方背景的集体所有制企业，个体和私营经济的生存环境更为恶劣。改革开放之初，政策环境对个体、私营经济十分不利，有很多限制性条款。按照当时的国家政策，允许个体工商户和私营企业存在、发展，但在1988年以前，国家尚未颁布有关发展私营企业的具体法规，国家工商行政管理部门不能依法核发营业执照，税务部门不能实行税务登记，银行部门在信贷上对个体私营企业也有所限制。如当时的政策规定，个体企业只能刻一个厂章，没有财务章，就很难与国营、集体企业进行财务上的往来；个体企业不能使用法人证明书与国营、集体企业签订合同；银行贷款金额只能在1万元以下；必须照章纳税，不能减免税收。这样，个体工商户和私营企业在扩大生产规模和开拓市场方面均受到限制。

而集体企业所享有的各方面的政策则要优惠得多。集体企业不仅经济技术力量较为雄厚，而且在税收、银行贷款的利息、额度等方面都享有一定优惠条件，在对外经济交往和市场竞争中，也比一般个体企业更享有信誉。

在这种情况下，一些个体工商户、私营企业为了求得更好更快的发展，享受集体企业的优惠条件，纷纷寻找集体企业做靠山；一些地方政府为了扶持个体工商户、私营企业的发展，壮大村镇企业，也认同这些企业挂户经营。如广东西樵镇镇委壮大集体经济和扶持个体、联合体发展，发动了10个村的村办企业与个体联营，由村企业负责组织原材料和沟通产品销售渠道。①

广东省的挂户企业在1985年以后大量出现。1986年，广东省曾有规定，允许挂户经营。但在1988年开始的治理整顿中，这类企业首当其冲被列入清理整顿范围。反对者认为，这类企业是戴着“红帽子”的“假集体”，借集体企业之名，行偷税漏税之实。迫于当时的政治环境及其所带来的政治压力，广东省政府对挂靠企业进行了有限整顿。在1990年10月召开的全省乡镇企业会议上，广东省委书记林若专门指出，他认为挂户经营问题情况复杂，不能一概而论，不宜匆忙定性。时任广东省省长叶选平的态度则更为鲜明：“农村中挂靠搞联合的，实际上很多也是个体的。承认私有经济和个体经济是一个很大的进步，打破了原来的僵局，使我们的经济工作得到了发展，看起来是退了一步，实际上是进了两步。”“至于挂靠企业中有人钻我们政策的空子，偷税漏税，这是另外一个问题，不能因此而影响我们对个体、私有经济的政策。”②

由于广东省地方政府一致肯定挂靠企业的作用，因此这次清理并没有对挂靠经营产生根本性的影响，引发的震动较小，使乡镇企业保持了良好的发展势头。

三、广东“四小虎”

1988年，新华社记者王志纲仿照亚洲“四小龙”，把南海、顺德、中山和东莞这四个新兴城市命名为广东“四小虎”。它们在各自不同的条件气候下风生水起，经过多年摸索形成四种县域经济发展模式——“顺德模式”、“南海模式”、“中山模式”和“东莞模式”。在这四种模式下孕育的“洋枪队（外资企业）”、“游击队（私营企业）”、“武工队（乡镇企业）”和“国家队（地方国营企

---

① 王光振、张炳申、赵瑞彰、左正、刘少波：《广东四小虎》，广东高等教育出版社1989年版，第178页。

② 雷仲予：《广东先行一步见闻录》，广东人民出版社1998年版，第250页。

业）”，在国内南征北战，“赚够了全国人民的钱”，招来了全国上下官产学的研究借鉴风潮。广东“四小虎”也成为珠三角经济改革与发展的一个标志，它承载着广东的自豪与骄傲，是胆识的象征，也是财富的象征。

南海、顺德、中山和东莞模式被费孝通先生总括为“珠江模式”，与“苏南模式”、“温州模式”被经济学界合称为中国经济发展与工业化进程的三大成功模式。一般认为，从工业化的发动者看，“温州模式”属私人发动型，“苏南模式”倾向于政府（社区）发动型，“珠江模式”则兼而有之；从筹资途径看，“苏南模式”和“温州模式”倾向于资金自给型（内生型），“珠江模式”则倾向于引进外资型（外来型）；从制度变迁、体制转轨的路径依赖看，苏南是典型的自上而下的体制内供给型强制性制度变迁，温州是自下而上的体制外需求型诱致性制度变迁，珠三角则两者兼而有之，而且由于地缘因素，更具“外来冲击—内部回应”的制度演化特征。经过30年的发展，苏南、温州、珠三角已经在全国经济发展中奠定了领先地位，而且从改革的进程和发展的势头看，三者均走在全国其他地区的前面。

总体上看，依托外部资金、技术推进区域经济发展，是“珠江模式”的主要特征。但在实际发展过程中，广东各地的乡镇企业除了依靠得天独厚的条件借助外资的推动之外，在选择具体的发展路径时又充分结合本地经济、社会、文化实际，探索出了各具特色的发展方式，从而大大丰富和完善了“珠江模式”，使之成为一个完整的体系：“南海模式”是“国营、集体、个体经济一起上”，县、公社、村、生产队、个体、联合体企业“五个轮子一起转”；“顺德模式”、“中山模式”以乡镇企业为主，经过改制后逐渐以本地民营资本为主导地位；“东莞模式”以“三来一补”为吸引外资的主要手段积累资金，利用美、港、台制造业向大陆转移的时机，积极融入跨国公司的供应链做OEM，成为国际性对外加工基地。“四小虎”及几种模式大显身手，红极一时。

（一）南海模式

1. 特点。

“五个轮子一起转”，即实行乡镇、管理区、经济联社、联户、个体五个层次一齐发展的方针。“轮子学说”的实质是坚持以公有制为主体，多成分、多层次、多形式并存，共同发展。这种模式，使乡镇企业如雨后春笋般发展起来。尽管镇一级企业的发展比顺德略为逊色，但镇以下的四个轮子加快了转动，收到异曲同工之妙。“五个轮子一起转”的经济发展模式，强化了对各种经济资源的动员，充分利用了各种生产力要素，创造了市场竞争的社会氛围。各种经济形式之间的竞争，打破了集体和国营经济一统天下的局面，使社会经济体充满活力，也加快了集体和国营企业进行改革的步伐，迫使企业在竞争中求发展。“五个轮子一起转”的经济发展模式，使南海县的公有制经济、合作经济、个体经济和私营经济共同发展，一方面使集体经济不断得到发展，巩固了公有制经济主体地位，另一方面又使一部分农民在发展家庭经济和合作经济中先富起来，在改革中直接得益，体现了社会主义初级阶段分配原则，并产生了积极的“示范效应”。“五个轮子一起转”的经济发展模式，既不同于苏南地区集体比重大，个体比重小的正三角形经济结构，也不同于温州地区个体比重大，集体比重小的倒三角形经济结构，而是层次分明的梯形经济结构模式。这种经济模式使南海经济增长产生“小河有水大河满”、“百花齐放春满园”的格局，也是构成南海市国民经济增长的主动因，是南海市经济增长格局的一个基本特点。

2. “轮子”模式的形成与实践。

早在1979年，南海县委、县政府就认识到“三驾马车”（公社、大队、生产队）比“一驾马车”（公社）快。改革实践促进了“轮子学说”的完善，县委、县政府认识到，要适应生产力的发展，就必须进一步改革单一的公有制生产关系，采取多种经济形式并存的生产关系模式，实行县、镇、村、生产队、个体联合体五个

层次一齐上。1984年，这一认识在县人代会、党代会上讨论通过，会议提出了“农工商要齐发展，国营、集体、个人、联合体一齐上”的要求，标志着南海县经济发展模式理论的形成。

“五个轮子一齐转”，就是在重点发展县、镇、村的集体骨干企业的同时，鼓励和扶持社办（生产队）企业、合作企业和家庭企业的发展。对县、镇、村级的集体企业，他们主要是通过对原来企业的技术改造和创办新兴行业，发展一批规模大、设备先进、生产水平高的骨干企业。在这一指导方针下，县级企业实现了五大转变：在工业结构上，从纯加工向加工工业与原材料工业和基础工业的配套发展转变；在产品结构调整方面，从低中档、少品种向高档次、多系列、新技术转变；在经济导向方面，从内向型经济向外向型经济转变；在企业规模方面，从中小型企业、劳动密集型为主向大规模企业、技术密集型为主转变；在管理体制方面，从多层次管理体制向专业化、集团化管理体制转变。

对个体和联合体经济的发展，县里一是从资金上给予支持，全县发展起来的个体经济和家庭工业，其资金约有60%是通过银行贷款取得的；二是加强管理，使其能够沿着健康的轨道发展；三是发展各种社会化服务体系，使个体经济和家庭工业逐步摆脱各自独立、分散经营、小而全的经营方式，逐渐向专业化社会化方向发展；四是利用个体企业和集体企业合作联营的方式，充分发挥双方优势，引导个体企业或私营企业向集体靠拢。

通过重点发展县和村镇骨干企业，同时放手发展村办、个体和联合体企业，促进了五个层次经济的蓬勃发展，也使“五个轮子一齐转”成为珠三角地区独具特色的经济发展模式。

（二）顺德模式

1. 特点。

从乡镇企业发展初期起，就集中精力发展乡（镇）办企业，以镇办骨干企业为主，并逐渐向外向型经济发展。1991年，当广东省其他地方还没有一个亿元乡镇企业的时候，顺德市已拥有总产值超亿元的企业19家，超千万元的企业105家，超500万元的企业53家，成为全省乃至全国乡（镇）企业之冠。

2. 选择这一模式的原因。

顺德采取这一模式，是根据本地实际作出的选择。

首先，顺德地区主要以经济作物为主，以种植、养殖为主要生产方式，经济较为发达，集体经济基础比较牢固，农民与市场联系密切，商品经济意识较强，并不热衷于单家独户生产的自然经济观念。因此，以承包责任制为基础的各种专业户、重点户刚发展不久，很快就开始出现各种形式的经济联合体。专业户的社会化，一方面要求工业有较快的增长，另一方面对工业产品的档次、质量要求较高，限制了小额资本的加入，使顺德的个体工业产值在全县工业总产值中所占比例微乎其微。

其次，在顺德原有的工业基础中，大中型企业凤毛麟角，大部分都是城镇街道集体企业和公社办的企业，其中，公社办企业所占全县工业比重又优于街道办企业。因此，镇办工业，尤其是当时的公社企业，是发展顺德工业的主体力量。加上国家在政策上给予乡镇企业的优惠措施，使乡镇企业具有比较灵活的经济机制。在商品经济竞争的条件下，顺德必然选择以最具活力的镇办企业为主的发展模式。事实上，正是顺德的一家镇办企业不仅在全县，而且在全国首家开办“三来一补”业务，拉开了乡镇企业利用外资，引进技术，从而获得大发展的序幕。①

再次，顺德城镇化水平较高，是顺德选择这一经济发展模式的重要社区条件。

正是因为充分考虑了自身的各种具体发展条件，才能最大限度地发挥顺德的优势，获得良好发展。

---

① 王光振、张炳申、赵瑞彰、左正、刘少波：《广东四小虎》，广东高等教育出版社1989年版，第54～55页。

（三）中山模式

1. 特点。

民营经济成为中山经济成分的主体，外资企业与民营经济生产总值各占中山总产值的半壁江山。迄今为止，中山的外企占53.63%，民企占40.44%。这种以非公经济为主体、全民创业的经济发展模式，既激发了民间的创造力，也让财富为民所享。而且，产业集群在中山的发展态势良好，目前中山市有省级专业镇13个，国家级产业基地25个。

2. 中山乡镇企业成长因素。

一是抓住时机，积极利用外资、引进先进设备。中共十一届三中全会以后，特别是中央把珠江三角洲划为对外开放区以来，批准了中山市23个镇为工业卫星镇，享受开放区的优惠政策，这为中山市引进外资提供了良好条件。由于中山的乡镇企业从起步开始就与国际市场发生联系，因而为吸引外商投资，走上外向型发展道路打下了良好基础。

二是各方筹措资金、改善投资环境。为了建立完善的投资环境，中山市提出“三个一点”措施，即在投资基础设施时，政府补一点，镇（区）拿一点，群众筹一点，用于交通、厂房、电力等基础设施建设。同时，各镇还开辟了工业开发区，兴建了一批工业楼宇。

三是采取“养鸡生蛋、放水养鱼”的政策，扶植乡镇企业发展。中山市在执行上级政策的前提下，先后制定加快乡镇企业发展的若干政策，特别是对不够发达的镇区和生产经营有困难的新办企业，在税收、贷款等方面给予优惠照顾，有力地保证了乡镇企业的发展。

四是支持和鼓励个体和私营企业发展。中山市一开始就坚持发展各种形式的乡镇企业，调动全民办企业的积极性，充分挖掘和利用各种资源，大大加快了乡镇企业的发展速度。

（四）东莞模式

1．特点。

利用毗邻香港的地理优势，把握香港和亚洲“四小龙”调整产业结构、劳动密集型企业内移的时机，放手引进资金、技术、人才，多形式、多层次发展外向型企业。东莞的乡镇企业经历了从发展“三来一补”起步，到发展合资、合作企业和外商独资企业；从引进境外资金、技术、设备、管理经验到消化、吸收、创新、发展自己的企业和产品；从利用外资发展乡镇企业到同外商合资发展创汇企业，逐渐形成以镇村集体经济为依托，以国际市场为导向，重点发展以“三来一补”为主、带动出口创汇基地建设、具有东莞特色的外向型经济新格局。

2．经验。

首先，以“三来一补”为突破口，带动社会经济起飞。由于“三来一补”具有形式灵活、投资少、见效快、风险小、成本低、对劳动力容纳量大等特点，东莞决定根据自身地理位置优越，华侨、港澳同胞众多，劳动力和土地使用成本低等综合优势，选择“三来一补”作为经济起飞的突破口。通过这种形式，利用外商的资金、原材料、设备、销售渠道等发展来料加工装配业务，以弥补自己基础差、资金短缺、技术设备落后的不足，解决劳动力就业和发展外向型经济的问题。“三来一补”既使外商有利可图，又为自己积累了资金和外汇，成为东莞经济起飞的首要推动力。

其次，外向型经济应多层次、多形式地发展。除了发展“三来一补”作为主要形式之外，还要大力发展本地传统工业产品，使之升级换代，提高产品档次，增强出口竞争能力。兴办一批外向型农副产品出口基地，建立出口生产体系，也是外向型经济的重要组成部分。此外，私营“三来一补”企业也是东莞经济的一大特色。私营“三来一补”企业，既可以使个体经济和私营经济逐步参与国际竞争，培养一批懂得国外经济行情的经营管理人才，又可以充分利用国外资金。

再次，不断优化投资环境，为经济起飞创造良好条件。投资环境由自然因素、经济因素、体制因素和政策因素四方面组成。在经济起飞过程中，东莞市确立了以交通、能源、通讯等基础设施先行的战略思想，不断加强基础设施建设，大大优化了投资环境。与此同时，东莞还十分注意抓好服务设施建设，不断改善投资软环境：提高政府部门办事效率，制定优惠政策措施，密切与相关部门的沟通联系，使之为发展对外经济"开绿灯"，抓紧人才培训和人才引进，努力从各个方面促进外向型经济发展。

（五）广东其他乡镇企业发展模式

除了这四种主要的乡镇企业发展模式以外，广东乡镇企业发展还有其他一些较具代表性的模式。

吴川模式。其特点是放手发展联合合作企业和个体私营企业。号召广大农民集资办厂、办联户企业或家庭企业，经过一段时间的创业和积累后，再兴办一些大、中型的集体骨干企业。吴川模式适合边远、贫困地区发展乡镇企业。

云浮模式。其主要特点是利用本地丰富的云石资源，选准以石料加工业为突破口，实行有计划有领导地放开资源、放开经营、放开流通渠道的政策，号召国营、集体、个体企业一起发展建材业，成为全国闻名的专业化石料建材生产基地。近几年该市乡镇企业又发挥石料加工的技术优势，发展成为全国花岗岩的加工、集散地。云浮模式对广大山区发展乡镇企业起到了良好示范作用。

普宁模式。其特点是以合作联营为突破口，动员华侨、港澳同胞回乡投资办企业。

"八五"以来，广东省乡镇企业继续坚持"分类指导"方针，推动不同类型地区乡镇企业的发展。珠三角和沿海发达地区，继续以发展镇村集体工业为主和以外向型经济为主，不断深化企业改革、依靠科技进步和强化企业管理，使企业上规模、管理上水平、产品上档次；东西两翼次发达地区，继续发挥传统工艺优势，同时积极开展外引内联，发展外向型经济，加快发展步伐；广大山区则

充分利用资源、劳力等有利条件，坚持“多业并举，能搞什么就搞什么”和“只要有效益，能搞多快就搞多快”的原则，积极发展资源型和加工型企业。同时打开“山门”，接纳发达地区的产业转移。

四、排头兵中的前锋

广东通常被称为改革开放的排头兵，许多新的尝试和探索都是从广东起源的。而乡镇企业则是排头兵中的前锋，它们率先对旧有制度的不合理之处进行了冲击。改革并不是单方面的、一蹴而就的，而是一个漫长的、全面的，是一个破坏和建设并存的过程。出于生存的需要，乡镇企业被推上了改革的风口浪尖。

（一）思想解放的先驱

树立商品经济意识是发展的前提。广东尤其是珠三角地区，自古以来就是商品经济发达之地，人们的商品意识浓厚，为改革奠定了良好基础。中共十一届三中全会后，发展商品经济受到中央政权的鼓励和肯定，为广东人的商品经济观念创新提供了良好的外部环境。在这种背景下，广东人上演了一幕幕精彩的思想解放大戏。

1. 贺富。

改革开放之初，由于我国之前一直实行“左”倾思想路线，年年抓阶级斗争，天天批资本主义，把追求个人经济利益与资本主义、修正主义等同，把发展商品经济看作投机倒把。因此，即使中共十一届三中全会宣告要结束以阶级斗争为纲，把党和国家的工作中心转移到经济建设中来，历经了各种政治运动的人民群众还是疑虑重重，不敢冒险从事工商业活动。在这种社会背景下，广东的一些地方领导干部敢想敢为，率先号召、动员人们敢富、致富。在1980年召开的南海县党代会上，县委号召全体党员要“朝思暮想，让农民尽快富裕起来”，县委、县政府明确提出“学富、比富、创富、赶富”口号，并采取实际行动，进行“贺富”：全大队人均收

入达到 500 元，县委、县政府就来祝贺，发贺信，放鞭炮，放电影，送贺金，召开社员大会，恭贺致富。在县委、县政府的带动下，各公社也开始搞“贺富”活动。全县连续搞了三年“贺富”，这种由政府牵头组织的鼓励致富活动，大大增加了群众对发展商品经济的热情和信心，该地的乡镇企业迅速发展起来。

2. 负债经营。

“借钱做生意”如今已成为从事商业经营活动的常态。但在改革开放初期，负债经营被认为是一种高风险的经营方式，需要承受巨大压力。但为了筹集企业发展的启动资金，许多乡镇企业甘冒风险，以大无畏的开拓精神通过各种渠道，如贷款、发行股票、债券等集资，负债部分常达 80% 以上。这种负债经营的做法，使珠三角各地在短时期内获得大笔资金，集中进行工业投资，奠定了乡镇企业腾飞的基础。

3. 干部可以多拿一点。

实行联产承包责任制后，个体户和私营经济获得了迅速发展，在这种情况下，如何保持集体经济的稳定和发展就成为一个大问题。由于集体经济和农村基层政权联系紧密，因此，珠三角各地普遍采取将乡镇企业经营业绩与农村干部收入挂钩的办法，调动村社干部发展集体企业的积极性。南海县贯彻按劳分配原则，明确集体经济发展快、干部贡献大、人民群众得益多的村社，干部的报酬可以多一点。1987 年，南海县干部报酬最多的全年可以达到 1 万多元。顺德则改革了镇、村干部的工资体制，将其工资分为固定和浮动两部分，其中浮动部分按“四金带分配”的办法进行计算。即每年从新增的管理基金（按所属企业产品销售额提取 2%）、折旧基金、税金、利润留成基金中提取 1% 作为镇村干部的浮动工资。这样，镇、村干部的报酬就与本地区乡镇企业的效益结合起来，促使广大农村干部全心全意致力于本地区乡镇企业的发展，保证了集体经济的蓬勃发展。

（二）制度创新的开拓者

除了在思想上勇于开拓进取，打破陈规，乡镇企业还在发展壮大过程中建立起一些极具生命力，符合市场经济规律的新制度，对整个市场化改革进程产生了深远影响。在改革开放初期，国家虽然确立了市场化改革方向，但计划体制下的各种规章制度仍然在发挥作用。国有大型企业是国家财政收入的主要来源，也是城市居民就业的主要场所，并与各级政府机关有着盘根错节的关系。以打破这种利益格局为目标的市场化改革得不到国有大型企业的支持，因此，对旧有计划经济体制最初和最有力的冲击，实际上是由缺乏资源，也相应缺乏管制的乡镇企业发起的。由乡镇企业开创的最重要的新制度有：

1．工资制度。

乡镇企业一开始就实行收入与效益挂钩的分配原则，按劳取酬，多劳多得。村镇企业职工基本实行浮动工资，实行岗位承包，部分乡镇企业职工实行计件工资。东莞的太平手袋厂是全国第一家“三来一补”企业，这个厂一开始就实行计件工资，高工资甚至使得政府官员都要来走工厂管理人员的后门，要求安排亲戚进厂工作[①]；企业供销人员的报酬则基本根据供销总量按一定比例提成；一些乡镇企业设立了厂长基金和企业内部分红制度，使厂长、经理和有贡献的管理人员及职工的收入高出普通职工好几倍。新的工资制度逐渐形成新的利益分配机制，人们的收入差距重新开始拉大。但这一次的拉大没有遭到国家权力的干涉，而是在国家的默许下进行的。由于这种工资制度带来企业在管理、效率、工作勤奋和服务质量方面的显著提高，因而逐渐开始被大中型国有企业采用，为打破原有的利益分配格局打开了一个大口子。

2．合同制度。

---

① 陈伟华：《我见证了它的诞生、兴盛和衰落》，《南方都市报》2008年1月21日。

乡镇企业最早实现完全的职工招聘、使用（包括薪酬支付标准）和辞退权，实行合同聘任机制，严格执行聘用合同，表现好的继续聘用，不合格的一律辞退。效益工资和合同聘任被认为是对乡镇企业的发展最具影响的两项激励制度。

3. 价格体制。

计划体系的支柱之一是计划定价，价格改革是改革者们所面临的最核心、最复杂的问题。改革开放初期，价格仍然受到国家管制，每种工业产品的价格都必须获得各级计委的批准，价格标签不一定能够反映生产成本或供需状况。国有企业在产品价格方面几乎没有自主权，但乡镇企业却可以自由地对自己的产品定价、调价，甚至在谈判中给"回扣"。乡镇企业就这样通过"扰乱经济秩序"，对计划定价体系发起冲击，迫使政府部门全面、彻底地"打破价格壁垒"，确立市场价格体系。广东的价格改革走在全国前列，至1988年，广东的大多数产品价格已不受管制。

4. 地方政府管理体制。

乡镇企业的发展有力地促进了地方管理体制改革。首先，借鉴乡镇企业的管理经验，一些政府部门引入了目标责任制，根据政府工作重点和本部门的职能制定任期目标，把工作任务、指标分解至室，落实到人，促进办事效率的提高；其次，乡镇企业的发展打破了政府部门"条块分割"局面，促进了政府各部门之间的协作。乡镇企业的发展符合各方利益，因此，各政府职能部门尽力协调一致，互相配合，为乡镇企业的发展"开绿灯"。

5. 股份制。

我国的股份制是从乡镇企业开始萌芽的。不论是作为资金筹集手段，还是利益分配方式，股份制都在乡镇企业中得到了充分而灵活的运用。股份制充分动员起资金、技术、管理等社会资源，为乡镇企业的迅猛发展铺平了道路。随着股份合作制的推广，许多企业把原有的集体资产"量化"到集体内部的每个成员，使他们都成为股东，培养了员工的主人翁精神，对企业领导也起到监督和约束作用。

五、前路漫漫

（一）广东乡镇企业发展的新态势

进入21世纪以来，广东乡镇企业的发展进入了新的阶段，呈现出新的态势和特点。

一是部分企业的规模、管理、技术水平上了一个新台阶，由单个企业向集团公司发展。在改革中，不少地方以当地或同行业中经济实力强大的镇村企业为核心和龙头，联合和兼并其他中、小企业，实行公司制改造，使之成为控股公司或企业集团。通过资产和生产经营纽带将子公司和其他成员企业组成一个有机整体，把原来政府对企业的直接管理，变为核心企业对成员企业的管理，有效地实现了出资所有权与企业法人财产权的分离，逐步形成规模经济和集聚效应。目前，全省已组建乡镇企业集团350多家，全国大中型乡镇企业381家。

二是出现产业集群。改革开放以后，广东省尤其是珠江三角洲的乡镇企业如雨后春笋般迅速成长，一个个产业相对集中、产供销一体化、营销网络覆盖面广、所有制形式以非公有经济占主要成分为特征的乡镇企业群落，迅速在省内落地开花并发展壮大。如顺德桂洲和容奇的家电群、乐从家具，中山小榄的五金制品、古镇灯饰、沙溪服装、澄海灯具，南海西樵的纺织群、大沥的铝型材和摩托车，东莞厚街的电子产业、虎门服装，信宜的竹编，梅州的沙田柚等等。被专家称为“中国经济第三次浪潮发动机”的产业集群，用“块状经济”的纵横联合式结构，打通了产业链相关的上下游企业和相关的辅助产业，从而爆发出更大的经济能量。广东的乡镇企业集群以专业镇为基本表现形态。20世纪90年代以来，广东出现了大批经济规模超过十亿、几十亿甚至百亿元的产业相对集中、产供销一体化、以镇级经济为单元的新型经济形态，称之为专业镇经济，属于经济学界所谓“簇群经济”、

“集群经济”、“专业产品区”的范畴。珠江三角洲及其两翼专业镇的闪亮崛起，是世纪交替之际最值得关注的广东经济现象之一。

三是乡镇企业的优势正在逐步变型、消失，暴露出严重的问题和不足。首先，乡镇企业经营机制存在不足，主要表现为产权主体虚化，政企不分和社会负担繁重。这些问题导致乡镇企业产权界定不明晰，企业的约束软化，动力、后劲不足，企业的经营自主权越来越小。其次，乡镇企业结构不合理。长期以来，乡镇企业的发展以社会生产分工的浅层次结构为主，体现在以劳动密集型行业为战略重点，其产品大多是初级产品，高科技含量和高附加值产品少，深加工产品少。而且，乡镇企业与国企在产业产品结构方面存在严重趋同，以致形成重复生产，过度竞争。在自身组织结构上，乡镇企业又表现出严重的“小而全”和“小而散”特征。广东省乡镇企业结构不合理还表现在乡镇企业的地区分布不合理。珠江三角洲乡镇企业发达，而其他地区，尤其是粤北山区，无论是乡镇企业的数量还是规模档次，都远远落后于珠三角，部分山区县甚至还有乡镇企业的“空白村”。再次，乡镇企业增长方式以粗放型为主，在发展方式上低水平重复建设，总量扩张，在布局上星罗棋布。广东逾七成的乡镇企业分布在行政村及其村组以下，这种高度分散的格局，不仅阻碍了聚集效应的产生，弱化了城乡工业的联系，而且加大了企业的外部交易成本，降低了市场开拓能力。在产品结构上表现为老、低、粗。在生产手段上装备落后，劳动密集。在管理上滞后，不懂管理，不善管理，任人唯亲、子承父业的家庭化倾向日趋严重。这种管理方式不仅使企业失去人才，失去活力，而且使一些已具相当实力的乡镇企业走向衰落；最后，乡镇企业技术水平有限。大部分乡镇企业采用土法上马，机械化水平很低，有的甚至完全是手工劳动。即使是机械化水平较高的企业，其机器设备也大多较为陈旧。而且，乡镇企业往往不能严格按照现代化先进工艺流程进行生产，造成在工序、生产数量和质量上都存在问题，产品质量、档次上不去，竞争力受到限制。[①]

（二）乡镇企业“二次创业”

启动乡镇企业“二次创业”工程，是使乡镇企业摆脱困境的客观要求，也是广东增创经济新优势的必然抉择。“二次创业”的目标，是从现在起再用20年左右的时间，使广东省乡镇企业总量和整体水平有一个较大的增长和较大的提高，成为国民经济的主力军。具体地讲分三步走：第一步到20世纪末，基本完成产业调整优化，实现总产值1万亿元，确保年均增长率在18%以上。第二步经过十年的努力，总产值比2000年翻两番。乡镇企业资本组织形式以混合经济为主，高新技术产业、信息产业得到较大发展，市场竞争力大大提高。第三步是再经过十年的努力，绝大部分骨干企业建立现代企业制度，并随着社会主义市场经济体制的真正确立和完善，以及城乡一体化，乡镇企业不再是独特的企业群，而完全成为文明时代的社会化经济组织、国民经济的主力军。

就珠三角地区来看，顺德市的乡镇企业“二次创业”是比较成功的。顺德市的乡镇企业闻名遐迩，著名的科龙、美的、格兰仕等都聚集在这里，仅亿元企业顺德市就有83家。但早期靠地方政府投资或政府担保贷款建立起来的企业，已逐渐从带动农村经济增长的主体变成了政府的巨大包袱，显露出与国有企业相同的体制上的弊端，改革势在必行。顺德乡镇企业改革的成功是在经历两次飞跃之后实现的：一是转制，二是转型。

顺德是最早尝试企业转制（转换机制）的地区。从根本上来说，转制就是产权制度的改革，即政府出让或部分出让企业所有权，建立以股份制或股份合作制为主的企业制度。顺德市企业转制的试行工作于1993年开始，至1994年底告一段落。此时，市、镇两级企业已转制884家，占企业总数的88.3%。1995年之后，是

---

① 关锐捷主编：《半个世纪的中国农业》，南方日报出版社1999年版，第164～165页。

转制工作的完善阶段。这一阶段主要是为转制企业完善法律手续、明确经济责任、督促建立科学的组织制度和管理制度等等。顺德市及时完成了企业经营机制的转换，为企业的持续发展奠定了产权基础。

继转制之后，随之而来的是企业转型。顺德乡镇企业的转型主要表现在以下方面：

治理结构的转型。首先，通过明确董事长与总经理的职权或者通过分权管理的事业部制，逐步实现决策权与经营权相分离，使高层人事专业化分工更加明显；其次，打破“肥水不流外人田”的旧观念，广泛吸收各地人才，在高层经理人员的聘任方面有了极大的进步，使企业高层经理人员素质大大提高，打破了企业成长中的企业家约束；再次，通过持股结构的再调整，进一步完善激励机制，实行核心员工持股、高层领导持法人股，探索红股和期权等多种方式，从而对中高层管理人员实行有效的约束和激励。以上现象在顺德市的大企业集团中已形成明显趋势。

组织特征的转型。企业组织特征的转型表现为从追求稳定发展向以变革求发展的方向转变。在发展战略上，企业倾向于从成本控制型规模经营转变为技术导向型的国际化扩张。在组织结构上，从单一产品的集权化经营转向多元化渗透的专业公司制或事业部制。在企业文化上，从简单适应型、传统人情型文化向学习、创新型转变。

顺德市的企业转制是由政府推动的，而转制后的转型则以企业为行为主体，它是企业行为向自主化、市场化、科学化、规范化的转变，即企业向现代企业制度转变的过程。这场变革是深层次的、多方位的剧变。目前，顺德市的乡镇企业正在经历着由产权制度的改变、日益激烈的国内行业竞争和多变的国际市场及新型组织模式的冲击所引起的“转型”。

顺德市的乡镇企业自 1993 年转制以来，经过了 1995—1996 年的磨合期，1997 年开始展现出蓬勃发展的势头。1999 年以来，以美的、科龙、格兰仕、万家乐为首的大中型企业销售额大幅度增长。目前，顺德市的乡镇企业在企业规模、商标品牌、资本运营、市场占有率、信用形象及体制创新等方面都显示出明显的优势，而这些成果均得益于适时的企业转制和转型。

（三）对乡镇企业转制的反思

1994年3月31日，农业部发布了《乡镇企业产权制度改革意见》，正式吹响了在全国推行乡镇企业转制的号角。截至2000年底，这场由政府自上而下推动的乡镇企业转制基本结束，全国绝大多数乡镇企业实现了“产权明晰化”。

对于乡镇企业转制，学界褒贬不一。支持者认为，乡镇企业的经营体制最大的问题就在于部分集体所有的乡镇企业产权不明。他们有三个重要相关理由力主改制：一是集体产权不能为企业家提供足够的激励机制，不能激发他们创造利润的动力；二是集体产权导致经理贪污浪费，假公济私，吞噬集体财产；三是集体产权导致乡村基层政权对企业人事和利润享有支配权，不利于企业的稳定发展。反对者则认为，转制的实质是将乡村集体所有企业私有化，在实践操作中，转制也就是把集体所有制转为私有制。但这样并不能从根本上解决乡镇企业所面临的问题，乡镇企业所遇到的困难并不是集体所有制独有的，也未必与集体所有制密切相关，而且转制本身的社会成本也很高。

就各级地方政府和人民群众的反应来看，转制也没有得到一致的认可，在有些地方甚至遭到了抵制。一般而言，乡镇企业经营状况越差的地方，政府对改制的态度越积极；而乡镇企业经营比较好的那些地方，政府则长期持观望态度。一些乡镇企业负责人，尤其是大企业负责人，对政府的改制要求态度也比较消极，而不是积极响应。农民对转制也缺乏热情，他们在转制后面临福利待遇下降和就业机会减少。因此，有学者明确提出，乡镇企业不是中央和省政府建立的，其命运应当由与企业相关的劳动者们自行决定，让他们与促成了企业的基层政权一起决定。自生的应当自灭，不要刻意去

“灭”人家。①

乡镇企业的发展是农村改革中意外结出的硕果。邓小平曾说：“农村改革中，我们完全没有预料到的最大的收获，就是乡镇企业发展起来了，突然冒出搞多种行业，搞商品经济，搞各种小型企业，异军突起。……这是我个人没有预料到的，许多同志也没有预料到，是突然冒出这样一个效果。”② 改革开放以来，广东乡镇企业的发展尤其引人瞩目，取得辉煌成就，成为国民经济的半壁江山。但经过30年的发展历程，广东乡镇企业也开始面临困境，没能摆脱困扰全国大多数乡镇企业的问题，在一定程度上出现衰落。乡镇企业何去何从，如何继续发挥其巨大的经济、社会效益，是现在及今后一段时期广东面临的重大思考问题。

---

① 潘维著：《农民与市场》，商务印书馆2003年版，第355页。

② 《邓小平文选》第3卷，人民出版社1993年版，第238页。

第三章
乡村都市化

乡村工业化为乡村都市化提供了基本动力。改革开放以来，广东乡镇企业异军突起，蓬勃发展，有力地推动了广东乡村都市化的发展。至2005年底，按第五次人口普查口径，广东省的城镇化率为60.68%。全省已基本形成布局合理、组合有序、优势互补、持续发展的城镇体系。珠江三角洲地区城镇群已成为全省经济社会发展的“排头兵”，区域协调发展机制逐步建立健全，整体竞争力不断提升，日益发展成为亚太地区最重要的城镇群之一；东西两翼城镇群初步形成，区域发展协调性大幅提高，尤其是高速公路的开通，拉近了区域间的时空距离，使中心城市的辐射能力得到进一步强化；北部山区城镇化稳步推进，承接珠三角产业转移工作成效显著，招商引资工作蓬勃开展。

一、乡村都市化的概念和道路选择

自20世纪80年代学界提出乡村都市化概念以来，学术界对什么是乡村都市化以及选择何种乡村都市化道路就产生了相当大的意见和分歧。争论主要在两种观点之间进行。其中一种是以费孝通先生为代表的“工业下乡论”。费老认为，“把工厂办到农村去的另

一面就是乡村的城市化，也可以说城市扩散到乡村去”①。这样，就能使农村剩余劳动力就地转移，而就业转移的地点就是小城镇。另一种观点则反对把乡镇企业小城镇作为农村工业化、城市化的最佳目标模式，主张农村工业向城市聚集，农民向城市移民，在原有城市不断扩大和在农村建设新的城市的基础上实现乡村都市化。虽然这两种观点看似对立，一种主张发展小城镇，人口向小城镇集中，而另一种主张发挥大中城市的聚集效应，人口向大中城市集中。但这两种看法都认为乡村人口向城镇集中是必由之路。这种思路既影响着城市规划者，也影响着城市决策者。

但从中国实际和当今世界城市发展方向来看，这种认为人口向城镇集中就是城市化的概念是片面的。

首先，就中国的实际而言，在现代化过程中的今天，中国虽然存在着人口向城市移动或集中的现象，但这种现象却受到户籍、土地、福利等社会制度与政策的控制与限制，而呈现出一种非自然的状况。因此，尽管城市就业机会对广大农村剩余劳动力具有巨大吸引力，但原有的大、中、小城市都严格限制人口的增长，缺乏吸纳乡村人口的能力。尽管近年来开始实行暂住证、务工证，甚至为外来工发放市民证，使进入城市的农民工更加有序化和有组织化，并允许他们在一定范围内享有“市民待遇”，但这些政策还是无法从根本上改变城市对乡村移民的排斥。把农村剩余劳动力集中到小城镇，通过建立小城镇实现乡村都市化也并非最佳选择。因为，就中国目前的情况来看，小城镇所能容纳的农业剩余劳动力还很有限，无法完全消化农村的剩余劳动力。另一方面，小城镇中的人口稳定性较差，一有风吹草动，就会发生很大变化。例如，由于市场疲软，1990 年小城镇乡镇企业中的就业人员比上年减少了约 1000 万人。由此看来，小城镇作为集中或消化农村剩余劳动力的作用也是较为有限的和不稳固的。

---

① 费孝通为《城乡协调发展研究》一书所写《后记》，江苏人民出版社 1991 年版，第 322 页。

其次，从西方当代都市化的发展趋势来看，人口不是向都市集中，而是反向运动，从都市中心向郊区扩散。在工业城市时期，随着工业革命的开展，西方国家的农村人口迅速向城市聚集，使城市人口超过乡村人口，从而完成了都市化进程。但随着交通、通讯、计算机技术的发展，西方国家开始进入后工业时代，人口移动也随之反向而行，许多城市中产阶级迁出中心城区，居住到郊区和小城镇。

此外，一些第三世界国家都市化发展的教训也表明，人口毫无限制地从农村聚集到都市，使得都市急剧膨胀，导致失业、贫困、犯罪、环境污染等社会问题大量产生。

这些情况使得人类学家开始采取不同的思路，重新界定乡村都市化概念。人类学家认为："都市化并非简单地指越来越多的人居住在城市和城镇，而应该是指社会中城市与非城市地区之间的来往和相互联系日益增多这种过程。"① 这一定义改变了以往对乡村都市化的僵化认识，强调都市化是城市与乡村同步发展的双向过程。在这一概念中，乡村都市化指的是一种乡村文明与城市文明整合后的新的社会理想。都市化如果从人口来看，一方面是乡村的就地都市化，另一方面是享有都市生活方式的人增加；如果从空间来看，一方面是原有都市的扩展，另一方面是乡村的就地都市化；如果从过程看，经历着村的集镇化、乡镇的市镇化、县城和小城市的大都市化以及大中城市的国际化这么几个阶段。

二、珠江三角洲的乡村都市化

（一）珠江三角洲城市化概况

珠三角凭借优越的地理条件和政策优势，在改革中先行一步，

---

① Gregory E. Guldin: *Urbanizing China*, *Contributions in Asian Studies*, Number 2, Greenwood Press, 1992.

经济获得快速发展，成为广东省乃至全国经济最发达的地区之一。高速的经济增长推动了城市化进程的加快，珠三角也是我国城市化程度最高的地区。2005 年，珠江三角洲城镇人口比重为 77.32%，达到世界中等发达国家水平，分别比全省和全国平均水平高 16.64 个百分点和 34.33 个百分点。珠江三角洲人均生产总值和非农建设用地产出率较高。2005 年人均生产总值达到 40123 元，分别比全省和全国平均水平高出 15136 元和 26179 元；非农建设用地产出率达到 21953 万元/平方公里，分别是全省和全国平均水平的 1.72 倍和 4.38 倍。①

目前，城乡一体化发展格局在珠江三角洲已基本形成。珠江三角洲的产品、资本和劳动力在城乡之间快速流动，城市建成区迅速向外扩张，乡村地区广泛城市化，城市的规模和数量不断增加，形成了大中小城镇相结合、多层次的城镇体系，总体上呈现出集聚性、区域性的趋势。进入 20 世纪 90 年代中期以来，随着产业结构的调整和经济增长方式的转变，珠江三角洲地区各大城市作为社会发展的龙头和支柱，产业不断升级和重组，区域发展重心逐步向大、中城市集中，大、中城市在国民经济中的地位日益提高。与此同时，小城镇亦成为新的人口和产业集聚点。

随着珠江三角洲城市群产业结构的整体调整和升级，珠江三角洲城市空间结构和布局也发生了根本性的改变。改革开放以前和改革开放初期，广州市作为广东省的单极中心城市，与周边地区城市之间的关系属于绝对的核心—边缘结构。改革开放以来，深圳已逐步从一个边陲小镇发展成为与广州市毗邻而立的又一个中心城市，珠海、佛山、中山、东莞、江门、肇庆等城市也相继进入了中等城市行列，以广州、深圳为中心的双极结构已成为目前珠江三角洲城市群的结构特征。近年来，珠江三角洲城市功能逐渐多样化，城市交流更加密切，已发展成一个城乡一体、类型完备的多层次城镇体

① 《广东建设蓝皮书：广东省城镇化发展评估报告（2006）》，广东建设信息网，http://www.gdcic.net.

系，双极模式正逐渐向网络化模式演化。

上述情况表明，珠三角是一个乡村都市化成功的典型，乡村都市化也成为“珠江模式”经验的重要组成部分。

（二）珠三角乡村都市化的类型

1. 都市边缘地区的乡村都市化。

这里所指的“都市边缘农村社区”，既是中国都市化过程中普遍存在的一种社区类型，也是中国特有的土地征购政策、户籍管理政策体系下的产物。这些社区地处城乡结合部，其特征有：人口密度高，人口异质性强；仍保留一些农业生产，但农业生产已不是主要的经济生活方式；全部的耕地或部分土地被征用，但个人仍拥有住宅地或少量自留地；社区中一部分人成为拥有城市户口的城市居民，一些人仍为持农业户口的农民；个人谋生手段多样化。总之，这类社区的总体特征就是亦城亦农。由于目前大城市的郊区包括范围很广，这些兼有城乡生活方式的地区，不同于一般概念中的郊区或农村，因此用“都市边缘”以示区别。都市边缘地区尽管是最早开始都市化的地区，却又是最难彻底都市化的地区，可形象地称其为“都市里的村庄”。

南基村就是一个典型的“都市里的村庄”。南基村位于广州市黄埔区南岗镇，广深公路从北面穿过，东面是广州经济技术开发区，南面是黄埔新港，西面是黄埔电厂。南基村下辖10个经济合作社，分为3个自然村，共1700户，4080人。从20世纪70年代起，到1988年，周围单位开始在南基村大量征地，出现了大量的农转非，到1988年，村民几乎都转为居民户。这使得人们一方面成为城市户口，另一方面失去赖以生存的土地，但却获得大笔征地赔偿金。为了村民们的长远利益，村委会采取一定措施：一是对土地征购费进行合理分配，一部分存入银行作基金（利息发给个人），一部分用于投资；二是保留部分土地不准被征用，作为自身发展用地；三是把投资的利润用于社会福利和其他公益事业，建立起自己的社会保障制度。有了这些保障，即使不劳动，生活也不会

成问题，但这些措施也对村民有一定消极作用，将他们牢牢束缚在村里（有正式工作的人不能享受这些福利）。南基村民现在从事的主要工作有：① 在开发区做临时工；② 做手工业，到工厂拿零件在家里组装，从业者主要为妇女；③ 摩托车载客，这部分人主要为年轻男子；④ 做小生意，如开小店等；⑤ 种菜；⑥ 用开发区食堂和酒楼的餐渣剩饭养猪。南基村共有外来农民工 2600 人，村容村貌已逐渐与城市融为一体，村民的衣食住行都达到了相当的水平，生活条件优越。南基村人的生活方式也发生了较大变化，除了住楼房，电视、冰箱等家电普及外，电话、煤气也渐渐被人们接受。年轻人变化最快，骑摩托，穿名牌，上舞厅，结婚家具都是到商场购买，不愿使用自己打制的老式家具。但传统习俗也仍然保存，每月的初一、十五要烧香敬神，过节要拜神。装饰现代的客厅里均设有神龛。因此，南基村人自称“说是农村人又是城市户口，说是城里人又不像城里人”，这种亦农亦城正好概括了这一社区的基本特征。

2. 乡村的集镇化。

村是目前农村最基层的组织，珠江三角洲的都市化已影响了乡村的各个角落。乡村的迅速都市化与珠江三角洲经济成长的特征密切相关。珠江三角洲的成功在于乡镇企业，而乡镇企业的成功在于多元化的发展之路——这就是“五个轮子一起转”，即县、镇、村、联户、个体办企业。此外，乡村都市化得益于以市场为导向的外向型农业的建立。

以东莞市虎门镇大宁村为例。大宁村位于虎门镇东南部，占地面积 6 平方里，下辖 6 个村民小组，有常住人口 2380 多人，外来人口 3 万多人，是一个人少田多的沙田地区。1979 年，大宁村的工农业产值仅 95 万元，人均分配仅 223 元，由于长期实行以粮为纲政策，连蔬菜都不能自给。改革开放以来，大宁村充分发挥了邻近香港的地理优势，以“三来一补”为龙头，带动了其他工业的发展，至 2006 年，全村共引进“三资”企业近 80 家。2004 年，大宁村工农业总产值为 45699 万元，其中工业总产值为 44887 万元、农业总产值812万元；来料加工费7099万港元；村级纯利润6265万元，全村人均收入26804元。随着经济的发展，大宁村人的生活方式发生了很大变化。首先，以工业为主农业为辅的经济结构取代了单一的农业经济，农业产值不到工业产值的1/5；其次，大宁村从事农业的人已很少，绝大部分居民从事工业和第三产业；再次，现代生活方式已进入每个家庭，家用电器、组合家具、汽车等已逐渐普及，年轻人服饰时髦，穿用都讲究名牌。大宁村并不是虎门镇经济实力最强的村，但大宁村编制并实施了规划，将工业区与商业区、居民点进行合理布局，基础设施建设良好，成功地完成了村的集镇化过程，是乡村都市化的典型。

3. 集镇的市镇化。

集镇，或称“小城镇”、“圩镇”，官方正式名称为“建制镇”，其人口规模介于小城市和乡村之间。尽管对集镇的地位和作用看法不一，但把集镇视为城乡社区的结合点，并在现阶段发挥着重要作用应没有什么疑义。珠江三角洲的集镇发展与全国其他地方一样受中央政策左右，从1957—1983年的26年间，城镇数量一直徘徊在30个左右（包括城市和建制镇）。1984年，中央重新修订了设镇标准并试行撤乡（区）设镇，以镇管村政策，加上珠三角经济发展的客观要求，使城镇数目急剧增加。到1986年底，珠三角共有建制镇252个，1994年有383个建制镇和8个区（由建制镇改的区），2006年珠三角的建制镇增加到404个。在这些建制镇中，以产业集群为特征的专业镇占1/4，其中有120多个建制镇财政总收入在5000万元以上，1亿元以上的建制镇超过90个。这些实力雄厚的建制镇正在成为拉动地方经济增长，带动城乡一体化的中坚力量。

在珠三角，从行政体制来看，建制镇上接县市下连村，起着承上启下的作用；从经济体系来看，集镇是工商业发展的起点；从都市化来看，集镇是城市化的主战场。

以东莞市虎门镇为例。虎门镇位于珠江口东岸，面积178.5平方公里，下辖31个社区居民委员会。从人口聚集看，虎门镇现有

户籍人口 11.99 万，外来人口 50 多万，城镇化率已达到 62.3%；从城区面积看，现在的虎门镇中心建成区面积已从 20 世纪 80 年代末的 4 平方公里扩至 32 平方公里；从产业结构看，目前第三产业在三大产业中所占的比例已达 47%，达到发达国家水平；从经济总量看，2005 年，全镇完成国内生产总值 127.43 亿元，工业总产值 215.90 亿元，工商税收 26.65 亿元，镇本级可支配财政收入 8.77 亿元，年末各项人民币存款余额 262.96 亿元，外贸出口 14.79 亿美元，私营及个体消费品零售额 54.69 亿元，农村集体资产总额 79.24 亿元，农村人均纯收入 11285 元。2005 年，虎门荣获"全国首届小城镇综合发展水平 1000 强（第一名）"、"全国小康建设明星乡镇标兵"荣誉称号。虎门镇正在建设成为一个以外向型工业为主，同时发展商业、贸易和旅游的港口城市。计划到 2010 年，人口为 20 万～25 万，全城划分为太平港、威远北和威远南三个大区。除城区外，还规划发展北面的白沙、东面的北栅和南面的南栅三个卫星居民点，形成一市三镇的完整布局。

4. 工业区与都市化。

珠江三角洲各市县乃至村遍布形式多样名目繁多的工业区。兴办工业区的主要意图是发展工业，但客观上既促进了区内的都市化，也带动了周围地区的都市化。

以蛇口工业区为例。蛇口工业区位于珠江三角洲东、深圳湾畔，与香港新界隔海相望。开发前，蛇口工业区原址是一片荒滩野岭，只有少量渔民居住点。工业区由交通部属下的香港招商局开发，于 1979 年 7 月兴建，1982 年完成第一期基础工程建设。现在，蛇口工业区规划总用地 13.35 平方公里，城市建设总用地 10.35 平方公里，总人口 61427 人（其中常住人口 29481 人）。经过 30 年的开发建设，蛇口工业区已形成一个供电、供水、通讯、道路、厂房、港口、铁路等设施配套完整的现代化工业园区。1998 年，蛇口工业区经济建设取得显著成绩，实现社会总产值 103.12 亿元人民币，国内生产总值为 40.70 亿元人民币，工业总产值 79.13 亿元人民币（其中"三资"企业产值为 73.3 亿元人民币），社会商品零售额为4.35亿元人民币，外贸进出口总额为1500万美元（其中外贸出口额为1361万美元），实际引进投资3418.88万美元，基本建设投资为5.5亿元人民币，共上缴国地税12亿元人民币、海关代征税11.13亿元人民币。[①] 蛇口工业区的发展模式是独一无二的，其重要特点就是“既是社区，又是企业”。工业区管理委员会既是企业管理机关，又是这一社区的行政管理机关；干部既是企业管理者，又是社区管理者，扮演着双重角色。蛇口工业区内没有工业组织，其本身是隶属于香港招商局的一家公司，因此，蛇口工业区虽然地处深圳市内，但并不隶属于深圳市，甚至联系甚少。这样，蛇口成为特区中的“特区”。

蛇口工业区以工业企业为主，而不重服务业，采用的还是老一套的企业办社会模式。随着工业区本身规模不断扩大，负担越来越重，发展速度逐渐放缓。与蛇口工业区相邻的蛇口镇却借工业区发展的东风迅速崛起：① 工业区的发展使蛇口镇的土地升值；② 随着工业区声望日升，蛇口镇也成为投资者的热点；③ 1985年后，工业区开始对劳动密集型企业严加限制，这类企业就流向蛇口镇；④ 工业区忽视第三产业，蛇口镇就大力发展第三产业，如商业、房地产、农贸市场。所以蛇口镇起步虽晚，发展却极快，其增长速度、人均生活水平均超过蛇口工业区，成为蛇口仅有的闹市区。

以上过程反映出，珠三角的乡村都市化是按照文明小区（自然村）—行政村的集镇化—集镇的小城市化—区的大中城市化这四个层次依次逐步发展起来的。

（三）乡村都市化的五项主要指标

乡村都市化可以归结为五方面：一是人口结构的变化，从事非农业的人增多；二是生产方面的改变，第二、三产业比重逐渐增加，农业经营方式从传统农业向外向型、商品化、现代化农业转变；三是生活方式的改变，人们的衣食住行向都市生活转变；四是

① 《南山蛇口工业区简介》，深圳厂房信息网，http://www.szcfxx.com.

思想观念的改变，从保守、落后、守成转为开放、先进和进取，人的文化水平提高，人的总体素质提高；五是大众传播、传播媒介随着乡村生活水平的提高日益渗透到乡村社会，成为乡村社会变迁的动力之一。从珠江三角洲集镇和乡村来看，这五方面的变化都已发生，只是程度不同而已。

1. 人口结构的分化。

珠江三角洲的非农业人口从1978年的481.35万（占总人口的27.3%）增加至1991年的797.69万（占总人口的37.6%）。非农业人口的增长除了城市本身人口的自然增长和区外迁入的人口以外，其中主要是本区的农业人口转为非农业人口。另外一部分进入城镇落户，称之为“三自理”人口（自理口粮、自理职业、自理住房），统计时比较混乱，在集镇中这一部分人口所占比例不小。如果从劳动力结构变化来看，珠江三角洲地区从1985年开始，从事非农业劳动人口就已经超过农业劳动人口。到1990年珠江三角洲发达乡村非农业劳动力已达到90%以上（仅指本地人口）。虽然90%的劳动力人口已经脱离了农业生产，但大部分是“离土不离乡”，即住在乡村，在城镇工作。

2. 经济结构的多元化。

珠江三角洲生产方式的转化可以从如下几方面来看：一是工业总产值已超过农业总产值，如果加上这几年第三产业的发展，农业产值所占的比重更小，许多发达地区的农业在社会总产值中已少于5%。二是产业结构的调整。20世纪80年代强调发展乡村工业为主，而到了90年代，第三产业迅速发展，第三产业总产值所占比重高者达到40%，一般已达到20%～30%。三是乡村工业本身的换代、改造和升级，逐渐由劳动密集型工业向技术和资本密集型工业转变。许多“三来一补”企业，现在都已转化为“三资”企业，或者转为当地自己经营。四是企业经营管理方式的转化。从过去乡镇政府对企业的直接干预，转向由业务部门指导，企业相对独立性增加，在较发达的集镇都组成各类集团公司，将一个系统的企业或一个类型的企业联合起来形成规模经营。

农业的经营也发生了很大变化。一是多种经营，选择质优价高的品种经营。农业结构内部的变化是，粮食作物播种面积减少，经济作物和鱼塘面积增加，适应市场的水果、蔬菜、花卉、塘鱼、家禽养殖产品发展很快。二是农业经营机构的变化。随着创汇农业的兴起，1986年以后，普遍建立了“贸工农总公司”（村和镇）进行管理。即以对外贸易为导向，带动工、农业的发展。根据国际市场的需要，进行工业和农业生产。进入20世纪90年代，又在实践形式上实现了新的突破，称为“公司+农户”，由农贸公司组织农产品的加工和销售，由农户生产，公司与农户签订合同，共同承担风险。

3. 生活方式的都市化。

目前，珠江三角洲的乡村生活与都市生活差别日渐缩小，一些发达县市的乡镇生活水平甚至比大中城市还高，收入也高。从衣食住行来看，珠三角地区已经难分城乡了。

4. 大众传播的普及化。

大众传播的普及可视为乡村都市化的一个重要特征。事实上，大众传播也是都市化对乡村最有影响的一个方面。珠江三角洲由于传播媒介的建设很快，接受信息的工具很普及，所以大众传播的影响犹大。广东的传播媒介建设已形成以中心城市广州为辐射源，中等城市为次级辐射源，并与小城市、集镇相连的网络。由于本区毗邻香港，香港的传播媒介亦可影响本区。此外，澳门的传媒亦可达本区的西部地区。珠江三角洲接受传播信息的工具种类，如电视、收录机、影碟机的普及率相当高，其中电视是最主要的传播媒介。

广东和香港的大众传播对促进珠江三角洲经济的发展，以及文化的整合有重要意义。从经济发展上看，除了提供商品信息和模式以外，亦促进了珠江三角洲人经济观念的形成，使其学到了一整套生产、流通、管理、贸易的方法；从文化上看，使得珠江三角洲文化变得更为大众化和更为整合。大众传播的普及，既促进了珠江三角洲人对外界的了解，也增加了区内城乡的联系。这种联系比行政联系更自觉和更有效，也更直接地促进了乡村人生活方式和理念世

界的变化。

5. 思想观念的现代化。

珠江三角洲人的思想观念正逐步从传统向现代转变。珠江三角洲人的成就动机，包括投资取向、进取精神等，都明显高于省内其他地区。思想观念的转变，是珠三角经济发展成功的关键。

（四）乡村都市化的启动机制

珠江三角洲的乡村都市化启动机制多种多样。一是靠对外加工业重新启动传统集镇，如东莞虎门镇，香港外资的注入使这个古镇重新焕发了生机和活力。二是利用本地优势，从本小利大、吸纳劳动力多的行业起步。如高要县新桥镇的道悦村。道悦村拥有竹器编织的传统工艺，该村通过分布在海外的港澳同胞和华侨，建立起销售网络，也形成相当大的生产规模，吸引了大量闲散劳动力。三是利用征地补偿金做投资，如南基村。他们首先利用征地获得的大量补偿金，发展仓储业，供开发区的企业租用；然后购买汽车和挖沙船，为开发区和黄埔新港填土。四是建立工业区，发展“三资”企业和来料加工业。五是建商场和商品房，发展房地产业。

多元化的启动机制带来了多元化的都市化模式。20 世纪 90 年代初以来，在政府建设投资拉动和外资、民间资金的多重推动下，珠江三角洲的城市化发展表现出鲜明的政府主导与地区自发增长相结合的特征，城镇建设模式逐步由计划经济时期的政府单一投资主体转变为多元投资主体并存的局面，城市化模式也由计划经济体制下“自上而下”的城市化转变为“自上而下”与“自下而上”共同发展的城市化格局。城镇发展机制日益市场化，城市化动力强劲，城镇的可持续发展能力增强。

珠江三角洲涌现出多种城市化发展模式，包括“以下（乡镇以下的各类企业）促上（市级企业），遍地开花”的东莞模式，“中间（乡镇企业）突破，带动两头（市属、村办企业）”的顺德模式，“以上（市属企业）带下（乡镇以下企业），一镇一品”的中山模式，“五轮（市、镇、村、经济社、联合体）齐转，各显神

通”的南海模式，等等。

从珠江三角洲范围来看，村或管理区是集镇发展的基础。珠三角的农村城镇化表现在两个方面：一是靠乡镇企业的迅速崛起，以最快的速度走上了“办厂兴镇”的农村城镇化道路，形成了星罗棋布的小城镇；二是公共设施，包括能源、交通、通讯等日益完善，教育、科学、文化、卫生、体育和旅游等文化事业迅速发展以及社会福利制度的建立。

在乡村都市化发展的同时，原有城市亦有较大发展。县级市更是乡村都市化的直接结果。1978 年，珠三角区域仅有广州、佛山、江门、珠海、肇庆、惠州及香港和澳门。2006 年，珠江三角洲地区内已有 23 市 3 县，404 个建制镇，镇平均间隔不到 10 公里，正在成为中国乃至亚太地区一个重要的城市群。

（五）广东城镇化发展动力

工业化是城镇化发展的基本动力。广东省处于工业化中期阶段，工业化是推动城市经济发展的主要动力。2005 年全省三次产业结构为 6.2∶50.7∶43.1，第二产业比重地位突出，工业发展态势良好。乡镇企业促进农业向深度和广度发展，促进农村经济结构合理化、商品化、现代化，从而加速城镇化的步伐。而且，乡镇企业使大部分农民摆脱了土地，培训了大批城市化人才；乡镇企业在城镇的聚集，扩大了城镇经济基础和发展规模，积累了城镇建设资金，直接加速了城镇化。在工业化带动下，全省各城镇吸纳了大量农村人口和外来人口，有力地推动了城镇化发展。

农业发展是农村城镇化基础。首先，农业发展为城镇规模的扩大提供了人员，增加了城乡人口移动。其次，农业发展带来的农业生产专门化和农村产业结构的改变，不仅为城镇人口提供了生活资料，而且为城镇提供了工业原料和交换、贸易货源。再次，农民收入水平的提高和购买力的提高，要求城镇大力发展生产和服务业，从而促进小城镇发展。

对外开放政策是农村城镇化的加速器。一是引进外资、技术和

信息，促进经济发展，加速城市化；二是华侨、港澳同胞在引进外资和传播文化中起促进作用。

国家政策是实现农村城镇化的关键。一是以联产承包为中心的农村改革；二是扶持乡镇企业发展的一系列政策；三是放松农村户口管理制度，允许农民进城落户；四是实行对外开放政策。

城乡差距和地区差距是城镇化的内在驱动力。处于全国经济发展前沿的广东，也与全国其他地方一样，城乡居民之间收入差距逐年扩大。区域之间的差距则更为明显。广东既有经济十分发达的珠三角，同时又存在着相对贫困落后的粤东粤西两翼和粤北山区。珠三角与粤北山区之间的区域发展差距，远大于全国东西部之间的差距。即使从广东农村内部之间、区域之间来看，珠三角、东西两翼与粤北山区农民内部的收入差距也在逐年扩大。区域差距和城乡差距形成的两大压力，构成了广东经济社会稳定、协调、持续发展的重要“瓶颈”，广东却自觉地将其变为“两大动力”，形成推进全省城镇化建设的内在的“两大驱动力”。

此外，交通运输业的发展，旅游资源及旅游业的发展，农业劳动力转移与农村人口城镇化，都对农村城镇化起着促进作用。

（六）广东城镇化经验

——坚持改革开放是村镇建设快速发展的动力：一是抓住机遇，加快发展经济，特别是大力发展乡镇企业，为村镇建设奠定了雄厚的经济基础；二是改革村镇建设投资体制，由改革开放前的单纯靠财政，逐步转变为“国家投资、地方自筹、社会集资、利用外资”的多元化、多形式、多层次、多渠道的投资新体制，并按照“谁投资谁受益”的原则制定收费办法，同时采取“以水养水”、“过桥收费”等措施，有效地回收了投资，逐步形成良性循环；三是大量引进外资，加快村镇新区基础设施、配套设施和旧区改造；四是实行土地有偿转让和统一规划，综合开发，配套建设以及房屋商品化。

——高起点规划、高标准建设、高效能管理，是搞好城乡现代化建设，实现城乡一体化的要求；抓好试点，以点带面，是推动村镇建设的有效工作方法。

——加强法制建设，依法进行村镇的规划建设管理。同时，正确处理好加快发展和加强管理的关系，经济建设与村镇建设的关系，经济效益与社会效益、环境效益的关系，立足当前与适当超前的关系，是村镇建设健康发展的保障。

——合理用地、节约用地，是村镇建设和村镇经济可持续发展的重要战略和必须坚持的重要原则。

——政府和民间力量共同推动城镇化进程。广东省在推进城镇化进程中，注意引导、支持多种经济形式进入，并尊重地方发展的自主选择，走出了一条有自身特色的农村工业化和城镇化道路。在政府建设投资拉动和外资、民间资金推动等多重作用下，表现出鲜明的政府主导与地区自发增长相结合的特征。城镇发展机制日益市场化，城镇可持续发展能力增强。

——创造出各具特色的多元城镇化模式。广东的城镇化模式也由计划经济体制下"自上而下"的城市化，转变为"自上而下"与"自下而上"相结合的城镇化发展格局。城镇的发展各有特色，有的以工业为主导产业，有的以旅游业、服务业、专业市场为主导产业，有的以高科技农业产业化为主导产业，并形成不同特色的城镇化发展模式。

——依靠市场，转换机制，逐步消除城乡分割，推进城镇化发展。逐步放松对进入城镇人口的严格控制，支持农民移居城镇务工、经商、办服务业，并建立起一套与城镇户口制度相衔接的流动人口管理制度。同时，大力鼓励和促进全省各地乡镇企业和外资企业的发展，加速农村工业化的进程。

——实现经济要素从城乡分割到市场调节与有机配置。主要通过各种要素市场的建设，以政策调控和市场服务来促进经济要素在城乡间的自由流动，从而推动城镇建设及城镇经济的发展。探索城镇建设投资主体的多元化，主要是允许并鼓励地方政府在一定范围内自筹资金，吸引社会资金及外资投入的不断增加，努力走依靠社

会力量“经营城镇”的新路子，实现城镇投入产出的良性循环。

——“反弹琵琶”城镇化，制度配套“弹钢琴”。广东较早建立了“解决‘三农’不能就‘三农’论‘三农’，必须‘反弹琵琶’，从城镇化入手，通过城镇化‘解放农民、转移农民、减少农民、富裕农民’，是解决‘三农’问题的治本之策”的认识。而在推进城镇化过程中，又十分注重制度创新和制度配套。广东城镇化中的制度创新遵循两大原则：一是“农内”体制的创新，包括土地制度、农村税费、农产品流通体制和农村管理体制等方面的配套改革。二是“农外”的创新，包括户籍制度、就业制度、社会保障制度、财税制度、金融制度等方面的配套改革。①

珠江三角洲的乡村都市化实践表明，乡村都市化并不是都市化的终结，而是都市化的起步。珠江三角洲的都市化经历了村落的集镇化，集镇的“市镇化”，县城及小城市的“大城市化”。珠江三角洲都市的成长，是从乡村社会自身培育起来的，因此都市与乡村高度整合。这些新兴的都市比过去那些二元分割中的城市发展更为充满活力和协调。珠江三角洲的乡村都市化不仅为中国，也为第三世界发展中国家提供了一个榜样。

三、乡村都市化之后

目前珠江三角洲村落的“集镇化”、集镇的“市镇化”基本实现。广东省的政策也出现了很多改变，如从2002年1月1日之后，户籍制度作了相应的调整，《广东省公安厅贯彻关于进一步改革户籍管理制度意见的实施办法》中规定：从2002年1月1日起，新制发的居民户口簿和常住人口登记表中不再加注户口性质，也不得在“户别”栏或其他栏目中打印户口性质项目，“户别”一栏，一

---

① 钟勉：《繁荣的必由之路——广东农村城镇化发展的调查与思考》，《中国改革》2002年第12期；陈谈强：《广东城镇化扬帆前行》，《中国老区建设》2006年第3期；陈贤昌主编：《中国农村再改革的途径选择：农业产业化》，湖南人民出版社1999年版，第150～152页。

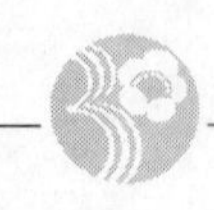

律按规定填写“家庭户”或“集体户”。今后的户籍管理制度是以准入条件取代进城人口指标，取消“农转非”制度。同时，高中阶段教育已在珠江三角洲地区得到普及，城镇职工可以享受到养老、失业、医疗、女职工生育等社会保险待遇，各地基本建立起城乡居民最低生活保障制度。根据笔者的初步研究，整个珠江三角洲的乡村都市化可以分为起步阶段和成熟阶段：1978—1995年可以归纳为起步阶段，1995年至今为成熟阶段。乡村都市化并不是都市化的终结，而是都市化的起步。乡村都市化之后的珠江三角洲往何处去?

（一）珠三角城市化发展新特征

早期（1978—1995年）的珠江三角洲可以用外向型城市化（Exo-urbanization）进行解释。薛凤旋对外向型城市化做过精辟的研究，他总结出珠江三角洲城市化的特点：① 城市化的动力不是来自区内大城市中心的经济发展，因而导致向边沿农村分散，或吸引农村人口向大城市向心式通勤；② 以劳动密集型的制造业为主的外资导致产业结构的迅速改变，由农业向工业化社会转变；③ 短期内外资的大量流入推动了城市化的迅速发展；④ 农村城市化地区与大城市间并不存在大量的通勤流，而两者间的经济关系并不很密切；⑤ 港澳地区投资的导向效应以及由“贸易创造型”外资投入所引发大量跨地区进出口的人流、物流导致城市化跨境特征；⑥ 规模较小、档次较低、技术成分不高的制造业投资因低收入成本因素而形成的小城镇及县倾向，推动了小城镇乃至农村地区的工业化和城镇化；⑦ 这类外资创造了大量的低技术劳工需求，导致大量区外农村富余劳动力的迁入；⑧ 这种“外向型城市化”不仅突出了其城市化动力的外部因素作用，同时也正是通过外部因素，尤其是作为外资主要来源的港澳地区投资的牵引作用而使珠三角内的农村城市化地区和各级城镇一样直接（不经省会广州）与世界经济结构重组，进行国际劳动力分工以及与世界城市体系联系

起来。①

薛凤旋的观点主要是依据1995年前的数据和研究成果得出来的。近几年来，珠江三角洲的企业结构、产业结构、中心城市的功能、乡村的作用以及整个都市化特征正在发生静悄悄的革命。

首先，从企业的结构来看，一是“三来一补”企业向中外合资或外商独资企业方向演变。方式主要包括外商将当地提供的厂房和土地的使用权买足，一些新来的外商干脆自己负责对土地和厂房的投资，企业的全部投资逐渐由外商独自承担，企业性质向独资方向发展；珠三角当地政府在原有土地、厂房投资的基础上增加新的投资，折成股份，将原“三来一补”企业改为合资企业，提取公缴费制度也改造为利润分成制度；直接引进外商独资或中外合资企业。“三来一补”企业向“三资”企业转型，为这种劳动密集型产业在当地扎根，并向资本密集型产业转变创造了条件。二是民营企业队伍的不断壮大。珠三角农村地区经过30年的发展，造就了一支民营企业家队伍，这支队伍在日益成长，成为珠三角农村地区经济中的内生变量。民营企业来自两个方向：一是本地居民，在经济实力增长以后，投资办企业；另一部分是从内地前来投资的企业家，或原打工阶层成长起来的企业家，在珠三角农村地区投资办企业。民营企业的经营领域也不断拓宽，已由原来的商贸业、建筑业、制造业扩展到通讯、科技咨询、法律服务、教育文艺、生物工程、电脑等10多个领域。此外，电力、煤气、地质勘察、综合科研等新兴行业均有民营企业涉入。以深圳市宝安区为例，从2000年开始，民营企业出口额已占据全区一般贸易出口额的“半壁江山”。三是国有大中型企业顺利改造转型复苏。这一方面得益于良好的经济大环境，另一方面与政策的倾斜有关。大多数国有大中型企业初步建立起现代企业制度，一批龙头企业特别是省重点抓的50户工业龙头企业在改革中做强做大，主导作用突出。国有中小

① 薛凤旋、杨春：《外资：发展中国家城市化的新动力——珠江三角洲个案研究》，《地理学报》1997年第5期。

型企业进一步放开搞活，煤炭、制糖、纺织三个行业得到重组和改造，“五小”工业的关停并转和省属国有劣势企业退出市场工作顺利，全省国有中小企业的转制率已达85%。

其次，从产业结构看，珠三角在传统产品和电子信息产品制造力强大的基础上，优化产业结构，以信息化带动工业化，加强工业企业的技术改造，一大批传统工业焕发青春活力，一批新的支柱产业迅速发展，以电子信息、电器机械、石油化工等为代表的九大产业投资占全部工业投资的近五成。重工化趋势得到进一步强化，2001年全省重工业占规模以上工业的比重上升到46.7%，取得了与轻工业平起平坐的地位。高新技术产业迅速崛起成为珠三角新的经济增长点，从广东省看，高新技术产业占工业总产值的比重由1997年的9%上升到2001年的18.6%。第三产业发展提速，教育、文化、体育、广告、咨询、社区服务业发展较快。以“公司+基地+农户”为主要特征的农业产业化进程加快。三次产业增加值的比重由1997年的13.5∶49.9∶36.6转变为2001年的9.6∶50.2∶40.2，第三产业增加值的比重提高较快。

再次，广州、深圳等中心城市的作用越来越突出，农村地区发展面临两大新机遇。从经济实力来看，2001年，广州人均GDP、人均可支配收入、人均年通讯费支出等方面，均在全国十大城市中居首位；广州以全国5‰强的人口，积聚了全国近5%的存款。2002年初，在一项有关中国24个城市综合竞争和分项竞争力的排序调查中，深圳在综合排名中名列第二，并被评为开放竞争能力最强城市。除“三来一补”转型外，香港、深圳和广州的产业结构转型给珠三角农村地区发展带来了新的机遇。一是农村地区成为高新技术产业的生产基地和加工区，深圳、广州、珠海、南海的高新技术开发区都落户在原来的农村地区。二是为高新技术产业和大企业的发展提供配套服务。香港产业第二次向以广东为主的周边地区转移，除了周边地区经济发展实力和市场容量的原因外，还同这些地区所具备的产业配套能力有关。

高新技术产业的发展带来技术密集型大工业发展。20世纪90

年代以来，一大批来自内地的中小企业家，在珠三角投资建厂，专门为大企业生产各种类型的配套产品。发展配套企业成为珠三角农村地区经济发展又一新的机遇，同时也影响着都市化的未来发展。

在都市化特征上，相应出现了以下转变：① 城市化的最初动力不是来自区内大城市中心的经济发展，但是经过多年的发展，区内大城市中心的带动作用越来越明显；② 以劳动密集型的制造业为主向技术密集型、资金密集型与劳动密集型的企业并举；③ 资金的流入多元化，外资、区域内的各类资金、外省的资金流入共同推动城市化的进一步发展；④ 农村城市化地区由于发展配套企业与大城市间的经济关系越来越密切；⑤ 出口市场多元化，除了港澳台和东南亚等传统市场，不断拓展美国、欧盟、日本、东欧、俄罗斯、大洋洲、非洲、南美及中东等市场，国内市场也不断扩大；⑥ 集聚小城镇及县城的规模较小、档次较低、技术成分不高的制造业逐步升级；⑦ 在大量区外农村富余劳动力迁入的同时，从全国吸收了大批受过高等教育的优秀人才；⑧ 乡村都市化之后，城市化动力更多从外部因素作用转向重点依靠机制和体制的内涵因素推动；⑨ 在土地利用景观上，农村到处交通纵横，楼房林立，俨如城市。

（二）广东乡村都市化的成就与问题

1．广东城镇化成就。

第一，城镇化水平大幅提高，城镇化对经济增长的拉动作用显著。到 2005 年底，按第五次人口普查口径，广东省的城镇化率为 60.7%，与“九五”期末相比，提高了 5.7 个百分点。“十五”期间，全省约有 1300 万农村人口转移到城镇。城镇化进程的稳步推进，促进了投资需求和消费需求的持续扩大，有效促进了广东省经济的持续快速协调健康发展。“十五”期间，全省生产总值年均增长 13%，2005 年达到 22366.5 亿元，人均生产总值达 24438 元；城镇居民的收入也相应大幅提高，全省城镇居民 2005 年人均可支配收入达 14770 元，“十五”期间年均实际增长 8%。

第二，城镇功能和要素集聚能力增强，城乡生产、生活和生态环境明显改善。“十五”期间，广东省城镇建设的力度不断加大，城镇的各项基础设施和公共服务设施逐步配套完善，初步满足了城镇居民的生活和文化需求，提高了城镇居民的生活质量。到2005年底，全省公路密度达64公里/百平方公里，高速公路通车里程达3140公里，比“九五”期末增加了约1950公里，已实现所有地级以上市全部通高速公路、与周边陆路省份均有高速公路相连的目标。铁路、港口、航道建设步伐加快。全省累计建成各类卫生机构16054个，各类艺术馆、文化馆140个，县级以上公共图书馆129个，博物馆、纪念馆148个。在城镇基础设施和公共服务设施不断完善、综合功能日趋健全的同时，生态环境保护工作也有较大进展，全省城镇综合评价指标达到85分，深圳、中山市获得联合国“人居奖”，佛山市获得“全球人类住区优秀范例奖”，广州、珠海市和中山市小榄镇获得“国际改善居住环境最佳范例奖”，另有一大批城镇分别获得“国家园林城市”、“卫生城市（镇）”、“环保模范城市”、“优秀旅游城市”、“文明城市（镇）”、“全国重点镇”、“全国小城镇建设示范镇”等荣誉称号，人居环境得到较大改善。

第三，城镇体系不断完善，区域发展的协调性得到加强。广东省已基本形成布局合理、组合有序、优势互补、持续发展的城镇体系。珠江三角洲地区城镇群已成为全省经济社会发展的“排头兵”，区域协调发展机制逐步建立健全，整体竞争力不断提升，日益发展成为亚太地区最重要的城镇群之一；东西两翼城镇群初步形成，区域发展协调性大幅提高，尤其是高速公路的开通，拉近了区域间的时空距离，使中心城市的辐射能力得到进一步强化；北部山区城镇化稳步推进，承接珠三角产业转移工作成效显著，招商引资工作蓬勃开展。

第四，县域经济发展加快，中心镇对农村的辐射带动能力提高，农民收入较快增长。“十五”期间，广东省通过大力发展中心镇，推动了小城镇集聚发展，加快了县域经济发展和农民增收的步

伐。2005 年，全省 67 个县（市）共实现生产总值 4027.4 亿元，与“九五”期末相比增长 13.4%；财政一般预算收入为 120.12 亿元，与“九五”期末相比增长 20.5%。截至 2005 年 10 月，全省共有 414 个乡镇被撤并，撤并比例达 26%。通过撤并乡镇，拓展了中心镇的发展空间，全省 271 个中心镇中有 119 个被列为全国重点镇。中心镇的规划得到加强，规划实施取得明显效果。据初步测算，2005 年，全省中心镇的生产总值合计约 3000 多亿元，约占 67 个县（市）生产总值的七成；城镇化率接近 50%，对农村人口的吸收作用明显；全省中心镇的数量不到全部建制镇数量的 20%，但城镇总人口、财政收入分别占全省建制镇的 40% 和 50% 左右。中心镇的地位和作用日益凸显，已经成为城镇化发展的主要载体，对农村经济社会发展的辐射带动作用不断增强，加快了农民收入增长的步伐。2005 年，全省农村居民人均纯收入为 4690 元，“十五”期间年均实际增长率达 4.1%，农民务工性收入占农民总收入的比例约为 50%。

第五，大力推进体制创新和制度创新，城镇化发展环境进一步得到优化。“十五”期间，广东省委、省政府印发的《广东省城镇化发展纲要》和《关于推进城镇化的若干政策意见》是全省城镇化工作的指导性文件。此外，广东省还先后出台了《中共广东省委、广东省人民政府关于调整我省乡镇行政区划的通知》、《中共广东省委、广东省人民政府关于加快山区发展的决定》、《中共广东省委、广东省人民政府关于加快县域经济发展的决定》、《中共广东省委、广东省人民政府关于统筹城乡发展加快农村“三化”的决定》、《广东省土地使用权交易市场管理规定》、《广东省集体建设用地使用权流转管理办法》、《关于加快中心镇发展的意见》、《关于我省山区及东西两翼与珠江三角洲联手推进产业转移的意见（试行）》、《印发关于促进县域经济发展财政性措施意见的通知》等涉及城镇化工作的政策文件，为促进产业发展、人口集聚和土地集约使用等创造了条件，进一步优化了广东省城镇建设的软环境。①

2. 广东城镇化面临的问题。

广东省的城镇化发展虽然取得了巨大成就，但仍存在不少问题。这些问题包括：

第一，经济增长与环境保护、资源利用的矛盾尚未消除，可持续发展问题依然突出，主要表现在：① 环境污染依然严重。环境污染仍呈扩散趋势，城市空气污染呈加重趋势，酸雨区面积不断扩大，大部分城市河段水质受到不同程度污染，水质性缺水问题凸显。② 生态资源破坏严重。全省目前有不少工业园区没有按照有关规定开展环境影响评价，一些园区甚至存在未经环保审批、乱设排污口的情况，导致了广东省林地、耕地、水源不断减少，生态资源遭到破坏。③ 土地和能源资源供应紧张。部分地方政府依然存在重经济、轻环境的思想，外延粗放型的经济增长方式没有得到根本性的改变，土地浪费严重，部分地区的土地供应已接近枯竭。工业化、城镇化粗放增长方式造成生产、生活能耗需求高涨，导致部分地区出现了电力、燃油、煤炭等能源供应紧张的局面。④ 一些城镇盲目开发，大拆大建，破坏历史文化街区，导致城镇特色和历史文化价值逐渐丧失，历史文脉得不到延续。

第二，“城乡二元”和“本外二元”结构继续存在，深层次的社会矛盾和社会问题比较突出。广东省仍存在城镇居民与农村居民之间的“城乡二元”结构、本地人口与外来人口之间的“本外二元”结构，矛盾比较突出，主要体现在：① 城市反哺农村能力弱，对农村的投入不足，忽视对村庄规划建设的指导和调控。截至2005年底，全省累计编制村庄建设规划34591个，完成率仅为25.85%，不少村庄建设布局混乱，土地浪费严重，环境“脏乱差”的局面未得到根本改变。② 城镇扩张过程中对农民利益的重视和保护不够，对失地农民的补偿落实不够，对解决失地农民就业

① 《广东省城镇化发展“十一五”规划》，广东建设信息网，http://www.gdcic.net.

出路问题的措施不够到位。③ 城镇社会发展滞后于经济发展。就业、社会保障、教育和户籍等政策有待进一步完善，农村劳动力转移就业困难，城镇就业压力和社会保险压力增大，退休人员社会化管理服务工作任务繁重。④ 外来人口边缘化倾向日益显现。在珠三角的不少城镇，外来人口是户籍人口的几倍甚至十几倍，对住宅、基础设施和公共服务设施供应均造成较大压力。同时，外来人口生活条件差、就业不稳定、缺乏社会保障和职业性培训，长年生活在城市却不能转化成城市居民，成为社会的不稳定因素。

第三，城镇建设统筹不够，用地紧张和土地粗放利用、设施供给不足和设施重复建设等矛盾比较突出。区域整体统筹和综合调控的作用弱化，许多城镇各自为政，贪大求全，导致在城镇化快速发展过程中，用地紧张和土地粗放利用、设施供给不足和设施重复建设等矛盾并存。① 城市中心区的高密度开发，引起中心区交通拥挤、环境恶化，导致用地功能不合理和土地超强度利用的现象；而在城乡结合部、城镇外围新区和农村居民点的建设中，土地利用简单粗放，浪费严重。部分城镇对土地资源进行盲目开发利用，随意圈占土地，超标准、超需求建设各类园区。② 公益性设施仍面临投资渠道缺乏、投入不足的局面，如污水处理、垃圾处理、教育文化、医疗卫生等设施，还满足不了人民群众的需要。③ 部分城镇不顾自身的定位和分工，在公共设施建设上追求“人有我有”、自成体系，造成重复建设和资源浪费。

第四，城镇管理体制和区域协调机制创新不足，区域发展不协调问题依然突出。广东省在创新城镇管理体制和区域协调机制方面仍然存在不足，限制了城镇化的发展，造成区域发展不协调，主要体现在：① 县、镇管理体制有待进一步理顺。事权大、财权小的问题严重制约了县域经济的发展，财政资金短缺已成为县域经济发展的瓶颈；珠三角的一些特大镇已发展到城市的规模，却仍沿用原有的乡镇管理模式，管理部门人员编制定额远不能够满足实际需要，制约了政府服务质量的提升；支持中心镇发展的一些政策没有得到有效落实，影响了中心镇的进一步发展。② 产业发展缺乏整

合，地方保护主义的存在及区域协调机制的缺失，造成城镇间过度竞争，直接引发土地资源浪费、产业结构趋同、市场封闭等问题。③尚未建立有效机制来缩小后发地区和先发地区的差距，存在着“先发地区有动力缺资源”和“后发地区有资源缺动力”的矛盾。

第五，“非城市化的工业化”倾向和“非城市化的非农化”倾向加剧。工业企业“遍地开花”，“村村点火、户户冒烟”的城镇产业发展特点，不仅造成企业自身经济效益的低下，同时也导致了城镇建设投资分散和资源浪费、环境污染等严重问题。这种在特定历史条件下形成的布局形态，虽然在一定程度上给城镇经济带来了短期的繁荣，但从长远看并不太利于城镇与经济的健康发展。而农民“离土不离乡，进厂不进城”、离农人口“两栖化”“就地转移”的倾向，使得大量人口聚居在农村地区，既影响了城镇规模效益和服务功能的发挥，也不太利于基础设施的统筹安排和人民群众文化素质与生活质量的提高。这种工业企业星罗棋布、散布城乡的局面，使得镇域经济结构虽然已非农化，但经济布局和人口结构却没有同步化，由此造成人口结构与经济结构的严重不对称和就业结构与产业结构的严重不对称。

第六，规划建设存在一定的盲目性。虽然全省大部分村镇编制了规划，但多是粗线条，操作性不强，特别是村镇规划与高层次区域规划缺乏协调，导致一些城镇在制定产业政策和发展方向时，对更大范围区域内本镇的地位、性质、对外联系、产业分工等通盘考虑较少，从而造成城镇产业雷同，建设项目（尤其工业企业）布局分散、重复，土地利用效率不高，基础设施配套成本加大；部分城镇居民建房仍以传统的单家独院、独楼式私宅为主，私房建设普遍超标，城镇内私人建房的弊端日益突出，造成严重的“城中村”问题。同时，一些地方存在建新镇、留旧村，建新房、留旧房的问题，造成了土地资源的浪费；城镇规模偏小，平均镇域和镇区人口只有3.76万人和0.49万人，平均建成区面积仅2平方公里，不利于发挥规模效应和增强地区竞争力。

第七，发展中还存在一些政策和体制性障碍。农民进城落户虽

有较大放宽，但限制仍然过多，城乡居民待遇不公平，进城农民在就业、社会保险等方面缺乏保障，教育、医疗等相关政策不配套，影响了农民进城积极性。同时，由于居民的户籍仍与计生政策、承包土地等挂钩，因此，发达地区的一些乡村虽已变为镇区，农民虽已进镇安家置业，但大多仍不愿“农转非”，欠发达地区的农民进入城镇后，因缺乏较稳定的生活来源和相应保障而存有后顾之忧，也不愿意放弃农村户口；土地管理制度不利于土地资源的合理利用，城镇建设用地指标与发展用地的实际需求相脱节，指标逐级分配下达，层层留有机动，到了镇一级所剩无几，土地的非流动性，极大地制约了乡镇企业的相对集中和城镇的合理分布及其规模的扩大；非公有制经济已成为促进小城镇发展的重要因素，但土地征用、一些行业的市场准入和融资等方面的政策，仍限制着非公有制经济广泛参与到城镇建设和发展中。

第八，小城镇发展地区不平衡现象突出。珠三角地区城镇化发展最快，建制镇密度最大。而且，珠三角地区的小城镇普遍经济实力强，城镇建设步伐快，已形成密集的城镇网络。而粤北山区的小城镇各方面则明显落后。小城镇发展的地区不平衡现象十分突出。

此外，管理及建设人才相对缺乏也是小城镇发展的制约因素。由于广大小城镇现有的软硬条件还不能够很好地吸引人才，特别是高层次人才安家落户，使小城镇规划、管理、建设的各类人才相对缺乏，管理水平普遍不高。乡镇企业专业技术人才缺乏，难以支撑对科技越来越高的要求，高技术含量产业的发展受到影响，这在一定程度上束缚了广东大多数小城镇的进一步发展。①

（三）广东城市化未来发展趋势

在中国的城市化进程中，政府始终发挥着导向的作用。政府的

---

① 《广东省城镇化发展“十一五”规划》，广东建设信息网；钟勉：《繁荣的必由之路——广东农村城镇化发展的调查与思考》，《中国改革》2002 年第 12 期；朱竑：《广东小城镇发展及规划思考》，《经济地理》2001 年第 5 期。

决策对城市化的发展具有很大的影响。在中国城市化长期滞后于工业化的情况下，近年来政府更加重视城市化的发展，政策和环境相当有利。珠三角的城市化同样面临着极好的机遇。从广东的政策背景看，2002年广东省提出了“再经过10年的不懈努力，珠江三角洲地区将率先实现社会主义现代化的目标，在经济发展、社会进步、生态环境和人民生活等方面，基本达到现代化的标准，其中人均国内生产总值超过7000美元，赶上中等发达国家的水平”的目标。[①] 在区域的城市布局上，广东省的政策倾向是特大城市、大城市、中小城市齐头并进，现在较大的城镇将来朝着中小城市的方向发展，中小城市向大城市发展，大城市向特大城市迈进。珠江三角洲的城市化，从土地景观的角度分析，已经看不到“乡村”了。但是从政策的层面分析，今后相当长的一段时间内，很难将广大的乡村都市化地区的村委会改变成居委会，将农民变成严格意义上的“市民”，“外表”的都市化后面，是特殊国情和特殊社会实际情况下的泛都市区（Extensive-Metropolitan Region）趋向。

泛都市区有四个特点：一是指整个地区的都市化从土地景观的意义上讲，已经是很广泛的都市区。二是指从都市的内涵而言，区域内成熟的乡村都市化地区还不是严格意义上的都市。像深圳市，等到卫星城市全部发展起来，也很难把所有的村委会改为居委会。三是“常住人口”与“户籍人口”的巨大差异。四是泛都市区的核心区成熟以后，还有不断向周边地区扩展的趋势，扩展的非珠三角地区也逐渐与珠三角融为一体。广东省的政策取向是希望珠江三角洲地区辐射带动作用日益提升，在全省的龙头地位显著增强。随着珠江三角洲对周边地区的影响和带动，泛都市区会不断扩大。

乡村都市化以后，珠三角的城市化发展将走上一条从量的扩展到质的飞跃的过程。泛都市区形成以后，在政策的制定和城市化的发展过程中，要打破原有的城市行政区划的限制，从更科学的角度去合理设计整个珠三角的城市结构和功能定位，合理配置各种资

① 《实施四大战略争创五大优势》，《南方日报》2002年5月31日。

源，使泛都市区成为有机的一体，真正提高泛都市区的经济竞争力和居民的文化教育程度、生活素质，使城市化的质量不断提高。

四、乡村都市化的深化：村改居

“村改居”是近年来广东农村深化改革的一个热点问题。所谓的“村改居”，就是在农村工业化和城镇化高度发展的珠三角地区，进行城市化改造，将村民委员会改为居民委员会，将原村民的农业户口转为非农业户口，将原属农民集体所有的土地转为国有土地的政策。“村改居”是我国农村政治经济文化发展到一定程度，从经济结构、村民就业方式和文化生活需求等方面发展到城镇水平或者接近城镇水平的条件下，自身产生的从农村到城镇社区的政治体制、经济体制变革。

珠江三角洲地区的“村改居”是在城乡统筹发展的背景下提出来的。改革开放以来，珠三角的经济发展迅猛，基本实现了从农业经济到工业经济、从传统计划经济到社会主义市场经济的过渡。其表现在：① 人口的流动速度加快，人口的聚集程度提高；② 工业化水平高；③ 农民生产和生活方式的非农化，由传统落后的乡村生产生活方式转变为现代先进的城市生产生活方式；④ 社区的城镇化，最突出的表现就是农村的基础设施建设配套完善，公共性增强。现在珠三角农村几乎都通上了自来水、电话、光缆、公路等，城市化达到较高水平。

然而，脱胎于计划经济的城乡二元管理体制的惯性作用并未消除，并且在某种程度上形成了城市化的制度桎梏。① 传统的严格的户籍管理制度虽然已经有所松动，但农民进城的门槛依然很高；② 社会保障制度不配套，引发了农民对进城后工作和生活前景的担忧；③ 就业与用工制度仍然对农民工存在一定的歧视与偏见。而且，由于发展前期缺乏建立在区域整体定位基础上的总体规划以及局部利益的驱使，乡镇建设分散，尤其是村一级的建设规模太小，数量过多，布局不合理，资源浪费的现象比较严重。

此外，城乡二元体制与乡村城市化的矛盾还表现在以下三方面：

一是村民参与意识强化与村级民主管理体制相对滞后的矛盾。农村的城市化对原有的乡村社区产生了深刻的影响：一方面，城市文明的多元性、竞争性、创新性和开放性不断冲击农民的传统观念，改变着农民传统的行为方式，农民对社区公共事务的关注程度明显增强；另一方面，市场化的过程引发了市场利益主体利益意识的逐渐觉醒，增强了社会主体利益表达的动机与意愿。社区股份合作制改革把农民纳入了利益的共同体，但现有制度安排的不完善制约着农民的公共事务的参与水平，降低了农民参与的有效性。

二是原有的股份合作制内在的制度缺陷与深化农村产权制度改革的矛盾。随着市场经济的深入发展，原来的股份合作制内在的制度缺陷逐渐显现，以股份合作制为核心的农村产权制度仍然存在集体资产产权主体缺位、产权关系不明晰、产权责任不分明等问题。这些问题与产权自身的特征包括排他性、转让性和继承性是相违背的。产权制度改革是涉及农民利益的根本性改革，因此，克服股份合作制内在的制度缺陷，进一步深化与完善农村产权制度改革已成为时代的必然要求。

三是社区事务公共性增强与村委会角色不明的矛盾。农村城市化必然导致社区事务数量增多和公共性增强。社区事务在量上与质上的变化对社区事务管理主体（村委会）原有的功能提出了严峻的挑战。市场化要区分经济与非经济事务、公共产品与非公共产品（包括经济产品）。村级公共产品应该主要由村委会来提供，而不是村级经济组织。然而，目前珠三角绝大部分村委会的公共管理职能薄弱，村干部作为公共权力行使者的身份不明，经济角色与政权角色相混淆。①

以上这些矛盾，都是制约珠三角农村进一步发展的重大现实问

① 赵过渡、颜海娜：《顺德市农村管理体制改革实践的理论分析》，《城市问题》2003年第1期。

题，亟须解决。由于这些矛盾都是深层体制问题的外在表现，因此，要解决这些矛盾，就必须从制度上进行创新，突破现有农村的经济发展模式和行政管理体制。为了深化农村体制改革，珠三角地方政府纷纷推出各种方案，对农村经济结构、行政架构、管理方式和运行机制等方面实行战略性的调整和改革。在各地开展的农村管理体制改革中，“村改居”都占有十分重要的位置。

“村改居”并不是从农民到市民的简单身份转换，而是系统的管理体制变革。“村改居”改造后，原农村地区将按城镇的管理方式运行管理，原村民农业户口转为非农业户口，享受城镇居民同等待遇，履行同等义务。

集体经济股份制改革是“村改居”的整个过程中最核心的部分。从本质上讲，“村改居”是一个利益再分配和利益博弈的过程，涉及政府、村民、村集体、村干部和开发商等多方利益。其中，最尖锐的矛盾莫过于村民、村集体与政府的利益博弈。珠三角农村经济发达，普遍推行股份合作制，农民不仅能够分享来自集体土地的分红和集体资产的收益，而且还能享受强大的村集体经济提供的教育、医疗、低保、失业、养老等多项福利待遇。因此，如何正确处置集体资产，维护集体经济组织成员对集体资产的财产权，是“村改居”面临的最大困难。为了解决这一问题，《广东省农村集体经济组织管理规定》提出：

第一，引入股份制的产权制度，明确集体资产所有权人，变集体资产共同共有为按份共有。引入股份制的产权制度要坚持三条原则：① 保持集体资产安全与完整的原则。即把集体资产折股后，采取“股权固化”、“一刀断”配置到集体经济组织成员个人的办法，“让农民持股进城”。② 保护所有者权益的原则。即要把农村集体经济组织及其成员的合法权益保护好、维护好。在“镇改街”、“村改居”、“农民改市民”过程中，不得打乱集体资产的产权归属关系，不得无偿平调集体资产，不得把集体资产简单“大拉平”、“归大堆”，不得剥夺所有者权益。③ 维护社会稳定的原则。在集体资产折股配置、量化到个人时，要本着“尊重历史、承认现实、实事求是”的原则界定股东资格。要处理好各方面的利益关系，以避免出现部分“出嫁女”等特殊人员“两头”都享受不到福利股权（或“两头都沾”）的情况，确保他们的生活出路和改革的平稳进行，不埋下上访、上告等隐患。在坚持以上三条基本原则的同时，要在实行股权固化配置的基础上，积极探索逐步取消集体股和赋予个人股完整产权的途径和办法，使之逐步与市场经济的产权制度要求接轨。

第二，引入现代企业的治理结构，促使集体经济组织转变决策机制、激励机制和监督机制。引入股份制的产权制度后，按照《广东省农村集体经济组织管理规定》，原经济联合总社、经济联合社、经济合作社统一更名为股份合作经济联合总社、股份合作经济联合社、股份合作经济社（以下简称股份社）。各地要进一步指导、监督股份社制定和完善章程，建立健全理事会、监事会、股东大会或股东代表会议制度，不断完善决策机制、激励机制和监督机制，力促股份社逐步向“产权清晰、权责明确、管理科学、运转协调、监督有效、效率优良”的经济实体转变。在政府无力全面承接社区公共开支的地方，不要匆忙地把集体经济组织改为公司，但一定要注意逐步按现代企业管理的要求，为将来改制为公司打好基础，以便在有条件改公司时瓜熟蒂落、水到渠成。

第三，试行村（居）民自治组织和股份社机构、人员、职能与资产财务四分开。[①]

通过实行股份合作制改革，珠三角地区逐步建立起了产权清晰、运作规范、利益协调的社区集体经济管理体制，推动了社区由封闭性向开放性转变，社区居民由“社区人”向“社会人”转变，“村改居”工作也得以稳步推行。

目前，“村改居”主要在广州、深圳等大中城市的郊区、“城中村”地区和珠三角的佛山、顺德、东莞、中山等地开展。

---

① 贯彻实施《广东省农村集体经济组织管理规定》，广东省农业厅网站，http://www.gd.agri.gov.cn.

第四章
农业现代化

中国是一个农业大国，历代政府都对农业给予了超乎寻常的重视。中华人民共和国成立后，尽管新的政府领导人提出了中国要从农业国迈向工业国的战略构想，把强国期望寄托在工业化道路上，但新的国家政权也从未放松对农业的重视。新中国最主要的创始人毛泽东有他自己对农业的一套构想，并在实践中进行了探索。在中华人民共和国成立前夕召开的中共七届二中全会的报告中，毛泽东提出了农业现代化的任务。1957 年 3 月 12 日，毛泽东在中国共产党全国宣传工作会议上的讲话中，将农业现代化列为国民经济中的三个现代化之一。毛泽东的农业现代化构想，偏重于农业技术，包括农业机械化、电气化、水利化和化肥化。邓小平是改革的推动者，他开启了中国改革开放的新时代。邓小平对毛泽东时期的许多方针、政策、路线进行了大刀阔斧的改革，但他却继承了毛泽东对农业的一贯重视，尤其是对粮食问题的重视。他担心粮食供应不足会影响中国的经济发展速度。[①] 此外，他还延续了毛泽东时代技术兴农的观点，认为农业问题的出路“最终要由生物工程来解决，要靠尖端技术”[②]。到了党和国家第三代领导人江泽民执政时期，

① 《邓小平文选》第 3 卷，人民出版社 1993 年版，第 159 页。
② 《邓小平文选》第 3 卷，人民出版社 1993 年版，第 275 页。

中国的经济发展出现了新趋势，尤其是在一些经济较为发达的沿海地区，第二、三产业发达，农业比重急剧缩小。为了体现新中国一贯坚持的社会和政治信念，江泽民发表了《沿海发达地区要率先基本实现农业现代化》的讲话，重申了国家对发展农业的支持。他明确指出："农业基础地位没有变，也不能变。越是二、三产业发展快，越需要牢固的农业基础提供有力的支持。"①

现阶段，农业现代化的概念已经有了很大扩展，它不仅指农业生产过程、农业技术和农业经济现代化，而且包括与农业相关的农业生产者观念和文化、协调发展的工农业关系、农业制度及农村社会等方面的现代化。②

农业现代化是全面建设小康社会，实现社会主义现代化的重要组成部分。改革开放30年来，我国农村，尤其是沿海发达地区的农村经济和社会发生了巨大变化：农业生产力大幅提高，农业结构不断优化，农产品供给由短缺转向充裕，开始由传统农业向现代农业转变；乡镇企业、专业市场和小城镇建设联动发展，形成了一大批各具特色的区域经济，农村经济综合实力明显增强；农村经济市场化程度明显提高，农业产业化趋势逐步加强；农业对外开放程度不断扩大，与世界农业关联度日益紧密；农民收入快速增加，生活质量明显提高；农村面貌日新月异，精神文明和民主法制建设成效显著，各项社会事业全面发展。

要求沿海发达地区率先基本实现农业现代化，是中共中央推进我国农业和农村现代化进程的重要战略步骤。如果沿海发达地区能够率先实现现代化，可以在中国探索出一条由自然经济和半自然经济形态的传统农业走向社会化、市场化的现代农业的成功道路，为广大中西部地区提供经验和示范，同时也为"三农"问题较好的解决和全面小康社会的建设奠定良好基础。

---

① 《江总书记视察农村》，中国农业出版社1998年版，第244页。

② 黄祖辉、林坚、张冬平等：《农业现代化：理论、进程与途径》，中国农业出版社2003年版，第87页。

因此，为配合中共中央实现这一宏伟目标和战略任务，处于中国改革开放前沿的广东，早在1995年即提出要在21世纪初基本实现农业现代化，并根据自身经济和社会发展水平，在实际工作中制定了一套实现农业现代化的目标和评价体系。

广东省提出的农业现代化总体目标是：以邓小平建设有中国特色的社会主义理论为指导，实施科教兴国和可持续发展战略，用现代科技改造农业，用现代物质技术装备农业，用现代管理方法管理农业，实现“五高六化”，即劳动生产率高、土地生产率高、投入产出率高、科技贡献率高、农民收入水平高，农田标准化、操作机械化、服务社会化、管理科学化、生态良性化、城乡一体化，把农业建设成为具有显著经济效益、社会效益和生态效益的可持续发展产业，把农村建设成为经济繁荣、科教发达、社会文明、环境优美的新农村。“五高”反映农业现代化指标，“六化”反映农业现代化条件和农村社会发展指标。在此基础上，广东省制定了《广东省2010年珠江三角洲基本实现农业现代化的评价指标体系》，以对广东省农业发展水平作出切实评估。

一、农村产业结构优化

改革开放前，广东农村产业结构处于种植业占绝对优势，其中又以粮食为主的单一化格局，粮食作物和经济作物比例不合理，林牧渔业生产受到严重抑制，农村工业、商业、运输业等非农产业产值在社会总产值中所占比例很小。这种产业结构制约了农村生产力的发展，因此，自改革开放之初，广东就在全国率先对农业实行指导性计划，同时逐步提高农产品收购价格，分步取消农产品统、派购和计划收购政策。农民有了生产自主权和产品处置权，有了按照市场需求安排生产的要求，这些因素为广东农村产业结构的调整奠定了基础。

（一）广东农业结构调整阶段

第一阶段，1978—1984 年。农村全面实行家庭联产承包责任制，农民获得生产经营自主权。这一时期，广东省在全国率先突破农产品统购派购制度，陆续放开了畜禽、水产品、经济作物等农产品价格，鼓励农民发展商品生产，在保证粮食生产的前提下，扩大经济作物种植面积，大力发展南亚热带作物生产，农林牧副渔开始全面发展，初步建立起具有广东特色的合理的种植业、养殖业结构，使广东种植业生产从自给半自给走上了商品化轨道。

第二阶段，1985—1992 年。在主要农产品第一阶段高速增长以后，国家开始对粮食购销体制实行改革，并在政策上积极鼓励发展农村非农产业，试图用计划和市场的双重手段，来调节农业资源流向，引导农村经济结构调整。结果第二、三产业快速增长，以乡镇企业为主体的农村非农产业发展更为迅猛。1985—1992 年，全省国内生产总值年均增长 15.5%，其中第二、三产业增长 19.6% 和 18.0%，乡镇企业总产值增长高达 31%。但是，主要农副产品却出现了多年徘徊不前的局面，尤其是 1985—1988 年，粮食年平均播种面积和产量分别比 1984 年下降了 9.2% 和 10.5%。八年间，全省农业增加值平均每年增长 6.7%，低于 GDP 增长 8.8 个百分点，增幅比第一阶段回落 1.9 个百分点；农民人均纯收入增幅逐年下滑，平均每年实际增长 6.8%，增幅回落了 4.3 个百分点，工农收入之比由 2.24：1 扩大到 2.65：1；农村市场消费需求所占份额也随之下降到 30.9%。这一阶段中，农业的发展明显滞后于第二、三产业的快速增长，农业在整个国民经济中的比例趋于失调。

第三阶段，1993—1996 年。这一阶段，主要是以农村经济发展由数量型逐步向效益型转变为标志。三年治理整顿以后，第二、三产业速度快速回落，农业与国民经济的关系得到不断改善。全省农业增加值速度由 1993 年的 2.6% 逐年回升到 5.0%，平均每年增长 4.1%；粮食播种面积和产量均呈现逐年回升态势，至 1996 年，粮食产量达 1891 万吨，接近 1990 年的历史最高产量。同时，1992

年国务院出台的关于发展高产优质高效农业的政策，也进一步加快了全省的农村经济结构调整步伐，局部地区优质农产品增加。但由于国民经济运行增速逐年回落，再加上国民经济发展的资源配置环境并不宽松，区域性、结构性的农产品供求矛盾开始显现，农民收入增长仍然不快，与城镇居民收入差距尚高达 1∶2.56。

第四阶段，从 1997 年开始，农村经济进入了一个新的发展阶段。其主要标志是：① 农产品供给已经从长期短缺转化为阶段性供大于求。主要农产品供给持续增长，1998 年，全省粮食产量达 2007.74 万吨，创历史最高水平；其他如水果、肉类和水产品等产量均保持快速增长态势。② 农村经济发展已由受资源约束转变为受资源和需求的双重约束。广东人均耕地仅为 0.47 亩，不到全国平均水平的一半，尽管近年来农村经济得到了快速发展，但自然资源不足、农业基础较为脆弱的约束仍然存在，同时伴随着市场化程度的提高，市场约束不断增强，需求明显不足，农产品价格持续下降。③ 农村经济发展已由解决温饱的需要转化为解决适应小康生活的更高要求。目前，城镇居民的生活已基本达到小康水平，农村居民生活也接近小康水平，生活水平的逐步提高要求农业发展不断提供高质量的农产品，同时要求农业具有较高的经济效益，不断提高农民的收入水平，缩小城乡差距。因此，在新一轮的结构调整中，农业所面临的环境和困难仍较复杂。[①]

（二）广东农村产业结构调整成就

改革开放 30 年来，广东省依照市场发展要求，不断对农业结构进行优化调整，取得巨大成就。

种植业。改革开放以来，广东按照“决不放松粮食生产，大力发展多种经营”的方针，在调整农产品生产结构的同时，把粮食生产作为“重中之重”来抓，确保种植面积，努力提高单产，

---

① 《加快农村经济结构调整　促进国民经济协调发展》，广东统计信息网，http://www.gdstats.gov.cn.

通过推广良种良法，不断提高粮食生产的水平和质量，1998年全年粮食总产量2007.74万吨。与1978年相比，虽然粮食作物播种面积减少了165.1万公顷，但由于单产提高，总产量仍增加421万吨，增加28%。在粮食生产稳定发展的基础上，各类经济作物得到迅速发展，蔬菜、水果、糖蔗产量大幅增加，茶叶、花卉、烟叶、蚕桑等也增幅明显。此外，种植品种趋向多样化，新的、经济效益好的、适销对路的名、特、优品种被大量引进、培育及生产。这些新品种不但丰富了原有的农作物品种体系，也带来了较高的经济效益。①

畜牧养殖。改革开放以来，广东畜牧业发展以市场为导向，以效益为中心，不断优化畜牧业生产结构，全面推广优良品种和先进技术，整体素质和综合水平有较大提高。广东畜牧业发展的主要特点有：畜牧业向基地化、规模化、专业化发展，1997年，全省万头规模以上的猪场124个，出栏肉鸡万只以上的鸡场8500个，由专业户提供的肉类总产品达114万吨，占当年全省肉类总产的32%；大力发展珍稀动物养殖，积极发展名、特、优、稀畜禽生产，全省具有一定规模的珍稀动物养殖场600多个，饲养鸽子、珍珠鸡、山鸡、孔雀、天鹅、海狸、鸵鸟等30多个品种；利用当地资源发展畜牧业，全面推广秸秆氨化养牛，大力抓好牧草种植，取得明显经济效益。②

水产渔业。广东海岸线长，河网密布，为发展渔业生产提供了优良的自然资源条件。改革开放以来，广东省通过增加投入，推广科技等措施，大力开发荒滩、荒水和浅海滩涂，开拓外海和远洋捕捞，调整水产养殖结构，使广东水产渔业获得很大发展，保持连年增长势头。1998年全省水产品产量554万吨，比1978年增长7.5倍。经过多年建设，全省渔业综合生产能力不断增强，生产水平和

① 梁荣、张建武：《略论进一步优化广东农业的产业结构》，《探求》1999年第5期。

② 《辉煌的二十世纪新中国大记录·广东卷》，红旗出版社1999年版，第80页。

质量不断提高，逐步从靠扩大水域面积、增加产量转向精养高产，养殖品种趋向多元化、特色化。同时，大力发展水产品加工流通和渔港建设，从1994年起连续10年，广东省财政每年拨款2000万元，专项用于渔港建设，逐步改变渔港建设滞后状况。

林业。广东地处热带、亚热带，发展森林、发展林业的条件很好，但长期以来，由于过量的毁林、伐木，森林面积急剧减少。尤其是“大跃进”和“文化大革命”时期，广东林业受到严重破坏，山林纠纷、乱砍滥伐问题十分突出。改革开放后，广东省委、省政府对造林绿化十分重视，但由于积重难返，到1985年，全省宜林荒山荒坡仍有5800万亩，森林覆盖率只有27.7%，成为中国南部荒山较多的一个省份。由于森林资源的破坏，广东省生态环境日益恶化，水土流失面积不断增大，自然灾害频频发生，山区与平原地区贫富差距拉大。为此，1985年，广东省委、省政府作出了《关于加快造林步伐，尽快绿化全省的决定》，提出“五年消灭荒山、十年绿化广东”的战略决策。经过全省各级党政机关和广大干部群众的艰苦努力，1990年如期完成宜林荒山绿化任务，1993年提前实现全省绿化达标任务，被国务院授予“全国荒山造林绿化第一省”的光荣称号。1997年以来，林业第二次创业有了良好开端，林业分类经营和生态公益林建设取得新进展，东江、西江、北江、韩江上游5000万亩生态公益林体系和“京广绿色走廊”工程全面启动，并建立起生态公益林补偿制度，林业的经济、社会、生态效益明显提高。

乡镇企业。乡镇企业的发展，是广东优化农村产业结构一项最突出和最有成果的内容。自1980年以来，广东乡镇企业发展迅速，成为广东农村经济的主体力量和国民经济的重要支柱。中共十一届三中全会以后，广东抓住改革开放、实行社会主义市场经济契机，坚持因地制宜、放手发展的原则，大力发展乡镇企业，使全省乡镇企业迅速向多成分、多层次、多形式方向全面发展。1992年邓小平发表南方讲话后，乡镇企业的市场调节机制为社会普遍承认和接受，为乡镇企业加速发展创造了良好的社会环境。多年来，广东乡镇企业大力引进外资，重视科技进步，强化企业管理，不断深化经营体制改革，使乡镇企业实现了由少到多、由小到大、由粗放经营到现代化管理的转变。

（三）广东农村产业结构调整趋势

首先，种植业内部结构优化。改革开放至今，广东种植业生产结构发生了三个明显变化：一是粮食作物、园艺作物、经济作物在耕种面积上发生明显变化，粮食作物播种面积减小，经济作物播种面积变化不大，略有下降，蔬菜、瓜果、花卉等园艺作物耕种面积大幅增加，粮食与经济作物面积之比由5.95∶1调整到4.95∶1；二是从产值上看，粮食作物先下降，后有较小升幅，经济作物和园艺作物则呈上升趋势；三是种植品种多样化，突破以往粮、棉、油、麻四大品种为主的种植格局。

其次，农业内部结构逐步优化调整，农、林、牧、副、渔结构日趋协调。1979—2000年，全省农业总产值平均每年增长6.4%，其中种植业增长4.2%，林、牧、渔业分别增长5.1%、8.3%和11.9%，均快于种植业的增长。这标志着广东农业已从单纯生产粮食和工业原料，转变为满足城乡市场消费需求的、全面发展的商品农业；林业分类经营和生态公益林建设取得新进展，林业生产第二次创业开端良好，并建立起生态公益林补偿制度；畜牧业方面，肉类产量增长5.5倍，家禽优良品种覆盖率不断提高，节粮型禽类和草食动物肉产量占肉类总产量的比重上升到近四成，初步构筑起具有广东特色和较强竞争力的畜牧生产架构；水产品方面，咸淡水优质、特色养殖基地有了新的发展，海水养殖面积增长10.2倍，水产品产量增长7.8倍，竞争能力进一步增强。[①] 目前，广东省林、牧、渔业产值已占农业总产值的一半以上，标志着广东农业的部门结构显著优化。

---

① 叶建新、陈春华：《加快广东农业结构调整，增加农民收入》，《南方农村》2001年第3期。

再次，农村三大产业结构分布趋于合理。随着农村经济结构调整的逐步推进，广东农村第二、三产业得到快速发展。在全省农村经济结构中，工业占有最大比重，达58.1%；工业、建筑业、运输业、商业和饮食业等非农产业收入占整个农村经济总收入的75.6%。改革开放以来，广东乡镇企业始终保持持续、快速、健康发展的势头。但在乡镇企业中，农业企业增加值不足10%，因此要加大力度培养农业企业，特别是龙头企业，引导农业企业走产业化经营道路。发展农产品加工业是乡镇工业结构调整重点，农副产品深加工不足，是广东农副产品市场竞争力难以提高的重要制约因素。大力发展第三产业，乡镇企业中第三产业仅占12%，比重偏低，应加大发展力度，其中，可将农村旅游业列为发展重点。广东乡村旅游资源丰富，粤北山区生态环境良好，粤西可发展为南亚热带作物观光区，沿海是游泳、钓鱼、度假的好去处。因此，可根据不同地区特色，发展休闲农业、森林旅游、滨海观光等多种形式的生态旅游，通过旅游带旺“食、住、行、游、娱、购”，使其成为农村经济新的增长点。此外，还应加快发展农产品销售、农业咨询服务业、农村金融保险业、科技教育事业等。①

（四）广东农业结构调整方向

1. 优质化。

主要通过大力发展“三高”农业体现。进入20世纪90年代后，广东发展“三高”（高产、高质、高效）农业的条件成熟：一是社会对农产品的要求发生了由数量扩张到质量提高的新转变；二是农产品的生产经营已由计划经济转为市场竞争阶段；三是农业的增产增收呈现了科技因素增长的新趋势，据统计科技因素在农业增长中所占比例为40%；四是乡镇企业的发展使“反哺”农业成为可能。20世纪90年代以来，广东“三高”农业蓬勃兴起，效果显

---

① 广东省政府研究中心课题组：《广东农业和农村经济结构调整的基本思路和重点》，《广东经济》2000年8月刊。

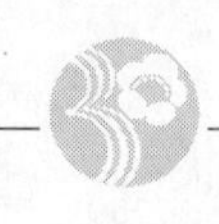

著，“三高”农业由珠江三角洲向东西两翼和北部山区迅速发展，成为广东农村经济持续稳步发展的重要力量。目前，“三高”农业农产品总量占全省农产品总量一半以上。1998年全省农业总产值929.88亿元，其中“三高”农业总产值比重超过六成。“三高”农业的发展，推动了农业产业结构的调整与优化，提高了农业经济效益，建立了一批各具特色的“三高”农业基地，形成主导产业及名牌农产品，初步建立起具有广东特色的现代农业产业框架。①

2. 规模化。

要建立有效率的农业生产体系，除了实行一体化经营外，农业生产者经营规模也应逐步扩大。为此，各地将规模化经营与“三高”农业和开发性农业结合起来，大面积地开发荒山、荒坡、荒地、荒滩，按照“贸工农一体化、种养加相结合”的路子，兴办各种类型的农业商品生产基地，许多产品实现了区域化规模生产。如粤西100万亩海水养殖基地，茂名100万亩北运菜基地，粤东100万亩杂果基地，梅县30万亩沙田柚基地，潮州20万亩单枞茶基地等。近几年来，广东省在粤东、粤西和山区重点扶持发展了50家大规模、有实力的龙头企业，在珠江三角洲建立十大农业现代化示范区，在16个贫困县重点培育48家扶贫型农业龙头企业。②1998年，全省有农产品生产基地5000多个，其中出口商品生产、加工基地2000多个。在生产走向基地化的同时，单个生产单位的生产规模也在不断扩大。据统计，全省达到适度规模经营标准的生产单位和农户达13万个，经营面积280万亩，种植面积占耕地面积的8%，生猪和“三鸟”饲养量达到规模经营标准的分别占全省生产总量的30%和60%。全省鳗鱼、瘦肉型猪、肉鸡、蛋鸡和优质蔬菜、优质水果、花卉等生产已全部或大部分实现了专业化、区域化生产。③

① 《辉煌的二十世纪新中国大记录·广东卷》，红旗出版社1999年版，第82页。
② 《广东农业初步形成规模经营格局》，《南方农村》2000年第6期。
③ 《新时期中国农村的变革·广东卷》，中共党史出版社1998年版，第192页。

规模经营的实行要建立在一定的土地流转制度基础上，建立在一定的经济发展水平和阶段上。1988 年，广东省委转发了《关于在经济发达地区适时发展土地规模经营的意见》，提出在一些条件成熟的地区发展土地规模经营，把调整土地承包期的权力交给集体单位自己定夺。1994 年广东省委又在南海召开了农村土地股份合作制会议，提出实行土地股份合作制改革。实行这一制度后，顺德、番禺、中山、南海一带农村通过土地作价入股、租赁等形式，把土地交由村、区集体统一安排，调整成片，然后统一开发、统一发包，出现了整村连片的鱼塘，出现了一批连片承包土地、鱼塘上百亩，甚至几百亩的种养大户，促进了珠三角地区农业现代化进程。[①]

3. 区域化。

由于广东省各地拥有的资源禀赋差异极大，区域间经济发展极不平衡，因此，在农业产业结构布局中，要考虑到各地自然资源和社会经济发展水平之间的差异，按区域调整农业产业结构布局，合理有效地利用农业资源。

珠江三角洲地区经济较为发达，乡镇企业在数量、规模和产值上居于全省前列，劳动力素质高，农业发展处于劳动密集型向资本和技术密集型转变的阶段，因此，农业产业结构调整以提高新产品开发档次为主，重点发展创汇农业，大力开发、引进和培育名、优、特、稀品种，积极发展农副产品加工业，逐步建立起以优质、高效、高产为特征，农、工、技、贸一体化经营的现代农业产业体系。同时，以广州为中心的珠三角城市圈还应努力发展都市农业，它不仅具有生产性功能，还具有改善生态环境质量，为人们提供观光、休闲、度假的生活性功能，尤其适合都市周边的农村地区。

东翼的汕头、汕尾、潮州和揭阳四市，光热条件好，且地形多样，农村劳动力资源充足，农村手工业较为发达，民营经济发展迅

---

① 参见罗必良、温思美主编：《技术创新、制度创新与农村发展：“新世纪中国农村经济发展”学术研讨会文集》，中国数字化出版社 2002 年版。

速，又是广东省著名的侨乡之一。因此，东翼地区主要应立足于当地的资源条件、技术优势以及良好的区域位置，合理安排粮食生产，进一步提高劳动生产率，发展“三高”农业生产基地和农业出口创汇基地，提高农业生产专业化、规模化水平。同时，充分利用全区民营经济的优势，走集约化经营、集团化发展的道路，进一步提高本区域的综合经济实力。

西翼包括湛江、茂名和阳江三个市，气候条件优越，农业发展的后备资源丰富，区内平原、台地、丘陵、山地和滩涂兼备。西翼地区农产品的种类和数量在全省农业中占有重要的地位，是广东省蔗糖、水产、水果等重点热带作物农业生产基地。但西翼地区农业整体水平较低，自然灾害较多且危害较大，龙头企业数量少，区内农业生产结构过于趋同。为此，西翼地区应围绕建立有热带、亚热带特色的农产品商品生产基地，实行农林牧副渔综合发展，建立起农工技贸一体化发展的现代农业商品生产体系。

广东山区县市经济明显落后于其他地区，但是资源丰富，发展潜力巨大。山区县市的农业产业结构调整，应充分结合该区域经济发展的特点，选择好区域内主导产业，培育一批龙头企业，大力发展农林副特产品的加工和深加工，实行农业的综合开发，注重经济效益、生态效益和社会效益三者兼顾，努力实现开发与治理并重，综合考虑眼前利益与长远利益。①

二、广东农业产业化

农业产业化是现代农业的一种综合经营体制，它以国内外市场为导向，以经济效益为中心，围绕当地农业的主导产品，实行区域化布局、规模化生产、社会化服务、企业化管理，产销一条龙、农工技贸一体化经营，使农业成为一个向第二、三产业延伸的现代化

① 周建华、张岳恒：《广东分区域农业产业化经营模式的选择》，《华南农业大学学报》2004 年第 3 期。

产业。其特点是“一体二共三高四变”。“一体”即农业产前、产中、产后的一体化，形成一条完整的产业链。“二共”即一体化中的各个经营主体通过“利益共享、风险共担”的利益分配机制共同发展。“三高”即高产、高质、高效。“四变”即农业由分散小生产经营向集约规模化经营转变，由出卖初级产品向生产高附加值农产品转变，由“无农不稳”向“务农致富”转变，由弱质型农业向强质型农业转变。

广东是农业产业化发展较早较快的省份之一，早在20世纪80年代中后期，广东就开始了农业产业化的探索和实践，特别是1996年6月，广东省召开了全省农业产业化工作会议，作出了《关于推进农业产业化若干问题的决定》以后，广东农业进入“转型升温”、“转轨升级”的发展期，以农业产业化获得巨大发展。1998年，广东省委、省政府在省委八届二次全会上，通过了《中共广东省委关于贯彻党的十五届三中全会（决定），开创农业农村工作新局面的意见》。该意见指出，推进农业产业化经营，必须抓住立足优势资源、确立主导产业、创办龙头企业、建立商品基地、辐射带动农户五个环节。各地要在稳定家庭经营的基础上，打破部门、地区和所有制限制，按照产供销、种养加、贸工农、农科教一体化原则，把农产品的生产、加工、销售等环节连成一体，解决千家万户进入市场以及运用现代科技和扩大经营规模等问题，提高农业的经济效益和市场化程度。①

广东农业产业化的发展，大致分为三个阶段：

第一阶段，20世纪80年代中后期。推广“江高模式”，即“公司+农户”模式。20世纪80年代中后期，广州市白云区江高镇广州市江村养鸡场（现名为广州市江丰实业有限公司）发展出了一套以该鸡场为“龙头”，与周边农户建立利益共享、风险共担的经济联合体新模式。这种做法在该地区取得了明显的经济效益与社会效益，被称为“江高体系”或“江高模式”，其实质是公司加

① 《辉煌的二十世纪新中国大记录·广东卷》，红旗出版社1999年版，第429页。

农户。在“江高模式”的影响下，农业产业化以多种形式在全省迅速推进和发展，从原来的畜牧产业化走向粮食、水果、淡水养殖、林业、蔬菜产业化等。

第二阶段，20世纪90年代中期。大力推行“三高”农业。全省建立了5000多个“三高”农业基地，经营面积4000万亩，初步实现区域化种植、专业化生产、规模化经营、科学化管理；初步建立了一批龙头企业；涌现出一批农业社会化服务实体；呈现出多元化的农业投资结构。

第三阶段，20世纪90年代后期以来，创办龙头企业和示范区（即产供销一条龙、科工贸一体化的产业化经营）阶段。据统计，2000年，这些龙头企业和示范区为广州带动农户10.8万户，创造产值28.5亿元，农户增加收入5.63亿元。①

（一）发展农业产业化的必然性

产业化是农业发展的客观要求。改革开放30年，中国农业面临着朝经济管理体制和经济增长方式转变的第二次飞跃，这一飞跃要求调整和优化产业经济结构和产业组织方式，提高规模经济效益和技术进步效益，提高产业的国际竞争能力和国内竞争层次。但中国特有的家庭承包经营方式，却直接制约着产业的竞争能力和经济效益，以致产业集中程度低、规模效益差。因而，推进农业产业化经营，是改变农业从事低层次原料生产的传统方式，改善农业投入动力机制，提高农业比较收益的根本出路。②

产业化是农业深化改革的产物。随着农业综合生产能力增强，农产品产量大幅增加，农产品供给逐步从卖方市场转向买方市场，农产品难卖日益突出，农业的发展由过去受资源约束为主转为受需求约束为主。以家庭承包为主体的小规模、半自给、兼业化的经营方式，无法有效与瞬息万变的大市场对接，无法形成整体规模效益

---

① 《辉煌的二十世纪新中国大记录·广东卷》，红旗出版社1999年版，第429页。
② 关锐捷主编：《半个世纪的中国农业》，南方日报出版社1999年版，第107页。

和进行生产环节的利益补偿，难以抵御市场风险和自然灾害。只有依靠农业产业化经营，才能使分散的农业生产经营与广阔的市场紧密联合起来，形成规模生产和规模效益。

产业化是解决我国现阶段农业问题的出路。现阶段，一方面农业是基础，另一方面，农业又存在如下问题："三大"——自然风险大、市场风险大、管理难度大；"三小"——小农意识、小规模经营、小经济效益；"三弱"——生产条件薄弱、竞争能力弱、自我发展能力弱；"三分割"——生产、加工、销售三个环节由农、工、商三个部门管理；"三矛盾"——千家万户分散的小生产与大市场的矛盾，生产经营多样化与社会服务滞后的矛盾，农业社会效益高、对国家贡献大而自身经济效益低、国家投入严重不足的矛盾。[①] 走农业产业化之路是解决我国现阶段这些农业问题的有效途径，也是我国农业改革发展、推进农业现代化的必然趋势。

（二）广东农业产业化组织模式

随着农业产业化的迅速发展，产业组织形式也逐步规范化，目前比较典型的有：

龙头企业带动型。是指以农产品加工、储存、运销企业为龙头，围绕一项产业或产品，实行生产、加工、销售一体化经营的农业产业化模式。龙头企业或示范区，依靠自己的品牌、社会和信息资本，发动周边农户按照一定的规格和要求生产农产品，再通过合同约定进行收购，将合格的产品推向国内外市场。这种做法，实际上是把农户变成了企业的车间，把农民变成了农业工人。2000 年广东龙头企业销售收入 357 亿元，净利润 27 亿元，创汇 4.64 亿美元。

中介组织带动型。即依托农村各种类型的农民专业协会、合作社等农民专业合作组织，把分散经营的农户组织起来，共同进入市场，参与竞争。如以中介组织为载体，让农民参与贸、工、农一体

---

① 孟淑云：《广东发展农业产业化的经验》，《北方经贸》2002 年第 12 期。

化经营，通过中介组织维护农民的合法权益等，使农民的大部分生产活动通过中介组织得以实现。2000 年，广东中介组织年销售收入达 40 亿元。

专业市场带动型。是指通过农产品交易市场，特别是专业批发市场，带动区域专业化生产或产加销一体化经营。这种模式的基本特征，就是以专业市场为依托，充分发挥专业市场的辐射带动作用，达到发展一处市场，带动一个产业，繁荣一方经济，富裕一方群众的目的。2000 年广东专业市场交易额 107 亿元，净利润 5.7 亿元。

主导产业带动型。是指从利用当地资源，发展传统产品入手，形成区域性主导产业，围绕主导产业发展产加销一体化经营。要确立主导产业，必须确立主导产品，主导产品是主导产业的体现。主导产品，就是指在一个地区的经济发展中起导向作用的产业中的骨干产品。由于该产品的发展，可以带动和影响整个产业的发展，如顺德陈村的花卉，年销售收入达 3 亿元以上。

科技服务带动型。该类型的特点是：龙头企业和示范区与国家和省农科院合作，建立农产品专业技术研究会，开发新产品，然后由龙头企业和示范区作科技示范，加以推广。龙头企业和示范区在向农户提供优良的种子、种苗和先进的种养技术服务的同时获得收益，而农户则通过企业提供的优质种子、种苗和先进技术生产适应市场需求的优质农产品来赚钱，利益共享，互利双赢。①

外资项目带动型。该类型的特点是：引进起点高、产业链长、附加价值大的外资项目，利用外资发展外向型创汇农业，通过外资开拓国外市场，与世界各国建立农副产品出口贸易关系，以此带动广东农业结构的调整，使大批农产品走向世界。在外资的带动下，2000 年广东农产品出口创汇 1.885 亿美元，有出口创汇能力的企

---

① 徐忠爱：《广东农业产业化的现状、问题和对策分析》，《现代农业》2005 年第 12 期。

业 29 家。①

（三）广东农业产业化经营成效

初步形成较为优化的农业结构，原来单一的生产结构向多样化发展，园艺作物和禽畜业已成为广东省农业经济发展新的增长点。截至 2001 年，全省共有 1762 家产业化组织，建成具有大规模、高标准农田基础设施的十大农业现代化示范区，新品种、新技术被广泛推广应用，珠三角的顺德、中山等地，已建立起高效的农业产业体系，农业已成为有效益、有一定自我发展能力的产业。

建成一批规模较大的农产品商品生产基地，部分实现专业化、区域化生产。全省“三高”农产品生产基地已达 5000 多个，其中出口商品生产、加工基地 2000 多个。在生产走向基地化的同时，单个生产单位的生产规模也在不断扩大。在此基础上，全省形成了优质畜禽、水产、水果、蔬菜、花卉、茶叶、南药七大主导产业和近百个具有区域特色的名优农产品支柱产业，专业村、专业户、一村一品生产获得很大发展。

形成了一批生产经营大户和农产品经纪人。广东省各地近年来形成了北运菜、香蕉、荔枝、龙眼、柑橘、金柚等贩运专业户或经纪人，形成了上连市场、下连农户，信息灵通，购销快速，货到钱清，农民信得过的自然状态的产业化经营链条。据统计，2004 年广东省有对农户生产具有直接牵动力的农村经纪人组织 1517 户，从业人员 22036 人；专业大户 4724 户，从业人员 49508 人。生产经营大户和农产品经纪人已成为发展农村经济不可缺少的一支生力军。②

具有引导生产、开拓市场功能的产业化经营组织稳步发展，遍及各业，形成一定规模。全省鳗鱼、罗氏沼虾、桂花鱼、出口蔬

---

① 孟淑云：《广东发展农业产业化的经验》，《北方经贸》2002 年第 12 期。

② 闫玉科：《加快发展广东农业产业化经营的路径探讨》，《中国农学通报》2006 年第 8 期。

菜、瘦肉型猪和家禽基本形成专业化生产和产、供、销一条龙经营。2004年，广东省有农产品专业市场218个，中介（协会、合作社）组织带动型的产业化组织791个。2004年，广东产业化组织带动农户增收124亿元，20家优秀农业龙头企业和5家优秀扶贫农业龙头企业获得广东省表彰。在此基础上，重点龙头企业数量逐年增加，规模扩大，效益显著增强，稳步发展。这些农业产业化组织在促进农业结构调整，推进农产品精加工，创立农产名牌产品，增加农民收入方面发挥了重要作用。

创新企业经营机制，做优做强龙头企业。农业龙头企业基本实行产加销、贸工农一体化的经营体制，实力强、规模大，具有较强的辐射带动能力，能有效增加农民收入，对农业农村经济起着重要作用。2004年省、市、县重点扶持的农业龙头企业共1482家，其中销售收入1亿元以上的有190家。这些农业龙头企业中，有879家与农户发展订单农业，签订订单总额达203.2亿元，履约订单成交额达169.3亿元。近年来，这些大型龙头企业在巩固原有规模的基础上，不断进行企业经营机制创新，提高自身市场竞争力。广东温氏集团在巩固发展云浮大本营生产基地的基础上，进一步加快清远、河源等贫困地区的生产基地的创办，2001年企业销售收入达22亿元。目前，温氏集团已实行“全员股份制”，广东英吉利集团、民昌果业公司等民营企业正抓紧实行股份制改造，温氏、康辉、恒兴等大批龙头企业已完成向现代企业管理制度的转变。

初步培育和发展了农产品销售、加工体系，有效促进了农产品的转化和资源利用。1995—2005年，广东全省建成农副产品专业市场1680个，年交易额375亿元，加上星罗棋布的集贸市场，农产品交易额超过千亿元。广东在抓好农产品市场建设的同时，积极培育农产品流通组织，目前全省约有300万农民从事农产品购销活动。此外，广东农产品加工产业发展也较为迅速。2005年，全省乡镇企业以农产品为原料的加工企业3157家，从业人员72.14万人，现价销售产值1334.06亿元。这些企业大多以当地大宗农产品为原料，有效地促进了当地农产品转化升值，增加了农民收入。

科技、品牌意识增强。重点龙头企业初步建立起一支实力较强的科技开发和推广队伍，企业每年投入科研开发和技术推广经费上亿元，打造出水果加工、牛奶、饮料、饲料等一大批产品知名品牌。2004 年 105 家省农业龙头企业主营产品获省部级以上名牌产品或优质产品认证的有 155 个，获得绿色食品认证 51 个。龙头企业发展依靠知识和科技含量的意识不断增强，2004 年 105 家省农业龙头企业共有硕士以上学历的职工有 729 人，占总职工数的 1.0%；本科生有4421 人，占总职工数的5.87%。专门设立研发机构的有 63 家，建有专门质检机构的有 77 家，有 26 家企业被省部级认定为高新科技企业。①

（四）广东农业产业化存在的问题

广东推进农业产业化经营已经取得一定成绩，但近年来，农业总产值增长幅度明显减缓，“七五”时期年均增长 7.7%，“八五”时期增幅下降为5.7%，“九五”时期为5.2%，2000 年比上年仅增长2.7%。农产品价格持续偏低，农副产品收购价格指数2000 年比上年下降5%，农民增产不增收等问题突出。因此，必须增强发展农业产业化的紧迫感。

总体来看，广东农业产业化存在的问题有：

农业生产经营规模小，制约专业化、产业化发展。全省第一次农业普查资料表明，在农牧渔各业中，家庭经营所占份额分别为95%、85%和60%。种植业中，平均每户经营耕地 2.67 亩，人均拥有耕地只有 1 亩左右，仍然没有摆脱经营规模偏小、生产单位分散、专业化、集约化程度不高的格局。畜牧业经营规模虽然比种植业要大，但仍以家庭散养的生猪、三鸟等为主，分别占 85% 和80%。由于农业经营规模小，土地难以向种田能手集中，导致农户经营的兼业化，从事农业和非农业时间分别占 58.5% 和 41.5%，

① 闫玉科：《加快发展广东农业产业化经营的路径探讨》，《中国农学通报》2006 年第 8 期。

珠江三角洲多数农户不是以农业为主，而是把农业作为兼业。此外，虽然农业区域性布局已见雏形，但不少地方仅围绕着自己的小天地布局，散、杂、少的问题仍突出，一个地方什么都有，什么都不多的情况仍比较普遍。按市场导向调整产业结构已逐步成为农民的自觉行为，但仍有较大的盲目性和局限性。由于农业生产的特点，以及信息、视野等原因，这种自觉的调整仍存在一定的盲目性和局限性，往往是什么好卖就一窝蜂上，而来年产品量多价跌，又挫伤了积极性。这就对政府宏观指导的加强、信息网络的建设与一定保障措施的制定，都提出了新的要求。

产业化经营水平较低，存在“三少”、“两低”。“三少”就是具有较大规模、带动能力强的龙头企业较少，有些龙头企业与农民的利益关系没有处理好，发展缓慢；形成农业产业化经营的主导产品少，市场竞争能力弱；骨干批发市场尤其是产地批发市场数量少，规模小，未能形成流通的骨干，多数产品都是小商贩在地头路边交易，价格波动很大。“两低”就是农民的组织化程度低，大部分农户仍是分散经营，难以适应市场经济发展，即使实行公司加农户产业化经营，也是以松散型为主；产品的加工能力低，多数产品仍停留在简单的手工加工阶段，农业附加值不高，产业链条比较短，整体效益低。

经营体制和运作机制改革滞后。目前，农业的生产、加工、销售和贸、工、农仍分属不同职能部门管理，这与农业产业化的基本运行机制存在矛盾和冲突。从农业与工业的关系上看，加工企业与生产基地或农户之间基本上仍是简单的现货买卖关系，龙头企业与生产基地还未能形成真正的利益共同体，所以企业与基地之间、农业与工业之间优势难于互补，劣势难于相抵消。从农业与流通企业，特别是外贸企业的关系上看，农业更处于不利位置上，外贸经营机构控制主要的流通渠道和经营权，农民既要承担自然风险、市场风险，又得不到市场平均利润，影响农民参与农业产业化经营的积极性。

社会化服务体系建设跟不上。从服务体系的建设上看，目前，

各级为农业产业化服务的组织尚未真正健全，尤其是乡镇社区的服务组织仍存在“断层”现象。从服务内容上看，无论是产前或产中的信息、金融、技术等服务，还是产后的储运、销售等服务仍跟不上发展的需要。特别是市场信息不灵，严重影响农民的生产积极性，从前几年开始全省调减粮食种植面积，大力调整和优化农业种植结构的情况看，农民对农业结构调整持观望态度，反应冷淡，就是因为对市场的未来预期把握不准，又缺乏引导，对结构调整和改种新品种信心不足而引致的。

地区和行业之间发展不平衡。沿海和珠三角地区农业产业化组织规模大，水平高，带动农民的能力强，而山区则相对落后。行业之间发展也不平衡。种植业的水果、蔬菜，畜牧业的养猪、养鸡，水产业的养殖加工产业化经营水平较高，而粮食、糖蔗等大宗农产品的产业化经营程度则较低。[①] 此外，农业产业结构的调整，发展也不平衡。一些地方步伐缓慢，仍以水稻、花生、糖蔗为主，结构调整效果不明显，市场适应能力差，农民收入多年来无明显增长，农村面貌变化不大。[②]

三、农业科技进步

推进农业现代化进程，核心问题是加速农业科技进步。中国近代的农业科研、推广和教育始于 19 世纪末，发展一直较为缓慢，直到新中国成立前，全国只有少量的农业科学研究、推广和教育机构，在有限的领域中开展研究、技术推广和教学工作。中华人民共和国成立后，中国共产党和政府制定了一系列方针政策，新建扩建了机构，培养并充实了科教力量和设备。50 多年来，中国的农业科研、技术推广和教育事业，取得了很大的成就，成为发展农业和

① 徐忠爱：《广东农业产业化的现状、问题和对策分析》，《现代农业》2005 年第 12 期。

② 杜重年：《关于广东农业产业结构调整的思考》，《南方农村》2001 年第 2 期。

农村经济的强大动力。

（一）农业科技体制改革

1950年前后，我国各大行政区农林部门在接管原有的农业科研机构的基础上，成立了七个综合性农业科研机构，设立了一大批中央级的农业专业研究机构，大部分省和地区也相继成立了综合性的农业科研所、农事试验站和县示范农场。1957年，中国农业科学院成立。同时，国家还从20世纪50年代中期起，陆续建立起农业技术推广体系，加上70年代初四级农科网的形成，初步形成农业科技推广应用的组织基础。①

新中国成立后形成的农业科技体制有着计划经济体制的众多弊端：农业科研机构由国家统一安排和管理，科研任务由国家统一下达，经费由国家统一划拨，没有决策权和自主权。由于科研任务由国家安排，农科人员很少深入到农业生产一线确定科研课题，导致科研和生产脱节，农业科研成果向实现生产力转化困难。此外，按部门、区域设置农业科研机构，形成了地区农业科研机构和科研项目趋同的局面，重复建设，造成大量的人力、物力、财力浪费，不能集中重点进行技术攻关。实行市场经济后，各级政府对农业科研机构重视不够，削弱和减少对农业科研单位的投入，造成各农业科研机构经费严重不足，科研单位人才流失，出现科技人才断层，从而导致农业科技体系出现网破、线断的局面，农村科技体制改革势在必行。

1985年国家实行科技体制改革，中共中央作出了《关于科学技术体制改革的决定》，提出“经济建设必须依靠科学技术、科学技术工作必须面向经济建设”的战略方针，这标志着中国农业科学研究技术体制进入了全面改革的新时期。农业科研体制改革内容包括：改变农业科研机构原有的行政附属单位性质，向企业化方向

---

① 参见陈贤昌主编：《中国农村再改革的途径选择：农业产业化》，湖南人民出版社1999年版。

转变；以市场为导向，按市场需求安排农业科研课题；通过实行有偿服务，获取农业科研所需资金，改变过去单纯依靠政府拨款维持农业科研机构运转的局面；农业科研机构可利用自身优势兴办各种技术经济实体，实现科工贸、科农贸结合，增加农业科研机构自我发展能力。

广东在农业科技体制中也走在全国前列。改革开放后，广东农村一方面大力发展农业生产，另一方面乡镇企业迅速崛起，农业和农村经济发展对科技的需求不断增长，人们依靠科技发展生产的意识不断增强，推动了农业科技的发展，也促进了科技体制的转轨——面向农村，面向乡镇企业。

根据《中共中央、国务院关于加强技术创新，发展高科技，实现产业化的决定》和《中共广东省委、广东省人民政府关于依靠科技进步推动产业结构优化升级的决定》，以广东省农科院为代表的农业科研机构，结合实际，加快了改革和创新步伐，初步建立起适应市场经济发展的科技体制和运行机制。广东农业科研机构改革的具体措施有：

重新定位，加速转制。以广东农科院为例，根据广东的发展需要，广东农科院 13 个院属研究所有 5 个定为公益型所，7 个定为开发型所，1 个定为服务咨询型所。为推进转制步伐，该院于 1999 年成立了广东省农科集团，除公益型研究所直接由院管理外，8 个转制所、院属经济实体、公益型所的经济实体统一归集团管理，实行企业化管理，全成本核算。

精简机构，明确职责。减少科室设置和管理人员比例，精减的人员通过转岗分流等办法，充实到科研和科技开发第一线。后勤服务部门与管理脱钩，实行全成本核算，走向社会化。

调整结构，提高竞争能力。根据市场经济和现代农业发展的特点和规律，调整专业、学科结构和研究方向。在强化粮食作物、经济作物、蔬菜、果树、畜禽的优良品种选育和作物、果树、土肥、茶叶、畜牧、兽医等新技术研究和开发的优势的同时，根据广东省现代化农业发展的需要，加强了水稻、玉米、花生、辣椒、南方水果、饲料等对广东省农业经济发展影响重大的关键技术的联合攻关，力求不断提高广东省农业科技水平。

建立激励机制，规范管理制度。首先，改革用人制度，全院实行全员聘任合同制。行政干部实行轮岗和竞争上岗制度，科技人员实行定职、定岗和竞争上岗制度。其次，建立与绩效挂钩的多种分配制度，拉开收入差距，完善各种奖惩制度，形成良性竞争的激励机制。再次，实行全成本核算，建立规范高效的财经运作制度；最后，制定科技和开发激励制度，每年投入适量科研经费，用于专项科技攻关项目。同时，抽出一定资金，设立基金，奖励在科技和开发工作中作出贡献的人员。①

（二）广东农业科技取得的成效

广东农业科研机构竞争力居于全国前列。目前，全省农业科技研究机构有近百家，涉及农业领域的各个方面。农业类高等院校有华南农业大学、广东海洋大学、仲恺农业技术学院3所，中科院和国家有关部委驻粤涉农科研机构7个，省属涉农科研机构26个，地市级农科研究机构35个，高等院校涉农科研机构70多个。截至2003年，全省建立了国家重点实验室5个，国家工程中心1个，畜禽饲料、水稻细胞工程等10个农业方面的省级重点实验室，建成无公害蔬菜、果树新技术、优质肉鸡育种等10家省级工程技术研究开发中心。② 2004年，全省在册的农业技术人员2万多人，农业高等院校在校学生近10万人，农业中专在校生近万名，农业教科研条件平台建设处于国内先进水平。

各级农业科研机构取得了大量科技成果，主要有：①广东省科技厅和广州市科技局采取省市联动，资助建设了一系列农作物、水产、林业、中药、微生物等生物种质资源库（圃）。此外，广东

① 广东省农业科学院：《改革农科体制　创新农业科技》，中华人民共和国科学技术部网站，http://www.most.gov.cn.

② 洪建军、杨贤智、侯建国、万忠、郑业鲁、刘晓君：《科技进步对广东农业发展作用的研究》，《广东农业科学》2005年第3期。

省农业类的省级重点实验室、省级工程技术研发中心的数量也居于全国前列。② 选育和引进了大批优良品种，超级稻育种研究和杂交稻优质化方面，处于国内先进水平；动物营养和畜禽育种研究取得新成果，其中黄羽肉鸡、瘦肉型猪、肉鸭等多个新品系相继育成，畜禽营养需求和饲料配方研究方面也有新的突破。近年来，全省共引进优良农作物品种（品系）3019 个，主要农作物良种覆盖率达 93%，中优质稻覆盖率达 84%，良种猪覆盖率达 95%，良种鸡覆盖率达 85%，良种肉鸭覆盖率达 80%。③ 攻克了一批集约化生产的重大、关键技术。广东省在水稻等作物的杂种优势利用、水稻两系法育种基础、甘薯同群杂交不育、主要虫害的发生规律、病虫害种群控制、南方退化坡地生态系统恢复、抗病虫农作物种质资源鉴定等农业研究方面，取得了一大批水平较高的成果。④ 农业高新技术研究及实用化进程有所推进。高效克隆转化体系的建立、多基因载体的创建、双链 RNA 表达载体及基因功能鉴定等功能基因组合技术、根系生物学研究领域取得重大突破，其研究成果处于国际领先水平。2005 年，华南农业大学辛朝安教授主持的“H5 亚型禽流感灭活疫苗的研制及应用”项目，获得国家科技进步一等奖。“抗菌新药防治畜禽感染性疫病的药理和应用研究”项目获得 2005 年度广东省科技进步一等奖。全省防控高致病性禽流感取得了阶段性重大胜利；水稻抗病基因及分子标记以及多基因聚合育种取得成功；应用转基因技术，获得番茄、辣椒优质抗病基因工程株系；果树、蔬菜名优品种离体培养，蔬菜种子纯度分子标记检测方法，辣椒抗疫病基因克隆等研究取得显著进展；羊角纽甙、印楝素等生物农药已应用到生产实践中；花卉、果树等脱毒组培快繁技术在广东乃至华南地区广泛推广应用。⑤ 特色农产品贮藏保鲜加工技术有新突破。荔枝、龙眼、香蕉等贮藏保鲜技术有新突破，在特色农产品深加工方面，开展热带和亚热带特色果蔬深加工研究，建立了果蔬原汁、复合果蔬汁和发酵果酒的加工技术，研制开发果蔬系列产品 20 余个，研究出半干型荔枝干、龙眼干加工新技术，提高果蔬的产品附加值。[①] ⑥农业信息技术取得了一定的进展，各种农业网站相继开通，农产品开始实现了网上交易；3S技术在农业上的应用研究已经展开。

建立了一批农业科技示范基地，促进区域经济协调发展。1999年开始，省政府在珠江三角洲地区建立了10个农业现代化示范区，2003年又在东西两翼和北部山区建立了12个农业现代化示范区；2000年省科技厅启动了农业科技园计划，2004年启动了广东省健康农业科技示范基地建设，2005年又启动了星火技术产业带建设，共批准立项建设的农业科技园达到18个、健康农业科技示范基地40家，组建了具有广东特色的3个星火技术产业带。开展“广东省城镇化技术集成应用试点”工程，共批准承建18个“广东省城镇化技术集成应用试点”。开展广东省科技示范专业镇建设，共批准承建“广东省科技示范专业镇”159个。[②]

农业科技推广体系日臻完善，一大批农业科研成果得到转化和推广。从2001年开始，广东省以实施省人大《农科议案》为契机，有计划、有目的地建立和完善农科推广网络，重点建立和完善了省良种引进与改良中心、省农作物种子质量监督检测中心、省土壤肥料质量监督检测中心，4个省级杂交水稻亲本提繁基地，10个省级区域性农作物种子、种苗和畜禽质量监督站，19个省级区域性良种中心，50个县级良种推广分中心，100个区域性乡镇良种推广中心站，初步构成了横向覆盖全省、纵向由省到乡镇的农业科技推广网络。[③] 据不完全统计，到2003年底，我省共有省级农业技术推广机构18个，地市级农业科研机构和农业推广机构55个，县（市、区）农业技术推广机构6650个，成立了各种类型的农民专业技术协会2528个，共有会员89459人。省市县乡四级推广机构、

① 潘嘉念：《以科技进步推动现代农业建设——广东农业科技创新和推广的成效与新的工作思路》，《南方农村》2006年第6期。

② 郑玉亭：《依靠科技进步，扎实推进广东社会主义新农村建设》，《广东科技》2007年第1期。

③ 《科技创新成广东现代农业强劲发展火车头》，《南方日报》2006年12月18日。

农业龙头企业、区域性农业试验中心、农业科技园区、专业技术协会等共同构建了广东省以县为中心、镇（乡）为骨干、村为基础的农业科技推广服务体系。[①]

加强人才培养，全面提升农技人员和农民科技素质。“十五”期间，本省加大对农业技术推广工作研究人员的培训力度，采取补贴的形式，鼓励、支持农业技术推广人员参加学历教育，全省共有2600多名基层农技推广人员得到省级补助，有近3000名（次）农技推广人员接受了新知识和技能培训。此外，广东省十分重视提高农民科技素质，积极组织实施新型农民科技培训工程、绿色证书工程培训。通过加强与财政、教育等行政部门沟通，与共青团、妇联、科协等社会团体间的协作，充分利用各级各类教育培训资源，多形式、多层次、多途径地开展农民科技培训。截至2003年，全省19个县（市、区）实施跨世纪青年农民科技培训工程，建立了1160个绿证培训实习基地，培训人数117万人，24万多人获得培训证书；建立了6个星火技术培训基地，累计培训农民23万人（次）。[②] 此外，2005年成立的“广东省星火富民专家宣讲团”举办农业实用技术讲座28场，开展科技集市12次，免费为农民发放科技资料55416册、样品2278包、VCD/DVD农业科技光碟450张，为农民义诊12730人（次），赠送肥料和药品等，参与咨询的群众逾13万多人（次）。[③] 1999—2003年，广东省农业科技进步贡献率达46.6%，这与广东省近年来积极推进技能培训、努力提高劳动者素质密切相关。集成创新加速科技成果转化，拥有一批自主品牌。全省各级农业科研院校，发挥良种良法优势，依托自身科技实力，创办科技企业，将其作为农业高新技术的孵化器、农业科研成果的转化基地。华南农业大学以企业作为成果转化的载体和运行

---

① 洪建军、杨贤智、侯建国、万忠、郑业鲁、刘晓君：《科技进步对广东农业发展作用的研究》，《广东农业科学》2005年第3期。

② 洪建军、杨贤智、侯建国、万忠、郑业鲁、刘晓君：《科技进步对广东农业发展作用的研究》，《广东农业科学》2005年第3期。

③ 《广东省星火计划年度执行情况报告》。

主体，创立了“大唐香蕉”、“先一荔枝”、“粤旺蔬菜”等品牌，将产品出口到欧美、日本和北运国内市场。汕头白沙蔬菜原种研究所开发“白沙”牌数十个蔬菜优良品种，在长江以南各省及东南亚地区推广种植，深受广大生产者和消费者的好评。目前该所培育的白沙萝卜系列品种、包心芥菜系列品种、白沙蜜本南瓜品种在长江以南各省占该作物的市场份额80%以上。

创新农业科技服务模式，构建农业科技“进村入户”工作机制。一是组建了农业科技进村入户工程专家组，筛选并发布本省主导品种和主推技术，指导、检查、督促项目实施单位开展农业科技入户工作等。目前全省已推介了123个（次）种养业农业主导品种和30项（次）主推技术。高要市、阳西、博罗县已被列为全国农业科技入户工程示范县。二是组织全省农业系统积极开展“农业科技年”、“科技进农家”等一系列农业科技下乡活动。在科技下乡活动中，全省各级农业部门以“实践先进性，服务进农村”为主题，深入到各县、乡镇和村庄，开展丰富多样的科技服务，使成千上万的农民受益。

农业基础设施建设迈上新台阶。农田水利基本建设方面，建成一批高产稳产农田，农业综合生产能力进一步增强。广东省政府决定，从2006年起至2010年，全省各地共投入资金11.35亿元，以健全完善农田排灌系统为主，进行农田整治，切实加强农田水利建设。此外，以全面提升耕地质量为目的的“沃土工程”也得以大力推进。2006年全省预计实施测土配方施肥面积1200万亩（次），辐射带动1800万亩（次），肥料利用率提高3到5个百分点，平均每亩节本增效40元。农业机械化水平方面，从2003年起，广东省开始实施《扶持农业机械化发展议案》，充分发挥了资金带动和政策导向作用，使广东省的农业机械化水平得以大幅提高。到2005年底，广东省农机总动力达到1887.57万千瓦，拖拉机36.5万台，其中大型拖拉机18485台。水稻联合收割机7589台，植保机械增加50970台。此外，各地还围绕广东省的特色农业产业，鼓励企业和科研部门发展具有当地特色的农机，取得了显著的进展，为继续

走“特色创一流”之路打下了基础。①

广东省的科技体制改革积极大胆，对科技体制改革的方向和方式作出了有益探索，取得了显著成效。但在改革过程中，也遇到了一些新的问题，需要进一步深化改革，采取一些新思路。概括来说，这些新思路包括：① 科研机构与企业的结合方式应当由科研机构与企业自身去选择；② 政府应当把科技资源投放到开放型科研机构的建设上，恪守政府资源使用的公平原则；③ 科研机构要从过去单纯的技术成果提供者转变为技术商品的生产者和经营者，这样才能从根本上解决科研技术开发机构自找饭吃、自我循环的倾向。政府应该帮助创建一个既有分工又有合作的、开放型的科研创新体系，提高社会创新体系的整合效率，迎接进一步打开国门的竞争。②

（三）广东农业科技创新和推广的基本经验

坚持围绕农业和农村经济工作组织科技活动。坚决贯彻落实中共中央、国务院有关“三农”工作部署，始终把加强农业科技创新和技术推广、加快农业科技进步作为农业和农村经济工作的一个重要环节，切实加大对农业科技创新和推广工作的投入力度，着力解决制约农业增效、农民增收和农产品竞争力增强的科技问题，提高科技成果对农村经济发展的贡献率，有力地发挥农业科技对广东省农业和农村经济发展的引领和支撑作用。

坚持引进与创新相结合、以引进消化吸收再创新为主。近年来广东省在加强农业科技成果的引进、二次开发和技术推广的同时，一是注重在技术集成整合上下功夫，进行消化吸收再创新；二是注重在选育种工作上下功夫，提高自主创新能力；三是还在营造创新环境上下功夫，增强创造活力，形成加快发展的持续动力。

---

① 《科技创新成广东现代农业强劲发展火车头》，《南方日报》2006 年 12 月 18 日。

② 许卓云：《进一步推进广东科研机构改革，促进科技创新的思路》，广东省人民政府发展中心网站，2002 年 7 月 9 日，http://www.gd.gov.cn.

发挥区域优势，有效聚集科技资源。目前全省已建立了11个区域性农业试验中心，并明确了各中心的科研、试验重点和主攻方向。珠江三角洲地区已形成了以蔬菜、水产品、花卉等高档农产品为重点的生产格局，集约化、专业化、规模化、市场化程度较高，外向型农业日趋成熟。粤东、粤西地区，已形成了以水果、蔬菜、优质茶叶、畜禽、水产品和优质农产品生产、加工以及南亚热带作物生产为重点的区域格局。粤北和粤东北山区则以名特优稀产品生产为主，提高山区资源的综合开发能力。

以改革促发展，强化基层农业技术推广体系建设。长期以来，基层农业技术推广体系在推广先进适用农业新技术和新品种、防治动植物病虫害、搞好农田水利建设、提高农民素质等方面发挥了重要作用。2006年，国务院发出《关于深化改革加强基层农业技术推广体系建设的意见》，明确基层农业技术推广机构承担的公益性职能。县级以上各级农业、林业、水利行政主管部门要按照各自职责加强对基层农业技术推广体系的管理和指导，以改革促发展，不断促进基层农技推广体制和推广模式的创新。

注重加强农民培训，提高农民务农技能。广东省委、省政府高度重视农民科技培训工作，以开展绿色证书培训、实施青年农民科技培训工程为重点，创新培训形式和培训内容。通过全省大中专农业院校、职校、农科院所、市县农技推广中心、乡镇农技推广服务站，采用面授、函授、高（中）等学历教育、短训班、科技下乡、进村办班指导、电波入户等多渠道、多层次、多形式的培训，开展农民的学历教育、证书教育和技能培训，有效地提高了全省农民的整体素质，提高了农民接受新技术、新成果的能力，培育了一大批觉悟高、懂科技、善经营的新型农民。

四、广东外向型农业的发展

外向型农业是指一个国家或地区在国内农业资源（包括吸收某些国外生产要素）的基础上，以国际农产品市场的供需条件及

其基本的变化趋势为准则，以出口创汇为目标，按照贸工农顺序，逐步调整产业结构与农业生产结构，建立起能参与国际交换与竞争，面向国际市场的农业经济运行体系。[①] 外向型农业是用先进科技和农艺武装起来的农业。发展外向型农业，要积极引进国外先进的技术、设备、生产线，但也要从我国国情出发，注意运用适用技术和适度规模。要把先进科技与传统技术结合起来，充分发挥我国劳动力资源、自然资源优势，做到既高质量又低成本、既物美又价廉，以提高国际、国内市场竞争力。发展外向型农业，既要发挥生产、科技、加工、财贸特别是外贸部门的优势，又要发挥家庭经营的优势，做到分散生产，集中服务，组成系列化的生产体系和“大中有小，积小见大”，发挥多方面优势。[②]

参与国际竞争，参与农业国际分工，是外向型农业的内在要求。目前，国际农产品市场竞争非常激烈，并朝高值化、高档化、高科技和精深加工方向发展。加强外向型农业建设，是提高农业生产力水平，促进农业现代化的战略措施。因此，珠江三角洲应把发展外向型农业放在首位，作为带动整个农业发展的“引擎”，通过发展外向型农业，推动农业科技进步，调整农业生产结构，转变经营机制，提高经济效益，从而加速农业发展与现代化进程。

广东外向型农业历史悠久，基础良好，早在明清时期，广东的丝、茶、龙眼、荔枝、糖等农产品就已开始向海外出口。改革开放后，广东外向型农业快速发展，走在全国前列。

（一）广东外向型农业的发展

1. 广东外向型农业发展阶段。

改革开放伊始到1985年，探索起步阶段。这一时期，广东农副产品出口仍以“大路货”为主，竞争力较低，创汇率也不高，

① 王光振：《珠江三角洲经济社会文化发展研究》，上海人民出版社1993年版，第128页。

② 广东改革开放搞活理论研讨会论文集编选组：《广东改革开放研究》，广东人民出版社1988年版，第129～130页。

1980—1984年，广东农副产品出口总值共计8亿美元左右，1985年农业出口首次突破10亿美元大关，达11.7美元。①

从1986年到80年代末，高速增长阶段。这一时期，广东成为外商投资热点，外商投资企业在广东城乡遍地开花，开始呈现出利用外资形式多元化、行业多元化、地域多元化格局。广东对外贸易的快速增长，使得广大农村成为出口生产基地，向外贸提供农副产品及其加工产品、工业制成品。

90年代以来，高速增长、全面发展阶段。这一时期，广东各个乡镇注意引导外资发展“三高”农业，加大了对农业投入的力度，改造传统农业，引进优良品种，既保持了耕地面积，又优化了农业品种的结构。

2. 广东发展外向型农业的优势。

自然资源丰富，先天优势明显。广东海岸线漫长，全省属亚热带气候，具有一批独特的名优农副产品。除大米、糖蔗、塘鱼等大宗产品外，还有经济价值较高的热带、亚热带水果，如国际上稀缺的荔枝等。广阔的水面、滩涂可发展对虾、牡蛎等海产品养殖。从南到北，有松香、桂皮、竹笋、蘑菇、木薯等。独特的自然禀赋是广东农业参与国际交换的基础。

政策优势明显。广东处于全国改革开放前沿，拥有其他地方无法比拟的政策优势，与其他各地相比，广东的各项政策措施都富有灵活性，给了改革先行者充分的探索余地。

毗邻港澳、华侨众多，是广东发展农产品出口的又一优势。港澳与广东相邻，交通便利，历来是广东鲜活农产品出口的主要市场和转口贸易的桥梁，我省农产品出口额有70%是在港澳实现的。此外，港澳同胞众多，华侨遍布世界各地，他们中有许多是商人，可借助他们的经销网络，在世界各地打开广东农产品销路。

3. 广东外向型农业的发展动力。

外商直接投资是外向型农业飞速发展的重要推动力。广东农业

① 潘作棣等：《广东农村改革研究》，华南理工大学出版社1992年版，第224页。

利用外资由1989年的6062万美元到2001年的17937万美元，增加了195.89%，实现了由过去的人情投资到国际资本及国外农业跨国公司主动加入广东农业领域的质的飞跃。通过招商引资，引进的不仅是外国先进技术设备和优良品种，同时也充分发挥了外资企业的国外市场和信息优势，拓宽了国际销售渠道，带动了农产品出口。

龙头企业的发展是广东农业走向世界、实现农业国际化的又一强大武器。它在保证农产品的生产规模的同时，也为食品安全提供了保障。在广东，这些覆盖全省、带动力强的农业龙头企业群体，被形象地称为带领农产品冲出国门的“火车头”。据统计，至2001年底，广东这样的“火车头”就有1028个，出口创汇达7.9亿美元。

科技进步是提高农业质量和效益最现实、最有效的手段。广东用高新技术做支撑的农产品随处可见：全程电脑控制的种养大棚，大面积的自动喷灌系统，优良品种的引入、培育、推广，珍稀种苗的组织培养技术，保鲜深加工技术，网络交易等等，都被广泛地运用于生产中。仅园艺产品一项，20世纪90年代以来，广东已完善配套，扶持新建果、菜、花等园艺作物良种繁育基地（场）35个，建设苗圃2000多亩。2001年全省果、菜、花等园艺作物良种覆盖率达75%，其中周年栽培的花卉品种1500多个，蔬菜上市种类100多种，水果上市种类50多个。同样为广东农产品占领国际市场提供有力保障的，还有反季节生产技术的提高。①

4. 广东建立外向型农业的措施。

引进优良品种及先进技术设备，并加以吸收消化推广，加快技术改造、技术进步，提高农产品和乡镇企业产品质量，增强在国际市场上的竞争力。

深化改革经济体制，打破条块分割和行政区域界限，开展横向

① 《外向型农业　广东农村经济生力军》，中国农业信息网，http://www.agri.gov.cn.

联合，建立多成分、多层次、多部门合作和联合的生产经营体系。同时，为适应农产品“批量生产、保证质量、均衡上市、适销对路”的要求，建成多个农副产品出口生产基地和加工专厂。

按照港澳市场和国际市场需求，调整产品结构和产业结构。大力恢复和发展一批名、优、特、新品种，搞好产品保鲜、加工、包装，使产品逐步适应港澳市场和国际市场需求。

5. 广东发展外向型的代表性模式。

东莞模式。改革开放以来，东莞始终把农业的发展放在经济、社会发展的重要位置，大力调整农业内部产业结构，促使农业向专业化、商品化、规模化发展，兴建了以国际市场为目标的农副产品生产加工基地2000多个，畜、禽、水果、渔业的优良品种发展很快，在香港市场享有声誉。

金曼模式。广东金曼公司是全国最大的农业出口创汇企业和地方经济的重要支柱。金曼模式的特点是：走城乡结合，农工技贸一体化、发展创汇型“三高”农业的道路。金曼集团股份有限公司引导农民以土地、劳动力入股，公司则向农民提供鳗苗、饲料和技术服务，采取股份合作、“补偿贸易”、合资、合作等方式，把科技与工农业生产紧密结合起来，以鳗鱼为中心形成一个庞大的产业。

顺德模式。以发展乡镇企业为主，通过引进外资和技术，实行规模经营，发展名牌产品，涌现了一批经济、技术实力雄厚的大企业、大财团，规模效益显著。

广东外向型农业的发展，产生了积极深远的影响：一是使得部分资金流向农业，完善了农业投资体系，形成政府投入、银行信贷、农民投资、外商投资等多元化、多层次的农业投资体系，有效弥补了国家和地方政府的农业投入不足，保持了农业的强劲发展势头；二是有效促进了农村产业结构调整，引进了大量名优动植物品种和先进农业生产技术及设备，促进了一批龙头骨干农业企业的兴建，建立起一批农产品出口基地，是“三高”农业兴起的直接动因之一；三是带动农业资源的开发，各地依据自身特色，以发展外

向型农业为契机，大力开展开发性农业，是促使全省农业生产向商品农业、效益农业转轨的重要动力；四是外向型农业的发展为广大农村培养了一支精通生产、技术、管理的经营队伍，在引进资金、设备的同时，也引进了先进的经营管理经验、产品销售方式、市场风险意识等，造就了一大批懂经营、善管理的农业企业经营人才，形成了农民企业家群体，成为发展农村经济的中坚力量。

总之，广东发展农村外向型经济具有深层战略意义。它可以发挥对外开放优势，开拓世界商品市场，率先加入国际分工体系，分享国际分工和经济国际化带来的利益。同时，通过对内对外“两个扇面”的辐射，引进优秀科技成果，装备农业和乡镇企业，将广东省农业变为建立在现代化科学技术基础上的现代农业，将广东省乡镇企业变为资金和科技密集型产业，加速推进农村现代化进程，赶上国际先进水平，进而带动内地农村发展。

（二）广东发展外向型农业的成就

广东省农产品出口创汇逐年增加，走在全国前列。2000 年，农产品出口达 40 亿美元，约占我国农产品出口的 1/3，其产品已销往全球的 170 多个国家和地区。

积极引进、利用外资，增加外向型农业造血功能。1979—1997 年，全省农业实际利用外资总额达 28. 6 亿元，其中外商直接投资占 80% 以上，兴办农业“三资”企业 1527 个。利用外资项目从初期以办菜场为主，逐步发展到水产养殖、禽畜饲养、花卉种植、种果造林和农产品加工、流通等。

引进大量优良动植物品种，大幅提升广东农副产品质量。改革开放以来，广东先后从国外引进了“杜洛克”、“汉普夏”等瘦肉型猪，美国王鸽、鸵鸟、AA 鸡、“威廉斯”香蕉、“新红宝”西瓜、“明珠”番茄，“东京绿”西兰花、澳大利亚甜玉米、比利时杜鹃等动植物良种 1000 多个，推广应用了 200 多个，不少已成为优质、高产、高效的当家品种。目前，全省每年出口港澳活猪 45 万多头，创汇 4 亿多港元，供港澳瘦肉型猪的数量、质量和售价居全国首位。在引进鹧鸪、山鸡、珍珠鸡、鸵鸟等一大批珍稀动物的基础上，全省现已发展起综合性珍稀动物饲养场及专业户63个，专业饲养场及专业户573个，珍稀动物养殖量超过1000万只，为出口创汇提供了大量货源。这既全面推动了广东农业的技术进步，也大大加快了全省农业的外向度和与国际市场接轨的步伐。

建立了一批“三高”外向型农业生产基地。为了增加产品出口并跻身国际市场，广东各市（县）加大投入力度发展外向型农业生产基地，兴办了蔬菜保鲜加工、畜禽、水产、蔬菜、水果、茶叶、花卉、南药等农副产品出口生产基地2000多个，兴办了10个大型农业现代示范区。在珠三角，建有蔬菜、花卉、果品和禽类及种植养殖高效生产基地；在山区，松香、桂皮、蘑菇、竹类等产品的出口基地规模不断扩大，茶叶和荔枝、龙眼等地方特产产品基地相继建成。这大大提高了农业的商品化生产、现代化生产水平，提高了农产品的质量，提高了农产品加工品的比重，提高了在国际市场上的竞争能力。

对外技术和人才交流得到加强，广东农业与世界联系加强。改革开放以后，广东省多次派农业专家和农业技术人员到国外考察学习，先后接待了来自联合国粮农组织和70多个国家、地区的农业考察团共1000多批5000多人（次），还举办了各种类型的国际农业学术交流会、报告会，并委派专家和专业技术人员到马里、尼日尔、玻利维亚、毛里求斯、多哥、安哥拉等10多个国家援助发展甘蔗、水稻、茶叶、蔬菜等农业生产项目。通过一系列的相互往来和技术交流，增强了同一大批国家的友好关系，增加了广东同世界各国农业生产的相互了解，促进了经济技术合作，提高了农业技术水平。

形成了一批名牌产品，有效提高了产品竞争力。早在1986年，顺德就形成了塘鱼、优质水产品、花卉、毛兔和兔毛纺织、瘦肉型猪五大产品出口生产体系。开平也在发展传统名优农副产品的基础上，建立起食品、凉果、蔬菜等深加工生产体系，如驰名中外的“金山火蒜”，经深加工，推出“金山百蒜”和蒜片、蒜粒、蒜粉，

以及被誉为广东省优质名牌产品的“珠江桥”牌甜酸蒜头等系列产品，行销东南亚、澳洲、西欧、美国、加拿大、日本、港澳等30多个国家和地区。[①] 此外，全县还建立起瘦肉型猪场、“马岗鹅”场、乳鸽场、竹丝鸡场等特色名优农产品生产基地。

（三）广东农产品出口现状

改革开放以来，广东农产品出口贸易增长很快，1979年农产品出口额为7.66亿美元，2002年达到26.83亿美元，23年增长了3.5倍。30年来，广东农产品出口可以分为三个阶段：1985—1994年为持续增长阶段，出口额由10.17亿美元增加到36.96亿美元，达到历史最高水平。1995—1999年为下滑阶段，1995年农产品出口额为30.76亿美元，1999年下降至20.80亿美元，下降幅度为32.50%。2000年开始，为恢复性增长阶段，2002年农产品出口额为26.83亿美元。

加入WTO后，外部市场环境竞争更加激烈，广东农产品出口形势严峻，外贸出口的比重逐年下降，从1998年的2.5%逐步下降至2003年的1.3%。与此同时，自1999开始，WTO口径下的农产品进出口开始出现贸易逆差。至2001年，广东农产品进出口逆差达到3.2亿美元，2002年扩大到4.7亿美元，2003年急剧扩大到14.3亿美元。[②]

现阶段，广东农产品出口主要由水海产品、园艺产品和畜牧产品构成，出口现状如下：

1. 水海产品。

水海产品是优势农产品，占广东出口贸易份额较大，出口趋势较为平稳，2005年还达到了11.71亿美元。近年广东水海产品的竞争力水平逐渐增强。广东省丰富的水资源为水产养殖提供了良好

---

① 许学强、刘琦、曾祥章等：《珠江三角洲的发展与城市化》，中山大学出版社1988年版，第152页。

② 王晖辉、王金昌：《广东农产品进出口形势严峻》，《中国牧业通讯》2004年第3期。

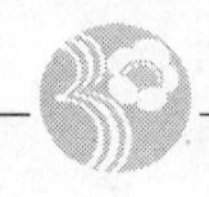

的条件，相对低廉的劳动力资源也增强了水产养殖的优势，水产养殖业发展前景良好。

2. 畜产品。

畜产品及其加工品是广东出口创汇能力很强的产品。1995年出口金额2.11亿美元，到2002年有所下降，只有1.26亿美元，2005年畜牧产品出口3.59亿美元。1995年肉及食用杂碎出口金额为5517万美元，到2002年增长到7005万美元。乳品、蛋品等出口表现较为平稳。①

3. 园艺产品。

广东的园艺产品是出口产品中稳定性最强的品种，大部分年份出口额均在4亿美元以上，占农产品出口总额的比率保持在15%以上。园艺产品主要包括蔬菜、水果、茶叶、花卉等，均属于比较优势较强的产品。其中蔬菜年出口额达1亿美元以上，1995—2000年有单边下滑的趋势；水果年出口额在5000万美元以上，其变化趋势与蔬菜大致相似；花卉出口趋势稳中有升，2005年出口金额达4362万美元；茶叶在1995—2001年出口极为平稳，均在7000万美元左右。

此外，作为我国最大的食糖出口基地，2005年广东食糖出口量激增2.6倍，占全国出口食糖总量的六成。卷烟出口价值3742万美元，增长36%；生丝出口价值3762万美元，也增长87.6%。但是，另外一些原属广东优势的农产品，出口量却出现了较大幅度下降。例如，蔬菜出口下降10.4%；水果出口下降13.3%；受禽流感影响，鲜蛋和冻鸡出口金额分别下降36.9%和29.9%；茶叶出口则下降25.4%。蘑菇罐头和猪肉罐头出口金额也分别大幅下降31.5%和51.7%。②

从出口目标市场来看，广东农产品出口目标市场相对集中。

---

① 李大胜、耿静超、庄丽娟、王广深：《广东农产品出口贸易及其国际竞争力的研究》，《南方经济》2004年第9期。

② 《受两大因素困扰，粤农产品出口面临结构调整》，金羊网，2006年2月17日。

2002年，广东农产品出口额按洲际分布为：亚洲20.86亿美元，占77.76%；北美洲4.13亿美元，占15.40%；欧洲1.14亿美元，占4.27%；拉丁美洲0.17亿美元，占0.64%；大洋洲0.34亿美元，占1.26%；非洲0.18亿美元，占0.68%。虽然较之以前，亚洲市场的市场份额下降，北美洲市场的市场份额有所上升，其他几个洲的市场份额也有所增长，初步呈现市场多元化趋势，但广东农产品出口主要依赖港澳和东南亚市场，而欧美市场份额过少的总体格局并没有根本的改变。按出口国别和地区分，2004年，广东省农产品出口前十大国家和地区分别是中国香港、美国、日本、墨西哥、马来西亚、印度尼西亚、中国澳门、新加坡、澳大利亚和加拿大。其中，前三个国家和地区占广东省农产品出口额的比重为77.94%[①]，占绝对主导地位。由于具有明显的地缘优势及相近的消费习惯，长期以来，广东农产品对香港、澳门的出口均占总出口额六成以上。

就出口企业而言，近年来，广东农产品出口主体结构日趋多元化，国有企业为主导的农产品出口结构被逐步打破，私营企业和外资企业逐渐上升到农产品出口的重要位置。2000年出口主体前三位的是国有企业、合资企业和其他企业，所占比重分别是50.07%、16.16%和12.32%。到2005年，出口的主体结构发生了重大的变化，前三位出口主体分别是私营企业、国有企业和独资企业，私营企业已经取代国有企业成为广东省农产品出口贸易的最大经营主体。[②]

（四）广东外向型农业面临的问题

广东农产品出口额曾在较长一段时间处于全国第一位，2000年让位于山东而降为全国第二位。实际上，广东农产品出口额至今仍没恢复到1995年的水平，所以，广东各级政府及有关部门应对

① 曾艳：《广东农产品出口贸易政策研究》，《特区经济》2006年第12期。
② 曾艳：《广东农产品出口贸易政策研究》，《特区经济》2006年第12期。

此充分重视，加大发展外向型农业的工作力度。归纳起来，广东外向型农业面临的问题如下：

加工能力不强，产品质量不够稳定。目前广东农副产品进入精深加工阶段的还不多，产业链条不够长，农产品科技含量和附加值都不高，企业缺乏核心竞争力。并且由于农业生产多以农户为单位分散种养，难以实行标准化生产，对农药、兽药的生产、销售、使用和管理难度较高，对生产全过程难以进行有效的质量监督，容易导致产品品质和规格不一，质量不够稳定，产品档次不高。另外，省内关于食品安全的法律和有效的农产品质量标准与监控体系尚待完善，食品安全卫生质量、检验检疫标准及检测技术手段有待提高。

市场结构单一，对亚洲市场，尤其是港澳地区依赖程度高。这种过于集中的市场格局也使得广东的农产品出口受对方进口政策和意外因素的影响较大。近年来香港经济不振以及2003年、2004年粤港地区“非典”、禽流感等爆发，对香港市场出口下降，直接影响广东农产品出口的增长。而对邻近的东盟国家出口下滑使广东农产品出口雪上加霜。

农产品出口大宗优势品种和制成品较少。2004年出口值超亿美元的大宗优势品种仅有蔬菜、水果等少数几个品种。而且出口的农产品中制成品较少，广东省农产品加工贸易出口近年来持续下滑，从2000年的29.5%下降为2005年的17.9%，削弱了出口竞争力。

质量标准体系不完善，国外绿色壁垒构成威胁。广东农业标准化滞后，有些农产品的质量标准还在沿用20世纪80年代中后期和90年代初期的标准，致使广东农产品整体质量水平不高，国际市场竞争力弱。而近年来，美国、欧盟和日本等国和地区对我国出口农产品不断提高安全标准、卫生标准、农药残留标准、药物残留标准，设置绿色壁垒，严重阻碍广东农产品的出口。

国际化农业企业国际市场开拓能力弱。广东外向型农业企业数量偏少，并且规模不大，其国际市场开拓能力较弱，未能带动农产

品出口上规模、上档次。而且目前广东农产品出口退税严重滞后，使出口企业资金周转不灵，制约了农产品出口的扩大。

同行业缺乏协调，易产生恶性竞争。由于没有相关的农产品出口协会对农产品出口进行协调，而出口企业自作主张，互相压价竞销，结果使出口农产品的价格暴跌，导致了近几年来广东出口农产品数量虽然不断上升，但出口农产品的创汇能力却不断下降。同时，由于出口企业的压价竞销，容易引起进口国对广东出口到其国内的农产品进行反倾销立案调查。

外向型专业人才缺乏，政府职能部门缺乏相互沟通和协调。外向型专业人才的缺乏，导致许多企业无法直接出口农产品，只能委托外商或其他具有较强实力的出口公司出口，增加了中间环节，影响了企业的利润和发展。同时，农产品生产、流通、进出口的管理职能分布在多个政府部门，而不同部门之间缺乏沟通和协调，并且农产品进出口检验检疫手段落后，通关效率较低等，都是影响农产品出口的因素。

此外，农业资源贫乏，特别是不可再生资源贫乏；地区间经济、社会发展差距拉大，广大山区的贫困落后未得到根本改变；广大农民总体素质低，技术装备水平落后，农业科技贡献率低；农业利用外资、农产品出口创汇水平占全省比例较低；“走出去”的发展战略还未成为广东农业对外经济技术合作与交流工作的重心；市场流通呆滞，农产品附加值低，远程贸易损耗大，造成绝大部分商品流通带有非常明显的社区贸易色彩，埠外贸易、出口贸易格局难有重大突破等问题，都对广东发展外向型农业造成一定程度的制约。

造成这些问题的原因主要有：① 国际贸易、金融环境的变化。受亚洲金融危机的影响，以及国际市场对劳动密集型农产品需求下降，导致广东一些大宗农产品出口量下降。② 国际农产品市场价格不稳定。近年中间产品价格下降幅度较大，出口数量锐减，仅靠成本优势难以在国际市场上取得竞争优势。③ 农产品出口结构低度化，但又未能形成对低位产业的垄断，贸易条件倾向于出口结构高度化的高附加值产品，因而在贸易利益中分得的份额越来越小。农产品加工增值程度低，加工出口份额所占比例极低。④ 传统的和潜在的比较优势未充分转变为竞争优势。广东粤东、粤西和粤北山区蕴含丰富的农业资源，但占出口的份额极小，而传统优势产品龙眼一直未走向国际市场。①

五、珠江三角洲农业现代化

广东省是中国大陆对外开放最早也是经济最发达的省份之一，而珠江三角洲又是广东对外开放最早、经济最发达的地区。就农业而言，尽管珠三角的农业在产业结构中所占比重不足3%，但却是广东省的主要农产品生产基地，粮食产量占全省的24%、甘蔗占40%、蚕茧占56%、水产品占34%。珠江三角洲是全国最大的淡水鱼专业化基地，还是全国著名的水果之乡，水果品种丰富，荔枝、香蕉、柑橘等亚热带水果产量在全国名列前茅。珠三角还是我国最大的鲜活农副产品出口基地，每年向港澳及其他国家和地区出口大量活禽、活鱼、鲜蛋等农产品。

改革开放30年来，珠江三角洲坚持以经济建设为中心，发挥政策优势、区位优势、人缘优势和资源优势，抓住机遇，在农村中进行了三场革命。一是实行家庭联产承包责任制以及放开价格，搞活流通，调动了农业生产经营者的积极性，解放了生产力；二是发展乡镇企业以及发展多种经营，调整优化了农村农业生产结构，促进第一、二、三产业，粮食、经济作物、畜牧、水产、林业全面发展，发挥了优势；三是实施农业产业化经营，推进供产加销一条龙、农工技贸一体化，适应市场经济发展的新形势，促使农村经济发生了历史性的变化，珠江三角洲农业取得了长足进展。

---

① 庄丽娟、贺梅英：《WTO框架下广东出口农产品的国际竞争力分析》，《南方农村》2003年第4期。

（一）珠江三角洲农业转型

首先，由自给半自给农业逐步转向市场农业。珠三角经济区农业的商品率已高达85%以上，较1978年提高了约40个百分点，比广东省其他区域的农业商品率（71%）高出14个百分点。在商品农业比较发达的顺德、南海、东莞、中山四市，农业商品率已接近90%。从农业内部各业的商品率来看，价格放开较早的牧业和渔业的商品率均在95%以上，即使是种植业的商品率也超过70%。这些数字表明，珠三角农业已初步实现了从自给半自给农业向市场农业的转变。随着农业市场化程度的进一步加深，许多鲜活农产品如塘鱼、水果、蔬菜等已远销到全国各大城市。

其次，由“小而全”的家庭小规模生产逐步向区域化、专业化经营转变。做法主要有六种：① 由国家经济技术部门、企事业单位牵头，向农户提供融资、种苗、技术、肥料和农药等有偿服务，由社会合作经济组织规划、调整土地，连片集中，以农户为单位生产经营，从而把千家万户分散的小生产变为能适应大市场的区域化、专业化的生产基地；② 通过土地连片开发、连片生产的经营形式，建立以某种产品为主的生产基地，形成大片的专业区、专业带；③ 由社区合作经济组织采取谁统一、谁提供的合作形式，将农业生产的某些主要环节从家庭生产中分离出来，使生产走向专业化、社会化，有效地提高农业劳动生产率；④ 国家各级经济技术部门、企事业单位、合作经济组织和农民个人采取股份制联合的方式，兴办各种生产基地，为千家万户的生产提供服务，把家庭经营纳入社会化大生产的轨道；⑤ 将农业劳动力从农业向非农产业转移，使耕地逐步向种田能手集中，许多农户从“小而全”家庭生产逐步向专业化生产转变；⑥ 市（县）镇各级相关部门通过兴办经济实体，给生产者提供社会化服务，促进小生产向社会化的大生产转变。

再次，传统农业生产方式逐步向现代农业生产方式转变。主要表现在：① 产品的档次不断提高，低产、低质品种逐步为高产、

优质品种所取代；② 传统的手工劳动方式逐步向机械生产转变，农机设备不断增加，农业机械总动力不断增加；③ 传统落后的生产技术正为先进的现代技术所取代。如水稻生产普遍推广了地膜育种、化学除草、氮素调控等措施；水产养殖实行了免疫注射、科学混养密养、网箱饲养、优质鱼精养、泥塘养鳗等技术；畜禽饲养普遍使用了全价饲料、科学饲养、免疫预防等适用技术，大大提高了农业的科技含量。

最后，常规农业逐步向开发型农业和高新技术农业转变。一方面，引导农民改造中低产田，进一步开发原有耕地，实行集约经营，提高土地生产率；另一方面，引导农户开发“五荒”（荒山、荒坡、荒水、荒滩、荒地）等未利用的农业资源，造林种果，发展经济作物，养畜、养禽、养鱼，不断开拓农业生产的新领域。①

（二）珠江三角洲农业现代化概况

初步建立起现代农业生产体系。乡镇企业已成为珠三角地区农村经济的主体力量和国民经济的重要支柱。在大农业内部，珠三角调整了农业各部门的构成和比例，缩减了部分粮食的播种面积，扩大了经济作物的种植比例，促进了养殖业的发展，使资源优势得到了发挥。各地初步建立了以“三高”农业为主体的支柱产业和主导产品，建立了一批具有较强实力的农业商品生产基地和龙头企业，形成了一批各具资源特色的主导产业和主导产品商品基地。如中山、斗门、新会、高要等地的养虾；顺德、番禺、中山的养鳗；南海、顺德、新会的加州鲈鱼养殖等。涌现出一批像增城泰稷发展有限公司、珠海的珠江食品厂之类的龙头企业，初步建立起现代农业生产体系。

农业产业化组织遍及各业，生产经营制度不断创新。20 世纪 90 年代一批“公司 + 基地 + 农户”的产业化经营组织相继出现，

---

① 朱继武：《珠三角农业经济的转型及其原因分析》，《江西农业大学学报》2004 年第 4 期。

并出现了龙头带动型、中介组织带动型、主导产业型等多种模式。尤其是珠三角部分农村实行的土地股份合作制最具广东特色，打破了每家每户分散经营的局限性，有利于农村生产要素的合理流动和优化组合，推动土地规模经营，也有利于推进农业现代化。农业结构趋向合理，农业产业化体系的建立已初见成效。

农业基本建设不断改善。经过多年努力，珠三角地区建成了一批水利水电工程，农田有效灌溉面积达到了98%以上，基本上做到了旱涝保收。农业机械化也迅速发展，平均1000公顷拥有农业机械动力9978千瓦，运用于主要生产环节如耕作、排灌、农副产品初加工以及田间运输等。

农业对外开放范围不断扩大。目前，珠三角地区的农业对外开放已由种植业、养殖业扩展到农产品加工和农业基础设施建设等方面。不仅兴办了一批农业“三资”企业，引进了1000多个品系的农业优良品种和3万多台（套）的先进技术设备，还建立了400多个农产品出口基地。农业对外开放范围的扩大促进了珠三角农业产业结构的优化，对增加农产品的加工流通能力，提高农业经济效益，发挥了重要作用。

农产品市场繁荣。市场发展较快，平均每个乡镇农村集贸市场2.9个，综合市场2.2个，专业市场0.7个，明显多于东西两翼，比北部山区则多出数倍。市场经济基本形成，农业商品率达85%以上。

经过30年的改革开放实践，珠江三角洲实现农业现代化的条件已基本具备。一是改革开放深得民心，进一步深化改革，扩大开放，建立同市场经济、农业产业化、农业现代化相适应的经营管理体制的条件比较成熟；二是农业企业化经营、产业化经营的发展和较高的农业生产力综合水平，为农业现代化奠定了基础；三是第二、三产业发展很快，经济比较发达，工业反哺农业能力增强，各级政府、社会和广大群众的投入能力较强；四是毗邻港澳，面向东南亚，区位优势好，能源、交通、通讯条件好，投资环境好，利于与国际市场接轨，引进国外、境外资金、技术发展现代化农业，开拓国际市场，提高农产品市场竞争力。

（三）珠三角地区农业现代化发展的基本思路、总体目标与步骤

1．基本思路。

以邓小平理论为指导，珠江三角洲基本实现农业现代化指标体系为依据，国内外市场为导向，确立主导产业，突出主导产品，树立品牌意识，实施名牌战略；加强领导，增加资金投入，广泛运用现代高新技术成果改造农业，运用现代先进机械设备武装农业，运用现代科学管理方法管理农业；充分发挥珠三角区位、人缘优势，实施外向带动发展战略。

2．总体目标。

用现代科技改造农业，用现代物质技术装备农业，用现代手段管理农业，实现“五高六化”（即劳动生产率高、土地生产率高、投入产出率高、科技进步贡献率高、农民收入水平高，农田标准化、操作机械化、管理科学化、服务社会化、生态良性化、城乡一体化），把农业建设成为具有显著经济、社会和生态效益的可持续发展产业，把农村建设成为经济繁荣、科技进步、社会文明、环境优美的新农村。到2010年，使广东省珠江三角洲地区基本达到发达国家20世纪90年代初的农业现代化水平。

3．步骤。

推进农业现代化是一项长期而紧迫的历史任务。珠江三角洲要率先实现现代化，必须狠抓示范区建设，以示范区的建设带动珠三角的农业现代化建设，至2010年，使珠三角地区基本达到发达国家20世纪90年代初的农业现代化水平。1999—2010年分为三个阶段逐步推进：第一阶段（1999—2003），重点抓好珠江三角洲十大示范区建设，搞好村镇建设和城乡一体化建设。第二阶段（2004—2008），重点推进阶段。全面推进珠江三角洲农业现代化示点市（县）建设，重点搞好基础设施建设；推广农业机械化；建立农产品流通体系。第三阶段（2009—2010），全面建成阶段。到2010

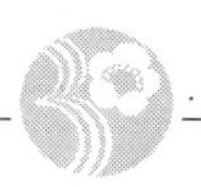

年，在珠三角地区率先基本实现农业现代化，达到“五高六化”指标要求。

（四）珠江三角洲农业现代化发展模式

珠三角农业产业化运行模式，主要有三种：①“公司+农户”的龙头企业型农业产业化运行模式，如新兴温氏集团、增城泰稷发展公司、新会水果试管苗基地等；②“合作经济组织+农户”的农民合作组织型农业产业化运行模式，包括有合作性质的水果协会、鳗鱼协会、养鸡协会等；③科技带动型农业产业化运行模式，这种类型以科技服务组织为龙头，如中山市高科技农业试验区、东莞虎门镇的绿卡实业发展总公司。

珠三角现代农业持续发展模式，主要有四种：①丘陵坡地的园林绿化模式。山头绿化，缓坡地改种果树，也可以适当推行果畜结合方式。②农田土壤的地力常新模式，又可分为秸秆回田模式、农牧结合模式、城镇有机废物回田模式和耕地轮间套作模式。③低洼地的基塘模式和高畦深沟模式。较有名的基塘模式是桑基鱼塘。基塘模式又逐步发展蔗基、草基、果基、花基、菜基等塘基利用方式；鱼塘养鱼也从四大家鱼发展到养殖各种高档水产品；蚕也由其他畜禽取代。高畦深沟是通过挖沟抬畦而形成，畦上可种柑橘、香蕉、蔬菜、花卉、甘蔗等作物，沟里可养红萍、水葫芦鱼，也可种水稻、芋头。④沿海防风林带和农田林网模式。

珠三角农业发展的主要模式：①东莞的生态农业模式。东莞绿色世界是典型的代表，其特征主要体现为内容的广泛性、形式的多样性、方法的兼容性和整体的协调性。②珠海的设施农业模式。典型的代表是斗门白蕉镇，其特征是利用人工建造的设施，为种植业、养殖业及其产品的贮藏保鲜等提供良好的环境条件，以期将农业生物的遗传潜力变为现实的巨大生产力，获得速生、高产、优质、高效的农畜产品。③深圳的高科技外向型农业模式。典型的代表是公明镇和光明华侨畜牧场，其特征是以国际市场为导向运用市场机制，积极引进国外资金、技术、设备和良种改善农副产品的

加工条件，提高农副产品的科技含量和附加值。④中山的信息化农业模式。其代表是视聆通农业信息网建设，特征是网络化、综合化、全程化。[①]

（五）珠江三角洲农业现代化示范区

1. 布局。

珠江三角洲十大农业现代化示范区布局和建设，先由各有关市政府提出规划报告，经省农办和省农业现代化示范区规划专家组调研论证后，报省政府批准实施。这十大示范区分为水稻、蔬菜、果树、花卉、畜牧、水产、科技发展和农产品流通八大类型，总占地面积9300多公顷。这十个示范区为：

广东省农业现代化科技示范区。由省农办和省农科院联办，地点定在广州白云区钟落潭镇，面积133公顷。建设重点是对全省农业科技新成果、新产品、新技术进行开发、试验、示范，起到高新技术产品的示范、辐射和带动作用。

广州农业现代化示范区。由番禺市的鱼窝头、灵山镇，花都市的花东、新华、炭步、北兴镇和从化的神岗镇三个功能区组成，面积共1800公顷。重点是番禺的水稻全程机械化生产，花都、从化的无公害外向型蔬菜和花卉现代化生产示范区。

深圳农业现代化示范区。在光明华侨畜牧场、宝安区公明镇，面积667公顷。建设现代化畜禽生产及食品加工、优质无公害蔬菜、名优水果生产三个示范功能区。重点是优良种猪、种鸽和奶牛等畜禽生产的现代化建设。

珠海农业现代化示范区。在斗门县白蕉、上横、六乡、莲溪等镇，面积633公顷。重点进行咸淡水优质鱼虾的孵化、养殖以及捕捞、加工、保鲜、储运、销售等建设。

惠州农业现代化示范区。在博罗县石湾镇、惠城区小金口镇，

---

① 万忠、邱俊荣、洪建军、郑业鲁、刘炜、杨贤智、陆顺满：《珠江三角洲2010年率先实现农业现代化的战略研究》，《广东农业科学》2003年第6期。

面积 1450 公顷。搞好万亩连片的农田综合治理和旱涝保收的高产稳产农田建设。重点进行优质高产水稻、出口蔬菜现代化生产示范。

东莞农业现代化示范区。在篁村镇的“绿色世界”和厚街镇，面积 647 公顷。是集生产、科研、服务、信息、旅游、度假于一体的农业高新技术综合开发区。重点是开展畜牧、果树、花卉、生物技术、农产品加工保鲜等高新技术以及水稻生产全程机械化的现代化试验示范建设。

中山农业现代化示范区。在古镇镇，面积 893 公顷。重点进行花基鱼塘、菜基鱼塘的农业新技术综合利用以及信息农业、小城镇现代化示范建设。

江门农业现代化示范区。在新会市沙堆、大泽、环城镇，建立设施农业和现代生态农业两个功能区，面积 1333 公顷。重点进行水产、珍禽、水果、水稻、瓜菜现代化生产示范，园艺设施栽培推广应用及生产自动监控系统等建设。

佛山农业现代化示范区。分设顺德陈村镇和南海罗村、沙头、大沥镇两个功能区，面积 940 公顷。顺德功能区重点建设集生产、科技、销售、服务、信息、观赏旅游、休闲度假于一体的陈村“花卉世界”；南海以广东省农产品中心批发市场为重点，建成广东省规模最大的批发贸易和农产品加工、贮藏、运输的现代化流通体系，并带动周边四个管理区的农业现代化生产和村镇文明建设。

肇庆农业现代化示范区。分设鼎湖区广利、永安、莲塘镇和高要市蚬岗镇两个功能区，面积 667 公顷。重点进行高产优质水稻规模化生产和水旱轮作的集约化、产业化经营的现代农业示范建设。

2. 成效。

珠三角十大农业现代化示范区从 1998 年开始动工建设，五年来累计投资 36.3 亿元，完成建设项目 824 个，建成高标准农田 27 万亩，安装现代化农业设施 10.3 万亩，共引进新品种 1278 个，制定市级以上行业标准 57 个，取得无公害食品认证 31 个，绿色食品认证 27 个，新增产值 23.18 亿元，示范区农民人均纯收入在 5400

元以上。其中深圳、东莞、佛山示范区内农民人均纯收入超过万元，初步达到用现代科技改造农业，用现代物质技术装备农业，用现代管理手段管理农业的要求，实现了“五高六化”的目标。①

（六）珠江三角洲都市农业的发展

都市农业是一个综合性地域经济的概念，是都市化地区周边与间隙地带的农业。它依托城市、服务城市，它的实质是生产力发展到较高水平时，农业产业化和农村工业化相结合，农业现代化与农村城市化相融合，是城乡差别逐渐消灭过程中一种发达的农业形态。都市农业与传统农业不同，传统农业是以种植业和养殖业为主的农业，都市农业是强调发挥对大都市的保障功能和服务功能为主的农业。都市农业与城郊农业也不同，城郊农业主要功能是为城市供应农副产品，满足城市商品性消费需要为主，发展水平较低，功能比较单一。都市农业则为满足城市多方面需求服务，以生产性、生活性、生态性功能为主，发展水平较高，是多功能农业。②

广东省的都市农业主要集中于珠江三角洲地区。随着全省经济的不断发展，特别是珠三角地区现代化进程的加快，人均可支配收入的增加，通过市场引导，珠江三角洲地区各市、区、县借助农业科技示范园区的建设和开发，利用现有的区位优势和资源优势，使都市农业得到快速发展，形成了当今休闲观光和农业生产兼具的都市农业。

休闲是都市农业的重要功能之一。广东省现有农业观光景点43个，其中已建成的34个，在建的9个，按主题可分为“三高”农业、观花赏花和园艺习作、水果品尝、茶艺欣赏、水乡农耕景观、养殖场、郊野公园七大类。全省43个农业观光园中有32个集中分布在珠江三角洲内的广州、深圳、珠海、中山、东莞、佛山等

---

① 《广东农业现代化示范区将动态管理》，顺德农业信息网，http://www.sdagri.gov.cn.

② 《都市农业发展的思考》，广东省农牧信息学会网站，http://www.gd.agri.gov.cn.

市区。从其发展历史来看，广东省的休闲农业已经经历了两个阶段，正在向第三阶段迈进。第一阶段是“农家乐型”，20世纪80年代城里人到田园风光优美的农村参观游览，与农民同住同劳动；第二阶段是“农业娱乐型”，90年代城里人到各类农业观光园采摘水果、钓鱼、种菜、野餐、学习园艺；第三阶段是“乡村度假型”，即将观光、度假、娱乐参与等旅游活动有机结合起来，以到乡村度假为主要目的。乡村度假在西欧和台湾等地已成时尚，但在广东省还刚刚起步，只有少数农业观光园配套有度假设施。广东省观光农业按运作模式可分为三类：第一类是以农业为主题的旅游项目。有政府规划投资交给企业经营的，如顺德的“均安生态乐园”；也有完全由企业经营，目的是通过旅游业营造环境发展房地产，以深圳“青青世界”为代表。第二类是在原有农业科技基础上通过发展旅游业提高经济效益，其特点是科研力量强，生态环境质量好，投资少，经营风险小，周期短，见效快，以珠海“农科奇观”为代表。第三类是以农业为基础，通过农业与旅游业相结合获取更大的经济效益，以顺德“新世纪农业园”为代表。

此外，产业功能和生态功能也是都市农业的重要功能，为此，需要加强规划，做好农业园区建设。要在掌握土地资源情况的基础上，把农业发展规划一并列入城市发展的总体规划中。通过规划，使无序、分散状态的农用地，形成有产业关联，有专业分工，有特色产品，有各自功能的农业产业，形成点与点相关联，片与片相呼应，体现总体效能，突出地方特色的都市农业发展蓝图。此外，还要加强农业生态园区建设，使农业生态园区具备农产品供给、生态保护、科技示范、教育培训、促进就业等功能。

（七）珠三角农业现代化的制约因素

综合指标存在差距。首先，达标率高的指标比重小。从反映基本实现农业现代化的15项技术指标看，达标率超过90%的只有两个，不足15%，这说明珠三角已达到基本实现农业现代化的标准面还很窄。其次，劳动生产率低。1997年达标率只有46.8%，其原因有二：一是土地规模小，二是农业机械化水平低。再次，农副产品加工率低。1997年农副产品加工率仅为30%，达标率为5%。此外，农田标准化水平不高。

经济发展不平衡。从总体看，珠三角地区的经济发展水平在全国领先，农民人均年纯收入比全省平均水平高出40%，全部市、县都实现了小康达标，但美中不足的是，县、市之间的差距显著。从农民人均收入看，东莞市1999年就达5825元，少数乡、镇已达到上万元，而惠州市的山区镇却只有2800元左右。经济发展上的差距导致了区内欠发达的市县第二、三产业不发达，农民收入偏低，也影响到科技、教育的投入，最终影响到整个地区的发展速度，造成悬殊高低、参差不齐的状况。

城镇化进程参差不齐。如顺德、南海、东莞、中山、深圳等地已涌现出一大批卫星城镇，但在其他县、市农业人口仍然居高不下。有的乡镇规模偏小，聚集能力弱，制约了第三产业的发展和就业岗位的增加。由于缺乏规划，各乡各村都争相引资，形成了分散、小规模的工业分布，既影响了工业自身效益，导致农业经营规模过于细小，不利于现代化农业生产的进行，又使城镇建设投资分散，大量基础设施投资无法得到回报。

环境污染和生态破坏严重。据统计表明，珠三角地区1992—1996年耕地减少近60万亩，平均每年以12万亩的速度递减。1997年后有所控制，但土地面积仍在不断减少。目前，珠三角地区的人均耕地只有0.44亩，大大低于联合国粮农组织确定的0.8亩警戒线。由于乡镇企业迅速发展，“三废”排放迅速增加，加上滥施农药，致使农田的污染面积和污染程度不断增强，直接或间接地危害农作物生长和人体健康。与此同时，大气污染也相当严重，酸雨频频出现，广州、佛山、江门、肇庆等城市均属于重酸雨区。

农业经济整体效益不高。一是农业生产未形成规模经营，集约化程度不高，土地分散经营与提高农业规模效益的矛盾突出；二是农业资金投入不足，一定程度上制约了农业现代化的进程；三是农产品的科技含量不高，优良品种虽然不少，但科技含量高、劳动投

入少、市场竞争能力强的品种仍然不多；四是农产品的加工流通滞后，产业化总体水平不高。

劳动者素质不高。由于经济发展的领先地位，一部分珠三角村民开始沾沾自喜，不求上进，表现为目光短浅，急功近利。有的乡村虽然富起来了，但环境卫生“脏乱差”，缺乏整体规划。此外，珠三角地区乃至广东全省封建迷信活动十分严重，从乡村到城市十分普遍。不仅从地下走向公开，而且手段方式也由传统转向现代，这与珠三角地区经济繁荣的现象极不相称。[①]

① 曾学龙:《珠三角实现农业现代化的制约因素与对策》,《岭南学刊》2002 年第 2 期。

第五章
区域农村发展

广东传统上按地理位置和经济特点划分为珠三角与东翼、西翼和北部山区四个经济区。经过30年改革开放，广东已发展成为我国第一经济大省。但广东是一个全国城乡之间、区域之间发展差距不断扩大的缩影，区域间公共服务的差距很不均衡，在工业化、城镇化和新农村建设存在很大差距。多年来，广东形成了经济区域的多极——经济发达的珠三角、欠发达的粤西粤东、极不发达的粤北山区三个梯级。广东的区域经济发展不平衡甚至高于全国平均水平。2006年，东西两翼和粤北山区的人均GDP只有珠三角的1/4，区域差异系数达到0.77，高于全国0.67的平均水平。“最富的在广东，最穷的也在广东”。2002年以来，广东省委、省政府加强了对区域协调发展问题的重视，采取了很多措施，而且也收到一定的效果。但区域发展不平衡势头并未得到遏制，区域之间的差距还在不断地扩大。中共中央政治局委员、广东省委书记汪洋在广东省委十届二次全会上也明确表达了对加快推进区域协调发展的决心。他认为，检验广东能否实现科学发展最主要的标准，不只是要看如何能让“珠三角”健康发展，而且还要看能否实现协调发展、共同富裕。实现区域协调发展成为广东全面建设小康社会的最大挑战。

一、东西两翼：比翼齐飞

东翼指的是：汕头市、潮州市、揭阳市和汕尾市，土地面积1.57万平方公里，约占全省的8.7%。2005年底，常住人口1586.02万人，约占全省的17.3%。粤东的农业耕作水平、单产水平较高，“三高”农业和创汇农业很有优势。西翼指的是：湛江市、茂名市和阳江市，土地面积3.17万平方公里，约占全省的17.6%。2005年底，常住人口1485.13万人，约占全省的16.2%。粤西人均占有耕地面积高出全省人均耕地面积的33.6%，且地势平坦，拥有得天独厚的热带与亚热带气候，是广东省的粮食、水果、北运菜、油料、糖蔗、水产、畜牧、蚕桑、南药基地，在广东省未来经济发展中将发挥突出作用。两翼七个市全部沿海，且海岸线很长，达3922.1公里（含海岛），占全省的78.2%。此外，两翼共有滩涂面积230.6万亩，可养殖海面1190.9万亩，海洋资源丰富。广东要大力发展海洋产业，主要基地和潜力就在两翼。加快东西两翼农村发展，对于广东在2010年左右基本实现农业现代化的宏伟目标，具有深远的历史意义和现实意义。

（一）东翼

东翼位于广东省东部沿海，是广东省的“东大门”。地区属热带海洋性气候，光热条件好，且地形多样，有利于农业的综合开发。该地区农村劳动力资源充足，农村手工业较为发达，民营经济发展迅速，2005年三次产业结构为12.6∶49.2∶38.2。东翼地区有着深厚的历史文化底蕴和商贸传统，是著名的侨乡。但由于一直以来工业基础薄弱，制约了其经济的发展。总体而言，该区域在省内属于中等发达地区。

东翼地区历来是广东农业发展的“样板”，具有优良的传统生产技术，较高的土地生产率。潮汕的农业一贯以精耕细作、稳产、高产著称，澄海市、潮阳市是全国有名的吨谷县（亩产吨粮），揭

阳也素有“揭阳米县”之称，是广东的“粮仓”之一。目前，东翼地区的“三高”农业和创汇农业发展态势良好，全区已建成颇具规模的粮、林、牧、果、菜、茶等“三高”农业基地及其加工项目数百个。已初步形成支柱产业和主导产品，建成一批有实力的龙头企业。全区水果、水产、蔬菜等基本形成专业化经营，优质鱼、杂果、蔬菜等已成为农业产业中的主导产品。

东翼农业基础稳固，内在潜力大。改革开放以来，该地区以农业和农副产品深加工为发展方向，主要走以充分利用本地资源，辅以异地农业办农业产业化经营的路子，当地生产，就地加工，就地转化，发展潜力较大。但其耕地资源不足，尤其是改革开放以来，随着经济的发展导致耕地减少，人均耕地面积只相当于全省平均值的50%。土地及耕地资源的严重不足成为东翼地区增加农产品有效供给的主要制约因素。此外，东翼地区的农业和农副产品加工正处在劳动密集型阶段，资本相对稀缺，具有带动能力的龙头企业相对不足，且抵御市场风险能力较弱。同时，经济转变速度的限制和人口增长的压力，阻碍了土地经营规模的扩大。在全省范围来看，东翼的农业较为薄弱，2001年，珠三角创造的农业总产值占全省农业的36.4%，西翼占24%，而东翼和北部山区合计仅占全省的三分之一强。

近年来，东翼经济呈现良好发展势头，逐步形成各具特色的产业群。至2005年，汕头市建设了海湾大桥、汕头港、广澳深水港、汕头机场、广梅汕铁路、深汕高速公路、汕汾高速公路、324、206国道等一批主要基础设施，海陆空立体交通网络基本构成。形成了以纺织服装、工艺玩具、食品加工、化工塑料、装备制造业为主导的产业群和以信息技术、光机电一体化、生物医药、新材料为主导的高新技术产业群。汕尾市初步形成了以电力工业、电子信息、服装毛纺生产加工、珠宝首饰加工、食品加工等为支柱产业的工业体系。丰富的海洋资源使海洋捕捞业、海水养殖业和渔业加工业成了汕尾市重要的经济产业。潮州市经济以陶瓷、食品、服装、电子四大工业作为支柱产业，还包括制药、化工机械、纺织、机电、五金等30多个门类的工业企业，是全国最大的工艺陶瓷、日用陶瓷、

卫浴陶瓷、电子陶瓷产区和陶瓷出口基地，也是全国最大的婚纱晚礼服生产基地和出口基地，有“中国瓷都”、“中国婚纱晚礼服名城”之称。揭阳市主导产业有五金机械、化工塑料、纺织服装、食品制药、电子信息等，有“中国五金基地市”、“中国玉都”之称，其下辖的普宁市有“中国纺织产业基地市”之称。民营经济是其经济发展的生力军和主力军。

“十五”时期，虽然东翼的发展与过去相比有了长足的进步，但发展速度仍落后于珠江三角洲，差距又进一步拉开（见表5-1）。

表5-1　珠三角、东翼主要经济指标占全省比重比较（%）

主要经济指标	2000年		2005年	
	珠三角	东翼	珠三角	东翼
GDP	78.4	9.9	83.5	7.3
工业增加值	83.9	4.6	89.0	4.1
地方财政一般预算收入	65.8	4.1	67.5	3.1
全社会固定资产投资	46.9	7.7	73.8	6.7
实际利用外资	84.9	6.4	91.7	2.9
外贸出口	92.3	4.7	95.4	2.7

资料来源：《“十五”勤积累　东翼铸辉煌——广东东翼“十五”成就及未来展望》，广东省统计信息网，http://www.gdstats.gov.cn.

（二）西翼

西翼是广东传统的粮食、水果生产基地，农业优势明显。西翼地区农业经济发展的优势在于：一是气候条件优越，农业发展的后备资源丰富，区内港湾多，滩涂多，平原、台地、丘陵、山地和滩涂兼备。二是西翼地区农产品的种类和数量在广东省农业中占有重要的地位，是广东省蔗糖、水产、水果和热带农作物重点商品生产基地，且优势突出。如湛江的糖蔗、珍珠产量全国第一；茂名的高州、信宜、化州和电白四县（市）入选全国水果“百强县”，其中高州市名列“百强”之首。三是农业产业化发展已经具有一定的基础，农业资源配置及农业产业结构逐步趋于合理，“三高”农业发展成效显著，农业增长方式转变已初见端倪。

从1990年到1994年，粤西三市农业生产值的年均增长速度达到40.3%，远高于广东全省的平均增长水平。粤西三市均濒临南海，水产业是粤西最具优势的支柱产业之一，1994年粤西水产品产量约占全省总量的30.6%，其中湛江一市的珍珠产量约占全国珍珠产量的40%。目前粤西的水产业已由过去的单纯海养捕捞拓展为淡水养殖、海洋捕捞、滩涂养殖、远洋渔业相结合，并在测量、导航、气象观测、捕捞技术等方面接近发达国家水平。

“十五”时期，西翼第一产业以高于全省的3.2个百分点发展。茂名和湛江是广东农业的第一和第二大市，其中两市的水果产量，2000年为231.06万吨，2005年增加至353.14万吨，占全省水果产量的比重由35.9%上升为42.5%。阳江、茂名和湛江是广东渔业的第一、二、三大市，西翼水产品产量2000年为215.92万吨，2005年增加至262.21万吨，占全省水产品产量的比重由36.4%上升为37.7%。[①] 农业的发展较好地带动西翼农民收入的提高，2005年西翼农村居民人均纯收入4401元，高于东翼的4099元和山区的3915元。[②] 西翼第一产业良好发展为保障广东国民经济的健康和协调发展起到了更加突出的重要作用。

近年来，西翼的工业发展也出现了新起色。“十五”期间，茂名、湛江和阳江三市都实施“工业立市”的发展战略，按科学发展观的要求加快推进工业结构的调整，工业发展逐步加快。一是茂名市的重化工业发展实现新突破。2005年全市规模以上轻重工比例从“九五”末期2000年的31.3：68.7变为20.4：79.6，重工业的比重提高了近11个百分点。二是湛江市石油加工业的崛起。中石化、中石油、中海油三大公司相继到湛江投资，东兴炼油厂

① 《十五时期广东西翼经济发展提速　主要呈现三大亮点》，广东省统计信息网，http://www.gdstats.gov.cn.

② 《广东加快东、西、北三大区域发展问题研究（上）》，广西信息港，http://www.gx-info.gov.cn.

500 万吨改扩建、90 万立方米奥里油储罐、80 万吨燃料油改造等一批重点工业项目建成投产，新增工业总产值 100 多亿元。三是阳江市的五金刀剪行业由零散的小作坊形态，已发展成为全市乃至全省甚至全国最大的行业，富有地方特色和竞争力。阳江市的五金刀剪行业产值由 2000 年的 31.7 亿元增加到 2005 年的 81.1 亿元，增幅达 1.56 倍，占全国五金刀剪行业的五成多。

但西翼的工业发展从整体来说，相对较薄弱，尤其是外贸出口乏力，年平均增长速度只有 1.9%，远低于全省 21% 的年平均增长速度，也低于东翼的 8.6%。

（三）东西两翼发展的制约因素

人口、土地与某些自然条件的制约。两翼面积只占全省的 26.3%，但人口比重却达到 33.5%。并且随着经济的发展，耕地不断减少，人口却不断增加。“十五”期间，粤东地区每平方公里为 1012 人，比珠三角每平方公里 832 人还要高出 180 人。巨大的人口基数、居高不下的出生率与日益减少的耕地，是制约发展的首要因素。两翼台风频繁，雷州半岛干旱严重，对农业发展制约较大。

经济基础较差，投入不足。两翼的经济总体水平较低，人均国内生产总值、财政收入等明显低于珠三角和全省平均水平。经济基础差，导致农业投入不足。而且地方工业与乡镇工业弱小，对农业的辐射作用不明显。

对外开放相对滞后，经济发展动力不足。“八五”期间，两翼实际利用外资 65.9 亿美元，仅为全省的 16.2%。外贸出口方面，1995 年两翼出口总额 53.1 亿美元，其中西翼 11.1 亿美元，仅占全省的 2%。外向拉动对两翼，尤其是西翼经济严重不足。

科技薄弱，人才缺乏。1995 年，两翼县以上研究与开发机构共 93 个，占全省的 19%，但工程师以上科技人员 724 人，仅占全省的 5.9%，吸纳外来人才的引力远不如珠三角。人才的缺乏是两翼存在的突出问题。

投资环境有待进一步改善。“八五”以来，两翼的能源、交通、通信等基础设施建设取得了重大进展，但粤西的公路骨架尚未形成，粤东交通骨干设施配套任务也较重。电力供应虽可基本满足需要，但电价普遍较高，加重了投资成本。软环境方面，社会治安、社会风气、办事效率、管理服务等方面也还存在不少问题。

此外，部分干部的思想观念还比较陈旧，责任感不强，缺乏开拓进取、大胆探索的精神，有些地方政府在社会治安管理、城镇建设规划、打击走私贩私、取缔假冒伪劣商品、改革传统陋习等方面不够得力，社会管理水平与经济发展水平还很不适应。①

二、山区市县——奋起直追

广东的地理结构是“七山一水二分田”，粤北山区包括韶关、河源、梅州、清远、云浮五市和惠州市龙门、肇庆市广宁、德庆、封开、怀集五个山区县。面积9.06万平方公里，占全省50.4%。2005年底，常住人口1808.53万人，占全省的19.7%。

由于自然环境和社会经济诸多因素的影响，广东省山区经济与沿海及平原地区相比，普遍贫困落后。全省大多数山区都存在交通不便、信息不灵、资源开发利用程度和效率低的情况。有些地方还同时存在资源闲置与过度开垦并存的状态，还有部分山区生态环境恶化，基础设施落后，人民群众生活困难。近年来，广东山区有了长足发展，面貌发生了很大变化，但经济发展仍落后于全省平均水平，山区经济总量只占全省20%左右，人均经济发展量只及全省平均水平的50%左右。全省51个山区市县中的31个被列为贫困县，面积7.8万平方公里，人口1635万人，耕地963万亩，分别占全省44%、26%和26%。尤其是被称为“寒极地带”的粤北石灰岩地区，更是一片“特困区”。这一地区分布在连南、连州、阳

① 广东省委政研室经济组：《明确目标，扬长避短，把“两翼齐飞”的愿望变为现实——关于加快东西两翼经济发展的看法和建议》；参见广东省计划委员会编：《广东省东西两翼区域规划研究（上卷）》，广东经济出版社1997年版。

山、英德、清远、乳源、乐昌7县（市）的55个乡镇，面积9004平方公里，人口85万，其中有近20万人没有稳定解决温饱。

由于山区基础差、基数低、起步晚、发展难，与平原特别是珠江三角洲地区在发展中拉开了差距，并且有继续扩大的趋势。2005年山区五市国内生产总值只占全省的6.43%，占珠三角的7.71%。其他经济指标与珠三角的差距也悬殊，山区五市与珠三角一般财政预算收入的相对差距在20倍左右，工业增加值的相对差距在15倍左右，城乡居民储蓄余额的相对差距在12倍左右。

山区县（市）是整个广东省的气候屏障、水源屏障和生态屏障。目前，山区县（市）农业产业化发展进程以及整个经济发展明显落后于其他地区，但发展潜力巨大。一是自然资源优越。该区域气候温和，雨量充沛，山地广阔，有开垦条件的宜农、宜林荒地数量较大；动植物资源丰富，特产多，松香、紫胶、药材、茶叶、烟叶等林副产品和经济作物在省内占有重要位置；矿产资源丰富。二是劳动力资源丰富。山区县（市）有农业劳动力1500多万，由于产业开发滞后，剩余劳动力数量较多，这无疑是农村第二、三产业开发的有利因素。三是发展环境具优势。交通、通讯等基础设施建设，促进了山区与外部经济一体化进一步加强；省内经济发展战略重点转移，加大了山区县（市）的开发力度，使山区县（市）具有形成新的经济增长点的后发优势，为农业产业化经营提供了更为有利的条件和机遇。

（一）广东山区社会经济发展情况概况

改革开放以来，广东省委、省政府采取了一系列卓有成效的政策措施，推动了山区经济和社会事业全面发展。“九五”期间，省委、省政府提出了山区开发的新思路，加大了对山区的综合开发力度和对贫困县的重点帮扶，使山区面貌发生了新的变化。“十五”时期，山区县（市）积极贯彻实施省委、省政府关于促进经济发展的一系列政策措施，努力探索，开拓创新，大力发展特色经济，使整体经济发展跨上了一个新的台阶。

1. 经济发展步伐加快，综合竞争力显著增强。

2005年，山区五市生产总值增加到1395.92亿元，是2000年的2.05倍，年均递增15.4%，比全省GDP年均增长快2.4个百分点；地方财政一般预算收入为66.18亿元，占全省的比重为3.7%。其中，清远、河源的发展尤为突出，2005年清远经济全面提速，GDP增长23.3%，地方财政一般预算收入增长35.5%，同时人均GDP突破了1000美元大关，在全省公布的八大主要经济指标中，包括GDP在内的七个指标增长排在全省第一位。2005年河源市实现地方财政一般预算收入增长41.5%，为全省第一，GDP增长21.5%，名列全省第二。

2. 产业不断优化升级，工业发展后劲提升。

2005年，山区五市的三次产业结构为23：40：37，由以农业为主转变为以第二、三产业推进，三次产业齐头并进的新格局。2005年第一产业增加值324.37亿元；第二产业加快发展，增加值达553.18亿元；第三产业增加值达518.37亿元。工业增速迅猛。通过扶强扶优，加快劣势企业退出市场，大力吸引外来工业投资，新增大批工业生产能力，形成一批优势企业和支柱产业。2005年山区地市工业共有规模以上企业3593家，资产总计2036.60亿元；2005年完成增加值570.43亿元，增长29.3%，分别高于全省平均水平和珠江三角洲12.3个百分点和13.1个百分点，是2000年的2.07倍，年均增幅15.6%。

3. 产业转移方兴未艾，外贸增速后来居上。

“十五”时期，省委、省政府成功举办了两届珠三角与山区经济技术合作洽谈会，共签订合作项目1430项，履行项目1063项，总金额达645.44亿元，向珠江三角洲地区输出劳动力超20万人。扎实推进山区与珠三角共建产业转移工业园区，促进山区经济发展进入快车道，对山区经济总量增长、产业结构优化、财政利税增收等都产生了积极的作用。

山区五市的进出口取得长足发展，进出口总量已超过粤西，2005年进出口额达42.56亿美元，其中外贸出口总额23.08亿美

元，进口总额19.48亿美元，实现贸易顺差3.6亿美元。清远在外贸方面尤其突出，2005年外贸出口总额9.32亿元，比上年增长77.0%，约占山区总额的40%，实现贸易顺差1.5亿美元。通过改善投资硬环境，招商引资稳步推进，2005年实际吸收外商直接投资5.67亿美元，占全省的比重为4.8%。

4. 基础建设日新月异，城市化建设逐步推进。

社会基础设施投资力度不断加大。“十五”时期，山区五市完成基础设施投资675.17亿元，年均增长21.6%，比全省增幅高7.5个百分点。大批能源、交通、通讯、城市基础设施项目相继竣工发挥效益。如韶关建成韶钢500万吨钢生产平台，韶关卷烟厂30万大箱生产线等一批重点项目。交通方面，随着惠河高速、粤赣高速、龙梅高速的建设，把河源到广州的车程缩短了近一半的时间，使其融入了珠三角“两小时”经济圈，加上境内的铁路建设，河源已逐渐成为重要的交通枢纽。目前，山区五市已初步建成一个铁路、高速公路、国道、省道、县道、村道和水运协调发展的四通八达的交通运输体系。

在基础设施和信息化建设的推动下，城市化进程加速，2005年山区五市城镇化程度为40.15%。城镇化的推进，促进了山区大量农业人口向非农业转移，逐步改变城乡二元经济结构的状况。

5. 农村经济稳步发展，人民生活水平明显提高。

农业向特色农业、效益农业、现代农业方向发展，形成了一批规模大、效益好的农产品生产基地，农业产业化程度提高；农业现代化示范区建设进展顺利，东西两翼和山区共投放农机购置补贴资金6000多万元，推动了农业机械化；创建森林生态市，开展林业二次创业，提高了林业综合效益；充分利用自然资源优势，大力发展农业龙头企业，在全省龙头企业中山区占了将近一半，带动了数以万计的农户脱贫奔康。

人民生活水平不断提高，消费需求持续升温。2005年山区五市城乡居民储蓄存款余额1329.14亿元；社会消费品零售总额535.69亿元，比上年增长16.9%，增速高于全省平均水平。其中，

清远社会消费品零售总额129.76亿元，比上年增长19.5%，增速为全省第一。山区人民正在加快向小康迈进的步伐，为广东省率先实现农业现代化而努力。①

（二）山区农业发展

农业是山区的支柱产业，经过多年的发展，山区农业取得了长足进步。

初步形成区域化和规模化经营布局。经过多年的努力，广东山区各地初步形成了以“三高”农业为主体的支柱产业，其中包括粮、果、菜、畜、禽和优质水产品；形成了区域化和专业化的生产布局；初步形成了具有地方特色和资源优势的支柱产业，培育了当地的主导产品。例如，韶关地区已建成了蔬菜、优质稻、优质黄烟、特色水果、毛竹（丛生竹）和优质生猪等一大批高起点的农业商品基地，白马牌油粘米、金友牌香米、曲宝牌重阳花生等国家级名牌产品已经有较高的市场影响力。清远英德市根据自身资源、地域、气候等条件，突出抓好优质粮、笋竹、蚕桑、茶叶、糖蔗、反季节蔬菜、优质水果等优势特色主导产业，连续多年实施国家优质米基地项目，沿江（河）乡镇则充分利用丰富的沙壤土资源大力发展蚕桑业，已形成一定规模。

农业龙头企业带动能力不断增强。农业龙头企业在广东山区已经有了较大的发展，同时促进了山区农业产业化的发展并带动当地农业经济的发展。例如广东温氏食品集团公司在山区带动发展了1.2万户猪禽养殖农户，促进农民增收1.98亿元，户均增收1592元。封开县是传统的农业县，经济条件基础较差，但近年来农业产业化龙头企业不断发展壮大，带动能力不断增强，全县发展了农业产业化经营组织20个，拥有基地面积0.45万公顷，带动农户种养面积1.27万公顷，带动农户2万多户。

① 《五年打牢基础，山区经济提速——“十五”时期广东山区五市发展状况分析》，广东统计信息网，2006年7月19日，http://www.gdstats.gov.cn.

农业利用外资逐步转向山区。近年来，广东山区的交通条件和其他基础设施得到了明显的改善，农业利用外资投向的重点逐步转向山区。2003 年农业利用外资超过 2000 万美元的是韶关市（2817 万美元）和梅州市（2223 万美元），分别居广东省农业利用外资的第一、第二位，是典型的山区农业市。2004 年广东省农业利用外资总额为 13029 万美元，主要集中在珠三角以外的山区。

农业社会化服务体系逐步完善。随着市场经济的发展和区域性支柱产业以及龙头企业的不断涌现，广东山区也基本形成了以县（市）农技推广中心为龙头、乡镇农技站为骨干、管理区农技推广服务站为基础、农村科技示范户为样板的农技推广服务体系。此外，各种专业协会、专业服务实体等服务组织也不断涌现，初步形成了种子种苗、技术服务、农机服务、农资生产供应、加工销售等不同服务体系。在一些区域性生产基地，为主导产业配套服务的包装、制冰、运输、旅业、饮食等产业也迅速发展。

财政支农资金逐年增长。广东省已经基本形成了财政支农机制，每年都有一定的财政资金来支持农业发展，且在逐步增长。省财政资金对山区的支持有效地推动了农业基础设施建设。近年来，广东省政府加大对粤北山区和贫困地区的扶持力度，大力发展交通、水利等各种重要的基础设施建设，优先安排东西两翼和山区地级市的高速公路建设资金，为山区经济的腾飞打下了良好的物质基础。广东省除给予山区农业龙头企业各种财政支持及奖励以外，每年还下拨专项扶贫资金，促进了山区农业产业化发展。另外，广东还采取发达市县帮扶山区贫困市县的政策，发动珠三角经济较发达的市县对口扶贫以带动山区农业产业化的发展。

（三）山区发展的优势和潜力

广东山区尽管还较为贫困落后，但在一些方面具很大的潜力和优势，可为山区的发展提供条件。

绿化达标，成为全省最大的“三高”农业基地。1993 年，广东在提前实现了十年绿化的战略目标以后，积极建设生态公益林体系和高质、高产、高效的林业体系，向生态、经济良性循环方向发展。除了林业之外，广东山区的农业发展也步上了新台阶，建成了一批各具特色的农业商品生产基地和一大批加工企业。早在1993年，51个山区市县就已建立起优质农产品基地1850个，绿色企业100多万个。目前，山区已成为全省最大的“三高”农业基地，开发建成了一个个粮食、经济作物、水果、反季节蔬菜等基地或经济带，尤其是野生动物的开发、繁育、利用成效显著，是全省农业经济的坚强支柱和可靠依托。

物种多样，自然资源丰富。山区不仅是全省最大的生态公益林体系基地，还是不可替代的野生动植物基因库和全省最大的建材工业和食品工业基地。广东矿产资源有100多种，其中部分矿产储量居全国前列。这些矿藏主要集中在山区，现在只有部分进行了少量开采，这方面的潜力很大；山区水力资源丰富，已安装的装机容量只占可开发的40%；森林储积量达2亿立方米，每年净增长700万立方米；山区水果种植面积占全省一半以上，还有竹、药、茶和畜牧产品，加工增值的前景广阔。

基础设施建设加强，投资环境有了较大改善。广梅汕、京九铁路开通，全部乡镇和村委会通了公路，98%的村委会实现通电话、通电、通邮和通广播电视，水电装机容量达400多万千瓦。水利基础设施进一步加强，为山区招商引资、工农业发展创造了有利条件。

区位优势。一是山区与珠三角同属一省，关系紧密。已经富裕起来的珠三角和沿海开放城市日益雄厚的经济和技术实力，对山区产生越来越大的辐射和带动作用。一方面随着经济结构的调整，一些劳动密集度大的产业和加工配套产品的生产，正逐步向山区转移；另一方面，珠三角也加大了对山区的帮扶力度，既有资金人力的支援，更有互惠互利的联合开发。二是广东山区与港澳的距离仅次于珠三角，也有为数众多的港澳同胞和海外侨胞，他们热心家乡建设，是山区发展的有效支援力量。三是广东山区与众多周边省区毗邻，如广西、湖南、江西和福建，形成联系紧密的“共生型经济”，山区已成为沿边开发和经济传递的衔接点。四是山区具有大量可供开发

的田地和富余劳动力，从而增加农业发展的吸引力和竞争力。

（四）广东山区面临的发展局势

广东山区在市场经济条件下面临着严峻的历史挑战。一是广东的发展战略目标是在2010年基本实现现代化，但广东山区的经济发展仍落后于全省平均水平，与珠三角的差距日益扩大，要想缩小地区发展差距，如期实现全省的发展战略目标，不拖全省发展的后腿，对山区来说是一种很大的压力和挑战。二是挑战来自市场经济竞争的压力。目前山区各方面条件较差，资金、物资、人才严重不足，在竞争中处于劣势。三是从总体上看，山区的思想观念滞后于市场经济的发展，小生产思想和旧体制观念仍未从人们的思想中根除，总想等、靠、要，发展经济重速度、轻效益，重数量、轻质量，远远不能适应市场经济发展要求。

表5－2　2005年山区五市主要经济指标占全省的比重

指　标	山区五市	全省	珠三角	占全省比重（%）	占珠三角比重（%）
国内生产总值（亿元）	1395.92	21701.28	18116.68	6.43	7.71
其中：第一产业	324.37	1374.59	588.27	23.6	55.14
第二产业	553.18	10747.25	9161.10	5.15	6.04
第三产业	518.37	9579.44	8367.32	5.41	6.2
全社会固定资产投资额（亿元）	674.21	6957.38	5131.47	9.69	13.14
外贸出口总额（亿美元）	23.08	2381.6	2273.22	0.97	1.02
工业增加值	516.78	8290.00	7379.54	6.23	7.00
社会消费品零售总额（亿元）	535.69	7882.64	5684.51	6.8	9.42
地方财政一般预算收入（亿元）	66.18	1806.01	1218.47	3.66	5.43
城乡居民储蓄余额(亿元)	1329.14	20267.76	15029.4	6.55	8.84
实际吸引外商直接投资（亿美元）	5.67	123.64	110.06	4.59	5.15

资料来源：《五年打牢基础，山区经济提速——“十五”时期广东山区五市发展状况分析》，广东统计信息网。

广东山区农村经济发展缓慢的原因复杂，面临着一系列制约因素或发展障碍。

首先，刚性资源的约束，包括自然资源、资金和劳力的约束。山区经济发展水平低下，对资源的利用较为粗放。尽管山区资源丰富，但因缺乏足够的资金、技术，其开发利用的成本非常高。而且，由于山区农民现金收入有限，外部的信贷来源极少，对开发利用山区资源的风险承受力也非常有限。

技术条件是山区经济发展的另一个制约因素。大多数山区不仅耕作技术和耕作方式落后，灌溉、水电、道路等基础设施也非常落后。山区农民极少接触到农业新技术，这一方面是因为农民缺乏资金和风险承受能力小，无法承受高新技术的高投入；另一方面也与政府的农业推广政策和发展计划有关。

其次，制度的约束。广义的制度约束包括权力组织方式、社区的组织结构、资源的使用方式及信贷、市场、信息的发展水平。山区农村的组织结构大多带有封建宗法残余，其价值观念、行为规范也具有浓厚的小生产经济的家庭意识，一定程度上阻碍着山区农村经济组织的创新，因此也制约着技术创新。山区土地资源的组织使用方式，也在很大程度上制约着山区的开发。资源使用中的义务、权益界限非常模糊，从而加大了山区开发的风险。同时，山区经济的落后又直接与不发达、不完善的产品市场、生产资料市场、资金信贷市场、劳动力市场紧密相关。制度约束不仅是山区经济区别于发达地区的主要标志之一，也是山区农村经济发展的瓶颈。

再次，山区农村经济面临的政策约束也非常突出。山区开发中的政策约束包括财政预算政策、税收政策、产业结构政策、土特产品进出口政策、信贷政策、农业科研推广政策和区域合作与协调政策。宏观调控机制同时也是个宏观激励结构问题，为此，必须制定一套行之有效的资金支持系统、技术支持系统和行政支持系统，充分发挥宏观调控的激励作用。①

---

① 温思美：《广东山区开发理论与实践》，中山大学出版社1997年版，第77~80页。

三、广东区域协调发展

广东区域发展不平衡的问题在经济和政治上都越来越使广东面临压力。从经济上来看，全省只有珠三角一枝独秀，两翼和粤北山区长期处于“欠发达”状态，不仅不能推动广东经济从整体上进一步发展和提高，反而还需要珠三角支援，拖经济发展的“后腿”；从政治上而言，区域发展不平衡与社会主义共同富裕政治目标相背离，经济上的严重分化也不利于保持团结稳定的政治局面。因此，进入21世纪以来，广东省委、省政府把对区域协调发展问题的重视提升到了新高度。2002年，广东省第九次党代会把区域协调发展确定为广东省经济发展的四大战略之一，并将加快东西两翼和粤北山区发展作为实施区域协调发展战略的工作重点。近年来，广东省委、省政府先后制定了《关于加快山区发展的决定》、《关于加快县域经济发展的决定》、《关于统筹城乡发展加快农村“三化”建设的决定》、《关于我省山区及东西两翼与珠江三角洲联手推进产业转移的意见（试行）》和《关于促进粤东地区加快经济社会发展的若干意见》等文件，推行了一系列扶持山区和东西两翼经济社会发展的优惠措施，加强了珠三角与山区及东西两翼的经济合作，努力实现优势互补、共同发展，促使全省区域协调发展。

（一）广东促进区域协调发展措施

第一，在政策方面给予贫困山区优惠和倾斜，实行扶持性、困难性税收减免照顾等优惠政策，实行投资倾斜，为东西两翼和粤北山区“输血”。广东省强化投资和重大项目在优化布局中的作用，注重把新建的燃煤电源和核电项目、石化重点项目向山区和东西两翼倾斜。2003年至2007年，全省共安排东西两翼和粤北山区省重点项目132项，占项目总数的40.2%。2002年至2007年，广东省共争取国债及中央预算内投资78.09亿元，主要用于东西两翼和山区欠发达地区的基础设施建设，投向农村电网、农村公路、高速公路、水利、环保、公检法司、城镇和农村供水、饮水等方面。“十一五”期间规划东西两翼和山区建设重点项目约175个（部分项目跨区），超过全部重点项目总数的50%，比“十五”期间提高6个百分点；总投资约占全部重大项目投资的41%，提高12个百分点。通过重大项目建设，激活了东西两翼和山区的投资，有力促进了经济社会的加快发展。

第二，组织动员社会力量从外部进行扶持。一是组织省直机关挂钩定点扶贫，按单位职能实行对口扶持山区贫困地区的建设项目；二是省内经济发达地区与贫困地区对口扶贫，促富带贫，携手共进；三是引侨胞和港澳台同胞回乡投资，办公益事业和开发资源。

第三，兴办“扶贫经济开发区”，变“就地开发”为“异地开发”。1991年，建立全国首创的清远扶贫经济开发试验区，至1994年底，清远扶贫开发区已批准注册企业190多家，总投资33.2亿元，其中在建项目20个，建成投产项目80个。

第四，实行移民异地发展。1993年开始实施石灰岩特困地区12万人口的“大迁移工程计划”，将长期生活在恶劣自然环境中的特困人口迁移到条件相对较好的地方去落户，异地发展，自己脱贫。

此外，把内引外联作为促进区域协调发展的重要推动力。近年来，珠三角与东西两翼和山区联手推进产业转移取得阶段性进展。省政府先后举办四届珠江三角洲地区与山区及东西两翼经济技术合作洽谈会，洽谈会成为省内区域间经贸合作的重要平台。

（二）广东区域发展新特点

在政府和社会各界的帮扶下，东西两翼和山区根据自身情况，制定适合本地区发展的方针、政策，取得了很大发展，区域发展呈现出新特点。

一是区域发展的协调性明显增强。“十五”以来特别是近两年来，各区域经济发展普遍提速，东西两翼和山区增长势头增强，与

全省的发展速度差距进一步缩小。“十五”期间，生产总值增长最快的珠三角经济区与最慢的粤东地区增速差距为7.7个百分点，人均生产总值增速差距为7.3个百分点；2006年，这两个主要指标的增速差距分别缩小到5.6和5.3个百分点；2007年上半年，生产总值增长差距进一步缩小到3.4个百分点。东西两翼和山区的投资、消费和进出口贸易等主要指标增速已经接近或快于全省平均水平。

二是区域发展的活力明显提高。近年来，随着一系列促进区域协调发展政策的相继出台，区域发展的活力竞相迸发，自我发展能力明显增强。县域经济发展成为推动区域协调发展的重要抓手，2003年至2006年，67个县（市）地方一般预算收入年均增长20.4%，比1997年至2001年年均增速高9个百分点，比同期全省增速高2.1个百分点。民营经济和欠发达地区发展加快，近两年来，过去相对落后的清远市和河源市已经成为后起之秀。2007年前三季度，清远市生产总值增长28.6%，地方一般预算收入增长40.0%，增速分别居全省第一和第二；河源市生产总值增长18.0%，增速居全省第三。

三是重点地区的带动作用明显增强。研究区域经济的专家、广东省委党校副校长陈鸿宇分析，经济运行中，近期看消费，中期看投资，远期看基础设施。投资和基础设施在东西两翼的广泛布局成为两翼齐飞的重要推动力，全省区域协调发展大势正在形成。

（三）现在区域政策问题

由于产业结构水平的差距，广东各地区的经济发展差距仍然较大。目前，珠三角已呈现典型的工业化成熟期的产业结构特征，非珠三角地区第一产业比重仍较高，西翼和山区还处于工业化起步阶段。珠三角地区极化效应仍在继续。此外，东翼地带和北部山区的梅州、韶关以及云浮等地的发展速度，明显滞后于西翼地带以及河源、清远等部分邻近珠三角的山区，这一新出现的不协调发展态势，值得高度关注。这也说明，现行的区域发展政策存在一定偏差和不足。

一是区域格局的划分偏于粗放。把珠三角地区都视为“发达地区”，把非珠三角地带一概视为“欠发达地区”，对珠三角和东西两翼之间、东西两翼和北部山区之间的发展水平及资源禀赋程度，缺乏全面的把握。因此，建立在“三片三类”或“三片两类”划分之上的区域政策，容易导致政策工具和手段“一刀切”、区域发展目标不清晰（如不论沿海还是山区都雷同地提出“工业强市”、“大项目带动”等目标），东西两翼具临海优势和发展潜力较高的地区因而缺乏精准及时的政策扶持。

二是区域政策工具及政策手段单一。现行的区域扶持政策主要依靠自上而下的重大项目布点和省财政转移支付两个方面，对被扶持地区来说，这样的扶持是及时和有效的，但客观上也助长了东西两翼和北部山区依赖上级给政策、给资金、给项目的心态，内生增长机制发育比较缓慢。

三是区域政策的实施重点和实施步骤不明确。在两翼和山区均具有强烈的发展冲动的情况下，现行区域政策缺乏发展时序上的安排，东翼、西翼、北部山区三大地带均依托珠三角经济区这一核心，东、西、北三个方向同步向外平推发展。由于政策的实施重点和实施步骤不明确，有限资源就难以得到合理配置，珠三角产业转移和全省的产业结构、产业布局的调整优化，就难以融为一体。

（四）广东区域协调发展对策

多圈多核合力推动广东区域协调发展。仅靠大珠三角一个“核心区”带动全省发展是远远不够的，需要选择东西两翼的沿海地带和粤北山区具有增长后劲和发展潜力的若干地区，将其培植为带动广东区域进一步协调发展的新“核心区”，通过多圈推移、梯度推进，带动东西两翼和北部山区等经济腹地协调发展。具体而言，可以将广东划分为粤东、粤西和珠三角三个发展圈。粤东发展圈以汕头港和汕头—潮州—揭阳中心城区为核心，涵盖汕头、潮州、汕尾、揭阳、梅州等地区；粤西发展圈以湛江港和湛江—茂名

中心城区为核心，涵盖湛江、茂名、阳江、云浮等地区；珠三角发展圈指包括港澳在内的大珠三角都市圈并涵盖河源、清远、韶关等地区，“广州—佛山极”、“香港—深圳极”是这一发展圈的“核心”。在新的区域发展格局下，如果东翼经济带和西翼经济带能获得长足的发展，在“三圈”的大格局下，沿海的珠三角、东翼、西翼三个核心区，加上“山区增长带”的要素和产业一起向北扩散，可以合力带动粤东北、粤北、粤西北山区的发展，这样，实现全省区域协调发展的时间，将会大大缩短。

“两带”先行，以海哺山。“两带先行”是指将全省分为“沿海经济带”、“山区增长带”，重点扶持，加快发展。“沿海经济带”是指沿广东海岸线及相关交通枢纽所形成的带状空间经济体和产业走廊，包括广州、深圳、江门、珠海、东莞、中山、佛山、惠州、汕头、潮州、揭阳、汕尾、湛江、茂名、阳江 15 个市。充分发挥东西两翼的临海优势，集中力量加快建设东西两翼经济带和城市带，与大珠三角经济区连结为广东沿海经济带，成为规模更大实力更强的区域“核心区”，这是广东区域协调发展的必然选择。“山区增长带”主要指清远、河源、肇庆、云浮、汕尾等山区地带中邻近珠三角、近年来工业增加值增长较快的“扇形”地带。由于生产力的历史积淀、东西两翼积聚的临海发展潜力和珠三角产业扩散等原因，广东在未来很长一段时期内会逐步形成沿海经济带和山区增长带的区域发展格局，以充分发挥各空间地域的区位优势；在这一相当长的时期内，广东的区域分工合作要建立在沿海经济带对山区反哺的原则上，才能推动“两带”之间的协调发展。

推行差异性的、更为精准化的区域政策，实现所有地域错位互补发展。针对“两带”间、“三圈”间以及各经济带、发展圈内部增长后劲和发展潜力的差别，推行差异性的区域政策。采取更为精准化的区域政策，使各地带能各展优势，互补发展。首先，“沿海经济带”和“山区增长带”的发展要有发展时序、发展重点与非重点的差异，沿海主要发展石化、造船、钢铁、轻纺产业以及生产服务业等；“山区增长带”主要接受珠三角的产业转移，发展为新的制造业基地。“沿海经济带”内部粤东经济带、粤西经济带和珠江三角洲经济区三者之间，要有产业结构和产业布局上的差异，如在粤西经济带重点发展重化工业，粤东经济带重点发展轻纺工业集群，在珠三角重点发展服务业和高新技术产业等。“三圈”内部“以海哺山”，核心区和边缘区之间，也要有发展格局、发展时序安排上的差异。这样，才能实现所有地域的错位互补发展。

政府适度干预。市场是资源配置最有效率的方式，区域发展的一个核心问题是，形成一个区域性的统一大市场。区域经济一体化、区域协调发展最根本的动力还是市场的力量，要积极探索建立“市场主导型”的市场经济体制模式，使企业遵循市场规律跨地区发展。在这一过程中，切忌政府过度干预，以行政命令代替市场规律，强行在各地区之间均衡配置资源。政府适度干预下的非均衡发展，才是实现区域协调发展的基本战略选择。

第六章
广东农村流通体制改革

广东是全国改革开放的实验场，而广东的改革开放又是从农产品市场的开放和价格、流通体制的改革开始的。改革开放之初，在中央特殊政策的支持下，广东的领导人顶住压力，大刀阔斧，极富胆识地开放了部分农产品价格，开始了对物价、流通体制的改革，初步建立起市场经济框架。广东的探索和取得的成功，大大加强了全国各地对改革的信心，推动改革在全国范围内大规模展开。

一、重新开放农村市场

打破计划经济体制，建立以市场为资源配置主导的机制，解放和发展生产力，是1978年开始的改革开放的根本目标。作为改革的先行者，广东从一开始就试图减少计划的作用，扩大直接在市场上销售的产品范围。广东当时主管经济的官员认识到，如果生产是由市场和需求来驱动，而不是依据国家行政指令进行，就会带来质量更高、更受欢迎的产品。但如果这样做的话，通货膨胀就不可避免。要想在这方面有所突破，就必须承担一定风险。广东的改革者们没有退缩，而是坚决地开放了次级农产品市场。

（一）以放开塘鱼价格为突破口，进行物价、流通体制初步改革

允许农民在市场上出售更多的农产品是广东省农村改革最早采取的措施之一，这与改革的目标有关。1978年以后，广东省农业改革的重要目标之一，就是通过改革不保证稻谷及其他农作物产量，增加农副产品供应。包产到户政策的实施为农产品市场的日益活跃铺平了道路。农民在完成了国家规定的农业生产任务之后，还有时间从事其他农作物的生产和销售，这样他们就可以在市场上出售新鲜蔬菜、鱼和猪肉而赚更多的钱。为了确保农民不至于在市场销售上花太多时间而影响他们完成国家规定的生产任务，国家提高了向集体收购农产品的价格。但是由于国家收购农产品的价格依然低于市场价格，农民对国家统购统销制度依然怀有抵触情绪。广东的改革者试图加大改革的力度，省政府于1980年9月制定并实施了搞活市场的12条措施，初获成效，但没有解决根本问题。

为了摆脱这种停滞不前的局面，广东的领导人决定冒险采取有实质性的改革措施，尝试彻底放开农产品价格。试验从放开塘鱼价格开始。曾任广东省长的梁灵光回忆，广州是鱼米之乡，却没有鱼吃，1982年春，广州市委决定全面放开塘鱼价格，一下子鱼价涨几倍，群众反应强烈并告到中央。我们坚持不动，认为要按经济规律办事，忍此阵痛。果然鱼农积极性调动起来了，生产增加。三年之后，全国18个大中城市中广州吃鱼最多，价格最便宜，使我们对改革的信心大为提高。[①] 作为一个成功解决市场控制的杰作，塘鱼问题在广东乃至全国传为佳话。

在塘鱼问题成功解决的基础上，广东乘机展开其他物价与流通领域的改革，逐步放开农产品统、派购品种。1982年至1983年，农民给市场带来了充足的农产品，物价上涨率亦低于全国水平。广

① 梁灵光：《广东改革开放的实践与探索》（赴菲律宾报告提纲），2002年8月。

东在物价方面富有胆识的改革得到了全国范围内的认可，他们的成功使得其他地方对这一改革抱有怀疑的观望者打消了顾虑，也开始着手进行改革。

（二）广东农产品改革的措施和历程

第一，改指令性计划为指导性计划，逐步取消农副产品的统购、派购制度。1979 年以前，广东统、派购农副产品达 118 种，放宽政策后，1980 年减为 25 种，1984 年减为 13 种，1988 年减为粮、油、糖、烟、麻和国营林场木材 6 种。同年 4 月，又把食油、黄红麻、非主产区晒红烟和国营林场的木材放开。5 月，调整粮食、糖价格，对合同定购粮食实行生产资料价格补贴，同时调整计划内供应居民粮食销价。食糖实行上调任务包干，计划外价格放开。1990 年只剩下粮、糖实行“双轨制”价格了。1992 年糖的价格放开了，1992 年 4 月 1 日，放开粮食价格和经营。至此，所有农副产品均已放开。1998 年 5 月国务院作出了进一步深化粮食体制改革的决定，提出按保护价敞开收购农民余粮、粮食收储企业实行顺价销售、农业发展银行收购资金封闭运行的三大政策，各省相继在 2004 年以前陆续放开粮食价格、购销和市场。这样，取消指导性计划前后花了十多年时间，取得了很好的效果。

第二，放宽农副产品运销和奖售政策，逐步改变过去对部分农副产品只准上市，不准运销；出省要经主管部门批准的做法。至 1996 年初，除中央明令归口经营的个别产品以外，其余都允许多渠道经营。对农副产品收购实行奖售的做法，实际上是通过国家补贴缩小牌、议价之间的差价，随着统、派购范围的缩小，奖售品种也相应减少。1992 年随着粮食价格和经营放开，奖售政策彻底取消。

第三，放开工业品购销政策，1980 年后采取了三种放开办法：一是缩小统购包销范围，至 1985 年只留 16 种，以后逐渐取消；二是实行多种购销形式，改统购包销为计划收购、定购、选购和代批代销等多种形式并用；三是扩大工业部门自销。工业品购销体制的

变革，对农村商品流通起着很大促进作用。农村供销社过去无权向外采购，放开以后可以大展拳脚，改变了农村工业品供应紧张的局面。

第四，改革流通体系，建立国营商业、供销社、集体、个体一齐上的流通渠道网络。改革供销社经营、管理体制。1980年开始，农村供销社进行了供销社恢复“三性”（组织上的群众性、管理上的民主性和经营上的灵活性）和“五个突破”（突破用工制度、入股限额、经营范围和服务领域、分配上的平均主义和作价方法）的改革。在此基础上进行了“六个发展”，即发展商品生产系列化服务、发展横向经济联合、发展农副产品加工业、发展多种经营方式、发展农村商业网点、发展教育和科技事业。通过这一系列改革，全省供销社发生了很大变化：一是扩大了民办因素，密切了同农民的经济联系。二是开辟了同农民结成经济利益共同体的新途径，建立了一大批农商联合体和以大宗骨干产品为农头的专业合作社。三是广泛开拓新的服务领域，发展了多元化经营业务。允许农民进入流通渠道，允许农产品自由流通，允许农民长途贩运。经营实行“三多一少”方针，多种经济成分，多种流通渠道，多种经营方式，尽量减少中间环节。全省有200多万个体户活跃在流通领域，覆盖全省农产品流通网络。四是改革商品批发机制，下放市、县批发权，改变“批零分开”、“专业分割”、“固定地区”、“固定对象”的做法，把一、二、三级批发站改为经营实体，参加市场竞争，并以它的雄厚力量，从中进行调节。

第五，积极建设集市贸易，兴办专业市场、批发市场。城市建立贸易中心与专业市场，县分别建立工、农产品市场和农村贸易集市，各地贸易中心以国营商业为主体，联合工业和其他经济成分，突破部门、行业、地区等界限，放开经营。这些市场已经具有较高层次、比较规范，特别是在交通枢纽地区建立起批发、期货市场，以扩大商品集散和流通。经过多年的建设，这些市场具有相当的规模，通过这些流通渠道，开拓北方远途运销，以及港澳和欧美远洋

市场，十分有力地推动着商品经济的发展。[①]

二、广东粮食流通体制改革

在1978年至1985年间，广东粮食流通体制的改革与全国基本同步，率先在全国逐步取消奖售粮政策和缩小统销范围。从1986年起，广东在粮食流通体制改革步伐加快，在1984年深圳特区实行粮食购销市场化改革试点的基础上，实行粮食购销价格联动的改革。1988年全省放开食油经营，在全国率先进行了有益探索和大胆尝试。特别是从1992年4月1日起，经国务院批准，广东按照"计划指导、放开价格、加强调控、搞活经营"的原则，在全国率先放开了粮食购销价格和建立省、市、县地方粮食储备体系及粮食风险基金制度。从1994年起，广东实行粮食收购最低保护价和最高销售限价办法，实行各级政府粮食工作考评制度，同时规划建设"九五"地方粮库和粮食批发市场体系，1998年起实行建设地方粮库与建设国家储备粮库并举，初步建立了适应社会主义市场经济要求的粮食流通新框架。2001年以来，广东成为全国八个全面实行粮食购销市场化改革的试点地区之一。[②]

（一）广东粮食改革成就

切实按保护价敞开收购农民的余粮。当市场粮价低于保护价时，按保护价收购；当市场粮价高于保护价时，参照市场粮价收购，并实行优质优价。各市按照这一目标指导价，根据生产成本和财政承受能力，并使农民得到适当的收益和企业顺价销售而不发生新亏损的原则，确定当地收购价，允许不同地区、不同品种有差价。

---

① 参见中共广东省委党史研究室、广东省政府农业办公室编：《中国新时期农村的变革·广东卷》，中共党史出版社1998年版；黄声驰：《关于广东农村经济改革与发展问题的回顾与探讨》，《南方农村》2006年第6期。

② 董富胜：《新形式　新任务　新突破——论深入推进粮食购销市场化改革》，广东省发展和改革委员会网站，2003年4月21日，http://www.gddpc.gov.cn.

坚决执行顺价销售政策。国有粮食部门认真贯彻执行国务院决定，严格按照保本微利顺加作价的原则销售粮食，发挥了主渠道作用，市场粮价逐步回升到目前为止，全省没有发现国有粮食收储企业低价亏本销售粮食的现象。全省粮食系统遏制了粮食亏损猛增的势头。

确保收购资金供应和封闭运行。各级农业发展银行与粮食部门密切配合，认真做好资金安排，保证了粮食收购资金的供应，粮食收购没有出现“打白条”现象。同时加强了对粮食收购、调销、储备资金的过程监管，切实保证粮食收储资金严格按照“库贷挂钩”和封闭运行的原则供应和管理。

粮食企业自身改革步伐加快。全省市县粮食系统已进行了调整，政企分开。目前，粮食系统正努力抓好体制和机制的转换，创建“四个新机制”。一是创建行政管理新机制。按照市场经济的要求，从过去直接、微观管理转向间接、宏观管理。二是创建企业经营新机制。所有国有粮食企业，包括粮所、粮站、粮库，实行独立核算，自主经营，自负盈亏，不再承担政府的粮食行政管理职能。三是创建企业组织新机制。通过组建企业集团，实行资产重组，将生产要素向名优产品、骨干企业、优势企业集聚，增强抗御市场风险能力。四是创建多种经营新机制。坚持“本业为主，多种经营，多元发展”的方针，以本业为主，贸工农并举，农村搞种养，城镇开门店，集中办实业，连锁扩经营，因地制宜，大力发展多种经营。同时，按照国务院的要求，切实做好减员增效工作。全省粮食系统已分流人员近3万人，超额完成了国家有关部门下达的分流计划。

粮食流通秩序明显好转。按照“管住收购，规范批发，放活零售”的原则，加强了对粮食市场的管理。有关部门联合下发了《关于加强粮食市场管理的通知》。各地组织有关部门对当地粮食市场进行全面清理整顿，对粮食收购市场和粮食批发业务加强了监督管理，组织了联合稽查队，及时制止除国有粮食收储企业以外的其他单位和私商粮贩直接到农村收购粮食。经过各地的共同努力，

粮食收购市场秩序有了明显好转。与此同时，积极培养和规范县以上粮食批发市场，进一步放开零售，搞活粮食流通，严禁以任何方式阻碍除收购以外的粮食交易活动，严禁地区封锁。此外，广东省在前几年与湖南、湖北、江西、黑龙江等省签订稻谷、玉米、豆粕长期购销合同（协议）的基础上，又与其他省签订了粮食购销协议，进一步稳定了广东省来粮渠道。

粮库建设成效显著。广东省“九五”规划全省新建 15 亿公斤仓容粮库，经过努力，取得了良好的成绩。1998 年，全省累计完成投资 10 多亿元，开工粮库项目 107 个，开工建设规模 9 亿公斤仓容，竣工粮库 5 亿多公斤仓容。对中央直属粮库的建设，广东省政府成立了领导小组，下设办公室，向国家有关部门推荐了 20 个建设项目，已有 16 个项目被批准立项，计划建设规模 115 亿公斤仓容，总投资 116 亿元。

完成了对新增粮食财务挂账和其他不合理资金占用的专项审计工作。按照审计署的部署，广东省审计部门会同有关单位，进行专项审计。各地迅速自查自纠，对违纪违规的坚决查处；同时，尽快做出消化挂账计划，并将每年消化计划纳入当年财政预算安排，坚决按照国务院规定，在三年内消化完毕。

（二）广东粮食流通体制改革存在的困难

目前存在的主要困难有：一是有的地方对粮改政策的理解不够准确，执行存在偏差；二是国有粮食收储企业顺价销售的压力较大，除优质粮品种外，1996 年、1997 年的陈粮难以实现顺价销售；三是粮食收购市场没有完全管住，私商违规违法收购粮食时有发生；四是一些地方应安排的粮食风险基金和地方储备粮利息费用没有足额落实到位；五是基层粮管所主附营业务如何分离，还有待进一步探索和研究。①

① 《积极推进广东粮食流通体制改革》，广东省发展和改革委员会网站，http://www.gddpc.gov.cn.

三、广东农产品流通改革的成效和问题

（一）广东农产品流通改革的成效

农产品市场建设发展快，农产品交易额大幅度上升。2000 年全省有 1956 个农副产品市场，其中有 1125 个分布于农村，占全省农产品市场总数的 57.5% ，有 831 个分布于城市，占 42.5%。2000 年广东粮油交易额达 148 亿元，蔬菜成交额 193 亿元，其他农产品交易额也都有较大幅度增长。

农产品出口额增幅大，出口品种越来越多样化。2000 年广东主要农产品及其加工品出口总额为 4 亿美元。农产品出口品种多样化，包括了动植物及其加工品、木浆、纸板及制品等 20 多种农副产品及其加工品，并且数量增加很快。

形成了多种经济成分参与农产品流通的格局。国营商业和供销合作社利用资金雄厚、网点多、信息灵、设施完备等优势收购、贮藏、运输、加工各种农副产品，继续扮演着农产品流通的重要角色。到 2000 年底，全省供销合作社系统建有年销售额 2000 万元以上的农业龙头企业 6 家，专业合作社（协会）89 个，农副产品交易市场 24 个。同时，广东各地近年兴起了以企业（公司）为龙头，围绕当地名、优、特或大宗农副产品吸引和带动广大农户联营。企业利用自己的服务设备和技术手段为农户提供生产技术和收购加工、销售等服务，农户按合同生产和提供农副产品，形成产、供、销一体化或农、工、贸、技一体化。这种有利于形成专业化、规模化经营，搞活农产品流通，缓解了农村经济发展中存在的小规模生产与大市场需求之间的矛盾。此外，许多农民由从事农业生产转向从事农产品流通，成为农产品购销个体户、专业户或联合体，它们发展迅速，力量不断壮大。

农产品市场体系逐步完善，形成了一批规模较大、效益好的大中型农产品批发市场。深圳布吉、福田农产品、广州江南蔬菜、广

州黄沙水产品、南海环球水产、顺德陈村花卉、广州芳村花卉、东莞果菜、汕头农副产品等大型农产品市场面向国内外市场，辐射能力强，有效地推动广东农产品流通的发展。其中深圳布吉等12家被农业部授牌列为全国定点农产品批发市场。不少大型农产品批发市场朝着全方位服务、一体化经营方向发展，注意加强软硬件配套设施建设，完善服务功能，不仅提供农产品集散场所，还逐步开展农产品的包装、贮运以及信息传递、代理结算等配套服务，有的还建立了生产基地和加工配送中心，开办零售网点，实现产加销一体化经营。

（二）广东农产品流通存在的主要问题

流通不畅导致农产品难卖。近年来，农产品难卖对广东农业的限制越来越明显。农产品难卖不仅是广东的问题，也是全国性的问题。近年农产品难卖的特点，一是持续时间长，二是难卖的范围大、品种多。根据国家国内贸易商业信息中心对全国城乡111种农副土特产品供求状况的调查，农产品供大于求比例呈迅速上升之势。究其原因，既有农产品品种和质量方面的问题，也有流通体制滞后的原因。一是农产品的鲜活性、生产的区域性与季节性等对农产品流通半径的限制，有可能会造成市场分割；二是市场不健全，生产与消费分散造成信息不完备与信息不对称，农民不能按照市场信息来组织生产，所生产出来的商品无论是数量还是质量与市场需求均不可避免存在差距；三是农产品市场流通渠道不畅，流通成本增加，流通能力降低，许多产品不能及时送到消费者手中，以致大量积压，甚至大量腐烂在农民手中。

农民进入市场的组织化程度低，小商小贩等农产品流通主体不能适应现代农业发展的需要。目前，农产品的主要销售对象是城市和地理跨度较大的销区农村，农产品流通需要长距离运输，没有成规模、有实力的流通组织，很难完成这样的流通任务。而与生产相比，我国农民从事农产品经销的力量薄弱，经营规模较小，抵御市场风险的能力差，资金匮乏，无力组织农产品的大流通。由于种种

原因，农业龙头企业带动的农户所占比例并不高，供销合作社始终没有被真正改造为农民的合作组织，农村社区合作经济组织也未能发挥作用，农民缺乏可依托的合作组织。农民在产前与流通者签订购销合同的也不多。更多的农户是先将产品生产出来，再寻找买者。这样，农民只能获得有限的农业生产利润，大量的商业利润则被从事农产品经营的中间商人赚取了。广东虽然有300多万农民从事农产品购销活动，但小商小贩的小流通混乱无序，不能形成稳定的流通渠道，而且他们还具有资金不足，信息不灵，抵御市场风险能力弱等局限性，与农业市场化集约化大生产的矛盾突出。

农产品批发市场建设缺乏统一规划，市场交易规模小，市场配套建设落后，功能不全。一些地方市场建设滞后于生产，有市无场；一些地方则重复建设，使市场过多，货源不足，有场无市。目前，广东的大中型农产品批发市场全部集中于珠三角的中心城市，粤东、粤西、粤北地区的农产品批发市场尤其是大型批发市场则数量很少。此外，大中型批发市场大多数是销地批发市场，而对生产更具辐射带动作用的产地批发市场建设严重滞后。农产品批发市场没有足够的交易量，难以担任商品集散中心、价格形成中心和信息传递中心的角色。大多数市场设施简陋，相当数量的市场仍是工商、税务、物价、公安、城建等部门分散管理，部门间的掣肘使市场功能难以发挥。交易行为也不规范，制度化、法制化建设滞后，等等。在广东，已出现了一些具有相当规模的专业生产区，而与之匹配的、有一定影响的市场却较少。

农产品流通的宏观调控体系不完善。国家对农产品实行调控的最核心手段是农产品储备体系的建立健全及高效运转。但实践证明，我国农产品储备作为宏观调控最核心的手段一直未能取得预期效果，我国市场化条件下的农产品流通调控体系尚未完全建立起来。宏观调控不力还体现于地区分割和部门分割等问题的存在。

农产品营销观念和手段落后。① 农产品营销手段落后。一是广告宣传力度与广度不够。二是农民不注重用商标保护产品，树立良好的商品形象。由于缺乏商标保护，农民自身就无保护产品形象

的动力，造成短期行为的普遍化，只注重产量而忽视了品质，销路阻塞。三是信息服务滞后，农民缺乏掌握外界信息的机会，生产难以适应需求的变化。② 农产品的分级、包装等条件十分落后。发达国家的农产品上市之前通常都要进行严格的分级、初加工、包装等处理，我国的绝大多数上市农产品基本没有这样的后处理程序，分级简单、粗糙，极不规范，包装简陋甚至根本没有。这样的农产品不仅上市时间短，难以实现远程远销，就是在产地销售也会受阻。③ 流通辅助设施建设滞后。由于农产品的鲜活易腐性，在流通过程中必须采取一定的措施，才能保证农产品合乎质量要求地进入消费。因此，农产品在运输贮存过程中，许多种类需要特定的容器和设备。但目前我国在这些硬件设施上还远未达到国际标准。

（三）农产品流通体制改革的总体思路与目标模式

农产品流通体制作为整个经济系统的重要组成部分，其改革既要适应当前农业经济发展的需要，又要符合政府的宏观目标和微观主体的利益要求。根据国际上的成功经验和我国改革开放以来的实践，我国农产品流通体制改革的目标模式是：在国家宏观调控指导下，以家庭经营为基础，运用利益机制，依托法人主体和中介组织，将农业生产流通等连为一体，进行市场化运作，有计划有步骤地从根本上对现行农产品流通体制进行全面深入的改革。

这一目标模式，决定今后我国农产品流通体制改革的基本原则是：

坚持市场化方向，同时不放松宏观调控。始于1979年的农产品流通改革，事实上是一个不断市场化的过程。从我国农产品市场运行的实践来看，农产品流通的市场目标主要包括三个方面：① 农民的经济利益，直观地表现为农业生产者销售农产品的收入；② 消费者的需求，表现为农产品的供应保证；③ 作为整个经济运行管理部门的政府，其目标在于农产品市场的价格稳定。农产品市场由于受农业生产自然经济特性的影响，具有明显的波动和风险特征，因此需要加强宏观调控。政府对农产品流通进行宏观调控的目标是稳定价格，调控重点是直接影响价格的供给和需求的动态平衡，调节手段则包括经济杠杆和实物形式的吞吐调节储备这两个方面。必须从战略高度认识宏观调控的重要性，真正使市场机制的建立与加强政府宏观调控作用成为这一进程中密不可分的两个方面。

把保护农民利益放在首位。农民的经济利益是农村经济发展的动力源，农民的经济利益如果得不到满足，农产品的供应就会出现萎缩，农产品市场的运行就会出现严重的混乱。

保证各类市场主体的公平竞争。只有市场主体之间进行充分竞争，市场机制在提供信息、调节供求和配置资源等方面的功能才能够得到发挥。同时，市场竞争又必须是公平的，必须防止任何市场主体的不公平竞争行为，因此，必须处理好国有部门与其他市场主体的关系。国有部门与其他市场主体的地位是平等的，不应该有垄断市场的权利，更不应该凌驾于其他市场主体之上。

第七章
广东农村税费改革

2006年，温家宝总理在全国农村综合改革工作会议上提出，“我国的改革是从农村开始的，农村改革取得了举世公认的巨大成就。农村改革近30年来，我们迈出了三大步。第一步，实行以家庭承包经营为核心的农村经营体制改革；第二步，实行以农村税费改革为核心的国民收入分配关系改革；第三步，实行以促进农村上层建筑变革为核心的农村综合改革。”①

农村税费改革是新中国成立以来，继土地改革、家庭承包经营之后农村的第三次重大改革。其目的主要是通过对现行农业和农村领域的税费制度的改革和完善，规范农村分配制度，理顺国家、集体和农民之间的分配关系。实行农村税费改革，是中共中央、国务院为加强农业基础、切实减轻农民负担、保护和调动农民积极性及维护农村稳定作出的一项重大决策。从1990年中央开始抓减轻农民负担工作算起，农民减负和农村税费改革至今已进行了18个年头，并迈出了值得回顾的三大步。第一步是从减轻农民负担抓起。作为农村税费改革的序幕，减负工作自1990年起持续了整整10年；第二步是从2000年3月开始，按“减轻、规范、稳定”的目

① 温家宝：《不失时机推进农村综合改革，为社会主义新农村建设提供体制保障》，《求是》2006年第8期。

标推进税费改革试点；第三步是2006年，全面取消农业税。由此，农村税费改革由“减轻、规范、稳定”的目标转向取消农业税，推进农村综合改革的新阶段。

一、我国农村税费改革思路

（一）第一阶段的税费改革

自1993年以来，我国大约有7个省的50多个县自发进行了农村税费改革试点。其中比较典型的方式有安徽省太和县的“税费合一”、湖南省武冈市的“费改税”、贵州省湄潭县的“税费统筹”、湖北省枣阳市扬挡镇的“土地负担大包干”、河北省正定县的“公粮制”和魏县的“税费合一、人地分摊”。归纳起来，这些做法不外乎三种模式：一是公粮制模式，二是农村公益事业建设税模式，三是税费大包干模式。各地尽管具体做法不一，但思路大体相同：认为农民负担过重的主要原因是乡镇财政不民主，乡镇政府搭车收费或巧立名目乱收费，所以想方设法规范乡镇政府的行为，调整好乡镇政府与农民的利益分配关系。于是，在坚持城乡二元税制结构格局下，试图实行乡镇财政民主制，重点改革现行农业税费征管办法，实行“费改税”，将农业税费合并征收。

这些税费改革，明确了税费项目，简化了征管办法，因而提高了农民负担的透明度，在一定程度上控减了农民负担、改善了农村干群关系、促进了农村经济发展。但是，由于这些改革只是简单地从形式上和表面上对农村税费征管方式进行改良，没有真正从根本上去触动现行农村税费制度深层次的问题，因而其效果也就仅限于遏制乡镇政府随心所欲乱收费。实际上，地方自发试点阶段的“费改税”做法，是把国家原先许可和地方自行约定的税费“捆绑”在一起合并征收，力图通过“一道税、一次清”来改变当时税费分别征管方式存在的“上清下不清”现象。不过，这种简单合并税费的做法混淆了税费性质，存在重大理论缺陷。而且，由于

加重农民负担的诱因没有从根本上消除，从而有可能出现在上级行政压力和舆论压力减小后，农民负担反弹，甚至进一步恶化的情况。另外，这些改革对农民硬约束，对乡镇机构和上级部门软约束，配套改革没跟上，制度上也有缺陷。

总的来看，地方自发试点阶段的改革是一种应急之举，目的在于紧急控制农民负担恶性膨胀，达不到规范和稳定农民负担的长远目的，理论上和实践上都不可行。

（二）第二阶段的税费改革

2000 年 3 月，《中共中央　国务院关于进行农村税费改革试点工作的通知》确定在安徽省以省为单位进行农村税费改革试点，其他省、自治区、直辖市可根据实际情况选择少数县（市）试点，农村税费改革由此进入中央指导试点阶段。由于“单兵推进”的做法在现实中遇到了一些障碍，2001 年 4 月，国务院办公厅发文明确指示暂停扩大推行农村税费改革试点。经过一段时间的调查研究和对改革方案的进一步完善，2002 年 3 月，国务院不仅决定恢复进行农村税费改革试点，而且进一步扩大了试点范围，把中西部的河北、四川、重庆、宁夏等 16 个省（自治区、直辖市）纳入扩大农村税费改革试点省。

这一轮中央指导试点改革的改革思路主要是取消乡统筹费、农村教育集资等专门面向农民征收的行政事业性收费和政府性基金、集资；取消屠宰税；取消统一规定的劳动积累工和义务工；调整农业税和农业特产税政策（农业税以 1998 年前五年农作物的平均产量确定常年产量，实行最高不超过 7% 的差别税率，农业特产税按照与农业税不重复征收的原则，以略高于农业税的税率因地制宜征收，并尽可能在一个环节征收）；改革村提留征收使用办法（凡由村民上交村提留开支的，以不超过新的农业税正税 20% 的农业税附加方式统一收取，并实行村用乡管）。同时，该思路提出了规范农村收费管理、精简乡镇机构和压缩人员、做好有关法律法规的修改准备工作等五条配套措施。

《中共中央　国务院关于进行农村税费改革试点工作的通知》确定的指导性改革思路，是依据公共物品理论，首先清理了对农民来说虽然合法但明显不合理的税费项目；同时，提出了农村税费改革的配套措施，特别是精简乡镇机构、压缩财政供养人员的措施，并要求抓紧制定改革的配套文件，做好有关法律法规的修改准备工作，可谓击中要害。这些触动制度的举措，比地方自发试点阶段的农村税费改革前进了一大步，深入了一个层次。

试点改革虽然取得了一些成效，但也遇到很大的困难和阻力，主要是乡村两级经费缺口较大，运转出现困难，农村义务教育难以为继；乡村负债项目多、数额大、归还难；农业税增加多、税负畸轻畸重、计税价格不标准；农业特产税品目多、税率高、征收难；配套改革不到位，减事、减人难以完全付诸实施。因此，农村税费试点改革从2001年4月起一度暂停扩大推行。但到2002年3月，新一轮农村税费改革试点工作又开始进行，并在试点范围上有所扩大。针对改革中暴露的问题和弊病，此次改革试点做了一些调整，主要是增加了用于改革试点的转移支付资金，并要求各级财政专款专用、包干使用；提出“三个确保”（即确保农民负担得到明显减轻、不反弹，确保乡镇机构和村级组织正常运转，确保农村义务教育经费正常需要）是衡量农村税费改革是否成功的重要标志；强调扎实推进各项配套改革、加强干部教育培训和对试点工作的监督检查。

总之，中央指导试点改革阶段的思路主要是“三取消、两调整、一改革”。这个思路的不足之处，首先，是对农业税和农业特产税中存在的重大问题认识不透、重视不够，因而仅仅对农业税从常年产量和税率方面进行了调整，对农业特产税只作出了不与农业税重复交叉征收和尽可能在一个环节征收的轻微调整。这一思路无视农民的实际收入水平，要求农民必须按一定比例缴纳农业税和农业特产税，不符合公平原则。其次，没有解决农业特产税征管难题，保留“一事一议”制度为乡村干部提供了“搭便车”收费的机会。再次，将村提留以农业税附加的形式征收，在理论上混淆了

税收与收费的区别和联系。一方面，村组织不是政府机构，无权收税；另一方面，把费用上升为税收来收取和支付，既不利于严肃治税，也不利于村民自治。由于这一阶段实行的农业税费政策在理论和体制上都存在重大缺陷，因而需要进一步深化改革。[①]

（三）全面取消农业税

2005年12月29日，十届全国人大常委会第十九次会议作出了自2006年1月1日起废止《中华人民共和国农业税条例》的决定。这标志着在我国延续了2600年的农业税从此退出了历史舞台。财政部有关负责人解释说，取消农业税，只是取消了专门对从事农业生产取得收入的单位和个人（主要是农民）征收的税种，并不等于农民不纳税。根据宪法及有关税收实体法的规定，农民作为公民在生产生活中与城镇居民一样具有依法纳税的义务。比如，农民从事生产经营、日常消费，都要按税法规定缴纳增值税、消费税等相关税收。[②] 20世纪90年代以来以“并税除费”，减免税费为思路的农村税费改革终于走到了全面取消农业税的阶段。

1. 取消农业税的必然性、必要性。

经过近一个世纪的努力、积累，目前我国总体上已进入了以工促农、以城带乡的发展阶段，国家的财政收入主要来自于工商业而不是农业，由“以农立国”转向“以工立国”。近年来我国经济持续快速发展，国家财力不断壮大，国家财政有能力、有实力承担取消农业税这个成本。

农业税的取消有其必然性。1958年制定的《中华人民共和国农业税》已经与我国农村的现实发展情况不相适应。一方面，我国农村生产力和生产关系都发生了重大变化。比如常年产量大大提高，农业生产经营方式也变成了家庭联产承包和统分结合的双层经

① 马晓河：《我国农村税费改革研究》，中国计划出版社2002年版，第48～52页。

② 《解读：取消农业税，不等于农民从此不缴税》，新华网，2006年3月6日。

营方式，农业税的纳税主体和常年产量、计税土地面积等计税依据也都已面目全非，农业种植结构也发生了巨大变化。加上于1983年增收的农业特产税涉及面广、税源零星分散，有的还要在生产环节和流通环节分别征税，而各家各户农业特产交易的时间、地点不统一、不确定，也基本不记账，故而难以做到据实征收、及时征收。另一方面，我国经济体制正在从计划经济体制走向市场经济体制，所处国际环境也已经从封闭走向开放，并且正逐步卷入经济全球化的浪潮，农业的生产经营也将逐步走向市场化和国际化的轨道。取消农业税，可直接降低农产品生产成本，提高我国农产品在国际市场的竞争力。

农业税的取消也有其必要性。

首先，我国农业税是在城乡二元社会分割的状况下独立设计的税收制度，具有“身份性贡赋”和“倒累进”色彩。它是向一切从事农业生产并有农业收入的单位和个人征收的一种税，只要你种地，不管收入多少都得纳税，这使农民与城市居民在税赋上面出现了严重的不公平。对于城镇居民来说，我国绝大部分省份的个人所得税起征点为800元，而农民则没有起征点，即起征点是零。这种税收政策不仅严重违背了税收的公平原则，而且还在很大程度上消解了农村扶贫政策的效果。

其次，以实现全面小康社会的宏伟目标出发，取消农业税也势在必行。全面建设小康社会，重点、难点都在农村。当前农业和农村发展还处在艰难的爬坡阶段，农村基础设施薄弱、公共服务不足、农民收入增长困难问题还很突出，农业、农村仍然是我国经济社会发展中最薄弱的环节。我国农村拥有全国2/3以上的人口，如果没有农村的小康，就根本谈不上全面小康。因此，取消农业税，绝不仅仅是为了农业、农村的发展和农民的富裕，而是关系到实现国家的长治久安和民族的伟大复兴。从保护农业、发展农业、减轻农民负担、缩小农民与其他劳动者收入差距、缩小经济发达地区和经济欠发达地区的贫富差距角度出发，取消农业税势在必行。

再次，取消农业税，终结农业财政更是现代国家建构的紧迫要

求。现代国家包括两个方面：一是以主权为核心的民族—国家，一是以主权在民为合法性基础的民主—国家。国家的一体化不仅仅是国家政权覆盖各个领域，更重要的是每个国民成为平等的主权者，由此增强每个国民的国家认同，将“朕即国家”改变为“国民国家”。[①] 取消带有浓厚城乡二元分离色彩和身份贡赋的农业税，使农民以公民身份纳税，从而推动每个国民都能平等享有国民待遇的现代国民国家的建设。终结以农民供养国家体系的“农业财政时代”，将有利于推进我国的现代国家构建，巩固现代国家的主权基础。

最后，实践证明，从1990年以来奉行的农村税费改革，并不能从根本上解决农民负担问题。由于长期存在的二元税制结构、公共产品供给、公共资源的使用监督和农村集体产权等方面存在的制度问题、体制问题，减免的农民负担一再反弹。要从根本上避免这种“怪圈”，全面取消农业税势在必行。

2. 取消农业税的意义。

——取消农业税，完善和规范了国家与农民的利益关系，可以缓解农村基层政府与农民的矛盾，更好地维护9亿农民的根本利益，促进农村的稳定和城乡居民共同富裕，实现更大范围、更高水平的小康。

——取消农业税，不仅能降低农业生产经营成本，提高农业效益和农产品的市场竞争力，而且能够调动种粮农民的积极性，增强粮食综合生产能力，维护国家粮食安全，同时也将把农业农村发展纳入整个现代化进程，让亿万农民共享现代化成果。

——取消农业税，有利于增加农民收入，使亿万农民的潜在购买意愿转化为巨大的现实消费需求，将进一步提高农村消费水平，从而拉动整个经济的持续增长，盘活国民经济的全局。

——全面取消农业税，实行工业反哺农业、城市支持农村和多

---

① 徐勇：《现代国家的建构与农业财政的终结》，《华中师范大学学报》2006年第2期。

予少取放活的方针，加大各级政府对农业和农村增加投入的力度，让公共财政阳光更大范围覆盖农村，能够充分调动广大农民的积极性，保证社会主义新农村建设始终有力有序有效地推进。

3. 取消农业税的负面影响。

当然，取消农业税短时期内也会造成一定的负面影响，主要有：减少地方财政收入，制约农村基层政府功能发挥；农村公益事业难以发展；农业新品种和技术服务推广更加困难；农村义务教育和职业培训面临困境等。为此，农村改革要进一步深化，推动乡镇机构、农村教育和县乡财政体制等以上层建筑为主的综合配套改革。

（四）农村税费改革的深入和完善

取消农业税，不等于农村税费改革完成了，更不等同农民负担问题完全解决了。①

1. 建立城乡统一的税制体系。

农业税的取消无疑是利国利民的一件大好事，然而，我们也要清醒地看到，取消农业税只能说是农村税制改革所迈出的关键的第一步，是迈向公平社会的第一步，绝不应认为这已经就是终点，因为这仍然是在旧的城乡利益格局还没有从根本上得到改变的背景下进行的。不论农民纳税还是不纳税的政策，都是以身份来确定纳税主体的做法，不仅在税收理论上找不到任何依据，并且在实践中也只能导致农民与其他公民之间的不公平甚至导致矛盾和分裂。② 取消农业税无疑是最简单最有效减轻农民负担的措施，但这既不符合依法治税的原则，也可能会在纠正了“穷人纳税”的不公平时又带来“富人不纳税”的新的不公平。如果说传统的农村普税制度从某种程度上来说是向穷人征税，是不公平的。那么，全面取消农

---

① 《回良玉强调深刻认识全面取消农业税重大历史意义》，新华网，2006年2月22日。

② 邓仕礼、王陶：《从普征农业税到全面取消农业税——由一个不公平到另一个不公平?》，经济学家网站，http://www.jjxj.com.cn.

业税使得农村先富起来的农民也不必纳税，同样是不公平的。同时，中国地域辽阔，各地区间经济发展很不平衡。如果不考虑差别，对这些地区实行同样的税收制度，即使是全面取消农业税，也隐含着对不发达地区的相对不公平。因此，仅仅是全面取消农业税，还是不能发挥税收在调节城乡之间、城市居民和农民之间，以及农民与农民之间的收入分配关系方面的职能作用。

因此，我国农村税收制度改革的最终方向是统一城乡税制。一方面，在加入 WTO 和经济全球化的大趋势下，我国农业税制的设计也要全方位地适应开放型经济环境的要求，与国际接轨。世界上的市场经济国家都没有设立农业税这一单独面向农业的税种，而是实行全国统一的税制，农民在税赋上与非农业生产者享受同样的国民税收待遇，只不过在税收价格补贴、货币政策上会享受一些优惠政策。另一方面，从我国国民经济总体发展趋势看，全国统一大市场的建立，不同行业之间的相互渗透，越来越要求在全国范围内面向整个国民经济领域，建立一个统一的、公平的税制体系。

2. 建立合理的农村税收制度。

不征农业税是当今各国的普遍做法，但公平的征税原则要求社会上所有人都应当按能力大小纳税。国外对农业征税主要有三种方式：一是以农业产品为课税对象，征收流转税，以英美为代表；二是以农业收益为征税对象，征收所得税，以韩国、土耳其为代表；三是以土地为征税对象，对农用土地征收土地税或财产税，以俄罗斯为代表。我国也应根据具体国情，制定公平合理的农村税收制度。有研究者提出，可在贯彻税收公平原则的前提下，对农民比照城镇居民开征个人所得税。①

3. 构建新型的农村公共产品供给机制。

首先，农村纯公共产品由政府公共提供。政府应本着公平的原则，按经济发展状况通过转移支付的形式对大型骨干水利工程、农

---

① 李然、白茹：《全面取消农业税利弊分析及对策研究》，江苏兴农信息网，http://www.jsxnw.gov.cn.

业基础科学研究、种子培育、水土保持、农村教育、计划生育、农村道路建设等纯公共产品提供资金投入，不应再向农民征收额外的费用。其次，农村准公共产品按政府补贴和私人投资相结合的方式，由政府和农民私人混合提供。如地区性的中小型水利、农业科技教育、农技推广和农业机械推广、农村电力等，可以在政府补贴的基础上，按照“谁受益、谁负担”和量力而行的原则组织生产。这类产品也可以先由政府公共提供，然后按照受益大小，向使用者收取相应的使用费。再次，小范围受益的公共产品，如灌溉、具体农业技术提供、农产品的产供销联合体、农产品加工和流通等，则可以将农民组织起来，成立合作性的团体，通过合作方式将外部收益内部化，提高供给效率。

4. 积极推进农村综合配套改革。

推进农村综合配套改革，是取消农业税的逻辑后果。国务院总理温家宝强调，农业税的取消，标志着我国农村改革开始进入综合改革的新阶段。要充分认识农村综合改革的重要性和艰巨性，按照巩固农村税费改革成果和完善社会主义市场经济体制的要求，推进乡镇机构、农村义务教育和县乡财政管理体制改革，建立精干高效的农村行政管理体制和运行机制、覆盖城乡的公共财政制度、政府保障的农村义务教育体制，促进农民减负增收和农村公益事业发展，全面推动社会主义新农村建设。①

5. 全面推进农村土地制度创新。

土地产权制度的改革和完善是农村税费制度改革重构的基本部分，也是进行税费分流的基础。必须加快土地产权制度的创新，使权能明晰的农村土地产权基线更加牢固，给予农民对土地一个长期的较好的展望。

① 温家宝：《不失时机推进农村综合改革，为新农村建设提供体制保障》，《求是》1996年第18期。

二、广东农村税费改革

（一）改革开放前的广东农业税

改革开放前，根据各时期农村经济情况、国家建设的需要以及农民负担能力的不同，广东省农业税及其征收情况如下：

第一阶段（1949—1957年）。前四年由于正处于新中国成立初期，百废待兴，以及进行抗美援朝战争等需要，农民的农业税负较重；土地改革完成后，解放了劳动生产力，农业生产得到了迅速发展，农民的农业税负担比较正常。据统计，1950年全省农业税计税面积4166万亩，到1957年为5478万亩，1950—1957年全省实征正税税额累计722805万公斤（细粮，文中无特殊说明处同），地方附加累计81886万公斤。

第二阶段（1958—1977年）。1958年起，急速推行“人民公社化”，生产关系变革过快，对农业生产造成不良后果，为此，1961年中央决定大幅度调减了广东省农业税任务30000万公斤。后由于十年“文化大革命”浩劫和极左路线没有得到纠正，以致广东省农村有近1/4生产队的社员，生产、生活存在较大困难，但农业税政策没有很大变化。据统计，1958年全省农业税计税面积5383万亩，到1977年减少为4352万亩（计税面积减少原因主要是国家建设征占用了一部分耕地，以下同），这段时期，全省实征正税税额累计1483684万公斤，地方附加累计147396万公斤。[①]

（二）改革开放后的广东农业税

中共十一届三中全会以后，为减轻负担，让农民休养生息，逐步恢复和发展生产，解决温饱，改善生活，广东的农业税政策也随之进行了调整。

---

① 《广东省农业税历程》，广东省财政厅网站，http://www.gdczt.gov.cn.

1978年，为了贯彻执行“合理负担”、“稳定负担”的农业税征收政策，平衡各类作物的负担，促进山林特产的发展，广东省对山林特产征收农业税的问题作了统一的规定。山林特产税的征收范围包括茶叶、果类、橡胶、茨莨、香料和竹子六类。山林特产作物的计税产量，一般根据特产作物的正常年景产量评定。山林特产税可在每年夏、秋征期间一并征收；或在产品上市时委托当地国家收购单位，随购征收，定期结算；在会计记账制度健全的纳税单位，也可以参照记账收入分期查账征收。

1979年，中共中央、国务院规定，农业税实行起征点征收政策，并从1980年起，实行免税“一定三年”方针，中央每年核减广东省低产缺粮队减免指标20000万公斤。广东省农业税的起征点定为人平口粮401市斤（原粮即稻谷，此段下同），400市斤以下免征。低产缺粮队的标准问题，全省不作统一规定，由各地根据中央的政策精神，在省下达的减免指标范围内，结合实际情况具体确定。农业税实行起征点，是党和国家采取的一项休养生息，恢复和发展农业生产的重要措施，政策性很强。广东省各级党委、政府都很重视，切实加强领导，组织了大批干部力量，广泛深入地进行调查研究，针对不同地区的情况，拟定了实施方案，使这项工作扎实有序地进行。这一政策自1979年实施，到1982年停止，三年免征正税税额98375万斤（大米），折计金额16548万元，约占全省应征税额25%，受益队共21.7万个，受益人口2477万。

从1979年起，广东省一律取消征收专项用于补助农村基本路线教育运动经费的5%的农业税附加。

1981年11月，根据各类山林特产不同的产、供、销和费用、负担情况，调整山林特产农业税税率。

1983年，广东省根据财政部《关于停止执行农业税起征点办法的通知》，对全省恢复征收农业税，并相应追加各地1983年的财政收入任务。

1985年，全国农业税改为按粮食“倒三七”比例价折征代金，这是我国农业税征收的一项重要改革。5月17日广东省人民政府

在转发《国务院批转财政部关于农业税改为按粮食“倒三七”比例价折征代金问题请示的通知》时，结合本省实际情况规定，农业税仍继续实行征收粮食为主，各地要确保完成按粮食定购合同任务，并按照“先征粮后定购”的原则，在扣除应缴农业税的粮食部分后，再付给农民定购粮食价款；粮食部门接收的农业税粮食和代金，统一按粮食“倒三七”比例价（即50公斤稻谷16.13元，其中：30%按原统购价，70%按原超购价）与财政部门进行结算，不再执行“按质论价”的办法。1985年5月22日，广东省财政厅根据《国务院关于对农林特产收入征收农业税的若干规定》精神，对广东省征收农林特产农业税重新作了规定：凡从事农林特产品生产，取得农林特产收入的单位和个人都应按规定缴纳农业税；征税范围包括园艺收入、林木收入、水产品收入、亚热带作物收入、其他农林特产收入。

1989年，广东省提高了公粮的结算价格，征收的农业税金额也随之增加。同年，再次调整农林特产税税率，规定：淡水养殖、海水养殖、滩涂养殖收入税率10%，其中水珍品为15%；水果类中的柑橘橙、蕉、荔枝、芒果收入15%，其他水果及果用瓜类收入10%，花卉、橡胶、亚热带作物收入10%，原木、苗木、竹、茶叶收入8%，对森工企业的原木收入暂缓征收，生漆、茨莨、木本油料、水生植物、药材、桑、松脂收入7%，并随正税征收10%的农林特产税附加。

1993年2月3日，广东省财政厅下发《关于做好一九九三年农业税征收工作的通知》，对1993年的粮食结算价格、农业税收入分成等作出明确规定：① 农业税实行征收粮食实物的原则。但对一些经济作物和林渔业集中的产区，以及接收粮食实物有困难的地方在储备粮有保证且纳税人能够接受的情况下，经县以上人民政府同意，可以据实采取钱粮兼收，代金由财政部门直接征收的办法。② 征收的公粮实行按市价结算的原则。要保证所征粮食达到中等质量以上，并鼓励纳税人交优质谷，坚持“按质论价、按价折量”，公粮结算价以县为单位，由县财政部门参照本县粮食市场价格及农业税任务确定。③ 继续执行粮食价格放开后农业税收入增收部分全额留县（市）的原则。按现行财政管理体制规定，农业税收入全额列入地方预算内“农业税收入”科目反映。

此后，广东省的农业税情况可划分为两个阶段：

1994—1999年。在1994年的税制改革中，国务院取消了产品税，将原产品税中农林牧水产品税与原农林特产税归并，统一征收农业特产税。广东省根据《国务院关于对农业特产收入征收农业税的规定》，颁发了《广东省对农业特产收入征收农业税实施办法》，并出台相关措施继续稳定农业税负担。据统计，1994年全省农业税计税面积3623万亩，1999年为3546万亩，这段时期，全省实征正税税额累计324862万公斤，地方附加累计29962万公斤。

2000—2005年。广东省根据中共中央、国务院《关于进行农村税费改革试点工作的通知》精神，适时推进了农村税费改革工作，农民负担不断得到减轻。从2005年1月1日起全省免征农业税后，本省农民实现了农业税赋零负担。据统计，2000年全省农业税计税面积3531万亩，到2004年为2265万亩，2000年至2004年全省实征正税税额累计271666万公斤，地方附加累计15914万公斤。

（三）广东农村税费改革

1. 税费改革历程。

1998年10月，国务院成立农村税费改革工作小组，着手研究制定农村税费改革方案。2000年3月，中共中央、国务院正式下发《关于进行农村税费改革试点工作的通知》，决定在部分省市进行农村税费改革试点。同年，广东省成立了农村税费改革领导小组及办事机构，并于2000年3月召开领导小组第一次成员会议，选择了三种不同类型的地区——兴宁、四会和徐闻三个县（市）作为农村税费改革的先行试点县（市），掀开了农村税费改革的序幕。

2001年，广东省政府调整、加强了农村税费改革领导小组，

并设立办公室，为进一步开展农村税费改革试点工作做好准备。在三个试点县（市）的基础上，2002 年，广东省农村税费改革扩大到珠江三角洲地区即广州、深圳、珠海、东莞、中山、江门、佛山、顺德（现为佛山市顺德区）8 市进行试点。在试点过程中，各市均成立了农村税费改革领导小组及办公室；认真做好宣传发动工作；深入调查研究，制订切实可行的改革方案和配套改革措施；精心组织，认真实施改革方案；实行农村税费改革转移支付。试点地区针对改革中暴露出来的计税产量核定不合理、计税面积与实际不符、税负不公等情况，制定了补充措施，不断地完善政策，创新解决问题的途径和办法，对推动改革的深入起到了重要的作用。

2003 年 7 月 1 日起，广东省在全省范围内全面推进农村税费改革。省委、省政府根据广东省的实际情况，制定了《广东省农村税费改革试点方案》。2004 年，广东省人民政府下发了《关于深化农业税改革的决定》。珠江三角洲地区进行了自费免征农业税改革试点，粤东粤西地区及粤北山区的农业税税率由 6% 降低到 3%。深化农业税改革后，当年全省减免农业税 56064 万元（其中：珠三角地区 31097 万元，14 个市 24967 万元），全省农民人均每年负担由改革前的 106.93 元减少为 6.77 元，农民人均减负 100.16 元，减负率达 93.67%。

2005 年，广东省全面深化农村税费改革。省委、省政府下发了《关于深化农村税费改革试点工作的通知》，从 2005 年 1 月 1 日起，全省全面免征农业税，各地由此减少的农业税收入，由省财政通过转移支付帮助解决。通过深化农村税费改革，全省再减免农业税 35684 万元。通过农村税费改革，全省农民人均每年减轻负担 106.93 元，全省农民每年从改革中得到 55.5 亿元的实惠。至此，全省农民实现了农业税赋零负担，所有面对农民的行政事业性收费与集资均已全部取消。在免征农业税的同时，广东省还推进各项配套改革，巩固农民减负基础。包括：深化乡镇行政管理体制改革；推进农村义务教育管理体制改革；逐步建立新型县镇公共财政制度；妥善处理镇村债务；建立健全长效的监督机制。

广东农村税费改革的主要内容是：①"五取消"——取消乡镇统筹费、村提留、农村教育集资等专门面向农民征收的行政事业性收费和政府性基金、集资；取消屠宰税；取消面向农民征收的农业特产税；取消劳动积累工和义务工；取消农业税附加。②"一改革"——改革村级经费筹集和管理，实行村内事务"一事一议"制度。农民人均负担"一事一议"资金全年最高不得超过15元。③"一种税"——对农民只征收农业税。广东省决定新的农业税税率按6%执行。

农村税费改革"四环节"是：① 抓核心。下决心将全省农民负担减轻50%以上，做到税改前有直接负担的农民户户减负。② 抓关键。加大"并镇"、并村力度，调整农村中小学布局，做好并校工作。③ 抓难点。妥善处理镇村负债和历史遗留问题，禁止发生新债，禁止向农民收费还债，禁止将镇村债务转嫁到农民身上。④ 抓根本。大力推进农业产业化，加强规划，统筹城乡，积极推进农村工业化、城镇化进程。

随着农村税费改革的展开，与税费改革相配套的"并镇、并村、并校、减人"等工作也随之推开。2003年，全省撤并减少了245个乡镇，完成了广东省委、省政府提出的撤减乡镇15%以上的任务；调整农村中小学校布局，2006年撤并减少学校2457所，比改革前的28191间减少了8.72%。

为弥补农村税费改革后粤东、粤西和粤北地区的财政收支缺口，省里每年安排专项资金20.3亿元，重点帮助14个市65个县（市）进行农村税费改革，平均转移支付补助的比例为70%。2003—2005年，广东农村税费改革投入资金达98.46亿元。广东还从各级粮食风险基金中安排1亿元用于直接补贴种粮大户，并对粮食收购提出最低保护价。省财政还安排20亿元专项资金重点用于山区减轻农村义务教育所欠的历史债务。①

---

① 陈清浩：《税费改革　取消农业税》，《南方农村报》2007年5月17日。

三、广东惠农支农状况

改革开放以来，随着改革的逐步深入和农村经济的发展，广东不断加大农业投入，大力改善农业生产环境，提高农业科技水平，使农业产出水平逐步提高，农业经济效益迈上新的台阶，农业基础地位得到不断加强。

（一）农业投入稳定增长，投入结构逐步完善

1. 农业投入不断增长。

改革开放以前，广东农业生产发展主要靠劳动力投入，物资投入水平不高，1978 年物资投入仅为 30.74 亿元。改革开放后，农业物资投入成为发展农业生产的主要因素，物资投入水平大幅度提高。1980 年农业物资投入达 41.43 亿元，1987 年突破 100 亿元，1996 年突破 600 亿元，2001 年达 703.47 亿元。

资金投入稳步增长。1988—2000 年，广东各级财政投入农业资金累计（仅含预算内部分，下同）达 378 亿元。分时期累计投入支援农业资金呈现稳步上升的势头，1989 年突破 10 亿元，1993 年突破 20 亿元，到 2000 年突破 60 亿元大关。13 年间，广东投入农业生产资金共增长 6 倍多。农业生产资金投入的稳步增长，有力地推动着农业生产和农村经济的发展，为巩固农业基础地位提供了必要的资金保证。

劳动力投入货币折合量增大，投入人数则下降。据有关资料匡算，1980 年劳动力货币折合量为 78 亿元，2001 年达 389 亿元，20 年间增长 4 倍。从投入劳动力总人数看，1978 年投入的农业劳动力为 1663 万人，是历史上投入的农业劳动力最高年份，占农村劳动力的 93.4%，随着农业劳动力向第二、三产业转移，农业劳动力逐年减少，2001 年农业劳动力减少到 1566 万人，占农村劳动力的比重下降到 55%，为历史最低水平。

2. 农业投入结构不断优化。

农业投入由以劳动力投入为主向物资投入为主转变。改革开放初期，广东农业的投入以劳动力投入为主。随着经济的发展，特别是农业科技水平和农业机械化、产业化程度的日益提高，农业剩余劳动力向第二、三产业的逐步转移，到2001年按农业投入的货币折合量计算，劳动力和物资的投入比重分别为35%和65%，农业投入实现了由以劳动力投入为主向以物资投入为主的转变。

分行业投入由以单一的种植业为主向种植业带动，加快牧业、渔业发展转变。改革开放前，广东种植业占绝对主导地位，农业投入以种植业占绝对优势。农业物质投入中，1980年，种植业、林、牧、渔业的物质消耗比重分别为65.9%、3.6%、21.9%、8.6%，林、牧、渔业比重总和仅为种植业的二分之一强。1980年以来，广东全面调整农业生产结构，大力发展林、牧、渔业，投入物质消耗的比重中，种植业大幅度下降，牧业和渔业比重大幅度提高，到2001年，种植业、林、牧、渔业物质消耗比重分别为39.8%、1.9%、35.5%、22.8%，牧业和渔业的物质消耗比重总和已达到58%。

3. 地区性投入差异明显。

由于农业经济环境、劳动力资源和生产条件的差异，各地农业投入情况各具特点，差异较大。从农业生产投入的物力和人力总量看，2001年超过100亿元的有湛江（118亿元）、茂名（111亿元）2个市，两市合计占全省农业总投入的19%；60亿~100亿元的有广州、江门、肇庆、揭阳、佛山5个市，合计占全省农业总投入的32%；其余14个市均在60亿元以下。以最高投入与最低投入的市比较，投入总量相差10倍。①

（二）我国粮食补贴的五个阶段

第一阶段：1978—1984年。粮食补贴主要是补贴粮食企业经

① 《改革开放以来广东农业投入产出及其评价》，广东省统计信息网，http://www.gdstats.gov.cn.

营费用和购销差价，并以后者为主，实际上重点是补贴城市居民，农民间接得到补贴利益。

第二阶段：1985—1990 年。仍然主要是补贴粮食企业经营费用和购销差价，以后者为主，重点是补贴城市居民。同时，对农民交售定购粮采取“三挂钩”的补贴措施。

第三阶段：1991—1993 年。由补贴粮食企业经营费用和购销差价且以后者为主的方式，开始转向补贴粮食企业等流通环节，以粮食风险基金为其主要的存在形式。

第四阶段：1994—1997 年。仍然采取补贴粮食企业等流通环节的办法。

第五阶段：1998—2003 年。主要采取国家储备粮补贴和粮食风险基金的形式。

这几个阶段的农业补贴项目主要集中在流通环节上。除了农村开荒补助费、草场改良保护补助费、造林补助费、林木病虫害防治补助费以及退耕还林粮食补贴外，其他各项补贴都属于对流通环节的补贴。从补贴对农民的受益程度看，这几个阶段的农业补贴都是间接补贴，并没有对农民直接补贴。①

2003 年度，我国粮食补贴政策发生了重大变化，越来越多的省份开始采取对粮食进行直接补贴的方式，即补贴直接发放给农民，而中间粮食收购企业则被推向市场化。这是中国农业补贴领域的一场革命，农业补贴由流通环节转向生产环节，将对期货市场发展产生重要影响。

我国现行的粮食补贴政策包括粮食直补、水稻良种补贴和 2006 年增设的农资综合直补。从 2004 年起，国家财政对种粮农民实行直接补贴，补贴依据是农民的粮食实际种植面积，采用“涉农补贴一折通”的方式，粮补资金直达农户。除此之外，国家对部分地区涉及全局的特殊项目、特殊群体给予专项补贴以及地方政

① 王晖辉：《农业补贴将改为直接补贴　农业税将逐年降低》，《南方日报》2003 年 11 月 7 日。

府自行出台的专项补贴等，共同构成了国家对农业的补贴体系。2006年，全面取消农业税后，中央和地方财政为此共安排1030亿元转移支付。在“少取、不取”的同时，加大补贴政策实施力度。其具体措施有：全面推广“一卡通”（“一折通”），将补贴资金直接发放到农民的银行卡或存折中；启动中国农民补贴网建设，加强补贴管理；初步建立了符合我国国情、综合补贴与专项补贴相结合、管理比较规范的农业补贴政策体系。

（三）公共财政逐步实现覆盖农村并向农村倾斜

2005年，广东省委、省政府出台了《中共广东省委、广东省人民政府关于统筹城乡发展加快农村“三化”建设的决定》（以下简称《决定》）。《决定》指出，统筹城乡发展的总体目标是：珠三角地区力争到2010年、全省到2020年基本建立起城乡协调的经济社会管理体制和发展机制，实现农民持续增收、农业增效、农村繁荣。为实现上述目标，《决定》提出了实施统筹城乡发展的五项具体措施：① 统筹城乡产业发展，着力提升农村工业化和农业产业化水平，发展壮大县域经济，增强县城和中心镇对农村发展的带动作用；② 统筹城乡规划建设与管理，提升农村城镇化水平，特别要大力推动城市基础设施向农村延伸，努力改善农民的生产生活条件；③ 统筹城乡居民就业，加快农村富余劳动力战略性转移，增加农民非农收入；④ 统筹城乡社会事业发展，建立健全农村社会保障体系，完善以大病统筹为主的新型农村合作医疗制度；⑤ 统筹城乡体制改革，建立城乡协调发展的新机制。

这一文件是新时期指导广东省“三农”工作的纲领性文件，它吹响了历史性转变的号角——从农业支持工业、为工业提供积累转为工业反哺农业、城市支持农村。在决定规定的一系列举措背后，隐含着财政政策对“三农”的倾斜支持。这意味着广东省公共财政资源的分配格局正悄然发生着大的变化，正逐步实现公共财政覆盖农村并向农村倾斜。

——2003—2005年，广东省财政共安排30.75亿元，加大对农

村义务教育的转移支付力度；从2006年秋季新学年开始，广东省在农村全面实施免费义务教育，数百万农村贫困家庭子女因此受惠。

——2003—2005年，广东省安排了农业支出127.9亿元，加强农业基础设施及服务体系建设。

——从2004年开始，广东省对种粮进行两种补贴。2005年起，广东省享受种粮直补的水稻播种面积标准从30亩/年调整为20亩/年，直补对象为全省范围内直接从事种植水稻的种粮农民（含承包土地种植水稻的种粮农民），补贴标准为每亩每年补贴20元①。2005年全省种粮补贴金额8412.05万元。

——从2003年到2006年，全省共投入近80亿元（其中省财政25亿元）建设资金，基本上实现了村村通公路。

——支农、惠农政策还体现在对农村社会保障制度的构建。广东省自2002年推进新型农村合作医疗制度，到2005年，全省基本建立新型农村合作医疗制度，参加农村合作医疗的人口为2546万，占全省5047万农业人口的50.5%。2005年，广东省还将农村符合条件的低保对象全部纳入低保救济范围，农村低保人数从2003年的67.5万人增加到去年的130万人，做到“应保尽保”。

——2003年，广东省委、省政府将“农村饮水工程”列为“十项民心工程”之一，到2005年底，基本解决了农村180万人饮水困难问题，改善了水质和供水条件，减少了群众因饮用水问题引起的疾病。②

---

① 赖少芬：《广东扩大粮食直补范围　农民种水稻每亩补贴20元》，新华网，2005年1月16日，http://www.xinhuanet.com.

② 《广东省增加农业投入　减轻农民负担》，新华网广东频道，2006年9月10日，http://www.gd.xinhuanet.com.

第八章
村民自治和乡村治理

1978年12月底召开的中共十一届三中全会提出，必须在经济上充分关心农民的物质利益，必须在政治上切实保障农民的民主权利，全景观地勾画出了我国在新时期进行农村改革的总路线图。即通过农村经济体制的改革，再造市场经济的微观基础，使亿万农户成为独立的市场主体；通过农村政治体制的改革，再造基层社会的民主权威，使亿万农民群众当家作主。

一、“乡政村治”体制的建立

（一）新中国成立后我国农村基层组织制度的变迁

新中国成立后，基层农村政权组织和经济组织变化较大，但党的组织和群众团体相对稳定。总体来看，可以将农村基层组织制度的变迁划分为三个阶段：

一是新中国成立初期，在农村经济体制变革的同时，农村基层政权组织也逐步建立健全。1950年，政务院公布了《乡（行政村）人民代表会议组织通则》和《乡（行政村）人民政府组织通则》，指导各地农村建立基层政权组织。当时，农村基层政权组织在华北、东北和内蒙古自治区是行政村，在其他省区是乡。后来统一改

为乡建制。1953 年 3 月—1954 年 9 月，全国农村进行了普选，建立了乡人民代表大会。1954 年 9 月，第一届全国人民代表大会通过了《中华人民共和国宪法》，规定农村基层政权为乡、民族乡、镇，其政权机关为乡（民族乡、镇）人民代表大会和人民委员会。1955 年农业合作化高潮到来以后，各地采取并乡等措施以扩大乡的范围，农村基层政权组织也随之调整。

二是人民公社时期。1958 年，全国农村普遍建立人民公社，取消乡镇政府，实行政社合一体制。同时，乡镇党委改为公社党委，乡镇人民委员会改为公社社务委员会。人民公社一般分为公社管理委员会、生产大队、生产队三级。这一政社合一体制一直延续到农村改革开放初期。

人民公社在实行社队分权体制的同时，将党组织网络延伸到了大队一级，公社有党委，下面有党总支和党支部，基层党组织已经相当健全。早在革命战争年代，中共就将“支部建在连队”作为一项重要的组织原则确定下来，但在广大农村按行政区划在乡镇以下建立党组织直到 1961 年人民公社调整时期才得以完成。

三是改革开放新时期。中共十一届三中全会以后，农村逐步实行了家庭联产承包责任制，政社合一的人民公社体制被废除。农村基层政权组织和经济组织在组织制度上又一次发生巨大变化。

人民公社体制的废除有其深刻的政治、经济背景。到 1983 年，全国已有 97.9% 的生产队实行了“大包干”。实行“大包干”以后，生产队的职能开始分解，生产经营职能主要转向农户，绝大多数管理职能归并到生产大队，生产队的组织功能在不少地方基本消失，人民公社的三级组织结构被打破。家庭联产承包责任制从一开始就不仅仅是乡村经济领域的重要变革，它对乡村政治和社会领域的冲击也是巨大的。“承认农民个人作用，表现农村创造精神的包产到户是人民公社制度的直接对立物。正是通过包产到户，入社农民的财产权和人身地位才开始得到保障。包产到户的兴起，同时也就标志着人民公社制度的终结。"[1] 以国家行政权力和乡村自治权力相分离为基础的"乡政村治"体制也随之产生。

（二）"乡政村治"体制的建立

改革开放后，以国家行政权力和乡村自治权力相分离为基础的"乡政村治"体制成为乡村社会最为基本的社会组织方式。这种以村民自治为核心内容的乡村治理体制，是国家在市场经济背景下对村民个人权利承认和保护的制度性承诺。它改变了新中国成立以来乡村组织经济化的进程，标志着乡村组织政治化的展开。[2]

"乡政村治"体制的建立是一个渐进的过程。

1982年第五届全国人民代表大会通过的《中华人民共和国宪法》确定了废除人民公社体制后的乡村组织形式。它规定，乡、民族乡和镇是我国最基层的行政区域，乡镇行政区域内的行政工作由乡镇人民政府负责，乡镇人民政府实行乡长、镇长负责制。乡、镇长由乡、镇人民代表大会选举产生。1983年10月，中共中央、国务院发出《关于实行政社分开建立乡政府的通知》，明确指出：当前的首要任务是政社分开，建立乡政府。同时，按乡建立乡党委，并根据生产的需要和群众的意愿逐步建立经济组织。政社分开、建立乡政府的工作要与选举乡人民代表大会的工作相结合，大体上在1984年底前完成。该通知对建立乡政府和村民委员会也提出了明确的要求。

自此以后，全国各地普遍开始了恢复建立乡政权的工作。到1985年春，全国农村人民公社政社分开建立乡政府的工作全部结束。全国共建立了9.2万多个乡、镇人民政府，同时还建立了82

---

① 于建嵘：《岳村政治——转型期中国乡村政治结构的变迁》，商务印书馆2001年版，第320页。

② 于建嵘：《岳村政治——转型期中国乡村政治结构的变迁》，商务印书馆2001年版，第419页。

万多个村民委员会。①

在实行政社分设、建立乡镇政府的基础上，中共中央、国务院1986年9月发出了《关于加强农村基层政权建设工作的通知》，明确要求：实行党政分工，乡镇党委要集中精力抓好党的自身建设，保证乡镇政府依照宪法和法律的规定独立行使职权，不能包办政府的具体工作，实行政企分开，乡镇政府要行使管理经济的职能，支持乡镇经济组织行使自主权，不能包揽或代替经济组织的具体经营活动。1987年11月，全国人大常委会通过并颁布了《中华人民共和国村民委员会组织法（试行)》，并在1988年6月试行，民政部也于1988年2月发出《关于贯彻执行〈中华人民共和国村民委员会组织法（试行)〉》的通知，各地开始进行真正自治意义的村委会建设。至此，“乡政村治”才成为乡村社会的基本政治体制。

在目前的乡村社会中，主要的村级正式组织是村党支部和村民委员会。在“村治”体制结构中，村党支部是权力核心，它作为国家实现对基层乡村一体化整合的工具，其代表的权力直接来自政权机关的国家权力，是以国家强制力为后盾的；同时，村民委员会作为基层群众性自治组织，正在改变乡村政治的性质和运作路径，村民自治成为“乡政村治”的核心内容。1982年《宪法》第111条的规定，为农村实行村民自治提供了法律依据，全国人大常委会在1987年制定的试行性质的村委会组织法和1998年颁布的修订后的村委会组织法是全国农村开展村民自治的基本法律制度。村民自治法律的制定和推行，有力地推动了中国农村政治结构转型和发展。

---

① 于建嵘：《岳村政治——转型期中国乡村政治结构的变迁》，商务印书馆2001年版，第322页。

二、广东村民自治

（一）广东农村基层组织制度变革

1. 废除人民公社体制，恢复乡镇建制。

1983年6月，广东开展了对人民公社政社合一体制的改革。1983年10月，中共中央作出实行政社分开、建立乡镇政府的决定。1984年上半年，广东省改革人民公社体制的工作基本完成。在组织机构上，实行政权与经济组织分开。行政机构的设置，根据广东公社、大队的规模比较大，而生产队规模比较小的特点，基本上以原公社、大队和生产队（或自然村）的范围分别建立区公所、乡政府、村民委员会，取消了人民公社组织。由于全省撤销人民公社时，公社原来的行政机构改为区公所，而区公所不是一级基层政权组织，为了与全国行政基层组织的设置相一致，1986年，全省又撤区建乡镇，原来的乡改为村民委员会，原来的村民委员会改为村民小组。在这一阶段，广东农村体制与全国保持一致。

2. 农村管理区办事处体制的设立。

1989年，广东省委在分析了广东农村社会发展实际需要的情况下，决定将村委会改为管理区办事处，其性质是乡镇政府在农村的派出机构；同时，将村民小组改为村委会，由村民选举村主任（一般称村长或小村长）。这就是颇具广东特色的农村管理区办事处体制。经济组织的设置一般以人民公社的三级经济为基础，在原生产队一级设置经济合作社，在原大队一级设置经济合作联社，在原公社一级设置经济合作总社，有的建立了公司，实行政企分开。

这种权力结构具有如下几个特征：① 权力资源的单一控制模式，即管理区的经济资源、政治资源主要控制在管理区党组织手中；② 权力来源的同一性，即管理区书记和主任的权力都来自乡镇任命；③ 职能重叠，即管理区党政职能不分、以党代政；④ 权力影响力结构是单一的强书记—弱主任的结构，这种权力结构的实

质是人民公社时期党的一元化领导体制的承袭或变形。

广东的农村管理区体制有其历史合理性，即对农村工业化和城市化发挥了促进作用。这种促进作用主要表现为：

第一，促进了农村经济资源的工业化配置。由于小农经济不适应农村工业化的发展要求，因而在广东推行农村工业化战略的过程中，选择了农村管理区办事处体制。这种体制的优势，就是以权力的集中促使农村土地、资金、劳动力等经济资源向非农产业的集中。具体的措施，各地农村不同，比较有广东特色的是土地股份合作制。

第二，实行公司化的农村经营管理体制。从“政治挂帅”转变到“经济挂帅”后，农村管理区的中心工作就是发展经济。而“发展经济”的含义主要是招商引资、开发工业村、兴办“三高”农业园等。为此，乡镇政府一般设立了“某某镇经济发展总公司”，而管理区则以农村经济合作联社为基础成立“某某管理区（村）经济发展公司”。不少的广东农村，通过公司化管理，实现了“政企分开”，即村公司实行独立核算，村级组织设立自己的钱袋子即“村财政”。村财政与村公司财务的划分，大大提高了广东农村公司化治理水平。

第三，重建农村社区集体福利。尽管管理区办事处是乡镇政府的派出机构，但管理区的经济仍然是农村集体经济。因此管理区必须以社区集体主义为导向，重建农村社区集体福利，才能从农村获得权力资源。在珠江三角洲许多农村，建立了程度不同的集体福利制度，如免费入幼入学、养老保险、合作医疗、集体分红（年终人头分红，老人“利是”、节假日奖金等）。社区集体福利的重建，无疑增强了农民对农村管理区的社会认同。

但农村管理区体制也存在着难以克服的弊病，主要表现在三个方面：① 管理区干部的责任机制不合理。由于管理区干部由乡镇任命，因此许多基层干部唯上是从，不关心农民群众痛痒，部分农村干部欺上瞒下、鱼肉百姓，导致农民的不满甚至对立。② 管理区的集体产权关系不明晰。管理区办事处往往取代村委会（原生产队）而直接管理属于村民集体所有的土地和其他财产，这种侵占农民利益、与民争利行为必然招致农民对政府的不满。③ 对管理区干部的权力监督乏力。尽管广东也不断抓农村基层组织建设，搞“两公开一监督”等，但由于缺乏有效的监督机制，一些管理区干部铺张浪费、贪污行贿甚至集体腐败的行为难以遏制，加剧干群关系紧张，危害安定团结大局。总之，管理区体制的根本弊病，就是没有民主选举，也就缺乏民主监督，更谈不上民主管理，而且管理区办事处的设置没有法理依据。因此，推行村民直选制度，让村干部定期接受村民投票的考验，是改革管理区体制的关键一步。①

3. 撤销农村管理区，实行村民自治。

从1998年9月份开始，至1999年底，广东用一年多时间，完成了在全省理顺农村基层管理体制的改革。变革的基本内容，就是在全省范围内撤销农村管理区，设立村委会，实行村民自治制度。具体改革措施是，村委会成员必须由村民直接选举产生；村里的重大事情要由村民会议、村民代表会议或户代表会议讨论通过；村务公开，村务每年至少公布两次，财务每月公布一次；在村委会换届选举前，进行离任审计，审计结果必须张榜公布。这些制度的推行，从根本上改变了镇与村、党支部与村委会、乡村干部与村民群众的关系。农村管理区体制的变革，导致了基层治理结构的变化。撤销管理区，建立村委会，是农村政治体制改革的一项重要内容，是推进农村基层民主政治建设的重大举措。

广东农村转制改革，不仅导入了村民直选的权力，而且促使了农村党政关系从一元权力结构向二元权力结构的政治转型。原有的农村一元权力结构的制度基础是自上而下的乡镇任命，而新的二元权力结构则导入了村民自下而上的民主授权机制。

---

① 郭正林：《农村权力结构的民主转型》，中国选举与治理网站；郭正林：《中国农村二元权力结构论》，《广西民族学院学报》2001年11月，http://www.chinaelections.org.

（二）广东村民自治

1. 广东村民自治历程。

广东省的村民自治历程较为曲折，总体来看，村民自治在广东的推行比全国晚了10年。1986年撤区建乡镇时，广东省将原设在公社的区公所改设为乡镇，而将设在生产大队的小乡镇改为村民委员会。《中华人民共和国村民委员会组织法（试行）》颁布实施后，1988年6月1日，广东省人民政府办公厅转发了省民政厅《关于认真贯彻执行〈中华人民共和国村民委员会组织法（试行）〉的意见》；同年，广东省民政厅与惠州市民政局联合在博罗县福田镇荔枝墩村进行试点，组织村民选举产生了荔枝墩村村级组织。但在贯彻落实《中华人民共和国村民委员会组织法（试行）》的过程中，广东省又出现反复，1989年将村民委员会改为管理区办事处。于是从1989年起，广东省农村基层组织除了广州、深圳、珠海市外，都在原生产大队设立农村管理区办事处，这一管理体制一直维持到1998年。

这一时期，广东省村民自治活动虽然没能正常开展，但也对村民自治工作作了一些探索。1991年6月，广东省民政厅在原宝安县坪山镇开展村民自治示范活动，推动原宝安村民自治示范县活动，创建了广东省第一个村民自治示范县；1995年，广东省还开展了一次城乡基层先进组织和先进单位评选活动，表彰了一批模范村委会和优秀村委会主任；同年，有6个村委会、4个村委会主任被民政部授予全国模范村委会、优秀村主任，深圳市宝安区被民政部授予全国村民自治模范区；1999年，宝安区和龙岗区被民政部授予全国村民自治模范区。

1998年，全国人大制定并颁布了修订后的《中华人民共和国村民委员会组织法》，该法在1987年试行法的基础上更加完善了村民自治的法律规定，中央推进农村基层民主的态度更加积极，对全国尚未全面实行村民自治的四个省份提出了相应要求，广东省就在其中。制度大环境的压力以及管理区体制自身的一些弊端，迫使广东省委、省政府于1998年6月作出决定，撤销农村管理区办事处，设立村民委员会，在全省农村统一实行村民自治。1999年12月，广东省正式废止了具有地方特色的农村管理区体制，开始朝着村民自治的农村基层治理体制转变。

2. 广东村民自治进展。

实行村民自治以来，广东加速建章立制，实行依法治村，已经制定下发了《广东省村务管理办法（试行）》、《广东省村民委员会选举办法》、《广东省村民委员会选举办法实施细则》、《广东省财务公开条例》等文件，使村民自治有法可依，有章可循。各地按照中共十六届三中、四中、五中全会精神，结合本地区农村基层组织建设和政权建设的具体情况，加快制定和完善村党组织对村的重大问题讨论决策制度、村“两委”联席会议制度、村民代表会议制度、村务公开制度、民主理财制度、民主监督制度等，并指导各村从实际出发，制定可操作性、约束性强的村规民约，逐步实现依法治村、以制治村，用制度规范村干部和村民的行为。

中国农村村民自治制度的核心内容是民主选举、民主决策、民主管理、民主监督，它是国家倡导和推进农村基层民主的基本制度框架。经过近10年时间的发展完善，广东村民自治取得了显著进展，主要表现在：

民主选举从一种政治象征转变为广大村民自主参与的政治生活。民主选举是实行村民自治、推进农村基层民主的首要环节，民主选举中“民主”的程度如何，直接关系到村民自治制度能否顺利运行。为了保证民主选举的实现，广东省制定了一系列法规和指导性文件，为村民的选举活动从基层政府操纵下的政治象征变成农民自主参与的政治行动提供制度保障。从1999年底和2002年初广东农村进行的两届村民委员会选举工作情况来看，绝大多数地方在选举动员、产生村民选举委员会、选民登记、预选提名产生候选人、正式选举各个环节都做到了严格按照法律规定的程序和操作规程办事，民主选举基本得到贯彻落实。综合各地的实践情况来看，广东农村村委会选举具有三个基本特点：一是各级领导高度重视，

做到了机构健全，人员齐备，经费到位，确保了选举工作顺利进行；二是选民参选积极性高，各地参选率均在95%以上；三是选举活动进展顺利，多数选民感到心情舒畅。

多元互动的民主决策机制。一是从全国性法律和广东地方性法律的规定来看，村民会议是农村最高决策机关，享有本村事务的最高决策权。二是村民代表会议在村务决策中具有重要作用。一般来说，村民会议的最高决策权具体体现为村民公决形式，但是，对农村所有大事召开村民会议进行村民表决或公决，难以保证效率，因为很难在同一时间内将所有村民召集起来。因此，多数地方成立了村民代表会议。村民代表会议的地位和性质在全国性法律和广东地方性法律中都得到了认可。三是在村民自治制度中，农村党支部和村委会也是农村村务的基本决策主体。四是设立村民参政议政小组，赋予其参与重大村务决策的权利。五是还有一些地方在涉及农民生产经营与产业结构调整的重大决策上引入了决策听证会的形式。由于多元决策主体的形成和民主决策体制的建立，使得村务决策纳入了多方利益主体公平博弈和多元权力主体相互制衡的过程之中。在这个过程中，村民同村干部彼此学会了平等对话和相互谅解、相互妥协、相互包容，从而，积淀了实行民主所必要的社会心理基础。①

协商合作的民主管理机制。管理权是农民行使农村各项权力的落脚点和归宿。农村村民自治制度的实行，要求广大农民在农村内部公共事务的管理中切实享有管理参与权。实行村民自治制度以后，广东农村村务管理的主要内容包括三个方面：经济事务管理、公共事务管理和社会事务管理。村务管理主体主要包括：村党支部、村民委员会、专门委员会、村民小组、农民合作组织以及村民个人。从管理的方式来看，主要包括：① 实行村务公开，让村民掌握知情权以后可以更好地参与对村务的管理、决策与监督；

① 王金红：《村民自治与广东农村基层民主的发展》，人民网，2003年8月19日，http://www.people.com.cn.

②财务管理民主化；③实行公章、账本分开管理；④对村委会成员实行民主评议；⑤引入科学的现代管理手段。管理主体的多元化和管理方式的多样化，使广东农村在转入村民自治制度后，民主管理逐渐走上正轨，有效解决了农村管理中的诸多难题。

切实有效的民主监督机制。广东农村民主监督的发展主要集中体现在三个方面：一是村务公开的普遍实行，包括设置村务公开栏，确立村务公开日，设立村务监督箱，确定村民议政日，建立村民民主理财小组；二是村民民主理财小组的积极作为，村民民主理财小组的财务审查与账目清理活动是村民对村委会实行民主监督的有效形式；三是村民罢免权的切实行使。对村委会成员实行工作过失追究制度也是广东省对村干部实行民主监督的有效举措。《中华人民共和国村民委员会组织法》对村民罢免权的规定，使村民获得了制约村干部不良行为的法宝。在广东农村第一届村民委员会产生以后，村民运用罢免权对村委会成员进行民主监督的力度较大，效果也非常明显。村民民主监督权的行使，有利于排除威胁农村发展和稳定的隐患，消除寄生于基层党组织和村民自治组织肌体上的毒瘤，对于农村基层的强基固本起到了促进作用。

3. 广东村民自治创新。

广东农村在实行村民自治制度近十年的时间里，进行了新的改革，作出了一些新的尝试，引入了农村治理的新手段，创建了农村治理的新机制，进而使村民自治制度进一步完善。

第一，实行“两推一选”和“二选联动”。“两推一选”主要是进行村党支部改选的一种选举方式，具体做法是，在进行村党支部换届选举时，一方面由村党员大会提出村党支部新一届成员的候选人名单，另一方面由村民或者村民代表提出党支部成员候选人名单，把党员大会提名结果同村民提名结果综合起来，再确定党支部成员正式候选人，最后回到党内，由全体党员大会民主选举产生村党支部班子成员。“两推一选”在党支部建设中吸纳了村民选举的制度机制，使村民群众在支书和支委的选择上开始有了发言权。其本质是在不改变农村二元权力结构的前提下，为党支部提供了一个

自下而上提取权力的信任资源的渠道，从而巩固农村基层党组织的合法性基础。村民信任投票的多寡就是这种合法性的量化形式。"二选联动"的具体做法是，把党支部和村委会的选举联系起来，通盘考虑。关键是把握好人事安排与两委协调配合。在实际操作中，大体上有三种情况：① 如果当选为村委会主任的人本身就是村在任党支部书记，就实行书记、主任一肩挑，直接达到两委交叉；② 如果当选村委会主任的人是支委成员或普通党员，则通过召开党员大会，尽量让在党员群众中威信高的村主任当选为村党支部书记，原任村党支部书记必须让位下台；③ 如果当选为村委会主任的人不是党员，原任党支部书记能力强，威信高，可以保持书记、主任分任。原任党支部书记能力不强，威信不高，就要下台，先由镇党委委派一位临时党支部书记，同时积极争取村主任入党，等条件成熟时再产生村党支部书记。"二选联动"机制的引入，使广东农村村委会与党支部的关系出现了四种主要的交叉形式：① 党支部与村委会完全重合，一套人马，两块牌子；② 党支部书记与村委会主任由一人兼任，两委其他成员分任；③ 党支部书记与村委会主任分任，委员实行部分交叉；④ 党支部与村委会基本分任，或者由是党员的村委会主任担任村党支部副书记，或者由村党支部委员当选村委会副主任，实行两委简单交叉。

无论是"两推一选"，还是"二选联动"，都是在实践中摸索出来的调适农村党政关系的方式。它表明，村民社会的支持已经成为村支两委的共同政治基础，是村委会与党支部走向双赢的制度条件。

第二，实行中心选举会场混合投票与以村民小组为单位投票相结合。在召开提名大会或正式选举大会时，广东农村有的地方只设中心会场，摆放一到两个比较大的选票箱，选民实行集中投票；有的地方在中心会场同时摆放若干个票箱，以村民小组为单位，在中心会场分组投票；还有少数地方不设中心投票站，在各村民小组同时设立投票点，分散投票；然后，由选举委员会工作人员收集选票，汇总以后进行点票、计票。

第三，有正式候选人选举与无正式候选人选举相结合。2002

年，广东省的地方法规规定了在换届选举中，如果村民提名大会严格按照法定程序进行，参加选举的选民超过选民总数的半数以上，被提名者得票超过参选选民半数，则可以直接当选，不需要再召开正式选举大会。这种情况下的选举就属于无正式候选人的选举。如果被提名者的得票没有超过半数，则按照得票多少根据需要确定正式候选人，然后，召开正式选举大会，按照“两个过半”的要求，根据得票多少确定选举结果。这种情况下的选举就属于有正式候选人的选举。因此，广东的村委会选举是介于有正式候选人选举与无正式候选人选举之间的一种选举。这种村委会选举在程序上更加灵活，简化了选举程序，使选举变得更为简便可行，降低了选举成本，受到农村干部和群众的欢迎。

第四，提倡候选人发表治村演说。在广东省第一届和第二届村委会选举中，都提倡候选人要对村民发表治村演说，而且，在许多地方，确实组织了候选人发表治村演说。候选人的治村演说分两种情况：一是在召开村民提名大会之前，凡打算参加本届村委会成员某个职务竞选的人，要在提名大会之前一星期之内在本村公共场合向村民发表治村演说，村民选举委员会提前通知村民自愿参加；二是在被确定为正式候选人以后，要在选举大会上向村民发表治村演说。如果候选人是上一届村委会成员，则治村演说同述职报告结合进行；如果候选人不是上一届村委会成员，则只需发表治村演说。

第五，选举观察制度的引入、实施。选举观察制度是当代国际社会在民主选举中普遍实行的一项制度。选举观察制度的实施有利于促进民主选举依法有序进行，保证选举过程公正透明，提高选举质量。实施选举观察制度是广东农村推行村民自治和发展基层民主的内在要求。从广东全省最初实行村民委员会直接选举存在的主要问题来看，包括有的地方不严格按照法律规定的程序进行选举，存在较多程序上的瑕疵；有的地方基层选举工作指导小组成员本身对国家法律和本地法规理解不透彻，对农村选举指导不力，引发诸多矛盾和问题；选举违法行为得不到及时上报和处理；选举中出现的争议与纠纷难以及时解决，影响选举顺利进行。这些问题的存在表

明，没有一个好的选举监督机制，不借助社会力量的广泛参与和支持，农村选举就难以顺利进行，基层民主就会在地方实施过程中被打折扣。

在专家学者的推动和地方政府的积极回应下，选举观察制度在广东村民委员会选举中开始试行。2002 年 3 月，来自中山大学、华南师范大学、广州市社会科学院的有关学者同广东省民政厅、广州市民政局和市委组织部负责农村基层选举的官员，一起召开了村民委员会换届选举工作理论研讨会，在这次学者同政府官员的交流与对话中，部分研究村民自治问题的学者要求参与广州市或广东省农村选举观察，以便深入了解农村选举的真实情况，及时发现问题，提出依法解决问题的办法与建议，推动农村选举的顺利发展。该建议被采纳。2002 年 4 月，广州市花都区梯面镇五联村和联丰村成为广东省最先在村民委员会选举中实行选举观察的村庄。2002 年 4 月中旬，广州市进一步扩大了农村选举观察的范围。在天河区沙河镇长坂村举行换届选举时，除了允许本地学者组成的观察小组对选举进行全程观察外，还第一次允许外国新闻媒体记者和外国驻广州领事馆人员对中国农村选举进行观察。在 2005 年广东省举行的第三届村民委员会换届选举中，全省统一实行了选举观察制度，在全国农村村民委员会选举中开创了大规模、有组织实行选举观察的先例，成为在国内具有较大影响的一项地方政府制度创新。同时，选举观察制度在全省范围内推行。

实践证明，广东村民自治虽然起步较晚，但基础好，起点高，不仅赶上了全国其他地方的发展水平，还对这项制度作出了开拓性的创新，使得村民自治制度同本地区工业化、市场化、集约型的经济条件有机结合起来，不仅更好地促进了广东农村社会经济的顺利发展，而且有力地促进了农村基层民主的发展。广东农村村民自治实践的经验还进一步表明，民主作为一种手段，同时也作为一种目标，只是农村发展的基本要求之一。民主能够有效地解决农村发展面临的一部分问题，但是并不能解决农村发展面临的所有问题。民主对于农村发展的推动作用还必须同其他力量和因素有机结合起

来，才能有效地显示出其意义。

三、多极化的乡村权力结构

人民公社解体后，由国家主导乡村权力结构的一极格局被打破。乡村社会经济结构处于激烈的分化之中，基层自治组织作用的发挥要受到诸多经济社会条件的制约。新的经济结构与阶层结构的产生，其自身状况及与诸多经济社会条件的结合状态，决定了中国乡村权力结构的现状表现为显著的多极化态势。

（一）政治能人

所谓的“政治能人”，一般是指具有人缘好，上下关系沟通顺畅，家族、宗族势力强大，长期担任村干部等雄厚政治资本的人。依赖来自家族、官方和其他方面的社会关系，“政治能人”很容易进入村民委员会或村党支部会，并能长期维持、增加自身的权威。在广东农村，政治能人在不同时期由不同人担任。

在20世纪80年代以前，“政治能人”主要是阶级精英，即在农村社会处于优势地位的“贫下中农”的政治骨干。80年代中期，这批人大多失去了实权，成为村里的“三老”，即老支书、老党员、老社长。这些老干部依靠过去在职期间的政治资本，在村里还保留有一定程度的影响力，仍然是部分群众，尤其是老人们的意见领袖。村民选举为他们提供了重新登上权力舞台的机会，因此在广东第一届村民选举中，有部分老支书、老队长积极参与竞选。

80年代中期，农村普遍完成了领导人的代际转化。新上台的村干部，主要来自当时的“专业户”、“万元户”和高中毕业生。这批人受到重用的原因是因为他们“有本事”。广东在1989年建立农村管理区体制（广州、深圳、珠海除外）之后，这批人大多数成为上级聘用的“合同干部”，部分佼佼者还被提拔到乡镇领导岗位。这一时期，他们就是广东农村的权力精英基层。

90年代末，管理区体制解体，广东农村开始实施村民自治。

一些新兴势力开始参与农村政治角逐，但其中最具实力的还是管理区时期就开始担任干部的那批人。与其他政治势力相比，这些人掌控着大量政治资源，多为农村正式基层组织的骨干成员，其权力合法性来源于国家和政府，而且基本上都在上级政府机关中拥有庇护人。因此，他们是乡村社会中多极政治力量中最具有影响力的一极，其他任何政治力量都无法取代、超越乡村政府权威。

（二）经济能人

"经济能人"参与村政也是一个比较普遍的现象，沿海经济发达地区尤其如此。所谓"经济能人"，是指改革开放以来在市场经济博弈中成功的诸如个体户、管理者、私营企业家之类的经济上的成功人士。在笔者 2001—2002 年主持的"中国乡村社会转型：宗族、乡镇企业与权力研究"的课题调研中，通过对全国 11 个省 14 个村庄进行调研，发现这些村庄都不同程度地存在"经济能人"参与村政的情况。

"经济能人"在乡村权力结构中的影响日益增加，主要是因为：一是村民自治制度为他们参与村庄的治理控制提供了途径和机会。二是"经济能人"对民主政治有着强烈需求，他们所从事的市场活动需要稳定的政治规则来降低不确定性风险。三是他们所拥有的资源和能力使其有可能过问政治。这些先富起来的"经济能人"一方面具备适应社会变革的良好心理素质，对各类社会情景注重理性判断，能够理智地处理各类矛盾和问题，自我意识较强；另一方面具有较强的开拓心和进取心，能够很好地认识和理解现代化的民主和法制建设，熟悉社会管理系统的运作程序和实施策略。四是由于地方利益的驱动，许多地方政府也乐意接受他们问鼎政治。五是许多农民都希望经济能人带领他们走向富裕。因此，宽松的政治环境气氛和民主化的社会大背景下，"经济能人"经常在村民委员会的选举中获得成功。

值得注意的是，"经济能人"与"政治能人"能够相互转换，在有些情况下二者甚至是交叉重叠在一起的。

（三）乡村传统精英

改革开放后，以宗族为代表的乡村传统文化在一定程度上得以复兴。宗族复兴对农村权力格局产生重大影响，成为乡村多极权力格局中的一极。宗族对农村权力格局的影响视其性质而定。在当代中国的社会条件下，农村宗族的发展受到多方面的制约，无论是宗族的结构、规模还是宗族的功能都发生了明显的嬗变。严格意义上的宗法性宗族已经不多见，取而代之的是礼俗性宗族和功利性宗族（王沪宁，1992）。

礼俗性宗族的存在主要在一些重要仪式过程中体现，其作用主要在于维持宗族的礼俗性意义。这类宗族往往不以宗族组织的面目参与村庄政治，参与村庄政治的主要是单个的农民或农民家庭，因此，礼俗性宗族对村庄的权力格局几乎不产生什么作用。功利性宗族则对乡村政治权力结构具有重要影响。

第一，在村落或自然村层面，宗族的影响依然存在。在多姓村中，虽然直接的管理者是村庄组织，即村委会班子和户主会议，但他们的产生与发挥作用都与宗族有着一定关系，其组织和活动规则是以族际关系、实力为基础的。在单姓聚居村庄，村庄组织即是宗族组织，户主会议往往也是宗族会议。因此，村庄组织即便不是宗族组织，但要么与宗族组织合一，要么以族际关系为其组织和活动的基础，宗族的影响显而易见。

第二，在村委会社区层面，宗族的作用较为间接。对于全村公共事务，村党支部委员会和村委会有全权处理的正当性、合法性，宗族不会插手干预。但宗族仍对其有影响。一是在村委会选举中，村干部一般以各族实力为基础，各姓兼顾均衡，村主要干部由大族占据，次要干部则由小族担任，尽量让各族都在村委会中有自己的代表。二是村干部在工作中的态度、方式也与宗族密切相关。大族或大房的干部工作时往往雷厉风行，胆子大，态度硬，不怕得罪人；小族或小房干部在开展工作时则谨小慎微，不敢轻易得罪人。因而，在有关村务的决策上，宗族背景强弱的因素也很关键。

第三，在村际关系层面，宗族的作用较弱。对涉及与本村相关的、又不局限于本村的事务，宗族一般不能发生影响力，而往往由村干部出面协调处理。但在有关山地、森林、水源等集体资源发生村际的争执冲突时，宗族有时也会插手干预，甚至引发宗族械斗。此外，在涉及村与乡镇的关系时，宗族也会发生影响，在宗族势力强大的村庄，地方政府在开展工作时会较为客气谨慎。

第四，宗族对乡村政治的影响以对村民日常生活的影响最为突出。在村民的日常生活中，宗族的作用几乎无处不在。宗族既为日常生活提供必要的规则与文化，使之能遵守一定的规则和仪式进行，而不致失范无序；更重要的是，宗族为日常生活中的红白喜事、建房等提供必不可少的人力与物质援助。随着社会变迁的持续深入，日常生活的某些方面正发生嬗变，私人性、自主性开始凸显，行政与司法力量介入纠纷调处的力度加大，宗族方面的影响正在逐渐淡化，但仍有部分层面保持着巨大的影响。

在广东农村，宗族对村庄政治的参与有着悠久历史。1949 年中华人民共和国成立后，中央政权视宗族为封建社会的“残渣余孽”而予以摧毁，宗族势力一度淡出村庄政治。改革开放后，宗族在一定程度上复兴，而村民自治则为其登上农村政治舞台开辟了通道。宗族又开始对村庄政治产生影响，最明显的表现是借助宗族势力干预村民委员会选举。在广东首届村民选举中，就有不少人依靠家族背景而当选（郭正林，2003）。

对宗族参与乡村政治的评价存在较大分歧，主要有三种看法：

一是农村宗族组织及其活动对村民自治或选举的影响主要是负面的、消极的。这类观点有：宗族的正面功能已出现不可逆转的衰退，并由于宗族是以实力为原则来处理族际关系，其后果更是负面且严重的；当前宗族妨碍村民自治的正常运转，导致村民自治异化。在《村民委员会组织法》正式执行过程中，他们往往利用血缘纽带关系，或者拉帮结派形成利益团伙，采取非正当手段控制村民选举，获取自治权力。在这种宗族势力的争斗中，村委会没有自治可言。宗族势力对村民自治的负面影响渗透于村民自治工作的各个环节，表现在：① 影响选举工作的公正性；② 干扰选举工作的正常进行；③ 影响村级领导干部的质量，影响村领导班子的稳定。[①]

二是对宗族与村民自治和选举的关系基本上持肯定态度。持这种看法的学者认为：村民在选举过程中的宗族偏好在所难免，然而如果能保证选举在公平、公正、公开的条件下进行，各方博弈的结果往往会达到某种平衡；农民参与选举中的精英动员因素显示，精英在运用家族、派性因素进行动员时，并不必然依赖一个制度化很高的家族组织或派性组织。精英动员往往带有强烈的个人色彩，家族和派性只是借以动员的力量，在选举后的村级治理中，家族和派性利益并不是其施政的唯一根据，倒是在选举中建构的家族利益和派性意识往往自动消解，而不再被人提起；宗族作为一种传统型的社会关联对于村民自治具有重要作用。宗族等传统社会组织可以构成衡量村民行动能力的指标，即一种传统的社会关联，凭借这些传统社会关联，村庄社会在应对农业困境和农村发展之需时，可以更为有效地捕捉市场化提供的机会，这反过来又会加剧农村的经济社会分化，发展村庄的现代社会关联能力。[②]

三是中性观点，它包括了“综合论”或“两点论”的评价。这一观点认为：不管国家的政治形势发生怎样的变化，国家权力的地方代理人从来不可能完全超脱于村落以及家族的事务，也不可能漠视家族力量的存在。恰恰相反，村落政治的格局体现了家族力量的对比。村落的各种权力在具体运作中会相互借取，表现形式错综复杂，在相互作用中构成了村落的权力网络；宗族一方面造成危害

① 萧唐镖：《宗族与村治、村选举关系研究》，《江西社会科学》2001年第9期；兰芸芝：《宗族势力困扰村民自治》，《中国社会工作》1995年第5期；吴思红：《村民自治与农村社会控制》，《中国农村观察》2000年第6期；袁正民：《宗族势力对村民自治的影响》，《学术论坛》2000年第6期。

② 朱康对、黄卫堂、任晓：《宗族文化与村民自治——浙江省苍南县钱库镇村级民主选举调查》，《中国农村观察》2000年第4期；仝志辉：《农民选举参与者的精英动员》，《中国社会科学》2002年第1期；贺雪峰、仝志辉：《论村庄社会关联——兼论村庄秩序的社会基础》，《社会学研究》2002年第3期。

社会发展的不稳定因素，对社会秩序造成威胁，另一方面却表现为对现有秩序的积极维护和主动参与，显示出较高的成熟性与合理性。

（四）乡镇政府

人民公社体制瓦解后，国家在乡镇一级恢复建立政府，为国家在农村的基层政权组织；在乡镇以下的村建立村民委员会，实行村民自治，二者的关系是指导与被指导关系。但调查结果显示，作为乡村权力结构中的一极，乡镇政府对村庄权力结构的影响远非指导与被指导如此简单化。而且所谓指导工作的展开，针对的不仅仅只是村民委员会或是村党支部，更多的时候，它需要面对的是村庄中具体的个人和家庭。

调查资料显示，乡镇政府在村庄权力结构中同时扮演了多种角色。

一是上级政府命令的执行者。作为国家最底层的政权组织，乡镇政府的主要领导长期以来实际上一直是由县委委任的。这种权力的来源渠道决定了乡镇政府首先是上级命令不折不扣的执行者。这一点在上级政府的命令与普通村民的利益相矛盾时尤为明显，此时的乡镇政府就会以上级政府代表的面貌出现，出面调解这些矛盾。

二是村庄的控制者。调查发现，在村级治理的实际运行过程中，乡镇政府与村民委员会的关系很难达到指导与被指导这种理想的状态，很多时候，二者之间依然保持着一种行政领导关系。乡镇政府在表面上不干预村内的事务，可是仍然对村干部发号施令。特别是在一些缺乏村办集体经济或是个体私营经济的村庄中，村委不是实质上的村民自治组织，而成了乡镇政府的派出机构。

三是村庄的指导者。指导与被指导关系是国家法定的乡镇与村庄的关系。乡镇政府对村庄的指导应该涵盖从干部任命到财政控制到政策落实等等所有方面。但在我们调查的村庄中，乡镇政府对村庄的指导更多的是体现在某些方面，甚至仅仅是某些具体的事件中，如在一些村民抗议活动中，乡镇政府的态度对村干部行事计划的决定有明显的指导作用。

四是村庄发展的支持者。主要表现在：① 对村级权力的认可和支持，可以增强村干部工作的合法性和权威地位。② 为村的经济社会发展提供服务，如争取贷款、减免税收、开发市场、进行政策法律咨询等。③ 直接参与村庄治理，协助村干部工作。特别是在收取税费、计划生育等难度较大的工作中，由乡镇政府出面采取强硬措施，可以避免村干部与村民发生直接的冲突。

（五）普通村民

在由上述四类精英编织的权力结构网络中，普通村民在主要扮演参与者角色的同时，偶尔也会成为整个乡村社会权力结构格局变动的推动者。普通村民参与乡村社会权力结构的情况集中体现在两个方面：

1. 村民选举。

村民自治最基本的要求就是村民自己处理自己的事务。这就需要推选出能够体现自己意志、为村民服务的村干部。村委会干部是由上级部门任命，还是由村民自己选举，这是能否体现村民自治的首要问题。村民参选的态度可以分积极参与型和消极参与型两大类。积极参与型选民一般是作为选举组织者或是工作人员的现任村干部，被提名参与竞选的候选人、没有被提名的政治热心者。消极参与型选民主要有以下几种类型：① 埋头经营自己的家庭经济，如外出打工、做生意，而对选举事务不感兴趣；② 认为选举有暗箱操作的嫌疑，“个别有野心的人早就上下答对好了，民主只不过是用来愚弄老百姓的”，自己是否参与并无意义；③ 认为当选村干部是一件吃力不讨好的事情，同时还要受到乡镇干部、村党支部的限制，没有实权和经济效益；④ 只有为数不多的人能够管理好村庄，所以选不选都应该是这些人来领导。

调查发现，村民们参选态度的积极或是消极与村庄所属种类呈正相关。① 集体经济类型村庄中消极参与型村民占了大多数。主要原因一是村委功能的弱化，这一点在河南省南街村尤为突出。二

是村中既能管理好村庄，又能保证集体经济健康发展的能人有限，“不选都知道是谁当选”。甚至是在集体经济发生危机的时候，村民们仍然相信只有依靠能人才有可能走出困境。② 散户经济型村庄的村民对选举的积极性参与是以实现自身的经济利益为前提的。如贵州省安顺市的汪家山村选举有经济实力的人为村干部，是希望他们能够带领村民顺利实现失去土地后的城市化转型；深圳铭兴村的选举风波则是村民们利用选举以维护自己经济利益的案例，并成为该村一场轰轰烈烈的反腐败运动的导火索。③ 农业经济型村庄村民的选举态度比较复杂。从调查表明，多数贫困落后型村庄村民参选态度消极，只有少数村庄表现出了积极的主动参与。

2. 积极抗议。

村民以主动的抗议行为表达对某一公共政策和领导人的不满，并力图以此改变现状。以深圳铭兴村上访事件为例。1999 年 7—8 月，铭兴村支两委换届。选举过程中，有些村民反映干部有不正之风。在场的镇政府干部表态一定要查清楚，15 天后答复。村民等了 15 天，对答复不满意。加上镇、区联合派工作组查账，查出好几年前白头单乱开乱支很严重，群众听了更为气愤。一场声势浩大的反腐败运动开始了。以村民小组长柳歼击为首的一帮年轻人组织村民代表成立了查账小组。大部分出于对每家每户切身利益的关注和惩治贪污的迫切心理，前后三次在镇政府门口组织静坐活动。有的村民还与镇政府发生冲突，闹得不可开交。1999 年 10 月，镇委任命柳昭铭为党总支书记，重新组织村委班子。2000 年上半年事态平息。在这次事件中，村民是事件的主要参与者，而事件的主导者则是某些具有野心的“在野派”，目的是掀起村庄的权力结构斗争。在乡镇政府、政治精英和普通村民三极中，虽然参与抗议的村民们能够获得一定程度的胜利，但代表国家政权的乡镇政府显然是事态发展的主导者。

以上分析表明，多极化的乡村政治权力结构决定了中国目前乡村治理中必然存在大量非制度化或非正式运作，乡村治理的主要模式仍是“能人治理”。这种治理模式的积极作用现在虽然占主要方面，但从长远来看，“能人治理”模式有损于乡村正式制度的建设和发展，不利于基层权力运行的公平性和透明度，容易引发权力至上、权钱交易等不正之风，促进农村地方保护主义抬头，甚至对抗国家利益和国家政策的贯彻和实施。因此，必须引导、促成“能人治理”向“制度治理”过渡。

为此，一是要扩大农民有序的政治参与，发挥民间社会潜能；二要完善“乡政村治”的乡村治理体制，实现乡村各极力量的制衡；三是要提高能人领导的治理水平和管理能力，加强村委会权力运作的制度化建设，实现权力的合法诞生和规范化运作相统一；四是要充分认识乡村社会的个体差异，推行因地制宜的政治建设策略。

第九章
农村社会保障制度的建立

社会保障制度包含最低生活保障、失业保险、医疗保险和养老保险以及特种救助、抚恤等制度。建立社会保障制度，使人们老有所养、病有所医、贫有所济是社会进步的结果，人们共同追求的目标。目前，社会保障制度在城市已基本建立，而在农村尚未全面建立。随着经济社会的不断进步和经济体制改革的不断深入，农村社会保障制度问题将成为现实。经过30年的改革开放和现代化建设，广东农村发生了翻天覆地的变化，不仅取得了巨大的经济成就，而且在统筹城乡社会事业发展，加快建立与当地经济社会发展水平相适应、城乡对接、多层次的农村社会保障体系方面也走在全国前列，并大胆进行了制度创新。

目前，广东农村社会保障主要在农村养老保险、新型农村合作医疗和农村低保三方面展开，并取得了一定成效。

一、广东农村养老保险

我国农村社会养老保险工作的基本历程是：

探索阶段（1986—1990年）。1986年民政部和有关部委召开全国农村基层社会保障工作座谈会，正式提出在经济发达地区发展社区型养老保险，但未获成功。

试点阶段（1991—1992 年）。1991 年国务院决定由民政部选择一批有条件的地区，开展建立县级农村社会养老保险制度的试点，并在山东等 20 多个省市区推广。

制度化阶段（1993—1995 年）。1993 年国务院批准建立农村社会养老保险管理机构，各种规章制度与操作方案陆续出台，农村社会养老工作在全国推广。

分类推进阶段（1995 年至今）。1995 年 10 月召开的全国农村社会养老保险工作会议，明确了在有条件的地区积极稳妥地发展农村社会养老保险，并分类指导，规范管理。力争在 2000 年初步建立、2005 年基本建立农村社会养老保险制度。

就广东省而言，截至 2005 年底，全省 60 岁以上人口已达 880 多万，占人口总数的 11.14%①，步入老年型社会。但广东省农村的养老保障制度还处于探索和发展的初级阶段，除了珠江三角洲地区以外，大部分农村老年养老仍以家庭赡养和土地保障为主，老人生活质量普遍低下，个别地方的老年人甚至缺乏最基本的生活保障。根据广东省农调队的调查，传统的“子靠父建家，父靠子养老”的观念在农村依然很普遍，农村老人普遍对养老准备不足，很少有意识地为养老进行储蓄。②

（一）广东农村养老状况的地区差异

由于广东各地区的社会经济发展水平差异较大，因而不同地区农村老年人的生存状况有所不同，具体可分为以下两种类型：

1. 珠江三角洲地区。

珠江三角洲地区经济比较发达，城镇化建设速度较快，人们的生活水平较高，对老年人的各种优惠政策也相对完善，有敬老院和老年人活动中心。这些地区政府重视老年人的生活，如东莞市现已

---

① 《广东人口老龄化进程加快》，《信息时报》2005 年 8 月 17 日，转引自《关注山区老年人生活　构建和谐新农村》。

② 《农村人口老龄化趋势明显》，《南方日报》2004 年 7 月 19 日。

建立了现代化的农民养老保险制度，从2000年12月起，男性满60周岁、女性满55周岁的农民，无须缴纳保险费，可每月领取基本养老金。此外，这些地区的老年人一般还可参加村集体分红，而且通常年龄越大分红越多，因此，这些地区老年人的生活有较好的保障。

2. 东西两翼及粤北山区。

由于经济发展水平相对较低，东西两翼及粤北山区的农村养老问题相对凸显，农村老年人生活质量与生活保障令人担忧。一是这些地区的老年人由于无退休制度，也就没有退休金，生活没有保障，老人只有靠继续劳动自食其力，直到丧失劳动能力，才由子女赡养；二是生活质量低下，只求温饱；三是没有医疗保障，健康状况堪忧；四是目前农村还存在部分子女拒绝履行赡养义务的情况，导致老人缺衣少食。

（二）广东农村养老模式

1. 政府主导。

这种模式以东莞市为典型。在经济发展水平较为领先的东莞市，由市财政出资10亿元作为基础资金的农民基本养老保险制度已经于2000年正式建立。这一制度实行社会统筹与个人账户相结合，农民的保险费由市、镇、村和个人共同承担，农民的基本养老金与参保人的缴费基数和缴费年限挂钩。缴费基数按每人每月400元核定，从2002年起每年递增2.5%。保险费以当年缴费基数的一定比例按月供缴。2000年11月至2005年12月，所缴的保险费为当年缴费基数的11%，其中集体承担6%，个人承担5%，并将8%记入个人账户。保险费占当年缴费基数的比例每五年增加一个百分点，增加部分由个人承担，并全部记入个人账户。集体承担的保险费，市和镇/区财政各承担20%，村委会和村民小组共承担60%。在民办非企业单位及个体工商户工作的，由业主承担，离开这些工作单位后，再由市、镇、村按比例承担。凡具有东莞市户籍年满20周岁起至男性满60周岁、女性满55周岁的农民均可参加这项保险制度。参保人男性满60周岁、女性满55周岁，按月领取养老金。另外，在该制度实施之日男性满60周岁、女性满55周岁的农民，无须缴纳保险费，可直接享受每月150元的基本养老金。

此外，农村中“五保户”人群的赡养也由政府负担。我国的农村“五保”供养制度早在20世纪50年代就已产生，它规定集体经济必须保障农村中无法定抚养义务人、无劳动能力、无经济来源的那部分人的吃、穿、住、医、葬（孤儿保教）。目前广东省“五保户”的保障水平较高，其生活水准不低于农村的平均水平，特别是一些富裕地区农村敬老院设施完备，服务水平也相当高。

目前，珠三角地区的深圳、东莞、珠海、中山、佛山五个市，已经实行了农民与被征地农民的养老保障制度。惠州市、云浮市、湛江技术开发区、江门鹤山市等先后开展了农村村干部养老保险统筹。肇庆、韶关、云浮、湛江等市正在积极开展调研，力争建立符合本市实际的农村养老保险。

2. 社区养老。

这种养老模式主要盛行于珠三角地区实行农村股份制、集体经济较为发达的农村社区。在实行农村股份合作制的经济实体中，由于“年龄股”的创设，使农村老年劳动者退休后能够领取到比中、青年劳动者更多的红利，这种稳定的经济来源可以为老年人提供基本的生活保障。由于养老资金来源由家庭转向老年人自身持有的股份和社区，老年人被视为家庭负担的观念正在得到更新，老年人在家庭中的地位迅速提高，保障了老年人在家庭和社会上得到应有的尊重，使他们在物质充裕的基础上，能精神愉悦地安享晚年。

除了为老年人提供股份和红利外，这些经济发达的社区还为老年人提供其他一些福利和保障。一是实行农民退休制度。珠三角的许多农村社区，如佛山市石湾区几乎所有管理区都已实行农民退休制度。在一些经济富裕的管理区，老年人都有三份养老金，即股份分红、退休金和一次性退休补贴。经济状况稍差的管理区老年人也都有前两项收入。二是实现老人病有所医。珠三角农村管理区都依据其经济实力的强弱，不同程度地为老年人就医提供优惠。三是各

管理区还根据自身实际制定了其他一些老年福利措施，如设老年基金，建老年活动中心、养老院等。[①]

3. 家庭养老。

目前，农村养老保障制度仅在珠三角地区建立起来，全省大部分农村并未推广，农民养老仍以家庭赡养和土地保障为主。2003年广东农村养老保险覆盖率为5%，实现程度只有5.5%。[②]

广东的家庭养老一般存在四种方式：一是与已婚子女（一般是儿子）共同居住，靠儿子养老，这是最普遍的养老方式；二是与未婚子女住居生活，自食其力；三是老人单独居住，儿子们共同供养，定期给生活费；四是“轮伙头”，即父母定期在已婚的儿子家轮流吃饭。其中，“轮伙头”是比较有特色的一种养老方式。“轮伙头”在学术界被称作“轮吃型家庭”，是中国汉族社会流行的一种养老制度，自古有之，汉代就有十天一周期的轮值家庭记录。

在广东潮州市的凤凰村，“轮伙头”是一种特别普遍的赡养制度。这个299户人家规模的村子，共有86户有老人，吃“轮伙头”养老的比例为41.9%。[③] 在凤凰村，吃伙头也有不同情况。一种是父母健在，又是两兄弟，父母就分开在不同儿子家吃饭；如果是三兄弟就要轮吃了。另一种是丧父或丧母，那就在不同的兄弟家轮吃。一般老人住的地方不搬，吃饭时上儿子家。轮吃的周期不等，有的10天为一轮，有的一个月不等。也有的老人不愿轮吃，有的是老人经济条件好，不需要子女负担；有的是怕看媳妇脸色，因此自己开灶，儿子们定期给生活费（包括米、油、柴）；还有的是老人患有传染病，因此不与儿子一起住，怕传染给孩子们。

（三）广东养老保障制度存在的问题

1. 养老供给短缺。

---

① 周光复、袁政、夏志红、滕纯武：《股份合作制与农村养老探析——来自广东的考察报告》，《市场与人口分析》2000年第1期。

② 《广东农村全面小康进程现状》，广东省统计信息网，2004年12月16日。

③ 周大鸣：《凤凰村的变迁》，社会科学文献出版社2006年版，第180页。

农村社会养老保险制度包括养老保险金的收取、基金投资、保险金的计发等环节。中国农村社会养老保险制度迟迟没有建立，除了政治、经济、社会条件制约和理论准备不足，缺乏明确可行的方案外，关键是农村面临着制约养老基金投资、保险金计发的“瓶颈”——养老供给短缺。现行的模式都是以农民自收自支为主，但是农民收入普遍偏低，难以满足保费必须定期交纳的基本要求。传统经济学认为，社会保障是国家收入再分配的主要方式，政府激励在农村社会保障中的作用是重要的，国家应该成为农民养老供给的主体。如果政府在这一制度中缺位，农村社会养老保险就难以真正建立。

2. 农村养老保障制度建设滞后，覆盖面较窄。

农村养老保障制度的覆盖面窄，主要表现为：一是覆盖范围有限。广东省虽然1994年就出台了全省养老保险办法，但除部分农村干部和珠江三角洲部分农民外，参加养老保险的人数相当有限。在珠三角中也仅覆盖五市，其他两市的广州、江门和粤东、粤西、粤北地区一些有条件的县镇还没建立，仍在探索之中，或仅对少部分村干部和失地农民实施养老保险。二是目标人群覆盖面窄，只有“五保户”或伤残人士才能得到较固定的社会最低救济保障，其余大部分老年人未能得到社会救助，生活没有固定保障。

大部分农村地区未推广养老保险的原因，首先是农村经济发展水平较低，很多低收入农民无法缴纳保险金；其次农民参与的积极性不高：在农村各项负担偏重的情况下，人们往往把养老保险费看成是一种“乱收费”，农民对集体的管理水平也缺乏信任，担心缴的钱让集体吃了。

3. 农村养老保障制度的设计缺乏灵活性。

目前，农村的养老保险制度在计算年限、缴费办法和待遇享受等方面，都是依据城镇正规就业情况设定的，对于劳动关系松散、就业地点频繁变换、工作单位不固定、工作时限不定、收入水平较低的广大农民来说，不大合适。现行养老保险基金实行区域统筹，条块管理，对跨省区流动就业的农民来说更不合适，加上目前设计

15 年缴费年限和缴费标准成为农民难以逾越的门槛。农民要在同一个社会保险统筹地区累计缴费 15 年不容易，农民的经济收入并不宽裕，除外出打工外，他们的收入是以年为时间单位结算的，要在 15 年内保证每次资金的交纳，难度大。现行养老保险制度是参保易，退保难，转移养老保险关系更难，缺乏灵活性。

二、广东新型农村合作医疗

（一）农村合作医疗制度的建立

我国农村合作医疗制度起源于 20 世纪 40 年代陕甘宁边区的医药合作社（卫生合作社），当时农民用“凑份子”的办法互相解决看病困难。在 20 世纪 50 年代初的农业合作化运动中，农民采取社员群众出“保健费”和生产合作社公益金补助相结合的办法，组建了农业社保健站，每人每年交几角钱，看病时只交药费，不交挂号、出诊、换药费等，从而建起了合作医疗制度。人民公社化后，合作医疗发展得很快。各地的做法一般是在生产大队建立合作医疗保健站；保健站医生是从农村选拔，并经过卫生部门培训的赤脚医生，医生的劳动费用、报酬由集体经济组织支付；治疗费用由农民和集体经济组织共同负担。1978 年五届人大通过的《中华人民共和国宪法》把“合作医疗”列入进去。1979 年，卫生部、农业部、财政部等部委下发了《农村合作医疗章程（试行草案）》，对合作医疗制度进行了规范。1980 年，全国农村约有 90% 的行政村（生产大队）实行了合作医疗，被世界卫生组织誉为发展中国家解决卫生问题的唯一范例，并向发展中国家大力推荐这一模式。20 世纪 80 年代以来，随着家庭联产承包责任制的兴起，农村集体经济的削弱，农村合作医疗受到严重冲击，至 1989 年，农村实行合作医疗的行政村只占全国行政村的 4.8%。这被称为第一次农村合作医疗。其具有两个突出特点：① 民办性。表现在：其一，参加农村合作医疗的农民缴纳一定的保健费；其二，农村合作医疗基金主要来自集体经济，源于集体经济的公益金；其三，医生和卫生人员的劳动报酬由集体经济支付；其四，公社卫生院的运行主要依赖社队财务的支持，大队卫生室则靠集体经济维持，卫生室的房屋和器械由大队投资，流动资金和人员经费主要是生产队拨款。② 公助性。表现在：其一，以县医院为龙头的包括公社和生产大队医疗机构的农村卫生网络由政府建立，政府拥有所有的医疗机构；其二，医疗基金一般由生产队、公社、县政府及其相关机构管理；其三，禁止私人医生开业和服务；其四，政府控制药品渠道，控制药品价格；其五，对地方病预防的资助；其六，培养农村医生。所以，公助是农村合作医疗制度的结构，公助强度取决于政府对医疗资源垄断的强弱和行政权威治理的认同大小。①

进入20世纪90年代，中国为恢复与重建合作医疗，进行了艰难的探索。1993年中共中央在《关于建立社会主义市场经济体制若干问题的决定》中提出，要“发展和完善农村合作医疗制度”，1994年开始试点并推广实施。1997年1月，《中共中央、国务院关于卫生改革与发展的决定》明确指出了农村卫生工作对农村工作的关键作用，并提出要“积极稳妥地发展和完善合作医疗制度”。第二次合作医疗的特征可以归结为：① 卫生改革的目标是实现人人享有健康，因此，政府希望这次改革能够尽可能多的人参加，甚至像第一次合作医疗那样基本人人参与；② 以自愿参加为原则；③ 保险费用支付以个人支付为主。但是，这次医疗改革的推广实施未能取得成效。1998年，据第二次国家卫生服务调查结果显示，全国农村居民中得到某种程度医疗保障的人口只有12.56%（87.44%的农村居民成为自费医疗的群体），其中合作医疗的比重仅为6.5%，预定的“力争到2000年在农村多数地区建立起各种形式的合作医疗制度”目标未能实现。

鉴于前两次农村合作医疗的经验教训和我国的国情特征，也随

① 林闽刚：《中国农村合作医疗制度的公共政策分析》，《江海学刊》2002年第3期。

着我国社会保障理论研究的深化，在新世纪初，我国决定重新启动新一轮的农村合作医疗改革。2002 年 10 月，中共中央、国务院在《关于进一步加强农村卫生工作的决定》中提出，各级政府要积极组织引导农民建立以大病统筹为主的新型农村合作医疗制度，对农村贫困家庭实行医疗救助。这个决定对于在新的形势下建立农村医疗保障制度具有重要意义。同时，按照这个决定精神，当前建立农村医疗保障体系应由两部分内容组成，即以大病医疗统筹作为主要形式的新型合作医疗制度和社会医疗救助制度。以此起步，逐步构筑起 9 亿农民医疗与健康的“社会安全网”。随后，卫生部、财政部和农业部发布关于建立新型农村合作医疗制度意见，要求从 2003 年起，各省、自治区、直辖市至少要选择 2 到 3 个县（市）先行试点，取得经验后逐步推开。到 2010 年，实现在全国建立基本覆盖农村居民的新型合作医疗制度的目标，减轻农民因疾病带来的经济负担，提高农民健康水平。①

（二）广东新型农村合作医疗制度的建立

广东农村合作医疗兴衰基本与全国同步：出现于 20 世纪 50 年代中后期，70 年代为鼎盛时期，当时有 97.3% 的村办起了合作医疗，覆盖了全省 89.2% 的农业人口。但到 80 年代初，随着农村经营体制的改变，合作医疗出现了大滑坡，到 90 年代初开展重建工作时，全省只剩下 1285 个村实行合作医疗，仅占总数的 5.86%；参加人数约 300 万人，仅占全省农业人口的 7.1%。

1996 年，广东省在恩平市召开了全省合作医疗工作现场会，重新推进农村合作医疗的发展。1997 年底，省政府再次在惠州市召开现场会，推广小金口镇的试点经验。在省委、省政府的重视和有关部门的努力下，我省各地农村合作医疗有了不同程度的发展，参加人数不断增加。全省多数市县开展了合作医疗工作或进行试

---

① 罗正月：《我国农村医疗合作制度：反思与重构》，《福州党校学报》2005 年第 3 期。

点。据统计，2000年广东省农村参加合作医疗和各种集资医疗形式的人数占全省农业人口总数约20%，主要集中在广州、佛山、深圳、韶关、江门、中山、肇庆、东莞等市以及其他地区的部分县。

2001年后，在省人大和省委、省政府的高度重视下，决定由省政府组织、省农业厅承办，于2002年在全省范围内推行新型农村合作医疗制度，主要内容如下：① 目标——到2006年覆盖面达到60%。② 资金筹集——市、县、镇各补助一部分，在自愿的基础上以农民负担为主。前五年省财政拿出7150万元作为贫困地区医疗补助，其中6000万元为缴费补助，1000万元为风险基金，150万元为管理人员的培训费。③ 管理模式——一种是镇村联办，即以乡镇卫生院为载体，辐射到各村卫生站，实为村级统筹；一种是镇级统筹，以镇为主。④ 参保人月定额缴费10～20元，县财政补助1～2元。在镇统筹的地方，镇再补助一部分，以调动农民参加合作医疗的积极性。

2003年，广东省委、省政府进一步加强了农村新型合作医疗制度建设工作，加大政府的资金补助力度，把农村新型合作医疗制度建设工作转交省卫生厅承办，2004年后省财政给每个参保人补助10元，市、县财政补助10元，个人承担不少于10元；2006年省财政对每个参保人员的补助增加到25元，2007年增加到35元，市、县增加到15元，大大地调动了广大农民参保的积极性。据了解，目前，全省近80%以上的农村人口参加了2007年度农村合作医疗。县、镇覆盖率100%，村覆盖率99%以上。但对参加农村医疗保险方面，全省还没有统一的政策，仅经济较发达的东莞市、佛山市在2004年试行城乡居民参加医疗保险的办法。据了解，东莞市、佛山市实施农医保制度一年多来，运行状况良好。基本实现参保人员全覆盖，全部基金也顺利征缴到位，达到了改革设想要求，取得了良好的社会效益。两市通过建立农医保制度，解决了城乡居民大病住院医疗费用负担问题，基本上缓解了城乡居民“看病难”、“看病贵”的问题。

（三）广东合作医疗的主要形式

广东省各地农村合作医疗的形式很多，差异很大，组织管理模式、资金的筹集和标准、补偿办法等方面都因各地的情况不同而不同。

在组织管理模式上，主要有三种模式：① 医疗保险形式。佛山市五个区和东莞市、广州市番禺区采取这类形式。筹资在人均60元至250元之间，报销比例在30%至70%之间，封顶线在7000元至60000元之间。禅城、三水、番禺委托保险公司管理，卫生局代表政府主管；其他市（区）直接由社保局管理。有的市（区）已将城镇居民纳入保障范围。② 县统筹农村合作医疗制度。全省有70个县（市、区）实行这种制度。筹资在人均25元至50元之间，报销比例在30%至50%之间，封顶线在1000元至6000元之间。由卫生局主管。乡镇设合作医疗办，与社会事务办、农办或其他部门合署。③ 镇统筹农村合作医疗制度。全省有43县（市、区）实行这种制度。除中山市筹资和保障标准较高外，其他地方筹资在人均25元至30元之间，报销比例在30%至50%之间，封顶线在1000元至3000元之间。由卫生局主管。乡镇设合作医疗办，与社会事务办、农办或其他部门合署。个别地方还有村办的形式。

在保障方式上，主要有三种方式：①“保小不保大”，即在定点医疗门诊机构就医，减免就诊费用，但生大病住院治疗的费用则需自理；② 保大不保小，报销一定份额的大病住院治疗费用，小病只能减免很少一部分医疗费；③“保大又保小”，即无论治疗费用的多少，都可以按一定比例报销。在报销内容上还有区分：有的采用“合医不合药”，即只减免部分或全部诊疗费而不减免药费；有的采用“合药不合医”，即只减免部分药费而不减免诊疗费；有的采用“合医合药”，即药费和诊疗费同时获得部分减免。

目前，全省农村合作医疗基本采取大病统筹形式。部分县（市、区）对参加人给予门诊让利优惠，即参加人在镇卫生门诊可免挂号费或诊金，X光、B超、心电图等检查费可优惠10%～15%。

在合作医疗制度之外，多数县（市、区）还建立了农村合作医疗保障救助基金，在合作医疗补助之后仍有较大困难的，还可以申请特困医疗救助。封顶标准一般在2000元至5000元。

（四）广东新型合作医疗制度的地区模式

在新型合作医疗制度的建设中，广东各地勇于探索，积极尝试，走在全国合作医疗机制创新前列。新型农村合作医疗制度是一个在旧农村合作医疗制度逐渐退出后，旨在为解决占全国近2/3农村人口的医疗保障问题而设计的新型制度。旧有的农村合作医疗，主要以集体经济为依托建立，国家对合作医疗没有投入。随着集体经济的解体，这一农村合作医疗制度难以为继。新型农村合作医疗与旧农村合作医疗的区别在于，重新调整国家、地方政府和个人之间的关系，将国家和地方政府都纳入到这一体系中来。新型农村合作医疗制度由政府主导，农民自愿参加，并由政府、集体和个人多方筹资，实行社会统筹与个人账户相结合，但以大病统筹为主的模式。

近年来，广东的农村合作医疗制度创新取得了骄人成绩。2006年10月28日，在“第二届中国全面小康论坛”上，云浮市以其六年来在农村合作医疗领域做出的改革成绩，成为“中国十大政府创新典型”。2007年1月22日，在全国新型农村合作医疗工作会议上，广州市番禺区又以“管办分离、商业公司托管”的基金运作模式得到中央决策层的肯定，被评为全国新型农村合作医疗先进试点。

广东农村合作医疗创新的地区模式主要有：

1. 云浮模式。

云浮市是广东省中部山区的一座欠发达城市，其财政收入居全省倒数第五，农业人口比重高达70%。2001年，云浮市长郑利平将商业保险引入农村基层医疗卫生领域。由此，全国范围内首次由

一个农业大市政府主导的全民基础医疗计划拉开大幕，一场区域性自发的农村合作医疗改革试验，使云浮成为广东乃至全国的典型。2007 年，全市参加合作医疗已经 172. 3 万人，覆盖率达到 95. 3%，比省制定的目标高出 25. 3 个百分点。而“两档制”医保每年 3 万元的最高保费标准，更是全国范围内绝无仅有。

云浮的农村医疗改革，经历了完全市场化—政府统筹与商业保险并行—政府主导—再探市场化几个阶段。2001 年，云浮市长郑利平决定将商业保险引入农村基础卫生医疗，实行由政府牵头推动的商业保险契约模式。保险公司根据与政府达成的条款协议，履行保险责任，自负盈亏，保费收入和赔款给付全部反映在保险公司账上，政府不给予财政补贴，完全由农民承担。但这种创举很快遭到了非议，保险公司的“盈利性”动机与农民合作医疗的“公益性”出发点似乎发生了冲突。云浮市的合作医疗改革被迫中止了商业保险摸索，回到“政府全盘接管”的轨道上来。

但云浮市的合作医疗改革并未停止，创举不断出现。2003 年底，针对农户反映上来的“合作医疗赔付数额太少”等问题，云浮市开始从市财政中支出部分补贴给农民。而几乎是同时，广东省的财政补贴力度也在加大，镇统筹的农村合作医疗开始向县统筹过渡。2004 年初，云浮市的“创新路径”清晰显露：市、县两级政府开始投入额外的财政补贴，云浮实行合作医疗和补充医疗的双轨并行制。2006 年开始，云浮市又在农村合作医疗制度中试行积分制：凡参保两年而又从未享受过合作医疗报销的农户，每户可以累积 200 分，该户就能提高 2% 的赔付额度，享受 52% 的报销额度。[①]

2. 番禺模式。

番禺的农村合作医疗创新开始于 2005 年 1 月 1 日，其亮点在于政府主导，市场运作。番禺区农村合作医疗的特点可概括为：

---

① 《广东云浮农村医疗改革原生路径：参保率已达 91%》，中国经济网，2007 年 1 月 25 日；《广东：合作医疗摸索前行》，《21 世纪经济报道》2007 年 5 月 22 日。

"政府主导、卫生部门监管、保险公司承办、信息化操作。"

"番禺模式"就是政府购买商业保险公司的专业化的服务，通过招标委托中国人寿保险公司承办补偿等具体业务，区政府每年向保险公司支付管理费，中国人寿在番禺支公司成立新农合服务管理中心，下设咨询投诉、补偿复核给付、信息系统管理等岗位，负责承包、补偿、报表统计等工作。除此之外，新农合服务管理中心还在各区、镇定点医院派驻驻院代表，负责参保人员的身份核对、检查用药情况、现场报销、收集信息、传递零星报销资料等工作。在基金测算方面，农合办秉持"以收定支、保障适度、收支平衡、略有节余"原则，按照卫生局的要求，利用精算技艺，每年定时进行测算，确定当年适当的保障水平。2005年、2006年基金节余率为10.14%、5.02%，都稳定地达到了预期控制的目标。在资金的管理、使用方面，政府组织推动保费的征收，直接把保费汇入区财政的基金专户，保险公司使用保费办理补偿需要根据实际支出向卫生、财政部门请款，而两部门又每月对该补偿请款进行抽查、核算、划拨。这种流程分工彼此制衡的机制保障了"番禺模式"的有效安全运转。①

3. 三水模式。

三水区的新型农村合作医疗属于政府推动、财政补贴、商业保险运作模式，前后历经了保险公司风险兜底和纯基金管理两个阶段。第一阶段为保险公司风险兜底阶段，所有农村合作医疗保险收缴资金划入保险公司专用账户，由保险公司进行管理。区政府每年从中提取30万元作为基层单位的征收和奖励费用，保险公司从中提取120万元作为业务管理费用，剩余资金全部用于医疗赔偿。账户资金实行年度结算，亏损由保险公司承担，节余则转入下一年度。协议有效期为三年，期满如不续约，账户基金节余归合作双方，两者各占50%。第二阶段为纯基金管理阶段。2004年，合作双方经协商后，对"三水模式"进行了改革，将保险公司负责管

① 《广东：合作医疗摸索前行》，《21世纪经济报道》2007年5月22日。

理并承担经营风险的模式，转变为纯粹第三方基金托管模式，即保险公司收取管理费，负责对农村合作医疗基金进行管理。基金亏损由政府承担，基金节余转入下一年度。截至 2004 年 12 月，该区应参保人数 29.97 万人、实际参保人数 28.28 万人，参保率 94.36%；累计医疗基金收入 1696.63 万元，其中政府补助 848.31 元，占 50%。共有 12824 人（次）获得农村合作医疗赔付，赔付金额 1674 万元，其中赔付在 1 万元以上的有 147 人（次）。目前，保险公司已完成了对定点乡镇医疗机构的电子网络建设，实现了对医疗费用的实时监控；农民就医管理全部实现数字化和网络化，医疗数据也实现了远程分类查询和调用。“三水模式”农村合作医疗保险经过成功转型和几年运转，已初具规模，取得了良好的社会效益，初步形成了农民、政府、保险公司三方共赢的局面。[①]

（五）广东农村合作医疗成就

新型农村合作医疗在广东推行后，各地纷纷响应，扎实开展，取得显著成就。

第一，基本实现全省覆盖。2006 年，新型农村合作医疗覆盖 123 个县（市、区），覆盖 20075 个村，参保人数约 3060 万人，参保率为 61.5%，有 15 个市参保率超过 60%。截至 2007 年第一季度，广东省 1391 个乡镇中的 20975 个行政村的 4935 万农业人口中，已有 4137 万人参加新型农村合作医疗体系，享受这一医疗保障的农业人口数占到总数的 83.8%，居于全国领先位置。

第二，资金筹集制度逐步完善。在资金筹集上，建立了由农民个人、集体和政府财政共同分担，以财政投入和集体扶持为主的筹资机制，2002—2005 年，全省农村合作医疗筹资约 30 亿元，省财政扶持资金达到 4.8 亿元；在统筹层次上，从 2005 年起由乡镇统筹转向县级统筹；在资金管理上，农村合作医疗基金实行专户存储、钱账分离、封闭运行，纳入每年审计范围。

① 黄海晖：《广东省新型农村合作医疗保险模式分析与建议》。

第三，管理体制逐步完善。广东省多数地区原来农村合作医疗制度是以镇办镇统筹的形式为主，根据新型农村合作医疗制度的要求，从2005年起，全省开始向县级统筹形式过渡，2006年起，全省新型农村合作医疗已全部实行县级统筹（中山市除外），每个地级市辖区的合作医疗制度形式趋向统一。在运行时间上，全省统一了新型农村合作医疗的运行时间，以每年1月1日至12月31日为一个运行年度，每年第四季度为农村合作医疗宣传发动期。在保障方式上，实行以大病统筹为主的保障制度，2006年有95个县（市、区）最高补偿标准达到6000元以上，最高补偿标准达到6万元。同时，各级政府都成立了农村合作医疗工作协调机构。主管部门设立了合作医疗经办机构，乡镇一级也设立了新型农村合作医疗办公室，配备了专兼职工作人员，县一级还设立了农村合作医疗监督机构。

第四，农民受益率提高，有效减轻农民医疗负担。2005年，全省合作医疗住院补助78.2万人（次），补助金额达到10.6亿元，有1.86万人得到医疗救助，救助金额2955万元。2003—2005年，全省农村合作医疗住院补偿161万人（次），补偿金额达到21亿元，医疗救助3.7万人（次），救助金额约5000万元。

第五，探索出具有广东特色，适合不同地区农民医疗保障制度的实现形式。珠三角多数县市合作医疗保障达到较高水平，部分市县实施了城乡居民一体的医疗保障制度。在东西两翼和粤北山区，农村合作医疗也有较快发展。云浮市各县农村合作医疗覆盖率达到90%以上，并根据农民的需求，设置了两个保障档次，最高支付可达3万元，大大提高了保障水平，探索出贫困山区建立新型农村合作医疗制度的新路子。在坚持保大病、保住院的前提下，一些地方开始试行门诊补偿制度。

第六，完善医疗救助制度，解决特困群众的“看病难”问题。广东省多数县从2003年起建立了农村合作医疗保障救助制度，作为农村合作医疗制度的补充形式，省财政每年安排3000万元扶持欠发达地区农村合作医疗保障救助基金，由农村合作医疗主管部门

管理，可用于对困难群众参加合作医疗给予资助；患大病的特困农户，在合作医疗补偿基础上，还可以申请救助，使合作医疗制度保障水平进一步提高。2003 年至 2006 年上半年，救助人数为 46987 人，救助金额 7872 万元。这一基金同时兼顾调剂农村合作医疗资金运行风险。民政部门负责帮助“低保户”、“五保户”参加合作医疗，对合作医疗补偿之后，仍有较大困难的，民政部门还可以给予医疗救助。有的地方还有其他形式的救助，如慈善医疗救助、红十字会医疗救助。[①]

（六）广东农村合作医疗制度存在的问题

第一，受益面狭窄，可信度不足。中国新型农村合作医疗实行社会统筹与个人账户相结合，因筹资水平低和“自愿”原则，为数不多的合作医疗基金要想发挥作用，只能对大病实行统筹。但农村人口生大病的概率并不是很大，“保大病”，“受益”者只能是少数人。大多数农民日常得的都是小病，一般都在门诊治疗，都是花自己所交的保险费，基本没有享受到国家的补贴。即使患大病住院治疗，由于受定点医疗机构和起付线的限制，受益人群也非常有限。另外，新型合作医疗的药品范围、诊疗项目范围等都比较小，也对受益面产生一定影响。如果扩大“受益”面，就将降低补偿的数量，补偿比过低，对多数人又没有吸引力，而且导致较高的管理成本与交易费用；如果提高补偿比，合作医疗基金又没有承受力。

第二，制度推进与宣传不到位，影响了农民参保。中国新型农村合作医疗制度的推进存在着宣传不到位、行政强制摊派等问题。前者导致农民对这一新型制度缺乏了解而不愿参保，后者体现出地

① 《广东农村合作医疗基本情况》，广东省新型农村合作医疗网站，2005 年 4 月 15 日，http://hzylb.gdwst.gov.cn；《广东省基本建立新型农村合作医疗制度》，广东省卫生厅网站，2006 年 10 月 10 日，http://www.gdwst.gov.cn；《广东新型农村合作医疗保障制度取得五大显著成就》，中央政府门户网站，2006 年 4 月 7 日，http://www.gov.cn.

方政府为获得上级财政补贴和政绩，粗暴地强制农民参保，这两个问题都影响着农民对新型合作医疗制度的正确认识。大部分农民对新型合作医疗制度中有关术语不理解，有的甚至看不懂新型合作医疗制度的宣传资料。另外，有的农民由于没有履行及时告知义务，或超过补偿期限，或没有办理转院手续，本可以得到补偿而没有得到补偿，引起农民对制度的不满。这些问题都是管理、服务和宣传不到位造成的，直接影响了农民参保的积极性，甚至一些已参保的农民对制度的可信度下降，并打算退保。

第三，农民缴费少，难以保障日常医疗费支出。新型农村合作医疗制度的个人缴费根据各地区的经济状况而有所不同，但大部分地区的缴费标准较低。农民缴费少导致个人账户资金不足，难以满足基本医疗需求。因此，相当一部分参保者认为，没有从此制度中获益，或者没有看到此制度的医疗保障作用。

第四，政府投入少，导致保障水平低。在广东新型农村合作医疗制度中，除了农民向个人账户缴费外，各级财政对参保者每人每年都有一定补贴，进入社会统筹用于大病补偿。然而，从制度运行的情况看，政府补贴不足导致保障水平很低，不少地方补助封顶线在2000元以下。住院或生大病治疗的费用大部分还要由农民自己负担，再加上日常生病买药和门诊费用，农民医疗和卫生保健经济负担依然十分沉重。

第五，作为合作医疗载体的县、乡镇两级定点医疗机构经营状况欠佳，因此医疗条件差、设备老化，医护人员的技术水平低，部分大病患者不敢到这些医疗机构就医，只能越级到市或省定点医疗机构就诊和治疗。而依照现行的农村医疗合作制度，就医的医疗机构级别越高，补偿就越少；同时还要扣除不在所保药品范围内的药品费用，这样农民生大病或住院得到的补偿就微乎其微。有些病种（如癫痫病）在定点的医疗机构没有相应的治疗科室甚至不在所保的范围内，只能到非定点的专业医疗机构就诊，这样就得不到补偿，医疗费用全部由农民自己承担。现行的药品收费相对农民收入来说也偏高，不甚合理。

第六，各级政府各个部门的职责有待进一步明确。政府在农村社会保障制度的建立与完善中承担着资金筹措和管理的职责，但目前各级政府各部门的责任并没有明确的分工。广东的农村合作医疗，有的地方统筹到市，有的统筹到镇，收费水平不一样，保障程度也有差别，这不利于资金的有效利用和财务监管。就主管部门而言，以前为卫生部门（从省卫生厅到市县的卫生局），现在改为农业部门（从省农业厅到市县的农业局），也造成了基层工作一定程度的混乱。

三、广东农村最低生活保障制度

（一）农村最低生活保障制度的建立

农村最低生活保障制度是国家和社会为保障收入难以维持最基本生活的农村贫困人口而建立的社会救济制度。农村最低生活保障制度以科学的方法确定保障线标准，使得生活水平低于保障线的农民都能够获得最基本的物质需要。这种由国家和社会保障作为常规的“第一线”的危机预防系统，是对人的基本生存权的尊重和保护。

农村低保试点工作自20世纪90年代以来开始。1992年，山西省左云县率先开展农村低保试点；1994年，上海也开始在3个区实行试点；1995年12月11日，广西壮族自治区武鸣县颁布了《武鸣县农村最低生活保障线救济暂行办法》，这是我国第一个县级农村低保制度文件；1996年1月，民政部召开全国民政厅局长会议，明确提出要改革农村社会救济制度，积极探索建立农村低保制度，并将这项工作列入当年工作要点。此后，农村低保试点工作稳步推进。据民政部公布的《2006年民政事业发展统计报告》显示，截至2006年底，全国有23个省份建立了农村最低生活保障制度，2133个县（市）开展了农村最低生活保障工作，有1593.1万人、777.2万户得到了农村最低生活保障。

根据《中共中央　国务院关于积极发展现代农业扎实推进社会主义新农村建设的若干意见》和十届人大五次会议通过的《政府工作报告》的要求，2007年要在全国建立农村最低生活保障制度，将符合条件的农村贫困人口纳入保障范围，重点保障病残、年老体弱、丧失劳动能力等生活常年困难的农村居民。依照国务院下发的《关于在全国建立最低生活保障制度的通知》，各地都制定了农村社会最低生活保障制度。

农村低保制度建立以前，各地通过实行特困户定期定量生活救助以及临时生活救助，对农村特困群众给予救助。但这种救助制度覆盖面窄，容易出现有钱多救助、无钱少救助的人为随意性，保障程度低。而通过建立和实施农村低保制度，将符合救助条件的农村贫困群众纳入保障范围，就可以稳定持久地解决农村贫困人口的温饱问题，形成解决困难群众“天天困难”问题的长效机制，确保贫困群众依法得到救助。

（二）农村最低保障制度的基本框架

1. 保障对象。

一般而言，具有当地正式农业户口，共同生活的家庭成员，年人均收入低于当地农村低保标准的人都可申请享受农村低保。与传统的社会救济制度相比，低保制度的保障对象有所扩大，除了“五保户”、“特困户”外，还包括了下列人员：家庭成员无劳动能力或基本丧失劳动能力的无劳力户；家庭主要成员虽在劳动年龄段，但因严重残疾而丧失劳动能力，家庭生活困难者；家庭成员在劳动年龄段，因长年有病，基本丧失或大部分丧失劳动能力，家庭生活困难者；家庭主要成员因病、灾死亡，其子女不到劳动年龄或是在校学生，生活特别困难者。为避免“搭便车”，一些地方也设置了一些限制条件。

各地根据本地实际，对于核定低保申请人的收入等情况采取了因地制宜的方法，主要可以分为两种类型：一类是一些东部经济发达地区，由于工作基础较好，可以做到在较准确地核定低保申请人

家庭收入的基础上，原则上按照申请人家庭年人均纯收入与保障标准的差额发放低保金；另一类是在广大的中西部地区和部分东部地区，通常是在初步核查申请人家庭收入的基础上，更多地依靠民主评议等办法来确定低保对象，并采取按照低保对象家庭的困难程度和类别，分档发放低保金。

2. 保障标准。

各地确定低保标准主要从以下几方面考虑：一是维持当地农村居民基本生活所必需的吃饭、穿衣、用水、用电等费用；二是当地经济发展水平和财力状况；三是当地物价水平。目前，除了少数东部发达地区，一般地方都参照国家每年公布的贫困标准来制定。农村低保标准一般是由区县人民政府制定，并报上级人民政府备案后公布执行。有些地区则是区县制定指导标准，各乡镇根据自身实际情况加以调整。多数地区在将“五保户”纳入低保范围时做出了特殊规定，“五保户”的保障标准要比一般保障户高一些。在标准制定过程中，一般要经由区县民政、财政、农业、统计、物价等有关部门共同协商，并参照当地经济水平和财政承受能力，有些地方还参照农民的自我保障能力和当地城市低保标准。一般还要求保障标准根据当地经济发展水平和物价波动情况适时进行调整。整体上看，目前各地的保障标准是本着“低标准起步”、“既要能保障基本生活，又要有利于克服依赖思想”的原则制定的。

根据民政部的统计，截至2006年底，低保对象实际领到的低保金为月人均33.2元；截至2007年第一季度末，则为27.6元。[①]随着农村低保制度的全面建立以及各级政府逐步加大投入，尤其是中央财政对财政困难地方给予适当补助资金，实际补助水平会逐步有所提高。

3. 保障资金。

截至2006年，农村最低生活保障资金分担方式仍然是县、市

---

① 《形成解决困难群众“天天困难”问题的长效机制》，人民网，http://www.people.com.cn.

两级财政为主，省财政的转移支付为辅。一般是由省以下各级财政和村集体共同负担，多数是市、县、乡镇和村按照一定比例分担。从2007年开始，中央财政将对财政困难地区实施农村低保制度给予资金补助。同时，各级有关部门将加强对农村低保资金的监督管理，规范和完善资金管理制度，保证专款专用，推行通过代理金融机构直接发放低保金的办法，确保各级财政安排的低保金能够及时足额地发放到低保户手中。建立农村低保制度的地区，一般要求将保障资金纳入社会救济专项资金支出科目，专账管理，专款专用，县和乡镇财政都要建立农村低保资金专户。有的地方还要求村一级也应建立农村低保资金往来专账，严格财务管理制度。除了要求各级财政和村集体负担保障资金外，一些地方还致力于探索多元化的筹资渠道，改善低保对象的生活。

4. 保障内容。

综合起来看，农村低保的主要内容是三项：现金保障、实物保障和优惠政策。在现金保障方面，各地一般根据保障对象的具体情况采用不同的补助标准，体现了分类施助的思想。如果这些人原来享受的定期定量救济金低于本地低保标准，可将补助水平提高到低保标准；如果原来就高于低保标准，仍按原标准执行。对于“五保户”，除享受农村低保待遇外，还附加保障金的10%作为生活补助费，并确保其供养标准不低于当地乡镇上年人均收入的65%，不足部分由区县和乡镇财政予以补足。在保障金的具体发放方式上，各地做法多种多样，例如有的是由乡镇委托村委会按月发放，有的则是按季度发放。

在实物保障方面，一般是由村委会组织货源并派人发放，各地发放时间也不一致；在优惠政策方面，有的地方规定应对低保对象在生产、就业、就学、就医、住房、减免义务工、从事个体经营等方面给予必要的照顾和政策扶持；应组织扶贫帮困等社会互助活动解决低保对象的日常性生活困难。

5. 工作程序。

申请农村低保的基本程序是：由户主向乡（镇）政府或者村

民委员会提出申请；村民委员会开展调查、组织民主评议提出初步意见，经乡（镇）政府审核，由县级政府民政部门审批。乡（镇）政府和县级政府民政部门对申请人的家庭经济状况进行核查，了解其家庭收入、财产、劳动力状况和实际生活水平，结合村民民主评议意见，提出审核、审批意见。在申请和接受审核的过程中，要求申请人如实提供关于本人及家庭的收入情况等信息，并积极配合审核、审批部门按规定进行的调查或评议，有关部门也应及时反馈审核、审批结果，对不予批准的应当说明原因。为保证审核发放低保金过程中的公正，各地采取了一系列民主公开的措施，包括严格执行民主评议、张榜公布、群众监督等程序，有关部门经常进行抽查、检查并成为一项基本的工作制度，使得低保工作比以往的救助工作更加公开、公正和透明。

6. 管理体制。

各地农村低保工作都是在党委领导下，由政府负责推动的。在实际工作中初步形成了“党委领导、政府负责、民政主管、部门协助、社会参与”的管理体制和模式。其中，各级党委主要负责领导、决策和监督；各级人民政府负责规划和落实，确保人员和资金供给；各级民政部门是主管部门，具体负责低保对象的审批、管理以及政策指导和调查研究等工作；政府相关部门则分别在各自的工作范围内积极协助民政部门，做好农村低保工作；基层社区主要负责帮助、监督低保对象，开展邻里互助、社会帮扶等活动；广大公众、民间组织和社会团体可从多方面积极参与低保工作，帮助低保对象。

（三）广东农村最低保障制度

1. 概况。

广东省从1995年开始实施城镇最低生活保障制度，自1998年起，这一制度开始覆盖农村。广东2007年将安排低保补助资金2.9亿元，提高城乡最低生活保障水平。2007年广东农村低保标准月人均低于100元的都提高到100元，人均年收入1200元以下的困难群众全部纳入低保，让所有符合条件的对象及时享受到低保政策的阳光。一些经济条件较好的地市还更“领先一步”，例如广州将2007年农村人均年收入2000元以下的困难群众全部纳入低保范围，比全省的低保标准高出800元。同时，补助水平也将进一步提高，广东14个经济欠发达地区，从2007年1月起，原则上城镇人均月补助都要达到80元以上，农村要达到40元以上。珠三角地区则根据实际适当进一步提高低保补助水平①。整体来看，广东城乡一体的最低生活保障制度已经取得了显著的成效，有力地保障了农村贫困人口的基本生活，其成功经验值得在全国推广。

广东省农村最低生活保障标准大大低于城镇水平，而各地农村标准的差距也十分显著，最高的是佛山市（310元/人/月），最低的是河源市（60元/人/月）。农村最低生活保障金按规定由市、县/区、乡镇（有些地区还有村委会）共同负担。广东低保对象每半年确定一次。与城镇中保障对象通常指“三无”（无经济来源、无劳动能力、无法定赡养人）对象不同，农村的保障对象往往是那些供养系数较高的人、残疾人、病人和家庭有突发事件的人。

2. 广东农村最低生活保障制度的配套措施。

由于广东省的最低生活保障制度涵盖农村，最低保障制度的相关配套措施也使农民受益匪浅。这些配套设施包括：① 特困人员的基本医疗保障制度。1999年底，广东省民政厅、财政厅、社会保险管理局联合实施了特困人员基本医疗保障制度，按当地最低生活保障标准的14%给予特困人员医疗补助。截至2001年底，广东全省已经向近7万的特困人口提供了医疗救助，发放救助金1263万元，其中农村人口2.25万人。在云浮和顺德两市，70%以上的受救助人员来自农村。② 住房帮助。解决农村特困人员的住房难问题，主要体现在帮助其修建住房上。目前全省已经帮助16310户农村家庭，修建住房面积近83万平方米，资助金额达6891多万元。③ 法律援助。根据《广东省法律援助条例》，各市的区县成立

---

① 《让“低保”对象享受阳光》，金羊网，http://www.ycwb.com.

了法律援助处，同时组织工会、妇联、残联等单位，形成多方位的工作网络，为弱势群体提供法律援助。截至2001年年底，全省已经有7000多人接受了这种法律援助。遗憾的是民政部门没有区分农村和城镇进行统计，因此我们无法了解受益的农村人口数量。④子女入学扶助。为解决农村特困家庭子女上学的问题，省财政专门拨款3亿元用于免收农村人均年纯收入1500元以下的困难家庭子女义务教育阶段的杂书费。标准是农村小学每人每年300元、初中500元。广州市把指标落实到从化地区最困难的家庭，共资助学生2774人，资助金额达103.74万元。

3．广东推进农村最低生活保障制度的主要办法。

第一，规范实施程序，确保管理到位。程序是规范的保证。广东省在原有的《广东省社会救济条例》、《广东省城乡居（村）民最低生活保障制度实施办法》等一整套低保政策法规的基础上，2005年出台了《广东省最低生活保障资金管理暂行办法》和《关于进一步落实我省农村最低生活保障制度的工作方案》等，对农村低保工作进行规范，要求各地对农村人均年收入低于1000元的家庭重新进行核实，对符合条件的人员进行分类排队，登记造册，张榜公示。为规范实施程序，广东省民政厅还投入360多万元统一印制了低保领取证及表格；投入300多万元为各市县区和部分乡镇配备了电脑；开发了低保管理应用软件，部分地方实现了网上申请、网上受理、网上审批。各地也十分重视规范管理问题，据统计，全省各级制定低保救助法规文件达200多件，内容涵盖家庭收入核算、低保资金管理、低保金申请、发放等低保工作的各个环节。低保救助政策法规的健全和完善，标志着广东省的低保救助管理走向规范化。

第二，建立低保资金专户，确保资金到位。资金落实是做到应保尽保的关键。广东省农村低保资金原来主要由县、乡镇两级财政和村民委员会集体经济共同负担，省给予补助，但由于乡镇、村的经济基础比较薄弱，低保资金往往不能得到落实，许多地方甚至只依靠省转移支付的补助金。尽管省一再加大扶持补助力度，困难群众的利益仍然难以得到有效保障。为彻底解决这一问题，2007年广东省取消了镇、村两级负担，改由省、市、县三级财政负担，并设立了"最低生活保障补助资金财政专户"，要求市、县两级将预算安排的低保资金拨入专户，省财政对14个困难地区和恩平市低保资金按省确认数城镇补助30%、农村补助50%的比例分别给予补助。同时，建立低保资金奖惩制度，对经济欠发达地区市县能及时到位拨付低保资金的，并按照当地颁布的低保标准做到应保尽保的，由省财政按各地上年安排资金总额的10%给予奖励性补助，作为下年低保资金；对预算低保资金拨付不到位的市县，不予拨付省财政补助资金。经过努力，2007年广东省低保专户到账资金达10.5亿元，其中省财政投入资金2.5亿元，市县配套资金8亿元，全部足额到位，确保了广东省农村低保工作的需要。

第三，加强检查督促，确保低保资金发放到位。针对少数地方低保资金发放不及时，部分困难群众迟迟得不到低保救济的情况，广东省民政厅一方面加大督促检查力度，由厅领导亲自带队，先后多次到工作落后的市、县开展督查工作，直接与当地主要领导和财政局长座谈，定出落实的时间表，要求按时完成；另一方面建立低保进度情况通报制度，定期通报各地进展情况。同时，还通过多种途径，将有关情况报告省委、省政府有关领导，请省领导协助抓好督查工作。在各方面的共同努力下，到2006年底，广东省将全省农村人均年收入低于1000元的困难群众全部纳入了低保，新增低保对象54万人，是广东省建立城乡低保制度以来增长幅度最大、工作最落实的一年，标志着广东省低保工作进入了一个新的发展阶段。

第四，探索低保工作新思路，分类管理，分类施保。对有劳动能力的低保对象，免费优先培训，优先推荐就业；对再就业者，继续给予一年的低保救济。像广州市已开始对特困人员实行分类救济，其中最值得一提的是，对用退休金维持生活的低保家庭和城镇收入困难家庭，在计算其家庭月收入时，先将退休金扣除500元，作为退休人员的生活费，剩余的退休金才作为家庭其他成员的共同

收入平均计算，达不到低保标准的，给予差额救济。广州 2007 年还开展了编制广州市低收入居民消费价格指数工作，每个月挑选 100 户低保家庭进行入户调查，以流水账的方式记录低保家庭的消费开支。以后，政府将根据居民基本生活消费品的涨价程度，测算物价变化对低收入居民造成的影响，进而给予一定的生活补贴。此外，广东 2007 年将实现省、市、县（区）三级联网，有条件的要实现乡镇（街道）联网，大力推动低保信息管理网络建设。并逐步建立“五保”供养经费和供养标准自然增长的长效机制，保证“五保”对象供养标准不低于当地一般群众生活水平。

4．农村低保制度的难点。

一是保障标准的制定。尽管很多地区就农村低保标准制定的依据和程序作出了有关规定，但是，在实际工作中，许多地方制定的标准是不太科学的，甚至是很随意的。有些地方基本上是在原先特困户救济标准的基础上，参照当地生活水平和财政负担能力制定的。“以钱定人”的情况比较普遍，导致保障标准过低。各地基于年人均收入制定保障标准有几个主要缺陷：① 保障标准过于聚焦在贫困对象的食物和生计安全上，忽略了贫困对象的其他必要需求，不能准确反映贫困的内涵；② 保障标准的确定一般是以县（市）为单位，忽略了县域内部各社区之间以及社区内部农户之间的差别；③ 依据基于人均收入的保障标准确定保障对象，既不经济，又难准确，因为收入的核实、计算十分复杂；④ 标准制定过程中排除了社区居民的参与，导致社区居民对低保工作缺乏足够的认同感和责任心，从而影响了救助效果。

二是保障对象的识别。依据现有的保障标准去识别、确定保障对象，面临着许多现实的难题。表现在：① 什么收入应计算为有收入，什么收入可以不予计算，目前还缺乏统一规定；② 依据各地情况，科学核算农业、副业收入有困难；③ 核算有劳动能力的保障对象的隐形收入有困难；④ 困难农户外出务工人员收入或临时性收入很难把握；⑤ 确定农户具有法定赡养、抚养关系并且在一起共同生活的全体人员收入难；⑥ 因建房、婚嫁导致生活困难的人员是否列入保障对象面临操作困难；⑦因计划生育被罚款而造成家庭生活困难的人是否列入保障范围缺乏法律依据，不好操作。为了便于识别保障对象，一些地方增加了对申请者实际生活状况的考察，“发明”了一些方便的办法。但这些做法要么表现出随意性，要么缺乏必要的法律依据，甚至带有政策性、价值性歧视，与最低生活保障制度的初衷相悖。要解决这一问题，就要尽快建立一套行之有效的审核批准制度，在建立数据库基础上实行动态管理，有效发挥民主评议等有中国特色的制度措施，最大限度地避免由此导致的社会不稳定因素。此外，保障对象的确定还涉及许多部门的配合，需要民政系统与社保经办系统密切合作。

三是保障资金的落实。目前，农村低保资金大多实行分级负担，而且主要是由县、乡、村三级负担。由于中央政府拨款有限，农村低保制度仍然主要依靠地方财政支持，在地方财政状况好的时候，执行起来问题不大；一旦财政状况不好，就很难得到有效执行。而且，20世纪90年代以来，社会资源，包括财政资源有向上集中的趋势，地方财政状况持续吃紧，无力支付低保支出。取消农业税，明显缩减了乡镇和村一级的收入，使乡镇和村的财政状况恶化。通常，越是财政紧张的乡镇和村，贫困人口往往越多，分担低保经费的任务就越重，落实经费保障的压力就越大，结果就越不能落实。由于分级负担的资金得不到有效落实，导致一些地方农村低保进展迟缓、陷于停滞，甚至是名存实亡，或倒退到传统的社会救济形式。因此，在融资结构中应强调中央政府的责任，并以某种形式相对固定下来。在中央财政转移的规模和方式上、对发达地区与欠发达地区的不同配比、特定地区中央财政的配比规模、对地方政府的财政支出的条件要求等，要予以制度化，使地方政府既有财政安排的制度预期，又可促进其实施和执行低保制度的积极性；既可增强中央政府的社会公信力，又可达到低保资金的使用效率最大化的目的。在资金的来源和使用上，则应妥善应对支出规模的不断扩大。

四是保障工作的规范化问题。尽管目前已经制定了部分全国性

的政策法规，如国务院下发的《关于在全国建立最低生活保障制度的通知》，各地也都制定了一些地方性政策法规，但总体而言，相关法律法规的制定滞后，导致农村低保工作无法可依，整体上不够规范，难以形成整体性的积极效应。在具体工作层面，由于在大多数地区，无论是从事农村低保工作的基层人员还是从事传统救济工作的人员，其思想观念和工作能力都不太适应农村低保工作的要求，加上基层工作经费和工作人员不足，导致一些人工作负担过重，疲于应付，所以很难把低保工作做细、做实。而基层工作监督机制不健全，以及农村低保工作监督具有客观的难度等，又助长了基层工作的粗放化，由此导致了各个环节的随意性，甚至出现了优亲厚友和截留、挪用低保金等违规、违法行为。因此，应将农村低保行政管理费用纳入预算安排，以防止挪用资金和利益输送等腐败的产生。①

总之，农村最低生活保障制度才刚刚起步，还需要进一步调整、完善，以完善农村社会保障制度，改善农村贫困人口生活，切实使他们分享改革开放的成果。

① 《农村低保制度的实践与问题》，中国网，http://www.xhina.com.cn；《农村低保制度应注意八大问题》，广东省民政厅网，http://www.gdma.gov.cn.

第十章
广东农村社会文化

一、广东的族群与文化[1]

广东的农村民间文化具有极强的地域色彩，这是与广东的族群区域分布分不开的。汉族是广东省的主体民族，广东省内的汉族分为广府人、潮汕人和客家人三大民系，广东的民间文化也就相应分为广府文化、潮汕文化和客家文化。除此以外，广东省还有一些世代居住于辖境内的少数民族，如瑶、壮、畲、回、满等[2]，他们与汉族三大民系一起，共同构成广东绚烂多彩的民间文化的主体。

（一）广府文化

广府族群是最早形成的岭南居民体系。广府人主要由早期中原地区移民与古越族杂处同化而成。广府民系广泛分布在西江、北江流域及珠江三角洲地区，但一般都认为珠江三角洲是最具代表的地区。因此，广府民系文化特征以珠江三角洲最为突出，既有古南越遗传，更受中原汉文化哺育，又受西方文化及殖民地畸形经济因素影响，具有多元的层次和构成因素。广府文化的中心城市广州，自

---

① 本节内容资料来源于南方网《岭南文化概况》，http://www.southcn.com/news/gdnews/hotspot/dzgdwhhm/whgk/defanlt.htm.

② 黄淑娉：《广东族群与区域文化研究》，广东高等教育出版社 1999 年版，第 11～12页。

古以来是广东乃至岭南区域政治、经济和文化中心，使广府文化在广东各民系文化中占有优越的地位。由于至少从汉代开始与海外文化的接触交流不断，故广府民系的人民，在三大民系中最具开放性。易于接受外来新事物，敢于吸收、摹仿和学习西方物质文明和精神文明，并将传统文化与之相互融合，是广府文化变迁的最大特色。广州的骑楼建筑，粤语中的英语音译词汇，饮食中的西餐风味以及圣诞节、情人节等西方节日的盛行，无不反映出广府文化的这种特性。广府人还具有敢于探索和尝试的拼搏精神，视野较为宽广，思路较为开阔，商品意识和价值观念较强，精明能干，善于计算，创造了珠江三角洲多元化农业商品经济，以广府人为主干的“广帮商人”清中期就已驰名全国。同时，也带来了投机性、市侩性的负面作用，以及较为浓厚的宿命观，如广府商家中普遍可见到供奉关公为财神，在穗港澳等地民间存在迷信命运、敬神奉鬼的风气。商品意识不仅弥漫于民众的日常生活中，而且往往制约着人们的价值取向和行为目标，人们更多的是注重经济上的利益关系，民系中的内部凝聚力相对较弱。

由于广府文化在广东民系文化中的突出地位，因此，广府文化在各个领域中常被作为粤文化的代称。如广州话称为“粤语”，广州方言歌统称为“粤讴”；广州戏剧音乐分别称为“粤剧”、“粤曲”、“广东音乐”；广东饮食文化体系中虽有广州菜、潮州菜、东江菜之分，但“粤菜”常用以指广州菜；广州工艺品的重要品类被称为“粤绣”、“广彩”、“广雕”等。

（二）潮汕文化

潮汕族群主要分布在韩江三角洲。韩江三角洲是岭南第二大平原，在两晋以前，这里的居民是闽越人。自两晋移民高潮以后，中原及闽南的汉族才不断移入，从而形成潮汕族群及与闽越方言同属一系的潮州方言。潮汕地区的地形大势，西北高而东南低，东北和西北多高山丘陵，绵延起伏，东南瀚海连天，形成一个内陆比较封闭，而有很长海岸线的地理小区域。这种地形地貌特征对潮汕文化

的形成起着相当大的作用。潮汕地区地狭人稠，人口与资源和环境矛盾很大，激烈的竞争环境培养了潮汕人的创造、开拓和冒险精神，不少人外出到海外谋生，形成社会风气，在农业上精耕细作，在手工业上精雕细琢，在商业上更是精打细算，极善经营，闻名海内外，有“中国的犹太人”之称。清中叶著称一时的广帮商人，主要由广州帮和潮州帮商人组成，潮州帮商人在国内的东南沿海及江西一带生意做得很大，在泰国、新加坡一带颇有势力。强烈的商品意识，是潮汕人一种颇具优势的文化潜质，使他们在改革开放时期足迹遍及城乡，渗透各行各业，特别活跃。潮汕地区从宋代起由于经济的迅速发展，文化教育事业也相应发展，人才辈出。

潮汕人的生活环境，使得其具有敢于冒险开拓、吃苦耐劳、注重义气、勇于任事、勤俭立业等民系特征，最突出的是强烈的凝聚力，由于外出谋生的人多，而生活习俗又有异于本土，为求发展拓业，潮人之间有一种互相照应、团结互助的风气。明清时期，在国内大商埠多设有潮州会馆；现代，在海外不少国家和地区组建有潮人社团。1981 年组成“国际潮团联谊年会”的国际性组织，1996 年在汕头市举行年会。

（三）少数民族文化

广东是多民族居住地区之一。各族人民共同开发和建设广东，共创具有地域特色的岭南文化，为丰富和发展中华文化作出了应有的贡献。

至 1949 年 9 月，世居广东的少数民族有黎、苗、瑶、壮、回、满、畲、京 8 个。新中国成立后，广东省行政区域有所变动，省内各少数民族成员亦随之有所变动。1965 年起，居住于防城东兴各族自治县的京族划归广西壮族自治区所辖。世居海南岛的黎族、苗族于 1988 年 4 月海南建省而改变归属，至 1988 年 4 月，世居广东的少数民族有瑶、壮、回、满、畲 5 个。20 世纪 80 年代后，外省、区兄弟民族的部分人口渐渐入粤，1990 年 7 月 1 日统计，省内少数民族成员增至 52 个、人口 35 万，占全省同期总人口的

0.56%。新增加超过千人以上的成员有苗、黎、侗、土家、蒙古、藏、傣、布依等族。新进入广东的各少数民族人口相对分散，至1990年尚未形成相对稳定的社区。

少数民族文化风俗丰富多彩，大大丰富了岭南文化的内容。

二、五邑侨乡文化

广东是我国华侨人数最多、分布地域最广的省区。我国华侨约3000万，其中2/3原籍广东。从文化地理学的意义上看，广东侨乡可分为以下5个区域：① 珠江三角洲广府华侨文化区，含广州、佛山、中山、珠海、深圳、东莞等市，为广府文化核心区，华侨多分布在东南亚，近年侨居美国、加拿大者增多。② 五邑华侨文化区，是广东重点侨乡，各县市华侨人口超过当地常住人口。华侨主要分布在北美，收入丰厚，侨汇为当地经济主要来源，社会发展水平较高。③ 潮汕华侨文化区，主要是两次鸦片战争及潮州（汕头）开埠后出去的华工，以东南亚尤其泰国为侨居地。④ 东江—兴梅华侨文化区，属客家系侨乡，侨汇为部分华侨家庭的主要生活来源。⑤ 琼东北华侨文化区，与其他语系侨乡不同，主要由于海南适宜热带作物生长而由华侨引入橡胶等热带作物文化为主，热带作物种植园在海南分布广泛，是华侨文化标志。①

按1994年行政区划，广东地级市有80%为侨乡；按土地面积，侨乡占全省总面积的72%（未含海南）；按人口，侨乡人口约为全省总人口的75%。这样一个华侨群体和地域分布格局，对当地社会经济和文化各个层面都产生深刻影响。本节将以五邑侨乡为例，对广东华侨文化加以梳理分析。

---

① 许桂灵、司徒尚纪：《广东华侨文化景观及其地域分异》，《地理研究》2004年第3期。

（一）五邑侨乡概况

在广东众多侨乡中，五邑——广东江门市，包括台山、开平、恩平、鹤山四市以及新会、蓬江、江海三区，史称“五邑”——侨乡的海外人口与侨乡人口之比，居广东全省之冠。五邑侨乡位于珠江三角洲的西侧，面积为9288平方公里，现有人口390多万，海外华侨华人为215万多人，相当于侨乡人口的57%；如果再加上149万多五邑籍的港澳同胞，这个比例则高达96%。

五邑地区华侨，主要分布在以美、加为主的北美洲地区，多以经营餐饮为业。在215万五邑籍华侨华人中，有155万集中在北美洲，占该侨乡海外移民总数的72%。所以五邑有“美国华侨之乡”、“加拿大华侨之乡”的称誉，这一点也与其他侨乡形成了鲜明的对比。

五邑籍华人华侨生活普遍比较安稳，都有一定的经济实力，也产生了一些资本家，形成了一些华商家族经济，但大多是中小业主。祖籍五邑的大集团大财团在香港、澳门较多，不过从总体实力上看，祖籍潮汕、客家侨乡的大集团大财团似超过五邑。

（二）华人华侨对五邑侨乡的影响

1. 经济影响。

海外移民与家乡的联系有内在的机制，并通过一定的形式来体现。广东、福建侨乡海外移民的动机最初都是为了挣更多的钱回来改变家乡的环境，改变自己及亲人的生活境遇。中国传统文化中的“落叶归根”意识，更强化了他们的这种观念和行为。绝大多数华侨不断地从自己少得可怜的劳动报酬中挤出血汗钱汇回家乡，以此拉紧了他们与家乡的联系，家乡亲人的生活同时逐渐增加了对海外游子的依赖，家庭、村落、墟镇点点滴滴的变化都打上了华侨们的烙印。在全国重点侨乡中，五邑侨乡的侨汇收入不仅数量大，而且与家乡经济发展、社会稳定的相互依存关系更为紧密。据研究，广东侨汇的绝大部分是用于赡家养眷，1862年至1949年，几乎90%

的侨汇是用在养家糊口上，侨汇完全是侨乡的命根子。

大量侨汇进入五邑侨乡，促进了当地经济发展和社会繁荣，使得该地区社会发展水平较高。在五邑侨乡，20 世纪初就由侨资修筑广东最早的一条铁路——新宁铁路。此外，中西合璧式碉楼、骑楼建筑密集，遍及大小城乡；侨办医院、图书馆，刊物等很普遍。但侨汇的输入也给当地带来一些负面影响，人们仰仗侨汇度日，不事生产，以致农业生产等停滞不前，使侨乡在很长的一段时间里成为畸形的消费社会，并呈现一派虚假繁荣的景象。①

自 20 世纪以后，就陆续有华侨回到家乡投资，兴办实业或者兴建房屋。改革开放后，海外华资是最早进入中国大陆的，早期他们的投资以“三来一补”的形式为主。80 年代中期以后，海外华资的绝大多数采取合作、合资、独资等形式进行直接投资。随着中国改革开放的深入和投资环境的不断改善，海外华资的投资总额呈逐步上升趋势。这些具有种族、文化等特征的华人华侨资本，成为中国引入外资的主力军，对中国大陆，尤其是广东侨乡的经济发展起了巨大的推动作用。

2. 文化影响。

侨乡文化是中外文化交流的产物，中西融合是侨乡文化最显著的特征。侨居异国他乡的华人华侨充当了文化传播的桥梁，大量将西方文化引入侨乡，并与当地文化相结合，产生了独特的中西结合的侨乡文化。五邑侨乡文化主要体现在：

第一，文化教育。各个侨乡都由华侨出资开办了新式学校，西方的教育思想在中国的乡村社会得到实践；各种图书室在侨村出现，使远离城镇的农村青少年接受到外界社会的新信息；医院的创办，让侨乡农村的民众见识了西医的治疗方法和技术；因一些华侨在海外信仰了基督教、天主教，西方教会的势力开始在侨乡发展，教堂尖顶上高耸的十字架在召唤善良的人们对异域宗教的选择；排

---

① 王元林、邓敏锐：《近代广东侨乡生活方式与社会风俗的变化——以潮汕和五邑为例》，《华侨华人历史研究》2005 年第 4 期。

球、桌球等西方体育活动走进了侨乡青年的业余生活。此外，侨刊也是侨乡独具特色的文化事物。侨刊是侨乡特有的一种杂志，有“集体家书”之称，报道海内外乡亲关心之事，成为华侨和家乡保持联系的重要通道。广东最早的侨刊创于清宣统元年（1909），为台山《新宁杂志》。在广东侨乡中，五邑侨乡的侨刊最为发达。到1949年新中国成立前夕，侨刊全部停办。新中国成立初，侨刊陆续复办，“文化大革命”期间，再度全部停办。1978年起又大发展，到1987年增至107种。①

第二，生活方式。五邑籍华侨华人从北美洲带回来的西方文化对侨乡生活方式造成的冲击更为剧烈，日常生活的“西化”在五邑侨乡表现得非常强烈、显性，涉及面之广之深，在其他侨乡少见。在衣着方面，除了传统的衣饰外，西式衣料和服饰也较早进入侨乡，不少侨乡的青年都以追求西式服饰为时髦；饮食方面，随着华侨华人回国人数的增多，追慕和猎奇外国的饮食成为风尚，涌现了一批经营冷饮、西餐的餐馆。随着西式餐厅的出现，一些家庭的食品式样也发生了变化，一些西式点心、菜肴都摆上人们的餐桌。另外，烹饪以及一些饮食习惯也发生了变化：煮菜喜用辣椒，待客以咖啡代茶，水果不再是消闲食品，而成为主餐食品，牛奶成为一些家庭重要的营养食品，这些在非侨乡的普通人家均是很少见的。侨乡对卫生非常注重，很多侨乡都采用了新式厕所，大大改善了当地卫生环境。一些新式的娱乐体育活动被引入，如台山就曾因排球运动普及而被誉为“排球之乡”。电影也作为一种新的娱乐方式深入到民众生活。市面上流行美元、加拿大元、英镑、日元、澳元、港币等，统称“西纸”。一些农村妇女敢与男子在宗族祠堂开展辩论，以表示男女平等，这都实为西方文化在五邑地区的投影。

第三，语言。语言是中外文化交融的活化石，五邑侨乡各阶层

① 许桂灵、司徒尚纪：《广东华侨文化景观及其地域分异》，《地理研究》2004年第3期。

的语言都渗透了英语的因素，这一点在全国侨乡还是很少见的。五邑尤其是台山至今流行着很多独特的语汇。例如："好"称"骨"（Good），"很好"称"伟里骨"（Very good），"好球"称"骨波"（Good ball），"邮票"称"市担"（Stamp）。称老太婆为"老缅婆"就更是一种独创了，"缅"是英语男人（Man）的读音，老人称为"老缅"，在"缅"字后面再加一个"婆"字就成了老太婆的代称。五邑侨乡流行的一些有独创色彩的语言不少还流行到了广东其他地区。

第四，西方现代科技和工业文明的传播。华侨华人把西方先进的科学技术带回家乡，带动了当地交通、通讯等方面的新发展。在五邑侨乡，1906 年台山就出现了新式的马车拉人载货，后来还发展成为马车运输业。在新宁，由华侨出资于 1909 年修筑了新宁铁路，这是广东的第一条铁路，大大发展了运输业。20 年代以后，自行车、摩托车成为富人的代步工具以及富贵身份的标志。这些新型交通工具在国内乡村的应用时间比较早，具有开创性。在邮政、通讯、照明等方面，电报、电话、电灯等先进机器设备的传入，大大便利了当地人们的生活。在广东侨乡，各地纷纷成立邮政局，一些地区还开设有线或无线电报、电话。此外，20 世纪初期，便不断有华侨回乡投资，兴办实业，如南海简村陈启源创办的继昌隆缫丝厂、广州长堤先施（百货）公司、冯如创办的广东飞行器公司，侨资电灯、公共汽车等，大大推进了广东现代化进程。

第五，风俗习惯。侨乡由于特殊的生活方式和社会背景，产生了一些独特的风俗习惯，如"嫁鸡公"婚俗。侨乡男青年多出洋谋生，他们远在异地，一时难以回国娶亲，就由男女双方父母包办婚事，于是出现了"嫁公鸡"的奇怪婚俗。即由堂倌捧着新郎的衣物以代新郎与新娘行交拜之礼，新婚之夜将一只雄鸡绑在新房，和新娘共度"良宵"。这种荒谬的"公鸡娶妇"畸形婚姻给妇女造成了严重的伤害，是只有在侨乡特有的社会环境和历史背景下才可能出现的"时代悲剧"，现在早已绝迹。此外，五邑侨乡还盛行一

种“招魂”的风俗。早期的海外华侨大多希望落叶归根，但毕竟有客死他乡的，由于不是所有人都可以把灵柩带回家乡，于是就出现了特有的“招魂”习俗。侨乡人们十分重视对客死他乡的亲人举办“招魂”仪式。

最后，尤其值得一提的是侨乡的建筑。建筑作为一种最直观的文化符号，是一种动态和充满时代感的文化。有赖于华侨引进西方建筑文化，广东城乡建筑景观才大放异彩，为其他省区所不及。侨乡建筑是侨乡文化中最具特色的文化。骑楼和碉楼是体现侨乡文化的两种主要建筑。

骑楼是地中海沿岸建筑，20 世纪初，广见于我国东南沿海城市。潮汕、五邑和海南文昌作为华侨集中地，拥有骑楼的城镇密度最大。骑楼具有上楼下廊、前店后宅，与街道相连，既遮风雨日晒，又方便交易等特点，与广东商业文化发达相一致，故具有强大生命力，留存至今。侨乡骑楼以平面类型居多，有单开间、双开间和多开间等。台山、开平等五邑地区的城镇骑楼多为双开间并联组合而成，沿河或沿路摆布，风格多样，既有中国传统式屋顶，更多的是仿文艺复兴式、仿巴洛克式、仿古典式、南洋式等，规模大、空间阔、立面雄伟气派，异彩纷呈，突出中西文化结合特色。骑楼是近代侨乡建筑的一大特色，但它不是某个侨乡所专有，而是遍布广东各地侨乡。

五邑地区的碉楼则较有地方特色，通常被当作中西文化结合的代表。19 世纪，碉楼兴起于五邑地区，其中以开平最盛。据统计，开平碉楼最盛时期约有 3000 多座，现经开平市政府组织全面普查登记在册的为 1833 座，分布在开平 15 个镇，其中绝大部分兴建于清末民初。其他各县也有数量不等的碉楼。碉楼最初是为防匪防洪而修建，早期碉楼三五成群，多傲立在村前，村后及村边，以三至六层为多，少数达七至九层。平面上方形居多，立面上分为三段，即楼体、挑出部分和屋顶。楼体较平直，墙上开小窗，有的设枪眼；挑出的部分以挑廊为主，或在四角挑出筒状的墙体，称“燕子窝”；屋顶部分则丰富多彩，起初碉楼采用中国传统建筑的悬山

顶、硬山顶和攒尖顶的居多。[①] 近代五邑地区的碉楼建筑风格则更加丰富多彩，包括传统屋顶式、仿意大利穹隆顶式、仿欧洲中世纪教堂式、仿中亚伊斯兰教寺院穹顶式、仿英国寨堡式、仿罗马敞廊式、哥特式等，数量之多，建筑之精美，风格之多样，在国内乃至国际的乡土建筑中实属罕见。碉楼的建造讲究实用性，近代碉楼吸收了外国先进的建筑材料、建筑技术及装饰手法，具有防匪、防洪、居住、办学等多种功能，尤以防卫和居住功能最为重要。

除了高超的建筑艺术本身以外，五邑地区的侨乡建筑在布局上也极具合理性和现代性。在五邑侨乡，一些村落已经引进西方的"规划"概念进行村庄建设。建村前，先制订规划，统一安排村内道路系统，主次巷道纵横交错，各户占地面积大小一致，外观整齐划一，整体上显得紧凑、严谨、规范。而附属建筑如牛栏、猪圈等单独配置，集中分布在村外，既节省用地，也保持村落环境卫生。这种功能分区思想，与小农经济下旧式农居无分工或简单分工迥然不同，乃华侨将西方规划思想在故土移植。这种西方规划模式村落，以五邑地区最多。台山海宴镇甄氏家族因丁口繁衍，光绪年间按以上思想重新规划村落，建成新旧两围共 93 村，安置 5600 多人，堪为中西规划和建筑布局文化良好结合范例。[②]

开平碉楼于 2001 年 7 月被评为全国重点文物保护单位。2007 年 6 月，在新西兰基督城召开的第 31 届世界文化遗产大会上，开平碉楼与村落顺利通过表决，被正式列入《世界遗产名录》，成为我国第 34 处世界遗产、广东省第 1 处世界文化遗产。

三、广东乡村传统文化复兴

改革开放后，随着广东农村社会经济的发展和政治文化气氛的

① 刘沛林：《广东侨乡聚落的景观特点及其遗产价值》，《中国历史地理论丛》2003 年 3 月。

② 许桂灵、司徒尚纪：《广东华侨文化景观及其地域分异》，《地理研究》2004 年第 3 期。

逐渐宽松，一些已经消失的乡村传统文化也出现了复兴的趋势。现代文化的传播与传统文化的复兴，不仅丰富了农民的日常生活，也反映了乡村社会文化、思想和社会价值取向的多元化。

（一）宗族文化复兴

20世纪80年代以来，随着农村经济改革和现代化的发展，作为传统文化因子的家族势力复兴，尤其以东南沿海地区为盛。广东是历史上宗族势力很强盛的地区，1949年新中国成立后，在一系列政治运动的持续冲击下，广东宗族也与全国其他地方一样，处于销声匿迹的状态，但并未消失。改革开放后，据中山大学人类学系组织的调查发现，自20世纪80年代至今的20余年中，农村宗族出现了复苏，如成立宗族理事会、修复祠堂等等。①

1. 广东农村宗族复兴原因。

第一，经济原因。家庭联产承包责任制的普遍建立是农村宗族复兴的核心动力。宗族的产生和发展是与小农经济生产力发展水平相适应的，联产承包责任制恢复了家庭的经济功能，带有一定小农经济色彩，因此，有学者认为，现时农村落后的生产力水平是宗族得以复兴的根本条件②。

第二，文化原因。文化对于宗族复兴的作用体现于三方面：① 身份认同。宗族是同族成员共有的文化之根，这条根构成了他们现实存在的价值源泉。在目前的社会格局中，宗族是几乎唯一可以真正与村民自己的实际生活结合在一起的自治性的形式，它不仅满足了人们对于历史感和归属感的需求，更重要的是找到了连接传统与现实的中介，实现人们对于现实生活的道德感和责任感③。②

① 黄淑娉：《广东族群与区域文化研究调查报告集》，广东高等教育出版社1999年版，第435页。

② 王沪宁：《当代中国村落家族文化：对中国社会现代化的一项探索》，上海人民出版社1991年版。

③ 钱杭、谢维扬：《传统与转型：江西泰和农村宗族形态：一项社会人类学的研究》，上海社会科学院出版社1995年版。

宗族意识。宗族意识作为一种观念文化，长期以来已根深蒂固地积淀在人们的头脑中。人民公社解体之后，家庭的地位再度突出，随着社会调控的相对削弱，由血缘关系凝结的宗族或宗族群体再度发挥作用，宗族观念被激活。③ 农民精神生活不足。有学者认为，农村缺乏精神文化生活，而宗族势力利用宗族文化，如清明祭祖扫墓和唱族戏等较容易地将族人聚集起来①。

第三，体制原因。家庭联产承包责任制推行之后，农村高度集中的管理体制随之变革，乡村正式组织遭到削弱。其表现有：一是基层组织维系社会整合和控制的一系列物质手段丧失，二是作为整合主体的各种组织已大大弱化，三是政府以往对经济合作和农村公益事业的直接干预被撤销，不仅生产成为个人、家户的事，公益事业和社会互助亦变成民间的事。这一状况为民间传统社会互助制度的恢复提供了一个“自由空间”。

第四，地理原因。中国农村盛行以姓氏形成自然村落，聚族而居，新中国成立后，政府虽对长期以来形成的宗族聚族而居的社区结构做了持续有力的干预、调整和组合，但并没有彻底肢解传统自然村的亲族聚居结构。改革开放之后，虽然人口流动性加快，地缘关系的意义在一定程度上被削弱，但是，自然村依然是我国广大农村地区的主要居住模式和社区行政区划的基础，而且人们在生产、生活中互助行为的增多也加强了宗亲间的联结。这种以血缘为纽带、以地缘为基础的聚族而居的生存方式自然就成了当代宗族文化复活的温床。

第五，国家对宗族的态度改变。改革开放后，宗族重建祠堂、新修族谱不仅能够吸引海外华人返乡祭祖、提升中华民族认同感，对于地方上吸引投资、促进本地经济发展和扩大对外交流也具有积极的意义。因此，宗族复兴具有的正功能得到了地方政府的支持与

---

① 买文兰：《中国农村家族势力复兴的原因探析》，《华北水利水电学院学报（社科版）》2001 年第 3 期。

认同。总体而言，中央政权及地方政权已不再视宗族为封建社会的“残渣余孽”予以摧毁，而是对宗族活动发挥出来的文化、经济和政治作用加以利用。

2. 广东农村宗族复兴程度。

广东的宗族复兴较为普遍，就其程度和规模来看，一般表现为如下情况：

第一，局部复兴。笔者对潮州凤凰村的研究表明，虽然该村在周围村落的压力下也出现了复兴宗族的要求，并且成立了族谱委员会重修族谱，但由于原来的族谱失落已久，从一世祖到现在的缺环很多，谁也说不清楚，而且各房支的情况也不是很明了，重修族谱面临很大困难。此外，年轻一代村民宗族观念淡薄，缺乏宗族知识，也很难使宗族真正得以复兴。所以虽然恢复了游神赛会等仪式，普通村民的家祭和墓祭也普遍化了，宗族得以局部复兴，但在总体上却没有改变衰落趋势。

第二，全面复兴。笔者对广州南景村的调查表明，改革开放后，南景村的宗族得以较为全面的复兴，尤其是村中大姓车氏家族的复兴。车氏宗族不但重建了宗祠和族产，还每年都举行大规模的祭祖活动。2002 年拜山，共计有 1100 多人参加，从香港回来 20 多人，南边村 50 多人，黄沙 30 多人，博罗 30 多人，祠堂雇了 10 辆大客车接送族人。此外，车氏宗族还形成了新的宗族组织，从宗族现有的组织形式看，车氏宗族实际上同村里的小联队融合在一起，试图以一种经济实体的形式出现。南景村的宗族在某种程度上已变成哈佛大学教授华琛所说的“都市宗族”，但不知将来是否会像香港宗族那样演变为现代法人公司。

第三，宗族复兴沦为工具性活动。社会学家蓝宇蕴在其“珠江村”的深度研究中发现，目前该村与宗族性相关的活动有两大项，其中一项已经转化为带有宗族意识的利益联结性活动，如出于经济等方面的原因而对族亲、房亲等关系的再修与再用。这类运作基本上都已经在理性化原则的侵蚀下，成为一种具有鲜明工具性的

活动。[①]

3. 农村宗族复兴影响。

宗族的复兴对广东农村社会生活带来多方面影响，除了在前述章节中论述过的政治影响以外，宗族对村民日常生活的影响更为全面和深远。宗族既为日常生活提供必要的规则与文化，使之能遵守一定规则和仪式进行，而不致失范无序；更重要的是，为日常生活中的红白喜事、建房等提供必不可少的人力与物质援助。宗族还在精神、情感上为成员提供认同感、亲密感与温馨感等。此外，宗族的复兴对经济活动也产生了一定影响。广东绝大多数私营企业采取的都是家族经营，据广东社科院2003年下半年对广东300家民营企业的调查，由“其他家族成员、亲戚或朋友”及“个人企业主”负责企业经营活动的企业占到72.08%，仅有27.92%的民营企业的经营活动由“外聘经理”负责。[②]

此外，值得注意的是，宗族的复兴也带来了一定负面影响，表现最明显的即为宗族械斗。自1979年农村改革开放以来，各地农村随着宗族的纷纷重建，群体性纠纷和械斗事件突然上升，据调查，1991年8月至1992年1月，广东全省共制止宗族、村界械斗事件100多宗，其中，湛江市制止了将要发生和已经发生的械斗86宗，并调处了宗族纠纷118件。[③] 引发宗族械斗的原因多种多样，其中很重要的一点，就是法制尚不健全。当政治力量不能及时而有力地维持社会公正，人们就往往会私下寻求非制度性保护。“私下了结”是当今多数农民处理纠纷的常用方式，即由家人或族长出面进行协商处理。如若调处不成，则往往上升为族际的纠纷，甚至以武力相搏。在一些农村，因小孩打架、大人口角等日常小事而起的宗族械斗，也常有发生。外嫁女也可以娘家宗族为自身

① 萧唐镖：《当前中国农村宗族及其与乡村治理的关系——对新近研究的评论和分析》，《文史哲》2006年第4期。

② 广东民营企业现状调查，金羊网，2004年1月8日。

③ 萧唐镖：《宗族》，引自熊景明主编：《进入二十一世纪的中国农村》，光明日报出版社2000年版。

靠山。

值得关注的还有，在当前的乡村治理环境中，已有越来越多的宗族日益带有独立的“利益集团”色彩。对强宗大族的小团体利益如果不加以约束而任其膨胀，就有可能使其流为“法外之地”，成为狭隘的地方恶势力。

（二）传统民俗复兴

1. 广东农村传统民俗复兴表现。

民俗复兴是指民俗从遗留物转变成为日常生活，或者表现为文本被实践，或者表现为记忆在现实中复活，或者表现为功能萎缩、形式残缺、位置边缘的传统文化活动在社会中重新传播开来并活跃起来。[①] 近年来，在广东农村，不少曾经一度淡出人们视野的传统民俗活动，不仅再度“复活”，而且有越来越兴旺之势。

——在粤东，有广东“动物舞蹈之乡”之称的汕头澄海区，双咬鹅、蜈蚣舞纷纷出动，阔别十四载的鳌鱼舞重出江湖；一支由400余人组成的大型鳌鱼舞队活跃在澄海各地，所到之处人山人海。

——地处粤中的江门新会，2007年举办了新中国成立以来最大规模的鱼灯展，30组极具动感、蕴涵着美好寓意的鱼灯，吸引了数万名珠三角的市民前来观看。

——在粤北，正月十三，新丰高岗镇社岗下村沿袭着该村往年的风俗传统——豆腐节，漫天“雪花”飞舞，落在脸上、身上却是喷香的豆腐。

——在客家地区，以花灯闻名的连平忠信镇不仅在当地举行了花灯节，更首次被请进城市：悬挂在河源文化广场的1000余盏形态各异的忠信花灯，形成一道亮丽的花灯长廊。

…… ……

2. 广东农村传统民俗复兴原因。

---

① 高丙中：《从文化遗留到非物质文化遗产》，《文化论坛》2007年6月15日。

第一，农村经济的发展是传统民俗得以复兴的根本原因。改革开放30年来，广东农村经济获得巨大发展，为各地传统民俗的复兴提供了雄厚的经济基础。如澄海鳌鱼舞队，一个舞队，由锣鼓表演队、鳌鱼舞队、民族乐器队、仪仗队等组成，400余人的队伍，从排练到表演等，需要花费巨额开支，没有一定经济实力根本开展不了。

第二，传统民俗的复兴满足了人们的文化心理需求。在经济发展到一定程度后，农村开始出现文化觉醒，人们在一定程度上认识到这些传统民俗的文化价值，并希望再认识、重建、保存这些传统文化。这些传统民俗的复兴，不仅极大地丰富了农村的文化娱乐生活，还激发了当地人们对本土文化的热爱，是一种文化自觉的表现。

第三，良好的社会政治、文化环境促进了传统民俗的复苏。新中国成立后，出于巩固意识形态的需要，通过一系列的政治运动进行移风易俗，很多传统民俗、民间文化被视为“四旧”和“封建糟粕”，成为被清理摧毁的对象。改革开放后，社会政治环境日益宽松，人们的思想观念也随之转变，对民间文化、民俗活动逐渐转向积极的正面的评价。随着文化日益受到全社会重视，一些地方政府纷纷提出建设文化大省的目标，广东也不例外。此外，近年来申报非物质文化遗产热的兴起，更给各地民俗活动增添了新动力。在这种社会背景下，一些过去由于政治压制而消失的民俗开始重新出现。

第四，利益的推动也是传统民俗得以复兴的部分原因。在“经济唱戏，文化搭台”的口号下，各种传统的民间文化都以经济发展为轴心开始复苏和活跃。一些传统民俗进入了旅游业经营者们的视野，成为重要的旅游资源。地方政府对民俗复兴多持积极态度，许多地方官员认识到，某些地方特色浓郁的民俗活动，如果包装得好，可能成为本地的一个品牌，带来很好的经济效益。如“生菜会”是广东佛山地区较有特色的民俗，南海县盐步、官窑、大沥、里水等镇，过去有元月二十六举行“生菜会”的习俗，取其“生财”、“生猛”、“生仔”意。20世纪60年代以后，此习俗被批判为“四旧”。改革开放以来，官窑镇政府复办生菜盛会，节日期间载歌载舞，人们穿着节日盛装赶到镇上观看表演。同时，镇政府和各部门邀请海外侨胞、港澳同胞回乡共叙乡情，借此交流经济信息，洽谈合作项目，成为融经济、文化娱乐于一体的新型的民间文化娱乐盛会。①

第五，文化心理因素也是传统民俗复兴的重要原因。民俗是一个地方的文化底色和族群记忆，一种民俗就是一种符号，符号背后隐含着深刻的民族记忆。这种记忆对于一个区域人们的创造和发展都是极其重要的，人们可以从中找到灵感和智慧的源泉。民俗事项的回归和复苏，还能唤起人们对悠远生活的怀想，增强对人生人事的情感。广东民俗活动的兴旺，和广东人喜欢讲“意头”有关。所谓讲“意头”，也就是图吉利。在佛山，一年一度的“行通济”，即绕当地的“通济桥”走一遍，每年都能吸引50万群众参加。这都是因为人们相信一句从乾隆年间流传至今的谚语——“行通济，无蔽翳”，即绕桥走一遍，就能赶走一年的晦气。

3. 传统民俗复兴的意义。

传统民俗的复兴，有着精神和现实的双重意义。从精神意识上来看，传统民俗的复兴是一种本土文化的觉醒，或是一种民族精神的重振；从它产生的现实功效来看，民俗文化对每个民族成员的生活来说，既有规范化、秩序化的作用，又有着凝聚、巩固这种生活的功能。以澄海鳌鱼舞“复活”为例，组织舞队负责人就认为重新组织这项活动有助于整顿村里的社会风气，因为，“作风正派的人才有资格表演鳌鱼”②。

但民俗的复兴不能简单地以纯精神、纯价值观的视角进行解读。因为，民俗是民众的有序的有文化传统的生活规则，它应该存在于人们的生活之中。从本质上讲，民俗更不是作秀，而是个体自我对生活传统的热爱和对群体生活的参与，体现的是人与社群对和

① 《“生菜会”今昔》，http://www.gd.gov.cn/gdgk/gdms/yszx/200709/t20070924_20715.htm.

② 《广东民俗文化“喜迎春”民俗活动归来盛况空前》，《广州日报》2007年3月5日。

谐生活的向往和探求。①

（三）乡村文化变迁意义

首先，乡村文化在变迁过程中融入了大量外来文化，不仅带来了乡村文化的多样性、融合性，也体现出社会转型时期的开放性和多元性。

其次，乡村文化变迁中蕴含的现代性、世界性特征体现了社会进步。这种进步主要表现在如下几个方面：一是社会由封闭走向开放，人们的视野逐渐开阔，活动范围扩大，获取机会提升自己的能力增加；二是现代工业文明逐渐向乡村社会扩展，乡镇企业蓬勃发展，为乡村社会的发展注入新的活力；三是乡村社会出现市民社会萌芽，农民个人权利意识觉醒，民主自由思想在乡村社会获得一定发展。

再次，乡村文化变迁中的延续性表明了优秀传统文化在民间社会的强大生命力。尽管中国社会正在发生巨大变化，但乡村传统文化中符合民众心理需求的部分、优秀的部分，仍然被保留下来。这些在漫长的历史时期中积淀、传承下来的乡村传统文化，是历史留给我们的宝贵财富。

---

① 耿敬：《“五猖”的复兴与“偶在”的个体》，引自田兆元主编：《海上风民族民间文化论坛》，香港世纪风云出版社 2007 年版。

第十一章
农村劳动力转移

一、东西南北中，发财到广东

（一）农村劳动力转移发展阶段

20 世纪 80 年代以来，随着改革开放政策的实施和进程的加快，大批农民从土地的束缚中得以解放，大量剩余劳动力开始向非农产业转移。20 世纪 80 年代的农业剩余劳动力转移，主要是以发展乡镇企业为载体，采取的是“离土不离乡，进厂不进城”的农村内部就地转移方式。据统计，1978—1992 年，乡镇企业共吸收了 7500 多万农村劳动力。但到了 20 世纪 90 年代，乡镇企业吸纳农业劳动力的能力明显下降。1984—1988 年，乡镇企业平均每年吸收 1260 万农村劳动力，而 1989—1992 年平均每年只吸收 260 万人。因而在 20 世纪 90 年代，农业劳动力便采取了“离土又离乡”的进城转移方式。

规模性的农村劳动力跨区域转移，始于 20 世纪 80 年代末，90 年代以后急剧扩大，至中期达到高潮。20 世纪 80 年代初期，外出打工的农民还不足 200 万人，1988 年逾 2000 万人，到 1993 年剧增到 6000 万 ~ 7000 万人。据第五次全国人口普查，中国有 8800 万流动人口，到 2002 年，外出流动人口已达到 1.2 亿，成为中国现代社会一个重要的社会因素和社会问题。农村劳动力在城乡和区域之

间的大规模流动，成为中国社会经济生活中最引人注目的现象之一。

（二）广东与农村劳动力转移

在这股浩浩荡荡的“民工潮”、“打工热”中，广东省是接纳外来工人数最多、影响最大的地区之一。作为中国改革开放的前沿地带，广东经济的迅猛发展，为内地丰富的劳动力资源提供了广阔的天空。南下的外来工如潮水一般涌入广东省，尤其是珠江三角洲地区，成为中国当代社会独特的景象。自1978年以来，珠江三角洲逐渐容纳了本区的剩余农村劳动力。随着大规模基本建设的全面铺开，一些工地开始吸纳外来工。实行农村家庭联产承包制后，广东经济发达地区的劳动力向非农部门转移，将责任田让给外来人承包或请人代耕，外来的“离乡不离土”的劳动力越来越多。1984年国家允许农民自带口粮进城务工，到了1985年外来工迅速增长，开始进入“三来一补”劳动密集型企业工作。1986年外来工达到184.94万人，1988年增加到320.91万人。到1989年，外来工进一步增多，这期间曾因经济发展的突然收缩，国家严格控制基本建设规模，因而导致成千上万外来工找不到工作。然而每年流入广东省的外来工数量依然居高不下。据估计，1990年珠江三角洲外来工约400万人，1991年约500万人。1992年以来，外省到广东的打工者每年都在1000万人以上，2004年这个数目已达1500万人，加上广东本省流向珠江三角洲和相邻城镇地区的，这个数目在2000万人以上。①

从外来工的输出地来看，广东省外来工的来源，省外主要来自四川、湖南、广西、江西、安徽、湖北、河南等省，省内主要是粤东、粤北和粤西的梅州、河源、韶关等市县。从输入地来看，外来工集中分布在珠江三角洲地区。其中以深圳、广州、东莞的外来工

---

① 《“自由”的都市边缘人——广州市外来散工生存状况与社会保障研究》，中山大学中国族群研究中心，2004年6月。

密度最大，仅这三个城市的外来工数量就约占广东省外来工总数的62%；其次是佛山、珠海、中山，占24%；最后是惠州市和江门市，各占4%和3%，分布于广东省其他地区的外来工仅占7%。从从事的工作类别来看，外来工主要可以分为三类：① 企业工人，是在外资、合资、私营企业中当工人。② 散工，一类以出卖体力劳动为主，类似打短工的性质，另一类是手工业劳动者，如木工、鞋匠等。③ 农业工，可细分为专业种养承包者、农场工人和长、短工三类。总之，这些外来人口大部分从事的都是劳动强度大、社会声望低、技术性不强、工资待遇差的行业、工作，主要干的是脏、重、累、苦的活。不少人常处于失业或半失业状态。

（三）广东外来工现状

年龄。据调查统计，广东省的青年外来工年龄大多处于19～28岁，处于这个年龄段的人数占68.6%，而16～18岁的只占5.8%，28～35岁占18%，35岁以上仅占6.5%，表明外来工中以青年占大多数。他们正处在人生中创造力最强的阶段，尚有很强的可塑性。

性别。在调查的青年外来工中，男性占48.6%，女性占51.4%，男女性别差异不大。比较而言，散工男女性别差异很大，其中男性占66.4%，女性仅占33.6%。这亦与他们各自从事的行业性质和要求有关，散工大部分从事的是更脏、更累和更危险且不稳定的工作，因此男性的比例要远高于女性。

婚姻。青年外来工中有59.8%是未婚青年，已婚青年占35%，未婚同居的有3.7%。而未婚青年中，晚婚现象有增加的趋势，大多数青年由于受到城市晚婚观念的影响，以及工作的缘故而不得不推迟谈恋爱和结婚的年龄。

文化程度。大部分进城务工青年的文化程度都是初中毕业，占51.1%，高中（含技校、中专）的占18.5%，而小学文化程度的有19.7%，大专以上的占9.72%。总的来说，70%的人具有初高中文化水平，有一定的学习能力，而且为数不少的中专、技校毕业

生已经拥有一定的劳动技能。小学或小学以下，本科或本科以上程度的外来务工青年数量很少，可见外来务工青年文化程度总体呈现中间大两边小的“橄榄球”状分布。广东省外来工整体文化程度不高，其文化素质仍有待提高。

籍贯。广东省外来工主要来自近邻的省区，呈现出人口流动中“就近迁移”的特点。在所调查的青年外来工中，外来工输出地区前三位的省份分别是四川、湖南、贵州，其他外来工较多的省份有江西、湖北、安徽、广西等。2002 年流入广东省的外省散工的籍贯地，湖南省排在第一位，占 19.2%；其次是四川省，占 18.9%；第三位的是广西，占 11.4%；第四位的是河南，占 8.7%。

就业方式。据有关资料和调查显示，流入广东省的外来工在就业方式上，主要还是依靠血缘、亲缘、地缘等所构成的传统社会网络。在青年外来工方面，有 47.5% 的人是通过老乡、朋友介绍的，有 29.6% 的人是通过自荐进厂的，仅有 14.5% 是经由劳动部门正规途径招工，还有 8.4% 是经由新闻广告招聘来的。

从事行业。2002 年，广东省的外来工仍然主要从事体力型、技术性不强的行业工种。约有 65.5% 的外来工是从事苦、脏、累、险的普通工，11.1% 的是技术工，19% 的是专业人员和管理人员。散工从事的工作更加杂乱，如建筑工地的小工、搬运工、推车、捡破烂、补鞋等等，各行各业都有，很难归类，但是绝大多数是本地人认为重、脏、累和低贱的活。

工作强度与收入。广东省的外来工普遍存在工作时间长、劳动强度大的苦累情形。从 2004 年调查的情况来看，进厂务工工人的劳动时间平均每天都在 10 小时以上。在青年外来工中，有 16.7% 的人均月工资在 500 元以下，44.2% 的人均月工资在 500～800 元，22.2% 在 800～1000 元。总体来讲，外来工收入偏低，83.1% 的人收入低于 1000 元。

条件艰苦、生活清苦是外来工生活状况的普遍情形。大多数外来工的收入除维持其本人的基本生活需要外，大部分还需寄回家。这就使他们的生活质量处在一个较低的水平线上，多数人的生活极

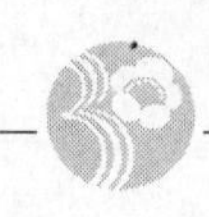

度节俭。几乎所有的外来工在娱乐、交通、医疗等方面不花或很少花费。平时生病了，通常是去附近的药店买药，而不敢去收费贵的医院。

社会关系内向性、乡土性突出，社交圈子小是外来工生活状况的另一特色。从外来工交往的人群的身份来看，主要有老乡、亲戚、朋友、工友、当地居民等。调查显示，青年外来工在工作之余主要和老乡亲戚来往，占36.7%，和工友来往的占34.1%，和朋友来往的占25.2%，和当地居民和其他人来往的仅占4%。由此可看出外来工平时的交往圈子很窄，基本限于血缘亲缘关系以及业缘关系。外来工的社会关系和互助系统具有明显的“内向性”特征，属于典型的费孝通先生所提出的乡土中国的差序格局。青年外来工寻求帮助的对象，按照顺序依次为家人和亲属（37.5%）、同事工友（33%）、老乡（12.5%）、朋友（9.3%）、社会机构（4.3%）、当地政府（1.8%）、所在企业（1.6%）。散工则认为，排列在前三位的依次是老乡（32.2%）、自己（27.5%）和亲戚（16.4%）。

精神空虚是外来工生活状况的又一突出特点。外来工远离家乡和亲人，上班工作繁重，生活圈子极窄，容易产生孤独感和失落感。调查数据表明，有67.1%的青年外来工认为业余文化生活枯燥无味，感到“苦闷”、“无聊”。一方面上班时间多，精神十分疲乏；另一方面，工厂采用封闭管理，限制外出活动时间，工厂文化娱乐设施极少，甚至没有。

（四）农村劳动力转移的动因

1. 推拉理论。

以莱文斯坦为代表的推拉理论认为，移民的产生是流出地的推力和流入地的拉力两股力量作用的结果。属于农村“推”的因素有三个：① 农村收入水平太低；② 农村缺乏发展机会；③ 农村太穷。城市方面“拉”的因素有两个：① 城市收入高；② 外出见世面。

2. 劳动力市场分割理论。

这一理论强调主要市场和次要市场的形成，对劳动力造成分割。由于发达国家地区和城市的劳力不愿进入次要市场，故需要来自不发达地区或农村的廉价劳动力来弥补。劳动力市场的二元分割，在中国具体表现为城市劳动体系和农村劳动体系的二元对立。这两个劳动体系和市场的不平等、“剪力差”，导致农村人口向城市的移民。

3. 移民文化说。

认为“移民”成为某个地区和群体共享的社会文化资源，营造出一个向外移民的氛围。当移民行为内化成为超越意识控制的、具有衍生性的“惯习”时，即使诱发初始移民行为的客观环境发生变化，亦为当地人们所推崇和遵循。

4. 理性动因。

有学者认为，农民工在具体行动过程中一般遵循如下逻辑顺序：生存理性选择（生存原则）—经济理性选择（最优原则）—社会理性选择（满意原则）。受中国传统文化家庭中心主义的影响，“经济理性选择”一时还难以在中国农民身上首先发挥效应，而城市的现代文明、生活方式等现代化生活图景则对处于解决温饱阶段的农民具有很强的吸引力。因此，当前农民外出就业，是“生存压力”和“理性选择”共同作用的结果，是农民由“生存理性选择”向“社会理性选择”跃迁的过程。此外，对新生代农民工流动的研究结论也在一定程度上支持了理性动因。务农没有出息，已成为许多农村青年的重要价值观，甚至连他们的父母都持有这样的看法。更多的农村青年觉得家乡太落后，自己习惯了外面的生活，不再适应家乡环境脏、娱乐活动少、社会圈子狭窄的情况。同时婚姻、建房、外出“镀金”和创业等因素也是推动农村劳动力转移的动因组成部分。

（五）农村劳动力转移的障碍因素

农村劳动力向城镇转移的障碍主要来自两方面：

一是体制和政策歧视。① 户籍制度是农村劳动力向城镇转移的主要障碍。城乡分离的二元户籍制度使农民有了进城就业的权利，却不能在城市中生根。二元分离的户籍制度还造成城乡劳动力市场的二元分割，农民工只能处于劳动力次要市场，就业有诸多限制，如收入低于市民，不能与城市居民享有同等的福利保障等。同时，这种户籍制度的安排还使农民工对城市与市民存在着高度疏离感，成为游离于城市的，既缺乏保护也缺乏约束的社会群体。农民工虽然与城市居民生活在同一空间，但却难有感情性的互动和深层交流。② 用工者歧视，表现为：报酬低，与城市工同工不同酬；个人权益得不到保障，侵权行为时有发生。③ 公共歧视，包括来自各类城市管理人员的歧视、刁难以及来自普通市民的冷遇与偏见，从而加深了农民工与城市的隔阂，增加了他们的不满情绪。

二是农民工自身的局限性。① 社会交往的局限性。大多数农民工从事的工作具有行业性特点，生活圈子相对封闭。同时，职业的类型决定了劳动时间和劳动强度，进而影响到他们的闲暇时间和精力，使农民工与城市居民在互动中以业缘关系为主，情感性的互动则较少发生。② 文化适应能力弱。在与城市居民的互动中，由于经济、社会地位处于劣势，农民工总是处于被动地位，从而逐渐回避与城市人交往，形成自我隔离状况，与城市主流社会、主流文化相疏离。③ 过客心态，对城市没有归属感和主人翁意识。④ 部分农民工素质低，在文化水平、道德素质、法律意识方面相对落后。他们在城市中的越轨行为，给城市秩序与居民生活带来消极影响。

二、广东农村劳动力梯度转移

广东农村劳动力流动分为省外劳动力的流入和省内劳动力的跨地区流动。在改革开放初期，广东吸引的主要是本省珠江三角洲周边地区的农村劳动力。随着广东经济的不断发展，特别是珠江三角洲地区的迅速发展，逐渐吸引了大量外省劳动力到广东务工。

（一）广东农村劳动力转移梯度层次划分

按农村劳动力梯度转移的层次来看，可以将广东省在地理范围上分为三个区域：劳动力输出地、既是劳务输出地又是输入地、劳动力输入地。

从地域范围来看，广东北部山区和东西两翼属于劳动力输出地。以新丰、乳源、东源、和平、龙川、紫金、连平、大埔、丰顺、五华、陆河、清新、连山、连南、阳山、揭西16个山区贫困县为例，1992年以来，16个贫困县一直是劳动力市场的供给方。1992年输出51.46万人，1995年输出78.33万人，2000年输出98.1万人，2003年上升到99.38万人，劳动力的输出量持续增加。[①] 劳动力转移的主要流向为本县以外，本省以内。全省流向本县以外、本省以内的占流出本乡镇从业人员总数的61.95%，其中流量较大的北部山区和西翼地区分别为76.65%和68.30%。[②]

以广东揭西县为例。1992—2000年，揭西县外出人口持续增加，1992年外出从业人口为5.11万人，至2000年增加到7.80万人。2000年以后外出从业人口逐年下降，至2003年下降为3.47万人。调查显示，揭西县劳动力主要流往珠江三角洲，有80%以上在外做生意的人集中在广州、东莞、深圳三个城市，而且基本上呈家族式经营各类生意。地区收入的巨大差异是导致揭西劳动力外流的重要因素之一。2003年揭西农村人均收入为3320元，而东莞为7907元，是揭西的2.4倍。2003年广东省职工平均工资收入为18782元，是揭西农民的5.7倍。近年来，揭西农民生活水平有所提高，提高的主要原因是外出务工和做生意的人带回了在外务工赚

① 王丽萍、张日新、许德斌：《广东农村劳动力流动分析》，《农业经济问题》2006年第8期。

② 卜新民、李珠桥：《广东农村从业人员状况及剩余劳动力就业思路》，《南方农村》1999年第5期。

回来的钱，事实上留在山区的农民觉得他们的生活比以前更加差了。①

广东省的次经济发达地区，如江门、台山、新会、鹤山、恩平、三水、高明等地，既是劳务输出地，又是输入地。

以潮州凤凰村为例。1978 年后，劳动力可以自由支配，人们又开始走多种经营的路子，凤凰村劳动力开始向外输出。村里约有 200 多名外出务工者，务工地点都在潮州、汕头、深圳等外县市。外出务工者文化程度以初中和高中居多，年龄在 20～30 岁，以 20～22 岁为多。女性一般结婚后就很少外出务工了，或者在外务工时结识了外地男青年，外嫁他乡，不回来了。进入 20 世纪 90 年代，村里办起了一些加工厂，主要是表带厂。这些厂一般是港商投资，办在村中的老房子里，通风、采光等工作条件都不太好，厂里的工人都来自江西、湖南和四川。一方面是因为村里已没有多余劳动力，另一方面由于工厂条件差工资低也吸引不了本村人。但这些工厂的管理人员都是本地人。这样，本村劳动力既大量外出，这里又吸引了大量外来工。②

经济发达的珠江三角洲地区则是净劳动力输入地。顺德市 1992 年吸收外来劳动力 14.67 万人，1995 年吸收 26.16 万人，2000 年吸收 40.11 万人，2003 年吸收 48.22 万人，接近当年顺德劳动力总量（51.03 万人）。

除了吸收外来人口外，珠三角本地区的乡村人口也有所移动，主要是本区乡村人口向城镇迁移，农业人口转为非农业人口。农业总产值占社会总产值的比重逐年下降。珠三角本区人口向城镇转移的形式有三种。① 离土不离乡，这种形式可以分为三种不同情况：第一种是分离型，主要指进城做个体户、合同工的人，大多常住城镇，除了没有城市户口以外，与城镇非农业人口已没有什么区别；

---

① 蔡锐军、邱瑞彬、王丽萍、马安勤：《广东揭西县农村劳动力流向调查与分析》，《南方农村》2006 年第 5 期。

② 周大鸣：《凤凰村的变迁》，社会科学文献出版社 2006 年版，第 82～87 页。

第二种是兼业型，这类人一般还保留着承包责任田，但以工商业经营为主，并以此为主要经济来源；第三种是季节型，主要从事农业，农闲时才从事非农业劳动。② 离土又离乡，即农转非。也可以分为三种情形：第一种是商品粮户口；第二种是自理口粮户口，又称为“三自理”（自理口粮、自理户口、自理职业）；第三种是自筹粮户口，这类人主要是从农村干部中抽调上镇的行政管理干部，他们由镇或所属单位供应自筹粮，也有企业采取这种办法从农村招工。③ 离乡不离土。这种形式是指一些农民到大中城市的郊区承包经营鱼塘、畜牧场和代耕活动，离乡不迁户口，进城不离土，仍是搞农业。

在经济发达的珠三角地区，外来人口的数量越来越多，甚至超过本地人口。外来人口既促进了当地经济的发展，也推进了当地的都市化进程。

以深圳万丰村为例。万丰村隶属于深圳市宝安区沙井镇，1995年在籍家庭570户，人口1936人，外来人口有5万多人，约是本地人口的25.8倍。1999年，万丰村总产值达8.5亿元，人均收入2.7万元。这种富裕程度，在珠三角经济发达地区中也处于领先地位。万丰村的经济收入中90%以上来自工商业，农业产值所占比例不到2%。该村现有企业和两个工业区的职业分化已在农村内部完成，各种工作主要由外来工承担，基本实现了都市化、工业化。

（二）广东省内农村劳动力转移特点

以本地转移为主。一方面，广东得改革开放先机，加上毗邻港澳的地理优势，经济率先发展，特别是各乡镇企业的高速发展，为广东省农民选择农业外就业提供了广阔空间和大量机会。另一方面，由于广东整体经济水平相对较高，非农产业的劳动报酬也较高，因此广东从事非农产业的农民大部分选择就近转移，既节省转移成本又可获得较高收入。调查显示，广东省转向非农产业的农民，在本省内转移的历年高达95%以上，1997年达97.4%，1998年更高达99.3%。近年来，随着长三角和环渤海地区经济带的发

展势头迅猛，在全国范围内造成农村劳动力流动转向，对珠三角造成一定影响，甚至出现了“民工荒”。但就广东省内的农村劳动力转移情况而言，以省内转移为主的模式仍然得以保留，广东依然是本省欠发达地区农村劳动力向外寻求就业的首选。

非农劳动力年轻化。年轻劳动力由于其体力、智力素质相对较高，因而较易找到合适的非农就业机会，相对可以减少搜寻成本的支出。调查表明，1998 年广东省农村非农劳动力中，18 岁以下的占 3.4%，18~25 岁的占 43.5%，26~35 岁的占 24.4%，36~45 岁的占 16%，46~50 岁的占 7.3%，50 岁以上的占 5.4%。不同年龄的劳动力对所从事的行业选择有着明显差异。18 岁以下和 18~25 岁年龄段的非农劳动力，由于年轻和女性所占比例较高，故从事工业、服务业的比重较大。而年龄越大，从事苦、脏、累行业的越多。

行业分布具有明显地区差异。调查资料显示，不同地区非农劳动力按其行业分布所占比重排列在前三位的是：珠三角地区为工业、商业饮食业、建筑业；东翼地区为工业、商业饮食业、服务业；西翼地区为建筑业、工业、商业饮食业；北部山区为工业、服务业、商业饮食业。农村劳动力转向农业外就业时，在行业选择上不仅受其自身素质等条件的影响，也受转移地客观经济条件的影响。同时，转移者当地的传统就业习惯和亲友的示范效应，也在一定程度上左右农业外就业者的择业行为。

行业选择具有明显的性别差异。首先，男性劳动力的行业分布分散，女性行业分布相对集中。1998 年广东省女性非农劳动力中，53.1% 从事工业，16.2% 从事商业、饮食业，11.8% 从事服务业。而男性非农劳动力的分布则为工业占 30%，建筑业占 19.5%，商业、饮食业占 14.7%，交通运输业和服务业各占 9.5% 和 10.3%。其次，女性比男性更多选择外出转移。1998 年广东省女性非农劳动力中，工作地点在本乡镇内的占 35.8%，本县内乡镇外的占 16.3%，县外的占 47.9%。男性非农劳动力中，工作地点在本乡镇的占 45.5%，本县内乡镇外的占 16.4%，县外的占 38.1%。女

性劳动力的外出转移率比男性高出 10 个百分点。再次，女性非农劳动力更趋年轻化。1998 年广东省女性非农劳动力中，18 岁以下的占 6.1%，18～25 岁的占 61.2%，26～35 岁的占 18.6%，36～45 岁的占 9.4%。而男性非农劳动力中，18 岁以下的占 1.9%，18～25 岁的占 34.0%，26～35 岁的占 27.5%，36～45 岁的占 19.6%。在非农劳动力中，年龄越大，女性所占的比例越低。①

（三）广东欠发达地区农村富余劳动力转移就业面临的问题

农村劳动力的无序转移，给大中城市带来治安管理上的压力，增加了不稳定因素。据公安部门统计资料反映，城市治安犯罪人员 70% 以上来自于欠发达地区进入城市的无业人员。近年来，广州市等一些大中城市“双抢”等恶性案件时有发生，涉案人员主要是转移进入城市的农民工，这给构建和谐广东带来了新的压力和问题。

农村劳动力的整体素质偏低，造成了劳动力转移就业困难，企业“缺工”问题突出。据调查，在外出务工的人群中，绝大多数是初中以下文化程度。由于整体素质偏低，一方面直接影响外出务工人员接受新技术、新知识的能力，致使他们基本上只能从事低层次的行业，大大制约了农村富余劳动力收入的增长。另一方面，又造成部分企业专业技术人员紧缺。据省劳动和社会保障局反映，全省缺招技工占总需求量的 68%，专业技术工人缺口总数为 10.97 万人。

专业岗位培训覆盖率低，劳务服务市场不够完善，致使劳动力就业生存能力差。据广东省劳动就业中心资料报告，2004 年，全省对农村劳动力岗位培训约占 25%，2005 年以来，省财政加大对农村劳动力培训的投入，全年培训农村劳动力 38.5 万人，培训后转移就业 27.7 万人，就业率达 72%。但与全省农村劳动力总量相

---

① 赖国扬：《广东农村劳动力农业外就业特点分析》，《统计与预测》1999 年第 4 期。

比，培训面仅是2.2%。相当部分欠发达地区农村劳动力没有经过培训或是短期简单的培训就匆匆上岗，就业生存能力较弱。

维权保障工作不到位，管理不适应形势要求，影响了劳动力转移就业的稳定性。据有关部门反映，相当部分外出务工者的合法权益难以得到有效保障，不同程度的侵权事件时有发生。另外，外出务工人员具有流动性大的特点，给劳动力输出地和输入地计划生育部门的跟踪管理造成很大困难。加之受户籍管理的限制，绝大多数城市的外来务工人员子女入学难的问题无法得到解决，影响了劳动力就业的稳定性。

农业产业化、工业化和城镇化程度低，农村劳动力转移载体承受力不足，劳动力转移就业缺乏基础。从目前来看，欠发达地区农村富余劳动力转移有三大去向：大中城市、小城镇、企业。因此，提高工业化、城镇化水平是减缓农村劳动力对大中城市就业压力，实现农民就地转移的有效途径。就湛江、茂名、阳江等地区而言，近年来经济虽然取得了较快发展，但是经济总量仍然偏小，城镇建设相对滞后，小城镇功能配套不完善，尤其是第三产业欠发达，吸纳农村劳动力的能力比较薄弱，制约了农村富余劳动力就地转移。①

（四）广东农村劳动力转移行业特点

广东农村转移劳动力主要从事的行业集中在工业、建筑业、商贸饮食服务业。

工业是农村劳动力的第一消化器。1990 年转移到工业的劳动力为41.2%，2000 年为44.8%，2003 年仍保持在31.9%，居各行业之首。工业中又主要以制造业为主，2003 年制造业占30.4%。

1990—1995 年建筑业是农村劳动力的第二大消化器，1990 年占25.7%，1995 年仍占18.8%，居各行业的第二位。1996 年以后

① 陈章智、黄荣森、郭仁东、温冠文、韩继华、蔡建明：《广东欠发达地区农村富余劳动力转移就业的对策思考》，《统筹城乡发展》2006 年第2 期。

从业人员逐步减少，1996 年占 9.9%，2000 年下降到 7%，2003 年下降至 4.4%。

商贸饮食服务业的比例持续上升，1995 年以后替代建筑业成为农村劳动力的第二大消化器。1990 年从业比例为 11.5%，居各行业的第三位。1995 年上升到 30.5%，2000 年为 27.9%，2003 年为 28%，1995 年以来一直居各行业的第二位。

交通运输邮电业从业比例比较低，1990 年为 5.4%，2000 年为 4.5%，2003 年为 5.6%。

文教卫生业从业比例略有提高，但所占比例很低。1990 年为 1%，2000 年为 2.8%，2003 年仍只占 4.5%。

从 1997 年开始有少量农民开始在异地从事农业。1997 年为 0.6%，2000 年为 0.7%，2003 年为 0.3%。①

（五）广东农村劳动力转移趋势

20 世纪 80 年代，广东率先实行改革开放，一直处于改革开放的前沿，对内陆具有较大的吸引力。特别是珠江三角洲的崛起，对内陆及本省贫困地区劳动力产生强劲的拉力，劳动力流动一度形成单向流动的局面。随着改革开放的不断深入、西部大开发的启动、长江三角洲的崛起以及劳动力输出地经济的发展，广东的比较优势逐步下降，省外农村劳动力逐步向华东、西部以及当地经济发达地区分流。

较长时间内珠江三角洲地区仍是农村劳动力的聚集地，省内贫困地区及经济欠发达省市仍将是劳动力的主要输出地。发达的珠江三角洲地区，工资水平、社会保障逐年提高，科技、信息发达，教育资源丰富，受教育机会较多，对农村特别是贫困地区产生强劲的拉力。而省内外的贫困地区又因自身拉力的不足，无法吸引更多的劳动力流入，因此，在一个较长的时期内，贫困地区仍是劳动力的

① 王丽萍、张日新、许德斌：《广东农村劳动力流动分析》，《农业经济问题》2006 年第 8 期。

主要输出地。

农村劳动力仍主要聚集在劳动密集型产业。农村劳动力转移行业与劳动力的流动能力密切相关，农村劳动力文化素质低限制了行业的选择。文化程度较低的只能进入简单劳动的工种及行业，而劳动力文化素质的提高需要一个较长的过程。

三、劳动力流动对输出地和输入地的影响

（一）对劳动力输出地的影响

对输出地社会结构的影响。这种影响包括以下方面：① 对个人身份的影响。农民出去打工，身份就会有所提高，个人价值也有所增长。② 给家庭结构带来变化，一是使家庭从“分”走向“合”。由于主要劳动力都出去打工了，因而许多分了家的家庭又重新组合在一起，土地也集中由父亲或兄弟中的一个来耕种。二是儿童的抚养方式变为由老人隔代抚养为主。三是赡养老人的方式变化，“联邦式家庭”和“轮伙头”增多，也就是几兄弟轮流赡养父母。四是对孩子的教育期望提高。③ 邻里结构出现变化，从互惠的人情关系变为理性的经济关系，相互之间的借贷行为也要开始签合同、付利息了。同时，亲戚、邻居间往来减少，人情关系、人际关系也都随之发生变化。④ 对婚姻的影响，一是男女认识的途径发生变化，外出务工使青年男女认识机会增多。二是婚姻圈范围扩大，跨镇、市、省婚姻增多。三是性观念变化，未婚同居增多。四是婚姻习俗变化，过去结婚男方要付一笔聘金给女方，现在许多女工有钱自己买嫁妆，不需要聘礼了。⑤ 对政治结构的影响，包括权力结构的变化。现在的村长、书记一般都有外出务工经历，基层权力普遍向致富能力强、打工赚钱多的“能人”转移。

对输出地生活方式的影响。衣食住行及娱乐方式都发生变化。① 衣。由家庭自制变为从外购买，穿着开始讲究式样和花色，注重与城市流行风尚接轨。② 食。食品结构变化，食品种类增加，

做工和样式趋于精细，开始讲究口味。③ 住。房屋大多按照现代城市住房设计、建筑，讲求结构合理，美观舒适，房间功能区分增强，强调私人空间。现在的农村住所一般都设有室内厕所和浴室。④ 行。一般家庭都采用摩托车代步，拖拉机也在客、货运方面发挥一定作用。现在农村道路一般都是机耕道，汽车可以进村。交通工具的变化使得人们的活动范围扩大。⑤ 休闲娱乐方式也发生较大变化。电视使农村与外部世界联系起来，也影响着农民的生活和观念，农村青年对港台流行歌星、影星和流行歌曲都较为熟悉。

对输出地经济结构的影响。① 劳动力结构的变化。输出地的青壮年劳动力大量外出，留守在家的以老人、中年妇女为主，成为“空壳村”。② 耕种方式调整。外出务工者因为无法照顾责任田，常把土地转租或转送给他人耕种，这样就使土地资源相对集中，为规模经营提供了条件。同时，劳动力的相对缺乏也使劳动力价格上涨。③ 现金收入增加，促进了当地的消费增长和商业繁荣。④ 劳动力回流带来新技术和新观念，部分外出务工者返乡创业，促进输出地经济发展。

（二）对劳动力输入地的影响

大量农民工的涌入，为输入地提供了数量充足而且价格低廉的劳动力，促进了当地第二、三产业的发展，弥补了经济发展中劳动力的不足。据调查，深圳、海南、上海等地的楼宇、交通及基础设施，有 80% ~90% 是外地民工兴建的。农村劳动力填补了城市劳动力的结构性稀缺，诸如搬运、缝纫、环卫、修理、医院看护、保姆、餐饮服务等行业，基本由农民工承担。

“二元社区”的形成，是外来工给输入地所造成的影响中最大的。以珠三角为例，改革开放后，珠三角成为“世界工厂”，一度成为全国吸引外来工最多最快的地区。目前珠三角的外来工没有确切统计数字，但“以下限来说，一般都认为超过 1000 万”。外来工的输入，使得外来工和本地人形成两个相对隔离的社区，即二元社区。这种二元分割不仅是空间上和地理上的，更是心理上的。

1. 二元社区的外在特征。

第一，在分配制度上，本地人和外地人的分配制度截然不同。外地人在珠三角一般拿计件工资，而且与 20 世纪 90 年代初相比，工资还略有下降。而本地人则另有一套分配制度。仅仅从工资上来看，本地人与外地人之间的差别并不明显；本地人的主要收入来源于第二次分配，即村里的分红和福利制度。这种分配制度带有很强的平均分配色彩，本地人只要拥有户籍，即人人都拥有股份。在珠三角的经济发达村镇，村民的股份分红是一笔可观的收入。除了股份，这种分配制度还包括生老病死各种福利和大中学生的教育补贴等。

第二，在职业分布上，本地人和外地人也存在很大差别。一般来说，脏、累、苦的工作大都是外地人从事，另外一些技术性较强的职业也多是外来工去做。本地人所从事的则都是比较轻松、收入也较高的职业，如服务业，本村工厂的厂长、会计、报关员等。

第三，从消费和娱乐方式来看，也有两套系统供本地人和外地人使用。珠江三角洲的村、镇，一般都有很高档的餐厅、娱乐场所，其消费水平超过一般外来工所能承受的范围。如保龄球、高尔夫之类，只有本地人才消费得起。这样，消费和娱乐场所就从消费水平上被分为两个系统。而且，外来工的娱乐活动一般都由工厂组织，因而他们参加娱乐活动较为被动、低廉和低频率。

第四，从聚居方式看，现在外来工一般有两种居住方式。一种是集中的居住方式，即宿舍小区型，这是一种封闭的、有专人看管的居住方式。另外一种是租住当地的农民房，房租是当地人收入的重要来源之一。一般情况下，外来工都集中居住在旧、脏、乱的“老村”，而本地人则住在规划整齐、美观舒适、有较好治安管理的“新村”里。

第五，从社会心理看，本地人和外地人之间的边界在观念上被区分得非常清楚。以对外来工的称呼为例，珠三角的每个地区都有对外来工的贬义称呼，而且可能还不止一个。外地人对本地人在心理上也有相当距离。但综合来看，本地人对本地人、本地人对外地

人、外地人对本地人、不同的人对外地人的看法差异相当大。

2. 二元社区形成的原因。

“地方本位政策”是二元社区形成的前提。所谓地方本位政策，是指一系列保护地方利益的政策，包括户籍、福利、分配等。这种政策在本质上是城乡二元结构的延续。城乡二元结构主要表现为城乡分割，“铁饭碗”与非“铁饭碗”的隔离，而“地方本位政策”则是地方与地方之间的隔离。

户籍制度。户籍制度把中国公民分为“农村”和“城市”两大类别，每一类又分为不同等级。户籍制度是二元社区形成的基础。村镇集体提供的一切利益和福利都只惠及有本地户口的人。从社会保障制度看，社会福利、退休、劳动保护、医疗保健等，过去只在城市实行，而将农村人口排除在外。现在珠三角的大部分村镇，都模仿这套制度建立起更优越的社会保障体系。这些优惠政策又将大部分外来工排除在外。现在珠三角的农民工，相当部分长期在这一地区工作，但因为是非本地户口，就不能分享本地农村的经济发展成果，导致本地人和外地人成为界限分明的两个利益群体。

此外，与二元社区密切相关的是“寄生性”经济。珠三角的资本、技术、经营方式、管理都由港台或外商提供，而且基本的生产者也都是外地工人，本地人除提供土地，少量人参与管理外，大部分人什么都不做就可以坐享其成。“寄生性”经济成为二元社区的支撑基础。

3. 二元社区引发的问题。

“寄生性”经济导致本地人，特别是年轻人失去工作动力，养成不劳而获的思想。珠三角地区有一类青年叫“四不青年”，即不劳动、不学习、不工作、不种田，而且这类青年在青年人中所占比例相当大，有的镇占了 30%。因为要找一份既轻松，又高薪的工作不容易，而且工作赚的钱一般还没有分红多，因而很多人不愿去工作。不工作也就没有学习的动力。这些年轻人对自己的未来也很担忧，因为他们在文化水平、技术水平和管理水平上都比不上外来人，虽然现在土地、厂房是属于当地人的，收入归当地人所得，但政策不一定不变。假如政策有所改变，他们就会在竞争中处于劣势。

地方本位政策造成地方与地方的隔离。目前珠江三角洲的各级行政组织既缺乏纵向的沟通，又缺乏横向的沟通。由于行政组织上的封闭，造成各行政区划内的基础设施和经济结构成为一种相对独立的封闭体系。可以说，这种封闭体系是过去那种自给自足的自然经济的延续，这表现在各市、镇，甚至村都建立起属于自己的、小而全的各项基础设施。

地方本位政策还导致了本地人封闭的心态和自我中心主义。现在，很多珠三角的村民看不起广州人、大城市的人，甚至香港人，认为别的地方都不如自己村。有些村之间还相互攀比，相互之间谁也不服谁。由于许多高层领导和社会各界名流都到这些村庄参观访问过，因而村干部们常常摆出见多识广的架子，一般的干部学者去，他们都爱理不理。这种封闭心态在语言上也有所反映，近年来各地方的方言和次方言极为流行，这些地方的村民不愿讲普通话，甚至看不起讲普通话的人。这样的封闭心态，严重阻碍当地社会向外界学习，从而阻碍当地社会的进一步发展。

二元社区的发展将导致外地人与本地人的冲突矛盾。二元社区将本地人与外地人隔离起来，制度上的隔离将导致心理认同上的隔离，心理认同的差异将导致不同族群的形成。一旦不同来源的外来工在共同利益基础上形成同一族群，与本地族群的冲突就是必然的。因为现在对外来人都是管、卡、压，本地人处于优势地位，长此以往是行不通的。

总之，特定政策和经济结构导致了二元社区的形成，并由此给劳动力输入地带来一系列问题，这些新问题将制约珠三角的持续发展，亟须制定恰当的应对措施加以解决。

第十二章
农村生活方式变迁

生活方式是人们在一定价值观念支配下，为满足自身生活需要而在各个生活领域进行活动的形式与行为特征。新的生产方式出现，会造成新的需要、新的观念、新的交往方式等，从而引起整个生活方式的变化。农村经济体制改革和工业化、城市化的发展，引起了乡村生活方式的急剧变迁。这种变迁不是局部性的，而是全局性的；不是表面性的，而是深层次的。它正在形成一种新的社会活动系统，形成一代人或几代人生活方式的新特征。

一、生计方式的变迁

改革开放以来，广东成为全国经济发展最为迅猛的一个地区，广大乡村社会的方方面面也随之发生了前所未有的巨大变化。广东，尤其是珠江三角洲地区的农民纷纷“洗脚上田”，脱离农业劳动生产，转而从事第二、三产业。这种生计方式的变化，既是乡村都市化的重要标志，也是乡村都市化的必然结果。

在广东乡村生计方式的变迁中，人们的职业结构由简单变得复杂起来，从原来单纯的自给自足的农业生产，发展为非农业性劳动与集约化、专业化农业生产相结合的职业结构模式。整体而言，广东乡村生计变迁取向表现在如下方面：

第一，进厂做工。这是广东乡村社会年轻一代普遍的从业取向。如人口仅1980人的虎门镇大宁管理区，现有各类企业30多家，为本地劳动力提供了可观的就业机会。加之大宁邻近区域性经济中心虎门镇，很多大宁人也去虎门的工厂做工。由于血缘、地缘、语言等方面的优势，本地人进厂通常都不会做一般工人，而是担任管理人员或报关员、会计等工资收入高、劳动强度相对较低的工作。在珠三角的周边地区，由于缺乏工厂企业提供的就业机会，富余劳动力尤其是青年劳动力纷纷来到珠三角腹地打工，其原先从事的农业和非农业劳动则通过吸纳偏远山区或内地省份的劳动力来完成。如粤西四会市清塘镇下埠管理区，全区900多名劳动力，单纯务农的有350多人，近300人在本地工厂企业做工并兼做农活，外出珠江三角洲腹地打工的有250多人；同时，下埠区又吸纳了本省外县80多人和外省200多人，他们主要在砖厂、瓷厂做重体力活，少数承包鱼塘、山林。

第二，专业种养。虽然这一劳动生活方式仍是农业性的，但与传统农业已有本质差异。珠江三角洲的专业种养业已经开始朝商品化、规模化、集约化方向发展。如土地面积23700多亩、人口1500多人的中山市坦背镇观栏村，种菜1000多亩，全村300多户人家有85%专业种菜，据统计，仅种菜一项，该村的人均收入即可达5000元以上。广州市郊区的南基村东基自然村，土地被征购后有20户人家专门养猪，占全村人口的13.3%，其中一户养了100余头猪。虽然他们靠附近酒楼餐馆的剩菜剩饭饲养猪，尚有“家庭副业”色彩，但随着传媒的影响、观念的改变，已开始采用饲料添加剂饲养的方式。南湾自然村一麦姓村民，承包了40亩土地，主要种植各种水果和花生等经济作物，他雇用了几名外地农民，按月给他们200~300元工资。诸如此类的专业种养业的发展，不仅要求人们学习和掌握相关的专门知识，而且还培养和加强了乡村居民的商品观念、市场观念、信息观念和发展意识，是珠江三角洲乡村社会新型劳动生活方式的一种重要取向。

第三，从事个体工商业。如在广州市郊区的南基村西基自然

村，村民私人筹资办起了一个小型钢窗厂；少数经济富裕的村民买汽车跑运输做生意；村中还有几家小杂货店和小食店。即使在珠三角边缘的粤西高要县广大乡村，也有相当部分村民从事小工商业。辖两个自然村、人口2460人的大湾镇高第经济合作社，就有10多户人家开设了小杂货店；而在新桥镇，由于该地有竹制品编制传统，因此在已有10多家镇办竹编厂的情况下，近年来仍涌现出100来家私人竹制品小作坊。广东乡村社会的这一从业取向，是人们在区域经济得到相当发展后受比较利益驱动而产生的。这一职业的选择，既使从业者避免离开原来住居的社区，又能获得丰厚的经济回报。

第四，提供其他劳务。广东乡村社会提供的其他非农业性劳务形式多种多样，但形成的规模大致有两类：一是从事建筑业，主要是经济欠发达地区的富余劳动力为珠江三角洲腹地提供的一种劳务。如高要县新桥镇道悦管理区，人多地少，历史上就已形成输出建筑劳务的传统，改革开放后发展为相当规模，近年来，平均每年大约有500人外出从事建筑业，一般是去广州、肇庆及其他城镇。据当地干部介绍，一般外出打工者平均每月寄100元回家，而从事建筑业者则每月至少资助家里300元以上，因而人们普遍对这一职业比较向往。这是乡村社会经常性的、相对固定的一种劳务活动方式。二是为工厂企业提供辅助性劳务。在高要县新桥镇，由于其传统的竹编工艺品已形成拳头优势，大量出口，其手工编制的形式使得靠近新桥镇区的乡村家庭几乎都在为工艺品厂提供编制这一道工序的辅助性劳务。在邻近广州经济技术开发区的南基村东基自然村，很多家庭也到开发区一家玩具厂领零件回来组装，提供手工辅助性劳务。

总之，在区域经济迅猛增长、都市化急剧发展的广东省，乡村社会生计方式的变迁正日益影响和改变着人们的时间结构和空间结构，也冲击和改变着人们的从业观念和乡村社会的职业结构。而且这一变迁正在向广度和深度上进一步发展。1982年广东全省就业人口中，70%的是农民，1990年这一比重降到60%，到2000年更是下降到不足38%。这些数据表明，在今天的广东省，农民已经不是在业人口的主体了①。乡村劳动力大规模转移的主要原因在于，农村产业结构的调整、农业用地被征用和受比较利益驱使而流向收入相对较高的经济部门等。

二、消费方式的变迁

消费作为人们生存和发展的必要条件，个人的消费内容及其构成，是由社会生产力的发展水平决定的。改革开放前，我国农民长期处于连基本的吃饱穿暖都难以保证的贫困状态，在消费上表现为消费需要和消费水平的停滞性、消费的自给性、消费结构的超稳定性和消费模式的固定性。改革开放和市场经济的发展，促进了农村生产力水平的迅速提高，农民收入增加，物质财富增多，农民的消费方式开始发生一系列根本性变化。

改革开放后，广东进入经济高速发展时期。1998 年，全省国内生产总值 7937 亿元，与 1978 年相比，增长了 40 多倍，年平均递增 14%，从全国第 6 位上升为第 1 位。30 年来，广东的经济发展速度明显快于全国平均水平，主要经济总量指标在全国位居前列，经济实力大幅提高，一跃成为全国经济发展最快的地区之一，经济总量约为全国的 1/10。随着经济的发展，广东农民的生活水平也得到迅速提高。

（一）收入来源多元化

随着改革的深化和对外开放的不断扩大，单一的公有制结构模式逐步被打破，形成了多种经济成分共同发展的多元化格局。乡镇企业异军突起，“三资”企业、私营企业和个体经济竞相发展，扩大了农民就业渠道。此外，农村富余劳动力外出进城务工经商增多，使农民收入中来自工业、建筑业、服务业等非农产业收入增

① 李若建：《广东省农民人口特征及变迁研究》，《广东社会科学》2003 年第 3 期。

加，比重上升。同时，由于生产经营主体的转换，农民收入来源由集体同一分配为主向家庭经营收入为主转变。目前，农村家庭收入主要由工资性收入（在非企业组织中得到收入、在本地企业中得到收入和常住人口外出从业得到收入）、家庭经营收入、转移性收入和财产性收入四部分构成。2005 年，广东农村居民家庭人均工资性收入 2562.39 元，人均家庭经营收入 2944.16 元，人均转移性收入 284.02 元，人均财产性收入 167.25 元，在总收入中所占比重分别为 43.0%、49.4%、4.8%、2.8%①。2005 年，广东农村家庭收入中，人均农业生产性收入占总收入的 28.1%，而非农业生产性收入则高达 63.5%。

（二）消费结构日趋合理

收入水平的提高，使农村居民的消费水平也呈逐年提高之势。改革开放以来，农民消费水平提高的进程大致可分为两个阶段：20 世纪 80 年代主要是解决温饱问题，居民对基本生存资料需求量增长很快，而对发展和享受资料的消费量则相对较少；进入 90 年代，温饱问题已基本得到解决，居民的消费需求由数量的扩张向质量的提高转变，发展和享受资料的消费日益受到重视。

第一，食品消费由谷物为主的粗放型向副食为主的营养型转变。1998 年，广东农村居民人均消费粮食 258.4 公斤，比 1978 年减少 12.6%，而肉、禽、蛋、水产品等消费则成倍增加，1990 年人均副食支出 288.81 元，2005 年这一数字上升为 962.38 元。随着商品经济的发展、乡村社会劳动生活方式的变迁，农民也越来越多地倚赖从市场获取生活资料。在经济欠发达的粤西高要县农村，农村集贸市场都在一定程度上发展起来。高要县大湾镇高第经济合作社，辖 2 个自然村，人口 2460 人，村中除了十几间日用杂货店，近几年还在村中空地形成一个小规模集市，每天早市上有卖猪肉的、卖鱼的和许多卖蔬菜、粮食及其他食品的档口，大多数家庭每

① 《广东统计年鉴 2006》，中国统计出版社 2006 年版，第 270 页。

天的生活消费以现金方式开支，与城镇居民并无两样。而在经济更为发达、都市化程度更高的珠三角乡村，村民们到酒店、茶楼就餐、饮茶现象十分普遍，节假日全家去酒楼聚餐饮茶也渐成风气。人们不必“进城”，就可以享受到“城里人”同样追求的多样化、营养、自然、健康的食品。

第二，从衣着消费看。随着收入水平的提高，广东农村居民在衣着方面的支出在绝对量和支出比重上都有明显上升。2005年，广东农民人均衣着开支为143.50元，而1990年这项支出还停留在人均39.48元的水平。此外，农民衣着消费的内部结构变化也很大，其大致倾向是：由以棉织品为主，逐步向以化纤织品为主发展；由以低档服装为主，向以中、高档服装发展为主；由以纺织原布为主，向以针织成衣为主的方向发展；由注重内在质量（耐磨损度）逐步向注重外在质量（美观）方向发展。总之，农民的穿着质量显著提高，与城市居民的差距明显缩小。

第三，从居住消费来看，农民住房日益宽敞，住房条件明显改善。2005年，广东省农民人均住房面积25.71平方米。砖木结构的平房减少，钢筋混凝土结构的楼房增加。每年都有大批农户修建新房，而且新建房屋的通风、采光及卫生条件都较好。珠江三角洲及沿海地区较为富裕的农民，修建的多是装修讲究的别墅式小楼房。居住支出也大幅度增长，2005年农村居民人均居住支出530.30元。在乡村社会，建房与其说是一种敛财投资手段，不如说是人们最体面的消费方式。在这一消费中，不仅延续了农民们安居乐业的古老情怀，同时也向社会展示了个人的成就与价值。广东省高要县道悦管理区，1978年以前村民的房子绝大多数是泥砖房，1978年至1992年，全区736户共修建新居780幢，红砖房和钢筋水泥结构楼房分别占七成和三成，部分楼房还用瓷砖贴面、内部装修新潮。①

① 周大鸣、郭正林主编：《中国乡村都市化》，广东人民出版社1996年版，第273页。

第四，耐用消费品普及程度提高，升级换代速度加快。耐用消费品的扩张，是农村居民生活消费开始从生存走向享受和发展的生动体现，是农民生活现代化的标志。改革开放以来，广东农村居民家庭的耐用消费品经历了从无到有、从少到多，从低级到高档，从单一到全面的过程。以人们追求的“几大件”为例，从20世纪70年代的手表、自行车、缝纫机、半导体收音机，到80年代的录音机、洗衣机、电视机、电冰箱，再到90年代的摄像机、激光音响、影碟机、空调等。这些耐用消费品的每一次更新升级，都意味着引起一场“消费革命”。2005年，平均每百户广东农民拥有摩托车86.88辆，彩色电视机103.91台，影碟机58.91台，热水器38.67台，移动电话116.41部。

第五，文化和精神消费也有较大发展。2005年，广东省农村居民人均文化教育娱乐用品及服务支出360.73元。

（三）消费观念更新，消费模式变化

改革开放带来的经济发展和市场繁荣，不仅较好地满足了农村居民的消费需求，也促进了人们消费观念的更新和消费模式的转变。总体来看，农村居民的消费观念和消费心理经历了一个由保守到开放、由落后到先进、由盲目到成熟的过程。

改革开放前，由于物质匮乏和收入低下，人们的消费观念多是保守的，传统的，以求稳求俭为主；改革开放后，人们的消费观念和消费心理发生了很大变化，求新、求奇、求美、求精的开放型消费观念被越来越多人接受。20世纪80年代中后期，由于物资供应未能适应消费需求的迅速膨胀，物价上涨过快，居民消费心理扭曲，一度出现抢购风潮。如今，市场供求已由卖方市场向买方市场转变，人们的消费观念发生了新的变化。一是由集中消费转向均衡消费，节日消费与日常消费相差不大；二是由超前消费转向按需消费；三是由盲目攀比、追求时髦转向讲求实用、注重个性。消费观念的变化，反映了消费水平的提高。

随着市场经济的发展，农村居民的消费模式也发生了变化，由

自给半自给向商品型转变。目前，除了部分食品外，农村居民90%的生活消费品都是从市场上购买的。不过，尽管农村居民的商品性消费有了很大发展，但商品性消费比重上升缓慢，预示着农村由自给半自给经济向商品经济转化仍是一个漫长的历史进程。

同时，农村居民消费的社会化程度也不断提高。过去，农民的物质生活消费主要靠家庭范围内的家务劳动实现，如今，随着生活水平的提高和生活节奏的加快，社会化消费越来越普遍。如农民在外用餐增多，2005年，广东省农村居民人均在外饮食支出达133.27元，经济发达的珠江三角洲农村的该项支出要远远超出这一数字。

消费的发展带来了生活质量的全面改善。①文化事业的繁荣和发展，促进各种文化设施的增加和完善，大大丰富了农民的业余生活，使农民的娱乐支出成倍增长。②交通、通讯工具的发展使农民生活的便利程度大大提高。如今摩托车的拥有量在农村达到较高水平，小汽车也被部分农村高收入家庭所拥有，加上近年城乡道路、桥梁建设迅速发展，路网四通八达，公路、铁路、民航运输条件明显改善，给人们出行提供了很大方便。尤其值得一提的是，曾被视为富有、地位象征的移动电话，如今在农村的人均拥有量也超过人手一部。通讯业的高速发展，大大缩短了人们社会交往、信息传递的距离和时间，使生活质量跃上一个新层次。③医疗卫生和社会福利事业的发展，为农村居民生活提供了有效保障，有力地维护了农民的基本生活权益，促进了社会稳定。

总之，以商品化、多样化、世界化和个性化为特征的现代消费模式已由城市扩散至乡村，追求个人发展和体现个性的消费生活方式已逐渐成为广东乡村社会的共识。

三、娱乐休闲方式的变迁

闲暇生活是指人们在劳动时间以外的时间里享受文明和发展个性的生活活动，是人类文明发展到一定阶段的高级财富。在现代社

会，闲暇生活在社会生活中具有非常重要的意义，生活方式在某种意义上就是对闲暇时间的利用形式①。改革开放以来，农村居民生活方式变革的一个重要方面，就是闲暇生活方式发生了明显变化。

（一）闲暇时间的增多

在生产力低下的小农经济条件下，传统农民生活时间受自然季节更替及相应农业劳作的支配，只有“农忙”和“农闲”之分。农忙时，由于劳动的紧张性，人们几乎没有片刻闲暇；农闲时，农民一般也都需要从事家庭手工业，以满足日常生活需要。因此，在生产力水平低下的传统农业社会，农民家庭生活的基本内容几乎就是生产活动本身。

这种情况在改革开放后得以改变。一方面，随着农村第二、三产业的发展及城乡壁垒有所松动，已有大量的农村劳动力在较大程度上脱离农业生产，他们对劳动时间的安排已摆脱了传统农业生产所受自然节律循环的制约，且劳动时间相对固化；另一方面，留守在土地上的农民，在实行联产承包责任制以后，其劳动时间由以前的统一规定，变为现在的自己安排，工作效率提高，劳动时间相对减少。

（二）日趋多样化的休闲娱乐方式

生产力的发展不仅影响到人们劳动时间和休闲时间的分配比例，而且影响到人们对闲暇时间利用的性质、形式和内容。在传统农业社会，农民闲暇时间少，休闲娱乐活动也较为单调贫乏，多限于走亲戚、串门、聊天、喝酒、玩牌、睡觉等。改革开放后，随着农民收入和闲暇时间的增多，农民休闲娱乐方式日趋丰富，质量也随之有所提高。

休闲娱乐由贫乏趋向丰富，不仅仅是指闲暇时间的增多，而且

---

① 方向新：《农村变迁论——当代中国农村变革与发展研究》，湖南人民出版社1998年版，第317页。

还在于使个人得到充分发展的时间增多，人们能够开展各种各样的活动，以满足享受和发展的需要。

目前，农民的休闲娱乐方式主要有：看电视、打麻将和打扑克、听广播录音、阅读、体育、旅游等。调查显示，看电视是各地农民首要的娱乐休闲活动。电视机作为现代化的大众传媒工具，已广泛进入农户，为人们提供了休息、娱乐、学习的方便，也大大丰富了农民的闲暇生活。同时，学习、看书、玩乐器、搞体育锻炼等带有一定创造性的活动也进入了农民的闲暇生活，表现了农民已开始将休闲娱乐当作自我发展和自我创造的积极的生活态度。

应该指出，农民休闲娱乐方式的变化仅仅是开始，与农民自身需要及社会期望还具有相当距离。事实上，农民的闲暇生活还存在二元格局，即现代休闲娱乐方式已进入农家，同时传统的闲暇消费方式仍不同程度地存在。此外，休闲娱乐的多样性及休闲质量既与社区的经济文化发展水平相关，也与农民自身素质相关。一般而论，受教育程度越高的人，其闲暇消费的层次也就越高。

以广州南景村为例。改革开放前，村集体每个月都会出钱请南岗镇或黄埔区的电影放映队来放一次电影，这是当时几乎唯一的一项文化娱乐生活。除此以外，在平时少量的闲暇时间里，村民一般都是用来走走远近亲戚，或是串串门与邻居一起聊天、喝茶、抽烟。上了年纪的村民偶尔去村中小茶楼饮茶。现在，年轻人仍偶尔三五相邀去看电影，但都是去黄埔经济技术开发区环境舒适的影剧院，他们戏称为“换换口味”。绝大多数村民晚上都是在自己家看电视。由于可以收看到包括香港电视节目在内的多套节目，人们多数闲暇时间都泡在电视机前，即使白天也有许多人在家看电视。南基村在经济富裕之后，特别注意对村容村貌和各项“市政”设施建设，集资兴建了一般农村少见的乡村园林式公园——南湾公园，村里还专门配备了14 名环卫人员。这些环境、设施和制度为丰富村民的休闲娱乐提供了重要的物质保障。但遗憾的是，这些基本设施未能充分发挥它们应有的作用，仅有为数不多的老年村民休闲、散步时或几个人一起，或自己一个人揣着袖珍收音机出现在公园。

其他村民们的休闲娱乐活动则主要是呆在家中看电视、听收录机，年轻人则离开村子去开发区唱卡拉 OK、看影视录像、玩电子游戏、打桌球等。读书、看报、体育活动等精神文化活动则未能在南基村村民休闲娱乐生活占据一席之地。

客观地说，南基村村民在闲暇时间中进行的休闲娱乐活动质量还比较低，基本上以纯粹消遣为特征，这也是整个珠江三角洲乡村社会闲暇生活方式急剧变迁过程中所共有的问题。乡村社会只有致力于提高以文化知识为基点的社会成员素质，同时改善和创新乡村社区文化氛围，才能逐步改变在闲暇生活中“消极”娱乐的状况，并防止和克服由此而衍生的诸如赌博之类的不良后果和倾向。

四、社会交往方式变迁

在不同社会和历史时期，由于社会发展程度不同、生产的社会化水平不同，使人们在交往范围、交往深度、交往频度及交往内容、形式、规模方面都会有明显区别。农村经济体制改革和非农产业的发展，扩大了农民的活动领域，使得农民社会交往的形式、内容、频度、对象等都发生了深刻的变化。虽然以血缘、婚缘、地缘关系为主的社会交往依然普遍地保留在乡村社会中，但随着人们劳动生活方式的变迁，以业缘关系为基础的社会交往已在乡村社会形成，并逐步发展为人们习以为常和乐于进行的交往活动。

（一）以血缘、婚姻关系为基础的社会交往的变迁

首先，年轻一代通婚范围扩大，亲戚分布与交往的空间距离增大，这在珠江三角洲腹地比较突出。如在南基村，目前尚有 400 多人为农业户口，这是由于外地农村女青年嫁给南基村人、同时他们的子女随母亲户口而造成的。这些外地媳妇大多来自省内其他地区，也有来自湖南、浙江、四川等省的，这一类以姻缘关系为基础的社会交往频率较低，一年难得有几次往来。

其次，即使是居住在本村的亲戚之间，以往常见的串门聊天现

象也已消失。人们认为各个家庭都有自己的工作与生活，经常串门会打扰别人甚至引起反感；但如果出现重大生活事件，那么最可依靠的仍是与生俱来的血缘亲情。

总体来看，在年轻人的生活观念中，以亲缘关系为基础的社会交往明显呈淡化趋势；但在年长一辈的村民那里，则竭力维护和发展他们所熟悉和看重的亲戚关系，特别是在珠三角部分家族文化发达的地区。如在虎门镇大宁村，全村绝大多数村民姓谭，他们与远在中山市的谭姓同宗建立了联系，在清明、端午节期间组织大规模的往来活动。与此同时，村中各支系家庭也加强了联系和交往。对于年轻一辈在维持和发展亲戚间社会交往方面表现出来的满不在乎，老年村民们颇有微词却又无可奈何。

（二）以地缘关系为基础的邻里交往的变迁

以往在闲暇时间到村中四邻中闲坐喝茶聊天，是广东乡村最为普遍的社会交往方式。同住一个村落的人们彼此之间都很熟悉，往来也十分随便，没有什么顾忌或忌讳。现在，这种情况在珠三角以外地区尚未有大的变化，尤其是多数年轻人外出做工，村中都是些老人孩子，这使人们习以为常的邻里往来得以延续。而且各自家庭中外出亲人的近况成为人们串门聊天的主题，而平时向邻里借点物品、要点东西都是很自然的事情。

但在珠三角腹地的乡村，情况则发生了很大变化，人们已经很少串门，在路上见到或经过家门口时也只是打个招呼，村民邻里之间的交往明显减少。这是因为：① 劳动生活方式变迁后，村民各自有不同的职业和家庭生活特点，逐渐缺少共同的劳动生活习惯，因之失去了邻里之间交往的基础。② 现在家家户户都有电视，一天中的主要闲暇时间——晚上，通常都是一家围坐在电视机前度过。丰富多彩的电视节目使以聊天解闷为主要内容的邻里交往变得可有可无。③ 村中绝大多数村民都修建了新居所，单家独院，一改过去夜不闭户的习惯，变得门闭窗掩，构成邻里交往的一道自然屏障。若没有什么事情，谁也不会随便去敲别家的门。④ 由于大

家同住在一个村子里，各人有各人赚钱的途径，各个家庭的经济状况又有所不同，因而在人与人、家庭与家庭之间或隐或显地存在着竞争关系和攀比心理，这使得邻里交往有时变得勉强而尴尬。⑤在村民的闲暇时间里，还有另外一些社会交往和文化活动，邻里交往已退居次要地位。

由此可见，邻里交往的变迁，是社会经济变迁、都市化发展的一种历史必然。

（三）以业缘关系为基础的朋友同事交往的变迁

现代社会与传统社会的主要差别之一在于，现代社会更注重后致性社会关系，如同学、同事、朋友等业缘关系。以业缘关系为基础的朋友交往也是在经济发达、人们有较多从业选择机会的珠三角乡村社会逐渐发展、成熟起来的一种社会交往活动。在人们失去土地，或脱离了土地耕作之后，真正意义上的以业缘为基础的社会交往才得以建立。人们在工厂或个体工商业经营活动中逐渐结识了一批同事和朋友，从而形成一种全新的社会交往关系。

南基村在土地被征购的过程中，有许多青年被开发区招进工厂做工，以前同村的同学成为同事，相互交往关系得以加强。同时，部分人还在工厂中结识了一些外地外省的同事，对于部分在技术上能帮助自己，或比较谈得来的同事，他们往往另眼相待，并在节假日邀请他们到自己家中做客，而家长们对这种交往关系也较为赞同、支持。

在个体工商业主中，以业缘为基础的交往活动往往具有更多的功利成分。一位做司机在外跑运输的村民说，他在外面结交了很多同行朋友，他现在很少跟村里人来往，一有空闲都是跟同行交往。大家有时间就在一起坐一坐或是出去饮茶吃饭，平时也常用电话联系，一般有谁在外面接下大的运输业务自己又搞不定时，就会招呼其他人帮忙。他强调，这种交往花钱花时间都值得，交往中可以学到很多东西，会得到对自己有用的信息，而且还可以结交更多的各方面的朋友。

（四）现代农村社会交往方式的变迁趋势特点

1. 交往空间扩展。

在传统农业社会，人们的活动范围狭小，农民的日常生产生活大多局限于本乡本土。由于生活空间范围有限，农民社交的地域半径也很小，交往对象相当少。改革开放推动了经济市场化程度的提高，农村商品生产与非农业生产的发展，把市场关系渗透到生活的各个角落，使农村从深度和广度方面逐渐加强了与外界的联系。农民的活动范围不断扩大，社会流动性增强，社会交往的网络空间也日趋拓展。中国人民大学社会学系对4个农村社区的调查显示，大部分农民的出行均超出县界，出行超过省域的农民达40.5%①。出行远近可以大体衡量一个人的交往半径，上述资料表明，农民的社会交往业已冲破社区封闭性的格局，呈明显的开放性态势。与此相适应，农民社会交往的频率提高，交往密度也大大增强。

2. 交往对象范围扩大。

传统农村社会农民的人际交往对象以亲缘和地缘关系为主。改革开放后，随着非农产业的发展，人们置身于更广泛的社会关系中，进行更广泛的亲属之外的交往合作。现在，农民交往对象从发展趋势上看，表现为由先赋型为主转向以后致型为主，由内向型为主转向以外向型为主。目前，从整体上看，农民的社会交往仍是一种亲缘关系、地缘关系、业缘关系并重的格局，但业缘关系的地位日趋重要。这表明，农民社会交往网络的封闭性逐渐被打破，农民对本社区的依附程度降低，对本社区成员的亲密感削弱，地缘关系逐渐淡化。

3. 交往内容更新。

在传统农业社会里，人们的社会交往更多的是一种基于情感方面的交往，而在当代农村社会里，人们虽然仍会出于精神价值去交

---

① 方向新：《农村变迁论——当代中国农村变革与发展研究》，湖南人民出版社1998年版，第324页。

往，但更多地已发展成为出于物质利益、经济价值去交往。并且，基于某种利益因素所发生的经济交往，在农民社会交往中具有越来越重要的地位和作用，所占比重也越来越大。

交往内容的更新，导致交往原则发生变化。在当代农民的社会交往中，以往重情不重利的原则已被渐渐摒弃，而主要是以法律和契约为联结纽带，贯穿其中的是利益原则。利益原则与情感原则的交融，是农民社会交往转型的一个鲜明特点。

五、家庭生活方式变迁

（一）农村家庭生活方式变迁的表现

1. 家庭规模渐趋缩小，核心家庭占据主导地位。

改革开放使农村家庭在组织方式上发生了很大变化，其中最突出的表现就是家庭规模缩小化，核心家庭增加。从全国来看，2000年的农村家庭规模要比1980年少1.34人。这主要是到了20世纪90年代后，农村家庭结构发生了相当变化，联合家庭逐渐减少，主干家庭和核心家庭逐渐成为主要的家庭结构形式。据第三、四次人口普查1%抽样调查资料，1990年与1982年相比，全国农村核心家庭由69%上升到74.3%，主干家庭由17.8%上升到18.8%，联合家庭则由5.7%下降到1%。广东的情况与全国趋于一致，无论是在珠三角还是广东农村其他地区，年轻人结婚成家后一般都不再跟父母住在一起，而是另建新房，组织各自的核心家庭。如果一个家庭所有的子女都已成家，则父母有的会跟其中一个已成家的儿子生活居住在一起，有的仍然自己独自居住。

随着社会经济的发展，我国农村家庭类型变化表现出一定趋势。一是核心家庭和主干家庭占大多数，主干家庭先减少后增加。在联产承包责任制初期，核心家庭比主干家庭多，而近年来许多农民进城务工，家庭照顾发生困难，主干家庭就又多了起来。二是各种特殊或过去很少见的家庭，如仅有儿童和老人在家的留守家庭，在我国农村也逐渐多了起来，而人们对于这种家庭的看法也越来越持开放和宽容的态度。

2. 家庭关系得到调整。

第一，家庭内部关系网络的变化。在传统的中国农村社会中，家族关系在家庭关系中占有重要地位，家庭网络系统以亲属关系为主干。解放后，特别是“文化大革命”前后，家族关系被削弱，邻里关系则逐渐成为影响农村家庭关系较为重要的因素之一。改革开放后，家庭成为独立的经济利益单位，但由于单个家庭的经济能力和人力资源有限，亲属之间的互帮互助又逐渐多了起来。此外，社会流动的增加，使得地缘和业缘关系对家庭关系网络的影响逐渐增加。

第二，亲子关系的变化。传统的亲子关系逐渐被新型的、民主的亲子关系所取代。在封建社会以至解放后相当长一段时间里，在农村社会，家长对子女有着绝对的权威。这一方面是因为家长掌握着家庭中所有的财富和资源，另一方面也是受到封建家长制的影响。改革开放后，农村家庭中的亲子关系发生了重大变化，主要表现在：① 随着封建家长制影响的逐渐减弱和家庭民主建设的快速发展，家长对子女不再有完全的所有权和控制权；② 随着年轻人在市场经济中越来越占据主导地位，他们对家庭经济利益的贡献日益显著，农村家庭中的权威从辈分最大的长者转变为精明强干的年轻人；③ 家长对子女的事务，如择偶、工作等仅能提出参考意见，最终的决定都由子女自己做出。

第三，夫妻关系的变化。在传统中国农村的夫妻关系中，丈夫占据主导地位，妻子则处于从属地位。由于“男主外，女主内”的传统社会分工，丈夫不仅掌握着家庭中的经济大权，而且在家庭事务中也掌握着决定权。而现在，农村家庭中的夫妻关系已经发生了很大变化，女性地位提高，夫妻地位与权力趋于平等。其主要表现有：妻子对家庭的重大决策，如子女教育、财政支出、生活和生产等有了更多的发言权，夫妇二人可以平等地商讨和决定这些事务；同时，“男主外，女主内”的社会分工有了明显的改变，丈夫

也越来越多地参与到家庭内部的家务劳动中来了。据中国科学院社会学研究所在20世纪80年代中期的调查，农村家庭生活性支出由妻子掌管的占47%，由丈夫掌管的占11%，由夫妻共同掌管的占38%，其他占4%；家庭生产性支出由丈夫掌管的占39%，妻子掌管的占19%，共同掌管的占33%，儿子、女婿掌管的占9%。①

在广东农村，家庭人际关系也发生着上述变化。改革开放后，人们获得经济资源的机会增加，妇女外出打工或靠做一些适合妇女做的手工劳动，获得的经济收入有时甚至高于男子，经济地位的提高有力地促进了农村女性社会地位的提高。在珠江三角洲的乡村，不少原来的家庭妇女作为种养、经营能手脱颖而出，在家庭和社会生活中扮演了重要角色。在经济欠发达的广东其他农村地区，妇女地位同样有所提高，在重要家政问题上大部分与丈夫享有同样的决策权。在许多家庭中，做饭洗衣已不再由家庭主妇独自承担，男人们也开始承担部分家务劳动。虽然乡村社会传统的"男主外，女主内"观念仍存在，如家里来了客人时，妇女一般仍不会一起陪桌吃饭，但家庭妇女已不再是不得见外人的角色，她可以与客人自由交谈，从侧面反映了妇女家庭地位的上升。

但与全国相比，广东的夫妻社会性别观念更为保守。广东女性赞同"男人以社会为主，女人以家庭为主"、"女性应避免在社会地位上超过其丈夫"、"干得好不如嫁得好"的传统观念的比例分别高于全国相应比例9.9、6.2、8.9个百分点；高于广东男性3.4、3.9、11.3个百分点，广东男性对以上第一、三种观点的认同率也分别比全国高4.0、4.7个百分点。② 需要指出的是，广东农村女性对这些观念的认同高于全省平均水平。

3. 家庭功能变化。

生产经营功能的变化。传统农村的生产经营功能主要指的是农

① 方向新：《农村变迁论——当代中国农村变革与发展研究》，湖南人民出版社1998年版，第274页。

② 左伟清：《广东妇女传统性别观念调查》，《中华女子学院学报》2003年2月。

业经营，并且更多偏向于生产的功能。而现在，我国进入市场经济时代，农村家庭的生产和经营被纳入市场体系。由于单个家庭很难应付激烈的市场竞争，因此，我国很多地区的农村已由原先的家庭单独生产转变为众多农户联合起来进行生产和经营协作。同时，另一个发展趋势是，越来越多的广东农村家庭把农业生产放在生产经营的最后，许多农村家庭已经没有人从事农业生产或只有少数妇女和老人继续从事农业生产。随着工业化和城市化的进一步推进，农村家庭的生产经营功能将更多地从农业转移到其他方面。

生活消费功能的变化。过去，农村家庭作为生产和消费的统一体，在消费方面表现为自给自足。改革开放后，原先自给自足的经济模式在市场经济影响下很难存在，农村家庭生活消费功能也发生了很大变化。以前在家庭内部就基本可以满足的生活消费功能，现在则更多地倚赖社会交换，衣、食、住、行都在一定程度上商品化。同时，家庭生活消费内容也有所扩展，除满足基本生活物质需要外，还满足包括娱乐、休闲、学习等多方面的生活需要。

生育功能的变化。自从有家庭以来，生育功能就是家庭的基本职能之一。目前，生育功能仍是农村家庭最为重要的职能之一。这是因为：① 父母和子女间的亲子关系，不仅使子女从父母那里得到物质上的照顾，还可以得到家庭和亲情的温暖；② 由于家庭建立了双系抚育，由家庭抚育子女可以节约抚育成本，并合理利用家庭的人力资源；③ 家庭抚育有利于儿童的社会化和对他们进行全面的生活教育。但随着社会的发展和人们观念的改变，农民中也开始有部分人认为生育不一定是家庭一定要完成的社会功能。因此，在今后的中国农村，生育功能的承担和完成也将成为农村居民自主选择的结果。

赡养功能的变化。家庭的赡养功能由来已久，并为我国现行法律所认可。中国农村社会家庭赡养的一个特点是，赡养老人主要由男嗣承担，因为父母的财产继承权一般都归儿子所有。但随着越来越多的年轻农村居民进城务工，很多还是夫妇共同外出，因此，现在农村家庭的赡养功能受到巨大挑战，需要引起有关部门重视。

4. 婚姻缔结方式发生变化。

第一，广大农村青年绝大多数享有了婚姻自由。“父母之命，媒妁之言”不再是决定青年人命运的因素，广东乡村的年轻一代有文化、有知识、广交往，他们已逐渐能够真正做到“恋爱自由，婚姻自主”。如高要县大湾镇高第村，村中外出打工的年轻人近年来跟外地青年恋爱结婚的人渐渐多起来。该村妇女代表说，这些年轻人口头上说是终身大事要由父母做主，所以带了男朋友或女朋友回家征求父母意见；但父母的反应则是认为带人回家，就是子女自己已经做了决定的表现，所以多是随年轻人的意愿。

第二，农村青年的择偶标准发生变化。① 门当户对的择偶标准在改革开放前的中国农村相当流行，现在的农村青年择偶时也会考虑门当户对，但门当户对的含义已经发生了变化。除了看重对方的家庭经济条件，农村青年在择偶时对对方家庭关系好坏也十分看重。② 年龄标准。有的地方对即将缔结婚约的男女双方的年龄差距特别重视，有的农村地区还会在结婚前请人测算双方的生辰八字，预测生辰八字对夫妻关系和家庭生活的影响。改革开放后，人们对择偶的年龄标准有所放松，而将双方的感情因素排在首位。③ 个人条件。改革开放后，随着经济的发展和观念变化，农村青年的择偶标准从强调对方的家庭情况转为强调对方的个人条件。人品、个人能力、文化程度、外貌、家庭经济条件、地域等都在考虑范围之列，大多数农村青年将对方人品放在首要考虑的位置。在个人能力方面，大多数青年把“会过日子”和“勤劳能干”放在前两位。④ 感情因素。改革开放后，随着外来文化，特别是西方文化的不断进入，中国青年对“爱情”的态度发生了巨大变化。越来越多的农村青年认为，没有爱情的婚姻是不道德的，同时也是难以持久的。对于当代农村青年而言，婚姻不再是为了完成任务或者单纯为了传宗接代，而是追求个人幸福生活的一个必要条件。因此，他们的择偶标准越来越实际，也越来越体现进步性和人性化[①]。

---

① 刘豪兴：《农村社会学》，中国人民大学出版社 2004 年版，第 259 页。

第三，农村青年择偶范围扩大。随着社会流动的增加，外出务工的农村青年结识外地异性的几率增大，跨镇、跨县、跨省婚姻增加。在很多地方，同学关系较多成为乡村年轻人自由婚恋的基础。南基村在土地全部被征购，居民全部“农转非”之后，这几年又出现了400多名农业人口，很大程度上跟这种乡村社会兴起的新型婚恋方式相关联。

第四，婚姻过程简化。在传统中国农村社区，婚姻一般要经过“纳彩”、“问名”、“纳吉”、“纳征”、“请期”、“亲迎”等过程。改革开放后，农村婚姻过程简化，一般只经历恋爱、订婚、婚礼三个阶段。在一些有条件的地区，婚礼之后还会有结婚旅行。

第五，婚嫁时尚色彩趋浓。从20世纪80年代开始，婚礼上新郎西装革履、新娘身披婚纱已成为时尚。花轿被各种轿车取代，办酒席也日益替代了拜天地的形式，传统的黄道吉日渐渐被吉日和节假日重叠的好日子所取代。婚礼摄像、婚庆服务也开始出现在农村青年的婚礼中。而结婚旅行也逐渐成为农村青年的选择。目前，农村婚礼体现出越来越多的个性特征，年轻人的个性化选择，使得农村的婚礼形式越来越多，内容也更加丰富有趣。同时，传统婚嫁习俗仍然盛行，新旧结合，使现代农村的婚嫁内容更丰富多彩。

第六，婚礼商品化色彩加强。在婚姻缔结过程中，广东（尤其是珠三角地区）的农村青年越来越倾向于通过商业购买手段获得结婚所需的物品及服务。在南基村，年轻人结婚一般都不再像他们的父辈那样请木匠打制旧式家具，而是去大商场采购新式的家具和高档电器。婚礼上筵请亲朋好友也大都在附近的酒楼包餐定席，而不再在家操办。年轻人们认为结婚不应该把人弄得那么辛苦，花钱买个轻松就好。

5. 生育观念的变化。

生育目的的变迁。传统生育目的以传宗接代、养儿防老、多子旺门、扩大家族、增加家庭劳动力和天伦之乐为主要内容。在传统的中国农村社区，生育是对本家本族应尽的义务，“不孝有三，无

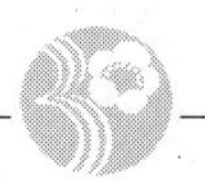

后为大”。生儿育女是为了家庭的兴旺发达，香火旺盛，子孙绵延不绝，而不是夫妻间爱情的结晶。而现代型生育则以实现夫妻社会价值、维系夫妻感情、尽社会责任、调剂家庭生活、精神慰藉等为主要内容。目前，传宗接代、养儿防老仍然是农村社会最主要的生育目的，但随着现代生育文化的传播，以发展为目的的生育趋势正在逐渐加强。

生育数量选择的变迁。生育数量选择反映的是人们对生育的主观愿望，是一个认识和决策的过程。生育数量的选择，主要取决于家庭生育目的。在传统农村社会，生育以传宗接代、养儿防老、多子多福为目的，因此，人们普遍倾向于多生多育。而现代社会的生育目的趋向多元化，由此也导致了生育数量的下降。第五次全国人口普查资料表明，1999 年 11 月 1 日至 2000 年 10 月 31 日出生的人口中，一孩占 68.04%，二孩占 26.08%，三孩及以上仅占 5.88%。这说明，平均每个家庭生育的子女数已经不到 2 个了①。随着社会经济的发展，从多生多育向少生少育转变已成为一种必然趋势，甚至还出现了少量不生育现象。在农村，人们也开始从注重生育数量向注重生育质量转变，注重为孩子成长提供较好的物质条件和教育。独生子女在农村也逐渐成为普遍现象。但在广东农村地区，多育仍然比较突出。广东多孩率在全国仍处于较高水平，2000 年多孩率比全国平均水平高 6.78 个百分点，其排位处于全国第 25 位，比山东、江苏、浙江等经济发达地区高出 10 个百分点以上，而且也比人口大省河南、四川高出 1.5 ~9.3 个百分点。② 这与快速发展的广东经济是不协调的。

生育性别的变迁。在传统农业社会，随着“男尊女卑”性别格局和“重男轻女”的社会意识的形成，强化了生育中的男性偏好。无论是从传统的伦理道德文化观念，还是从实际生活需要出

① 张纯元、陈胜利：《生育文化学》，中国人口出版社 2004 年版，第 110 页。

② 钟作勇：《广东妇女生育水平的变化及影响因素分析》，《南方人口》2004 年第 1 期。

发，人们都有理由偏重于生男孩。但工业革命以后，男女平等的现代性别意识开始普及，生育中的性别偏好也趋于弱化。现代社会，女性获得了广泛的就业和受教育机会，法律也保证了妇女在经济、政治和社会领域享有与男子同等的权利，从根本上改变了女性对男性的依附地位。这一观念变化对消除性别偏好起了很大作用。不仅城市中重男轻女现象大大减少，而且农村居民的生育偏好也在“生男生女一样好”的宣传下逐渐淡化。但部分群众仍存有较强的生育性别偏好，2002 年国家计生委进行的城乡居民生育意愿抽样调查显示，以生育男孩为宗旨的“传宗接代”，又跃居为第一位的生育目的。尤其是在农村，这种偏爱男孩的生育观念还具有一定影响，以致出现多生多育，甚至不生男孩不罢休的超生现象。在广东欠发达的农村地区，这种现象还较为普遍。

此外，家庭生活的其他方面也发生了一些变化。如“一日三餐”由家庭主妇主理的习惯已逐渐改变，妇女逐渐从繁重的家务劳动中解放出来。经济发达的珠三角地区，很多家庭不再由主妇在家煮制早餐，人们或去村中茶楼、饮食店喝早茶，或者从附近的饮食店及食杂店买早点。很明显，社会化服务的逐步加强与完善，家庭经济条件的改观，使人们有条件注重生活质量的提高，同时接受较为进步的新观念。

（二）农村家庭生活方式变迁存在的问题

农村生活方式正在经历剧烈而深刻的变迁，正对农村社会和农民个人的日常生活产生切实而深远的影响。在这一进程中，农民的生活水平和生活质量虽然得到前所未有的提高，但也还是存在一些问题。

第一，生活方式变迁不平衡。由于生产力发展不平衡，人们在生活上的富裕程度也存在很大差距，在生活方式的主体、客体条件上也有明显区别，因此农村居民生活方式在变迁程度上差异很大。贫困的粤北山区、次发达的东西两翼与发达的珠江三角洲地区的乡村，在生计方式、消费、娱乐、社会交往、家庭生活等方面都存在

着明显差异。总体上看，贫困地区的农村生活方式无论从物质到精神，从时间到空间，基本上都处于贫穷匮乏和单调的状况中；次发达地区的基本温饱需要得到满足，但发展的需要并不强烈；发达地区的生活方式则表现出对发展和享受的强烈欲望。

第二，重物质生活轻精神生活。改革开放以来，广东农民的收入有了大幅增长，但农民收入的绝大部分都用于物质生活消费方面，除了吃穿以外，主要是用于住房和耐用消费品上。文化生活费用支出虽然在绝对数和比重上均有明显上升，但从其内部构成来看，其现状并不乐观，农民文化消费支出的增长主要体现在文娱耐用消费品和教育费用的增长上。据全国农村固定观察点办公室1998年对318个村的调查，在商品类文化消费支出中，农民用于耐用机电消费品的支出占96.28%，用于消费书报杂志的比例仅为3.72%；而在非商品类文化消费支出中，用于学杂费、保育费支出的占77.48%，而用于文化娱乐活动的比例只有22.52%。[①]

第三，传统落后的生活观念犹存。一是知足常乐的生活观念。许多农民习惯于自给自足的物质消费生活，小富即安，容易满足，缺乏对更高水平生活的追求，保守有余而开拓性不足。二是露富型生活观念。一些农民在消费活动中炫耀富有，具体表现为互相攀比，讲排场，讲气派，讲铺张，图虚名。一些农民盖房盲目追求宽敞豪华，一家比一家大。再就是置办酒席，动辄数十桌，花费数千甚至上万，这也导致了"人情风"盛行，请客送礼愈演愈烈。此外，在祠堂、坟墓修建上攀比露富也时有发生。三是愚昧型生活观念。在收入提高后，许多农民在文化教育娱乐上舍不得花钱，却将大量金钱用于敬鬼神、祭祖先、修庙宇方面；娱乐消费性活动与发展性活动之间结构失衡，到处是"扑克热"、"麻将热"；精神文化消费格调不高，欣赏低层次文化产品的多，

① 全国农村固定观察点办公室：《农村文化消费：现状特征及计量分析》，《农村观察》1997年第2期。转自方向新：《农村变迁论——当代中国农村变革与发展研究》，湖南人民出版社1998年版，第334页。

玩电子游戏、看录像、算命的不少。在愚昧型生活观念的影响下，农村尚存精神生活低格调的倾向，甚至还存在比较严重的不文明、不健康的消费方式，如封建迷信活动泛滥，赌博之风盛行等。

第十三章 广东新农村建设

一、社会主义新农村建设

（一）“建设社会主义新农村”的提出

2005 年 10 月，中共十六届五中全会通过的《中共中央关于制定国民经济和社会发展第十一个五年规划的建议》中指出，“建设社会主义新农村是我国现代化进程中的重大历史任务”。要按照“生产发展、生活宽裕、乡风文明、村容整洁、管理民主”的要求，坚持从各地实际出发，尊重农民意愿，扎实稳步推进新农村建设。

20 世纪 50 年代就曾有过“建设社会主义新农村”这一提法。这一提法也多次出现在政府文件中，但中共十六届五中全会提出建设社会主义新农村，其背景和涵义与以前有很大不同。2005 年 12 月 29 日闭幕的中央农村工作会议对社会主义新农村建设的时代背景做出了精当的概括：“从农业支持工业，到工业反哺农业；从农村服务城市，到城市带动农村。工与农、城和乡，这两大关系正在实现着从未有过的历史性转变”。因此，这次的新农村建设是在我国已经进入了“工业反哺农业、城市支持农村”的新阶段这一大背景下提出来的。社会主义新农村建设的核心是通过国家整合，将资源尽可能地向乡村配置并激活农村内在的动力。其前提是城乡统筹，以工哺农，以城支乡。建设新农村并不是人为地抑制工业和城市的发展，恰恰相反，它要通过工业和城市的发展，支持和引导农村的发展，由城乡分离走向城乡一体。这是社会主义新农村建设与以往的乡村建设完全不同的地方①。

也有学者认为，新农村建设的“新”主要体现在三方面：一是城乡之间的良性互动；二是农村社会制度的完善和农村和谐社会的构建；三是农村人文传统和自然环境的全面恢复，让农村成为风光秀美、有幸福感的地方。②

我国工业化的原始积累资金主要来自农业，农业和农民因此为国家的工业化做出了巨大贡献。但与此同时，城乡的二元经济结构也在进一步强化。特别是近年来，相对于快速发展的城市而言，农村经济社会发展滞后的矛盾日益突出。我国农村人口占绝大多数，城乡之间发展的不协调不仅制约着农村生产力的发展和农民生活质量的提高，而且也明显制约着国内市场的扩大，农村发展的滞后和农民收入增长的缓慢已成为影响经济持续快速增长的一大瓶颈。针对我国城乡发展不协调的突出矛盾，中共十六大明确提出统筹城乡经济社会发展的要求，中共十六届三中全会进一步明确了这一要求。③

（二）建设社会主义新农村的必要性

首先，建设新农村，是提高农业综合生产能力、建设现代农业的重要保障。目前，我国农业生产基础设施和物质技术装备条件较差，经营管理也较粗放。加快建设新农村，发展农业生产力，加强农田基本建设，改良土壤，兴修水利，推广良种良法，发展农业机械化，培养有文化、懂技术、会经营的新型农民，全面提高农业综合生产能力，既是现代农业建设题中应有之义，也是建设现代农业

---

① 徐勇：《国家整合与社会主义新农村建设》，《社会主义研究》2006 年第 1 期。

② 温铁军：《怎样建设社会主义新农村》，人民网，2005 年 11 月 30 日。

③ 《社会主义新农村建设与以往有哪些区别》，新华网，2006 年 2 月 14 日，http://www.xinhuanet.com.

的重要基础和保障。

其次，建设新农村，是增加农民收入、繁荣农村经济的根本途径。当前和今后一个时期，增加农民收入，首先必须挖掘农业内部的潜力，提高农业综合效益，实现增产增效、提质增效和节本增效；必须发展以乡镇企业为主体的农村第二、三产业，引导农村劳动力向城镇有序转移，拓宽农民的就业空间和增收渠道。

再次，建设新农村，是发展农村社会事业、构建和谐社会的主要内容。发展农村社会事业，是建设新农村十分重要的组成部分。构建和谐社会，必须首先建设和谐村镇。这就要求我们必须建设社会主义新农村，加快发展农村各项社会事业，全面改善农村教育、卫生、文化等设施条件，逐步改变目前城市和农村经济社会发展“一条腿长、一条腿短”的问题。

最后，建设新农村，是缩小城乡差距、全面建设小康的重大举措。中共十六大提出了全面建设小康社会的宏伟目标。实现这个目标，重点和难点在农村。必须按照落实科学发展观和构建社会主义和谐社会的要求，坚持城乡统筹发展，进一步调整国民收入分配格局，走工业反哺农业、城市支持农村的道路，把农村基础设施建设纳入公共财政范围，逐步改变城乡二元结构，努力消除城乡协调发展的体制性障碍，促进资源在城乡之间合理配置，建立城乡社会事业和基础设施共同发展的运行机制。

当前，我国已初步具备了建设新农村的条件。一方面，经过改革开放以来的快速发展，综合国力显著增强，有了支持保护农业、加大农村基础设施建设投入的经济基础。另一方面，近年来，中共中央、国务院为改善农村生产生活条件出台了一系列更直接更有力的政策措施，特别是农村“六小工程”（节水灌溉、人畜饮水、乡村道路、农村水电、农村沼气、草场围栏等）建设进展顺利，成效显著，为新农村建设积累了有益的经验。[①]

---

① 《五中全会解读：为何要建设社会主义新农村》，新华网，2005 年 11 月 10 日，http://www.xinhuanet.com.

（三）新农村建设的九大标志

农民居住集约化。新农村建设必须以居住集约化为突破口，使各地农村的土地利用达到集约和节约的目的。只有实现农民居住集约化，才能提高住房质量，提高抗灾减灾能力。

生产方式合作化。农民生产方式从一家一户转向专业合作化，是农业产业化的必然趋势，是提高农民生产组织化程度的重要标志。专业分工的产业化生产，要靠面向市场的农业企业平台或农业专业协作组织进行市场运作，而不是靠传统的自然村、行政村自治组织集体领导行为来进行，这是当代新农村生产方式区别于过去传统农村生产方式的最大不同点。

生产工具机械化。机械化水平是衡量农村、农业发展水平的重要标志，是确保提高农村生产力，促进更多的劳动力转移，彻底改变传统小农经济耕作方式的前提和依据。

农民享受公共产品公益化。根据现代农民的生活需求和社会制度所应承担的义务，加大农村医疗、卫生、文化、娱乐、教育、托幼、托老等公共产品设施的政府投入。同时，制定鼓励政策，在贷款、税收、财政上，支持引导社会资本投入，积极开拓公共产品投入渠道，建立健全公共产品管理机制和制度，全面构建农村公共产品服务保障体系。

农民素质知识化。重点包括农村普及九年义务教育、扫盲教育、职业教育等，全面提高农民在市场经济条件下的生存能力、就业能力和创业能力。

农民流动市场化。劳动力转移的市场化，主要是通过城镇化建设，让劳动力资源在城乡配置上趋于合理，减少农村劳动力盲目流动和农民工受歧视现象，让农民在城乡流动中能安居乐业。国家应通过法律政策的保护引导，逐步使进城农民成为在城市安居乐业的产业工人和永久性居民。

农民医疗、教育制度化。通过制度化建设，建立健全农民医疗、卫生、教育保障制度，使农民医疗、卫生条件有所改善，降低

非正常死亡率，提高平均寿命指数；让农民人人都享受文化教育、素质教育的平等条件。

农民养老保险普及化。实现农民养老保险普及化，是稳定农村、繁荣农村、落实计划生育国策的根本保证，是千百年来中国农民追求的最终归宿。

城乡服务一体化。通过社会主义新农村建设，缩小城乡差距，使城乡服务一体化，使农民转为市民成为现实。

（四）新农村建设面临的问题

村级集体经济薄弱。除了部分发达地区，目前大多数村的经济现状都不乐观。原因有几个方面：一是受政策性制约，企业改制断了收入，税费改革少了收入，招商引资没了收入。二是经济发展空间小，受制于有限的土地资源、资金和自然资源。三是财政转移支付入不敷出，不可预见性支出不断攀升，正常运转难以为继。村级集体往往经济薄弱、无钱办事，这成为建设新农村的突出难题。

农民增收乏力。近年来国家实施了一系列惠农政策促进农民增收，但受多种因素制约，农民增收依然十分困难。首先是种养业增收难，农业抵御市场风险和自然灾害的能力很弱，增收的不稳定性较大。虽然国家对农民实行了种粮补贴，但生产资料和机械作业费等持续涨价，生产成本增加，农民从事种养业增收困难。二是产业化带动难，农业竞争力总体还不强，农民进入市场的组织化程度还不高，带动农民增收不明显。三是转移性增收难，虽然外出打工的农民群体庞大，但由于综合素质低，大多数劳动力仍从事着低收入的工作，农民工资性收入增长受到抑制。四是政策性增收难。自2005年起，广东省取消了农业税及其附加，“一免三补”政策提高了农民的种田积极性，但农民依靠政策增收的空间也在缩小，没有更多途径。

村庄建设规划滞后。从目前的实际情况来看，无论是经济发达地区，还是欠发达地区，农村的居住格局都比较散乱。农民长期养成的生活垃圾随意丢弃、在住宅周围乱搭乱建的陋习一时难以改

变。另外，农民对于集中居住也不能完全接受。受传统文化和习惯的影响，绝大多数农民喜欢单门独院、前庭后作的居住方式，因而，如何协调尊重农民习惯与科学合理规划之间的关系也是一大难题。

缺乏长期投入机制。“十五”期间，各级政府加大了对农村建设的投入力度，农民生产和生活条件逐步改善，但农村基础设施建设由于欠账太多，老的投入没完成，新的建设又需要大量资金。同时，由于缺乏长期投入机制，资金难以得到保障。不仅如此，农村还面临农业要素流出农村的趋势仍在加强的问题。近年我国城市化发展加快，农村土地要素和资金要素流向城市制约了农村经济的发展，并造成了数千万的失地农民。资金成为农村极度稀缺的资源，这对于新农村建设来说又是一个瓶颈。

二、广东社会主义新农村建设

中共十六届五中全会明确提出了建设社会主义新农村的重大历史任务，广东省委、省政府对此积极响应，高度重视，把新农村建设摆上广东整体发展平台，结合广东实际，出台了《关于加快社会主义新农村建设的决定》，明确了广东新农村建设的指导思想、基本原则和工作目标。省委、省政府主要领导和分管领导亲自带队深入基层，开展调研，认真扎实地推进全省新农村建设工作。各地各部门结合实际，通过多种形式进一步提高各级领导对建设社会主义新农村的认识。全省各级党委、政府和各部门统一思想，形成共识，建立起推进新农村建设的工作机制，各项支农、惠农政策措施得到进一步落实。南粤大地新农村建设蓬勃发展，形势喜人。

（一）广东建设社会主义新农村的战略意义

当前广东省地区差距、城乡差距、工农差距扩大的态势还没有从根本上改变，农业农村基础设施仍然比较薄弱，东西两翼和粤北山区部分农村仍然处于贫穷落后的状态，特别是在新的发展阶段，

“三农”深层次问题和矛盾不断凸显，直接影响全省经济社会的稳定和发展。加快社会主义新农村建设，对于促进县域经济发展，推进农业产业化、现代化进程，繁荣农村社会事业，促进农民收入持续增长，开拓农村市场，拉动社会需求，加强农村基层组织建设，维护农村社会稳定，推进全省经济社会走上科学发展的轨道，具有重大的战略意义。

（二）广东社会主义新农村建设特色

以“五个五”为新农村建设指导方针。一是牢牢把握中共十六届五中全会提出的“生产发展，生活宽裕，乡风文明，村容整洁，管理民主”五句话。二是牢牢把握2006年《中共中央　国务院关于推进社会主义新农村建设的若干意见》提出的“协调推进经济、政治、文化、社会和党的建设”五个方面的建设。三是牢牢把握“五个坚持”，即：坚持以发展农村经济为中心；坚持宪法规定的农村基本经营体制不动摇；坚持以人为本，着力解决农民群众生产生活中最迫切的实际问题；坚持科学规划，因地制宜、分类指导；坚持调动各方面积极性，依靠农民群众的辛勤劳动、国家扶持和社会力量广泛参与。四是牢牢把握“五要五不要”，即：要讲究实效，不搞形式主义；要量力而行，不盲目攀比；要民主协商，不强迫命令；要突出特色，不强求一律；要引导扶持，不包办代替。五是牢牢把握农村生产力发展、农民生活水平提高、农村基础设施改善、农村社会事业发展、基层民主政治建设继续推进五大目标。①

以解决最迫切的民生问题为切入点，推进新农村建设。广东在建设社会主义新农村过程中，抓住农村群众最关心的饮水、治病、住房、教育、交通等问题，集中人力、物力、财力，解决农村“一保五难”（最低生活保障以及饮水难、行路难、看病难、上学

---

① 《五个五：广东省关于建设社会主义新农村的指导方针》，新华网，http://www.xinhuanet.com.

难、住房难）问题。

以广泛发动农民和社会各界参与为手段，推进社会主义新农村建设。广东充分发挥农民在新农村建设中的主体作用，动员广大农民发扬“勤劳、自强、互助”精神，投工投劳，自觉参与家乡建设。与此同时，省委、省政府动员社会各界支持新农村建设，鼓励金融机构和民营企业支持新农村建设。

以推进现代农业建设为重点，夯实新农村建设基础。广东一方面继续巩固珠江三角洲十大农业现代化示范区建设，增强辐射带动能力；另一方面在东西两翼、粤北山区兴办了十二个农业现代化示范区，带动区域现代农业发展。同时，省委、省政府还提出以耕地整治为重点，以推进农田标准化、生产机械化、种养良种化、经营产业化、服务社会化为目标的现代农业建设。

以发展县域经济为重要途径，推进社会主义新农村建设。重点是加大东西两翼和粤北山区能源、交通、水利等基础设施建设力度，进一步放宽了县、镇经济管理权限，增强承接珠江三角洲产业转移的能力。采取“山洽会”形式，引导珠三角和泛珠三角地区的企业到广东省东西两翼和粤北山区投资合作。加快中心镇、专业镇建设，促进农村富余劳动力转移和人口集聚。

以加强村庄规划为龙头，推进社会主义新农村建设。省委、省政府高度重视社会主义新农村建设的规划工作，明确要求建立健全“省要管到县，市要管到镇，县要管到村”的城乡规划管理体制，重点抓好农村“五改”（改村道巷道、改水、改房、改厕、改灶）工作。同时，积极开展生态文明村、卫生村、平安村等创建活动，推动全省村庄规划整治工作健康发展。①

（三）广东社会主义新农村建设模式

建设社会主义新农村鲜有经验和现成模式可循。在新农村建设

① 中共广东省委农办综合处：《广东新农村建设回顾与展望》，《南方农村》2007年第1期。

过程中，广东认识到各地之间经济状况、自然资源以及文化习俗、社会环境等因素的差异，新农村建设起点有先后、过程有快慢、水平有高低。由此，广东明确提出，新农村建设应因地制宜，科学规划，量力而行，不搞强迫命令，不搞形式主义，不搞政绩工程，不搞一个模式、一个标准、一刀切，而着眼于解决“三农”最迫切的问题，着眼于扎扎实实为农民办实事、办好事。

正因为充分尊重农民群众的意愿，充分发挥农民群众的首创精神，在近些年的探索中，广东的新农村建设呈现出百花齐放、各具特色的局面，涌现出不同的模式。

1. 以河源、佛冈为代表的以县域经济促新农村建设的模式。

河源属欠发达山区，农村经济历来都是国民经济的重要组成部分。近几年来，河源坚定不移地走新型工业化发展道路，以工业化带动农村城镇化和农业产业化，大力发展县域经济，走出了一条建设社会主义新农村的新道路。与河源相类似，佛冈大力推动县域经济跨越式发展的新思路。近年来，该县重点在发展农村工业，发展特色农业，发展农业龙头企业，转移农村富余劳动力等方面做了积极的探索并取得了喜人成果。2005 年全县完成生产总值 30.5 亿元，增长 25.7%，农民人均纯收入增长 9.2%，远高于全省的平均水平。

2. 佛山农业园区模式。

近年来，佛山以工业化理念发展农业，把推进现代农业生态园区建设、发展效益农业作为解决“三农”问题的重要举措，有力地推进了新农村建设的发展。到目前为止，佛山建设规划了顺德陈村花卉世界农业现代化示范园区、南海万顷洋农业现代化示范园区等多个现代农业生态园区。农业园区内，各种农业新品种、新技术、新机械、新设备得到了广泛推广应用，大大提高了全市农业科技水平。农业园区建设大大增加了农民收入。当地农民不仅可以通过多种形式的土地流转获取收入，同时还可以作为园区内的农业工人获得工资收入，总体收入得到大幅度增加。农业园区建设表明，创新农业生产经营方式和组织制度，加快现代农业建设，也是建设

社会主义新农村的有效途径。

3. 以广州、中山为代表的用城市理念规划农村模式。

2002年以来，中山先后开展农村股份合作制改革，推动农村富余劳动力逐步向第二、三产业转移，“村改居”、建立健全农民基本养老保险为主的农村社会保障体系等多项改革。通过推进工业化、城市化和农业产业化，加快农村经济社会“三大转变”，即经济形态由传统农业向现代农业转变，社会形态由农村社会形态为主向城市社会形态为主转变，农村居民身份由农民向市民转变。在这些转变过程中，中山不仅注重形式上的改变，更注重促进农民生活方式和思想观念向城市文明转变。

广州则更注重新农村建设中的城乡一体化问题。广州市委、市政府提出按照“今日中心镇、明日卫星城”的目标要求，在把全市65个镇撤并为35个镇的基础上，规划建设16个中心镇，积极推进工业向园区集中、人口向城镇集中、农业用地向农业龙头企业和种养大户集中。

广州与中山两地代表的是推动新农村建设与当地工业化、城镇化进程相衔接的发达地区新农村建设模式。

4. 以东源、云浮为代表的从解决“三农”最迫切问题着手的模式。

东源县是广东省16个扶贫开发重点县之一，县委、县政府把切实解决农村“一保五难”问题作为推进社会主义新农村建设的突破口和工作重点来抓。2006年，全县共纳入低保对象6386户16300人，其中农村低保对象5642户14105人，城乡居民基本实现了应保尽保。东源不断加快农村公路硬底化建设进程，2005年已开工建设里程达213公里。2005年，东源县投入农村安居工程扶持资金6869万元（含移民房改经费），办起农村安居工程示范村65个，完成危旧房改造1.1万户。2005年1—9月份，全县有3061名参保农民因病住院的医药费得到报销，报销金额246万元。东源县农村饮水工程总投资1120万元，解决了3.2万农村居民的饮水困难。困难家庭子弟读书有了稳定的保障，全县8万多名中小学生

中，其中享受“两免”的有40056人。

与此类似，云浮市也把解决农村“一保五难”问题作为促进农村社会全面进步、缩小城乡差距的重要举措。到2005年底，占全市总人口2.2%的32648户符合低保条件的城乡困难居民已经全部纳入救济范围。①

5. 以湛江为代表的多种模式共同推进的模式。

近年来，湛江市广泛开展以“四通五改六进村”（即通路、通邮、通电、通广播电视，改水、改厕、改路、改灶、改造住房，党的政策进村、先进文化进村、科学技术进村、优良道德进村、卫生习惯进村、法制教育进村）为载体的生态文明村创建活动，各地从实际出发，因地制宜，不断创新创建形式和方法，形成比较成熟的三种模式。

一是“徐闻模式”，实施“千官扶千村、万干齐回村”工程。徐闻县动员本县干部回乡挂点，发动群众开展生态文明村创建活动。回乡干部深入农村，引导和帮助解决生态文明村创建中的各种问题，极大地激发了广大群众创建新村的热情。几年来，全县共组织1万多名干部（其中副科以上领导干部732名）回村发动群众建设生态文明村，建成了生态文明村638个，占自然村总数的50.6%。

二是“吴川模式”，实施“回归”工程。吴川市根据外出务工经商人员较多的实际，发动务工经商成功人士回家乡创建生态文明村，用实际行动反哺家乡建设，回报家乡百姓。2000年以来，该市发动社会各界人士捐资5亿多元，其中个人捐资50万元以上的有120多人，个人捐资最多的达2000多万元。创建了文明村803个，占自然村总数的50.7%，其中林屋村、芝蔼村、蛤岭村被评为全国文明村，山溪洋等6个村庄被评为广东省文明村。

三是“廉江模式”，实施“建设生态文明示范区”工程。廉江

① 《广东因地制宜共绘宏伟蓝图　新农村建设多种模式各领风骚》，《南方日报》2006年2月10日。

市依托当地丰富的特色农产品资源、生态资源、旅游资源，成片规划，建设生态示范区。为了加快示范区建设，引导村企共建，发动群众“三拆三建”，即“拆残建绿”、“拆旧建新”、“拆乱建路”，对旧村场进行改造。2005 年，该市规划建设生态示范区 3 个，建成生态文明村 380 个，形成了湛江市生态文明村建设的新亮点。

（四）广东社会主义新农村建设成效

以发展农业农村经济为重点推进新农村建设。制定实施《关于加快社会主义新农村建设的决定》及配套措施，启动 1000 多个新农村建设示范点、联系点。各级政府对“三农”投入明显加大，其中省级财政投入 146 亿元，增长 20.6%。农业生产平稳发展，农业增加值增长 3.8%。粮食生产基本稳定，特色效益农业加快发展。农民专业合作组织发展迅速，农业产业化经营扎实推进，农业龙头企业 1724 家，带动农户 403 万户，户均增收 2545 元。农产品质量安全监管得到加强，良种良法覆盖面进一步扩大，农业机械化水平提高，农业现代化示范区建设初见成效，建立了佛山、湛江海峡两岸农业合作试验区，成功举办首届广东现代农业博览会，海洋综合开发和林业产业化取得新成效。农村经济活力明显增强，农村固定资产投资、消费品零售总额分别增长 35.7%、16.6%，增幅高于城镇 22.6 个百分点和 1.2 个百分点。①

农村基础设施建设和社会事业发展取得新成绩，解决涉及农民切身利益的突出问题成效明显。2006 年，全省完成镇到村公路路面硬化 7000 公里，改造中低产田 4.24 万公顷。开展生态文明村建设，扎实推进村庄整治，累计完成农村安居工程 11 万户。基本解决全省农村人口饮水难问题，着手解决 25.3 万农村人口的饮水安全问题。新建农户沼气池 4.9 万多个，建成大中型沼气工程 23 个。安排新型农村合作医疗资金 5.8 亿元，广东省对东西两翼和粤北山区农村合作医疗补助标准从人均 10 元提高至 25 元，全省参合率提

① 《广东省政府工作报告（2007）》。

高到61.5%。实施“每村一个卫生站、一名医生”建设计划，从2006年起省对14个欠发达地级市及恩平市的每个行政村卫生站每年补贴1万元。“万村千乡”市场工程建设加快。初步实现网络到镇、信息进村。培训农村劳动力48.1万人，新增转移农村劳动力85.9万人。严格执行征地建设项目“三条红线”，被征地农民合法权益得到有效保护。扶贫开发工作扎实推进，水库移民后期扶持试点工作启动，沿海捕捞渔民转产转业顺利。乡镇综合配套改革试点稳步进行。农村集体资产和财务管理不断规范，产权制度改革逐步深化。[①]

（五）广东社会主义新农村建设面临的挑战

第一，广东建设现代农业起步早，取得一定进展；但区域发展差异大，基本实现农业现代化的核心指标达标程度落后。根据《广东省基本实现农业现代化的评价指标体系》作出的评估表明，珠江三角洲可以在2010年如期基本实现农业现代化，粤东要到2021年左右，粤西到2020年左右，粤北要到2034年左右。从农业现代化指标达标程度的结构看，1999—2004年不同指标达标程度提高的幅度参差不齐，部分达标程度较高的指标达标率有所下降，指标达标程度结构特征改善十分有限，薄弱环节是农业劳动生产率总体水平不高，农产品经济价值不高，农业生产手段落后，农副产品加工率低，农民收入增长不快。

第二，农村居民内部收入差距扩大，农民收入增长幅度明显低于城镇居民，城乡收入差距不断扩大。虽然广东农民人均收入水平高于全国平均水平，但20世纪90年代中后期以来大多数年份农民人均纯收入的增幅并不比全国高。尤其是全省农民平均收入水平掩盖着农村居民内部的巨大收入差距。2001—2004年广东农民收入基尼系数逐年上升，依次为0.3143、0.3273、0.3367、0.3413，

① 《广东省政府工作报告（2007）》。

2005 年有所下降，下降为 0.3289。[①]

第三，农业基本建设投入不足，农业基础设施一定程度退化，村庄规划和人居环境落后。广东农业基本建设投资数额有所增长，但占全省基本建设投资的比重逐年下降，由 1998 年的 4.6%，下降到 2004 年的 1.8%。广东农业更新改造投资数量起伏，比重也呈下降趋势。由于农业基本建设投入不足，农业基础设施一定程度退化。2004 年全省有效灌溉面积减少至 1968.83 万亩，占耕地面积比重下降至 62.3%；全省旱涝保收面积减少至 1414.80 万亩，占耕地面积比重下降至 44.7%。此外，农村规划、建设和管理落后，脏、乱、差现象十分严重。

第四，农村社会事业发展相对滞后，农民在卫生、教育、社会保障等方面远远落后于城镇居民，存在“一保五难”问题。[②]

---

① 《广东农村居民收入差距目前仍处于合理区间——“十五”时期广东农村居民收入差距分析》，广东统计信息网，2006 年 4 月 18 日。

② 傅晨、刘梦琴：《对建设社会主义新农村的若干思考——兼论广东建设社会主义新农村的主要挑战》，《广东社会科学》2006 年第 5 期。

第十四章 广东农村改革开放的回顾与展望

从1978年至今，广东农村改革开放走过了30年光辉历程。这30年，是广东发展历史上综合实力提升最快、城乡面貌变化最大、人民群众得到实惠最多的时期。在这30年中，广东农村的社会经济发展取得全国瞩目的成就，成为我国经济最发达的地区之一。广东是我国农村改革的前沿阵地。广东最早放开农产品价格，在农村工业化方面创造了“珠江模式”，在经营制度改革方面创造性地推行股份合作制，积极探索土地制度改革，在推进农村现代化、工业化和城镇化方面取得了重大进展。

一、广东农村改革开放成就

广东农村改革开放30年的成就主要体现在以下三方面：

第一，经济发展方面，农业产业化、农村城镇化、农村工业化互为依托，互为促进，形成一个相辅相成的有机整体，共同谱写了广东农村经济发展新篇章。

首先，农业产业化稳步推进，成效显著。早在20世纪80年代初，珠江三角洲就出现各种农工商公司，以“公司+基地+农户”的经营模式发展；进入90年代，随着“三高”农业的发展，全省各地建立了一批“三高”农业商品基地和龙头企业，农工贸一体化的经营方式不断发展。经过多年实践，广东农业产业化经营发展取得明显成效。主要表现在：①农业产业结构优化，农产品的生产总量增加、质量提高，农村经济总量增强，农业基础地位得到进一步巩固。主要农产品在空间布局上逐渐向适宜区集中，形成了具有区域特色的主导产品和支柱产业。粤西、粤东和珠江三角洲成为我国最大的南亚热带水果、蔬菜和花卉主导产区，粤东成为我国名优单枞茶商品生产基地，粤西为我国糖蔗最重要的生产基地之一。②农业产业化组织发育良好，培育了一批实力雄厚、辐射带动能力强的龙头企业，兴办了一定数量的农民合作经济组织和农村经济协会，初步建立了农业社会化服务体系。截至2005年，广东省有各类型农业产业化组织8732家，带动农户535.8万户；各级扶持的农业龙头企业1482家，带动农户421.4万户，户均增收1401元。农民专业合作经济组织试点范围扩大，2005年广东省农民专业合作经济组织1100家，农产品专业市场218家，农村经纪人1517个。[①] ③积极推进现代农业园区建设，建成一批高标准的农业现代化示范区。完成了珠江三角洲十大农业现代化示范区建设，东西两翼和粤北地区十二个农业现代化示范区建设进展顺利，示范辐射效应逐渐显现。

其次，农村工业化突飞猛进，成为推动广东经济30年来持续高速发展的主要动力。广东农村工业化以乡镇企业的迅速崛起为标志。乡镇企业的崛起，从根本上改变了我国工业化的格局，由单一的城市工业化道路模式演变为城市工业化与农村工业化二元并存、双轨并进的模式，并成为推动我国现代化和农村城镇化的根本动力，在我国的工业化进程中发挥了巨大作用。乡镇企业的发展促进了农村各种资源和生产要素优化配置，已成为广东全面发展农村经济、拓展农村内部就业空间的重要途径。改革开放初期，广东农村即以发展“三来一补”为主的“原始”工业，以镇、村、联户、个体企业“四轮驱动”的发展方式，使乡镇工业迅速崛起。进入

① 《广东省农业发展“十一五”规划》，广东省政府网站，http://www.gd.gov.cn.

20世纪80年代末期，全省各地农村乡镇企业积累了丰厚的财富并相继进行了股份制为主体的产权改革，乡镇企业得于“脱胎换骨”进入了现代企业发展阶段。随后外资、民资的大规模投入、城市大工业“浸润”农村区域，促使农村工业化的进一步发展，特别是对镇村集体企业进行技术改造和技术创新，推动产业、产品的升级换代，增强了农村工业企业的实力，促进省内农村第二、三产业的迅速发展，并成为推进农村工业化进程的重要力量。农村中大量的处于隐性失业状态的农村富余劳动力通过乡镇企业载体“洗脚上田”，实现了非农化就业。与此同时，农村土地承载人口的大量减少，为实现土地规模化经营为核心的土地经营制度创新提供了充分必要条件。农村工业化发展加快了农村城镇化进程的步伐，农民市民化彻底地改变了农民的生活方式。

不仅如此，乡镇企业还成为国家工业化的重要一翼，使我国走出了一条城市工业与农村工业相互依托、相互融合、相互促进的有中国特色的工业化道路。从产业结构上看，乡镇工业以农副产品加工、资源开发、劳动密集型轻加工业为主，城郊乡镇工业相当一部分是与国有大工业加工配套，与国有企业形成了互为市场，相互依托，相互补充的关系。从工业布局上看，过去我国的工业集中在城市，乡镇企业的发展，使城市工业与农村工业的比例关系发生了重大变化，乡镇工业几乎已占工业的“半壁江山”。①

再次，农村城镇化不断推进，改善了城乡资源的空间布局。改革开放以来，广东城乡封闭的格局逐步被打破，农村经济结构得以调整，第二、三产业快速发展，农村人口不断向城镇转移，城镇建设也不断向农村拓展。同时，外省劳动力大量涌入广东，使广东农村城镇化取得了较快的发展。广东小城镇发展主要表现在：① 小城镇规模迅速扩大，城镇数量大幅增加，镇区面积不断扩大，吸引农村人口向镇区聚居。② 小城镇的功能不断完善、质量水平日益

① 《乡镇企业如何走好新型工业化之路》，广东环境保护公众网，http://www.gdepb.gov.cn.

提高。一是房地产持续发展，使小城镇成为农村的经济中心；二是小城镇道路、供水、电讯、网络等基础设施建设水平大大提高；三是公共服务设施逐步配套，文教、卫生、体育、福利事业全面发展。四是集贸市场蓬勃发展，使小城镇成为农村物流中心。③小城镇经济成为独立的区域经济体系。改革开放后，广东农村大力发展乡镇企业，产业结构不断调整，小城镇经济总量呈现跨越式发展，经济实力显著增强。目前，小城镇经济初步形成了以纺织、轻工、电子、建材等加工业为支柱，第一、二、三产业快速发展的格局。一批小城镇已经形成产业集聚，如顺德市北滘镇和容奇镇的家电业、乐从镇的家具业、东莞市虎门镇的服装业等。涌现了一批跻身全国经济实力强镇的明星镇。小城镇经济已经成为区域性的相对独立的经济体系。

第二，政治建设方面，顺利完成理顺农村基层管理体制改革，在全省范围内撤销农村管理区，设立村委会，实行村民自治制度。加强农村民主政治建设，完善建设社会主义新农村的乡村治理机制。不断增强农村基层党组织的战斗力、凝聚力和创造力；切实维护农民的民主权利；培育农村新型社会化服务组织。具体而言，农村民主政治建设方面取得的成就有：

加强农村“两委”班子建设。加强村党支部思想、组织、作风和制度建设，把村党支部建设成为团结务实、干净干事、开拓进取、战斗力强的领导核心；加强村委会建设，提高村委会依法管理能力。完善村“两委”办公及村务活动场所建设，为农民参与村务管理提供平台。全面加强农村民主政治建设，努力提高农村“两委”班子贯彻执行各项政策法规的能力，民主管理、依法办事的能力，化解农村社会矛盾的能力和发展集体经济、带动广大农民致富的能力。

建立健全村民自治制度。按照民主选举、民主决策、民主管理、民主监督的要求，建立完善党支部领导下的充满活力的村民自治运行机制，完善村务公开、财务公开制度，让农民群众真正享有村务知情权、参与权、管理权、监督权。进一步理顺村党组织和村

民自治组织的关系，理顺村“两委”与村集体经济组织之间的关系，完善“一事一议”等民主议事制度，进一步改善和密切党群干群关系。

加强农村基层党风廉政建设。巩固农村开展保持共产党员先进性教育活动成果，进一步推进农村固本强基工程建设，切实解决农村党组织和党员干部作风存在的突出问题，坚决纠正损害群众利益的不正之风。各级党委、政府要督促农村落实党风廉政建设责任制，加强对新农村建设重大工程建设项目的监督管理，健全农村集体经济审计制度，确保社会主义新农村建设健康发展。

加强农村社会治安综合治理。积极开展“平安和谐农村”建设活动，贯彻打防结合、预防为主方针，建立完善社会治安防范体系，依法打击“两抢”、盗窃、黑恶势力犯罪等各种犯罪活动，坚决扫除“黄赌毒”、非法传销、邪教等社会丑恶现象。大力整治农村治安重点地区和突出问题，加强农村治安防范工作，预防和减少不稳定因素和各类案件发生，建立健全排查调处农村社会矛盾纠纷工作机制，加强人民调解工作，依法、公正、合理调处农村各种矛盾纠纷，积极预防和依法及时妥善处置、化解群体性事件，防止矛盾激化，不断促进农村社会稳定和谐，为农民安居乐业创造良好的社会环境。

第三，农村基础设施建设和社会事业发展取得新成绩，解决涉及农民切身利益的突出问题成效明显。

农田水利、耕地质量和生态建设得到加强。农业基础设施建设的投入加大，在加强城乡水利防灾减灾工程建设的同时，大力加强农田水利建设，增强农业抗御自然灾害能力。落实最严格的耕地保护制度，稳定粮食播种面积，增加投入，保护和提高粮食综合生产能力，不断提高粮食单产和品质，稳定和增加总产，粮食自给率提高。继续推进造林绿化，加强农业生态建设，不断改善农业生产条件。加快农村饮水安全建设，优先解决高氟、高砷、苦咸及污染水的饮水安全问题。开展中小河流流域治理，完善农田排涝工程体系，配套建设田间工程。加强基本农田和耕地地力涵养，提高现代

农业综合生产能力。

农村道路、饮水、沼气、电网、通讯等基础设施建设不断完善。2006年，广东全省完成镇到村公路路面硬化7000公里，改造中低产田42.4千公顷。累计完成农村安居工程11万户。基本解决全省农村人口饮水难问题，着手解决25.3万农村人口的饮水安全问题。新建农户沼气池4.9万多个，建成大中型沼气工程23个。加强村庄规划和人居环境治理，开展生态文明村建设，扎实推进村庄整治。农村危房改造成效明显，“脏、乱、差”得到治理，生活污水、生活垃圾得到有效处理，环境美化绿化，农村生产生活质量大大提高。

农村社会事业繁荣发展。九年免费义务教育成果得以巩固，实现高水平、高质量“普九”农村职业教育和高中教育蓬勃发展。农村卫生医疗体系建设加强，农村卫生服务网络不断完善，农村合作医疗全面实现县级统筹。2006年，广东安排新型农村合作医疗资金5.8亿元，新型农村合作医疗参加率提高到61.5%。省对东西两翼和粤北山区农村合作医疗补助标准从人均10元提高至25元。实施“每村一个卫生站、一名医生”建设计划，从2006年起省对14个欠发达地级市及恩平市的每个行政村卫生站每年补贴1万元。农村文化建设成效显著，积极构建农民公共文化服务体系。农村文化体育设施建设加强，大力推行村村通广播电视，继续实施农村电影放映工程，发展文化信息资源共享工程农村基层服务点。建立健全农村社会保障体系，农村“五保户”供养机制和最低生活保障制度得以在全省范围内推广。现代农业社会化服务体系建设加快，初步实现网络到镇、信息进村。大规模开展农村劳动力技能培训，2006年培训农村劳动力48.1万人，新增转移农村劳动力85.9万人。扶贫开发工作扎实推进，水库移民后期扶持试点工作启动，沿海捕捞渔民转产转业顺利。乡镇综合配套改革试点稳步进行。农村集体资产和财务管理不断规范，产权制度改革逐步深化。

二、广东农村改革开放的先进做法和经验

（一）经济改革方面

1. 改革计划经济体制。

第一，确立家庭联产承包责任制，使农民获得生产经营自主权，能够按照市场要求安排生产，从而使农村农业生产布局得以调整。并且，通过家庭承包，农民可以较快地积累家庭财产，进行原始积累，有能力扩大再生产，并开拓其他产业。

第二，改革农产品流通体制。这一改革主要从三个方面展开：① 提高农产品收购价格，通过由政府定价和市场调节价格并存的“双轨制”办法，逐步过渡到单轨制的办法，放开非国家计划收购的农产品售价。② 逐步缩小国家统、派购和计划收购的农产品的品种与数量。1980 年，广东省把原来 118 种统、派购的产品减少为 25 种，放开禽、畜、鱼、蛋、果、菜的价格，由生产者根据市场需要自主生产，自由购销；1985 年又取消松香、麻类、木材等 20 种产品的统、派购任务；1992 年 4 月 1 日，放开粮食价格和经营。这样，市场机制得以逐渐建立，指导性计划相应逐渐取消，取得了很好的效果。③ 改革单一的农产品购销体制，开放农产品销售市场。一方面建立了由国营、集体、联合体、个人等多种经济成分、多种经营渠道的流通网络；另一方面建立了跨行政区域、跨商业系统的开放式流通体制。农产品流通体制的改革，使农民生产经营的自主权在流通领域得到实现。从此，农民才真正成为完全意义上的市场经济活动主体。

2. 推行农村股份合作制。

珠三角地区是我国农村股份合作经济的发祥地。农村股份合作经济把以明晰产权为核心的股份合作制引入农村集体资产经营管理，成功地把农村集体经济组织推上了市场经济轨道。农村股份合作制是农村改革开放以来的又一经营组织制度创新，其创新主要体现在三方面：① 产权制度创新。农村股份合作制通过折股量化，不仅把原来笼统的集体所有改变为个人按股份所有、共同占有，并且引入个人财产入股，在纯粹的公有中掺入了私有因素，这是农村传统集体公有制的一个重大变化。② 分配制度创新。农村股份合作制的分配借用了股份制按股分红的形式，但又与股份制分配不完全相同。农村股份合作制一般都要求把集体经济收入的大部分（一般把税后利润的10%列为法定公积金，税后利润的5%～10%列入法定公益金）用于集体扩大再生产和公共福利事业，保证集体经济不断发展壮大。农村股份合作制分配制度的另一特点是把股份分红与股东履行社会义务和责任紧密结合。③ 配股方式创新。在股权配置过程中，各地普遍实行以劳动力等级或农（工）龄配股，"多劳多配"，并且人力资本因素也被考虑进去，管理和经营才能这些重要的人力资本要素在制度安排中得到肯定，体现了效率优先原则。同时，配股过程中又注意兼顾公平，基本的做法是先确定股东资格，然后将股份基本是无偿地分到每个成员头上。此外，个人配置的股份每隔两三年调整一次，以从动态上保持公正。

农村股份制的实行解决了农村生产要素的优化组合，为农村第二步改革寻找到一个突破口，为发展规模经营提供了一条重要出路，为实现农村第二次飞跃奠定了基础，为农村集体经济的管理和分配找到了一条较为科学的途径，是集体经济管理水平和经济分配上一次突破性的改革。

3. 创新土地制度。

在土地使用权市场化方面迈出了很大步伐，土地制度创新引起全国瞩目。具体做法有：① 建立了土地有偿承包制度，从经济关系上体现了土地所有者的主体地位；② 建立了土地的适时调整与流转制度，形成了多种多样的土地流转与集中形式，如投标承包、租赁、合伙、联营、股份、专业承包等；③ 实行了土地达标管理制度，强化了集体的土地管理权；④ 建立农业发展基金制度，形成对土地建设的积累和投入机制；⑤ 土地股份合作制在广东大力推行。土地股份合作制是将原属集体所有的土地资源、现有固定资

产和自有资金等以股份形式全部折股量化，按照一定标准将全部股份一次性分配到组织内部农民个人所有。在相关管理机关的允许下，土地股权可以转让、赠送、抵押或继承。这样一来，集体所有制被个人化了，但个人化之后的产权并没有对经营规模的扩大形成约束，因为集体可以将土地统一发包给当地或外地农民。因此，土地股份制是解决土地的法律所有与土地的占有和经营之间矛盾的一次成功尝试。

广东的土地流转制度安排也走在全国前列。广东土地流转主要有反租倒包、租赁、入股、转让、互换五种形式。从1993年开始，顺德、南海、番禺、龙岗、宝安等地尝试多种方式推进土地经营权流转，其中尤以南海市土地使用权入股最为典型。广东的这些做法也引发了国家政策的某种调整，很有积极意义。

4．乡镇企业迅速崛起。

在广东农村改革开放的过程中，乡镇企业的崛起具有特别重要的意义。它的出现，是农村改革开放的一大跨越，是农民为自己开辟就业和发展门路，走向新生活的一大创造。广东乡镇企业的创办主要有三种途径：① 在原有社队企业基础上，由乡镇政府或行政村通过自筹资金或向银行借贷扩大兴办起来的集体企业；② 由农民个人或联户合伙出资兴办的个体私营企业；③ 由外商出资、出设备兴办的外商投资企业和“三来一补”企业。这些乡镇企业以其低廉的成本价格，合理的产品结构和适应市场竞争的灵活机制，突破了国有企业一统天下的局面，在发展城乡经济、活跃市场、增加就业、扩大出口、改善国家和地方财政收入等方面，发挥了积极作用。目前，广东乡镇企业已成为全省农村经济的主体。1999年，全省乡镇企业总产值占全省农村社会总产值的七成多，全省有近四成的农村劳动力成为乡镇企业的职工；成为全省工业经济的“半壁江山”，占全省工业总产值的46%；全省乡镇企业增加值占全省国内生产总值的22.3%，全省乡镇企业缴纳的税金相当于全省当年地方财政收入的20%左右。乡镇企业的发展，为广东的繁荣做出了不可磨灭的贡献。

（二）农村管理体制改革方面

第一，在农村选举中实行“两推一选”和“二选联动”。“两推一选”主要是进行村党支部改选的一种选举方式，它在党支部建设中吸纳了村民选举的制度机制，使村民群众在支书和支委的选择上开始有了发言权。其本质是在不改变农村二元权力结构的前提下，为党支部提供了一个自下而上提取权力的信任资源的渠道，从而巩固和维护农村基层党组织的合法性基础。“二选联动”是把党支部和村委会的选举联系起来，通盘考虑。无论是“两推一选”，还是“二选联动”，都表明村民的支持已经成为村支两委的共同政治基础，是村委会与党支部走向双赢的制度条件。

第二，在村民自治选举程序上进行创新，具体表现为：实行中心选举会场混合投票与以村民小组为单位投票相结合；正式候选人选举与无正式候选人选举相结合；提倡候选人发表竞选演说。这些选举程序上的调整完善，不但规范、简化了选举程序，使村委会选举更加简便可行，而且引进了一些先进的政治文明观念、做法，充分体现了村民自治制度的生命力。

第三，引入、实施选举观察制度，这一制度是对村民自治制度的重要补充和完善。在2005年广东省举行的第三届村民委员会换届选举中，全省统一实行了选举观察制度，在全国农村村民委员会选举中开创了大规模、有组织实行选举观察的先例，成为在国内具有较大影响的一项地方政府制度创新。选举观察制度的创新意义在于，借助社会力量的广泛参与和支持，形成良好的选举监督机制，从而保证选举过程公正透明，提高选举质量。选举观察制度是现行的农村政治制度中最具民主政治色彩的制度。

（三）社会事业改革方面

广东的改革开放是全面而深刻的，除了经济政治领域的变革以外，社会事业方面的改革也同步开展，促进了广东农村的全面繁荣，共同谱写了农村改革开放的壮丽历史篇章。广东在改革农村社

会事业方面的创新有：

第一，提前全面取消农业税。在中央做出推行税费改革的决定后，广东便迅速地行动起来，2000 年启动试点，2003 年全面铺开。2004 年起，在珠江三角洲地区免征农业税，2005 年 1 月 1 日起，在全省取消农业税，比全国提前整整一年。税费改革是广东实行城乡统筹发展战略最明显的标志，它意味着农村改革进入了一个以调整国民收入分配关系为核心的重大历史转变时期。随着税费改革的推行，广东加大对农村地区的财政转移支付力度，在农村基础设施建设、教育、医疗、卫生等方面增加投入，农村社会面貌大为改善。

第二，农村医疗制度创新。广东农村合作医疗创新的地区模式主要有“云浮模式”和“番禺模式”。云浮的创新之处在于将商业保险引入农村基层医疗卫生领域，拉开全国范围内首次由一个农业大市市政府主导的全民基础医疗计划大幕。云浮在合作医疗改革中的创举还有：实行合作医疗和补充医疗双轨并行制；2006 年开始，云浮市又在农村合作医疗制度中试行积分制。2006 年 10 月 28 日，在第二届“中国全面小康论坛”上，云浮市以其六年来在农村合作医疗领域做出的改革成绩，被评为“中国十大政府创新典型”。番禺农村合作医疗的创新亮点则在于政府主导，市场运作，其特点可概括为：“政府主导、卫生部门监管、保险公司承办、信息化操作”。番禺模式为制度创新提供了一个样板，被保监会、发改委、卫生部、社科院及全国 50 个县市的 100 多位政府官员评价为“标杆”。

第三，建立扶贫新机制。为改变贫困地区贫穷落后的面貌，实现区域经济协调发展，广东省开展了大量工作，进行了开创性的实践探索，从救济式扶贫转为开发式扶贫，大力培植和增强贫困地区的“造血”功能。其具体表现为：① 创办清远扶贫经济开发试验区，探索异地开发、体外“造血”的扶贫开发路子；② 举办扶贫展示洽谈会，探索山区走向市场的组织形式；③ 组织成立扶贫基金会，开拓市场经济条件下民间扶贫渠道，组织港澳同胞、海外侨胞、先富起来的地区和个人成立扶贫基金会，把各种民间资源集中起来，形成强有力的社会性扶贫力量，纳入政府扶贫体系。

第四，开展生态文明村建设，加强农村规划与整治，启动农村小康环保行动计划，切实改善农村生态环境。这一改革重点体现在“五改”上：改村道巷道、改水、改房、改厕、改灶。

三、广东农村改革开放的启示

（一）广东农村改革开放对广东的意义

广东的各项改革虽然都开始得较早，但农村改革依然是其突破口。在农村改革开放过程中，广大干部群众不仅解放了思想，积累了一定经验，而且也为广东改革的全面开展打下了坚实的物质基础，创造了条件。

第一，农村改革开放为广东改革开放指明了方向，提供了经验。联产承包责任制在农村的成功推行，使得责任制开始在城市推广。国有企业借鉴农村的土地集体所有权与农民家庭经营权相分离的办法，开始尝试推行资产的国家所有制与企业经营权分离的做法。农村家庭多劳多得，为城市企业打破“大锅饭”的分配方式提供了榜样。因此，20世纪80年代的城市改革，基本延续了农村改革的思路。

第二，农村改革为城市改革开辟了道路。农村在建立家庭联产承包责任制的同时，进行了系列开放市场的配套改革。其中，对广东改革开放全局具有重要战略意义的改革有两项：①次级农产品市场的开放。广东的改革先行者早就意识到了计划体制的弊端，希望采取措施减少计划的作用，加强市场力量。开放市场的最大风险在于通货膨胀，为了在开放市场方面有所突破，改革者顶住压力，对次级农产品市场进行了彻底和迅速的改革，大量取消农产品定额和价格控制。这一改革虽然引起了暂时的价格上涨，但农民给市场带来了充足的农产品，物价上涨率也低于全国水平，这一改革获得

了成功。② 价格改革。价格改革可以让市场在决定价格方面发挥更大作用，并使国内价格向国际价格靠拢，因此，价格改革是改革面临的最核心的问题。广东对价格解除控制，是从农产品开始的。在改革开放初期，由政府控制价格的农产品有118种，而到了1988年，就仅剩下了大米和烟草两种。价格的平稳过渡标志着改革的成功。这两项关键性的改革，为广东改革开放的全面推进扫平了道路。

第三，农村改革开放为广东改革开放奠定了良好的经济基础和社会基础。从1978年到1984年，农村经济全面发展，农作物大幅度增产，农民收入大幅度增加，乡镇企业异军突起，农民购买力大大增强。农副产品的增加，农村市场的扩大，农村剩余劳动力的转移，强有力地推动了工业的发展。农村改革开放的成功，为改革的进一步深化和向城市全面推广提供了坚实的物质基础。

第四，农村改革有力地推动了城市改革的开展。一是乡镇企业蓬勃发展，与城市工商业争夺生产要素资源和产品市场，迫使城市工商业打破原有的僵化、低效体制，从计划经济向市场经济转型；二是农村剩余劳动力转移，大量农村劳动力进入城镇，为城镇发展提供了充足的劳动力资源，并对城乡分割的二元格局产生强烈冲击，推动旧的城市就业制度、户籍管理制度、教育制度、医疗卫生制度、住房分配制度及社会保障制度进行改革，推动国有工商企业的内部改革与机制转换，大大促进了城市全面改革的进程。

1984年开始，在经过了农村改革开放初步的成功探索后，改革开放重心开始由农村转向城市，广东改革开放向前迈进了一大步，由此进入全面繁荣的新阶段。

（二）广东农村改革开放对全国的意义

从全国范围来看，尽管对于哪个地区最先进行了哪些具体的改革说法不一，但各地也都承认，与其他省份相比，广东迈出的步子更大，思想更解放，为全国的改革开放提供了宝贵经验，起到了很好的示范推动作用。

在实行家庭联产承包责任制初期，广东省委和省政府就针对当时农民怕政策改变和实行的承包制不够完善的问题，抓稳定、完善家庭联产承包制，设置镇、村、村民小组社区合作经济组织，发展壮大集体经济，加强集体土地管理、承包合同管理和财务管理，发展完善农业专业服务体系，并相应制定和颁布了一系列制度和法规。在全国就应是否设置和加强社区合作经济组织的作用进行讨论时，广东农村社区合作组织的设置已基本完成，集体经济比承包前有了一定程度的发展。

在物价政策方面，广东利用中央赋予的“特殊政策、灵活措施”权利，率先对农产品价格进行调整和改革。到1985年，全国开始进行流通体制改革时，广东没有放开的农产品只有烟草、稻谷、糖蔗等7种了。这场物价改革十分成功，没有引起市场震荡，居民能够接受，价格虽然贵了一些，但能够吃到鲜活的农副产品，同时又大大刺激了农民的生产积极性，使产品进一步增产，做到生产者和消费者都满意。这个经验，在全国引起强烈反响。

广东省政府于1979年开始对农产品购销经营体制进行改革，允许社队和农民个人在完成国家收购任务后，自行加工、销售农产品，举办饮食服务业，因而集体、联户和农民个体进入流通领域参与经营的日渐增多，成为流通领域的一支重要力量。长期以来由国营商业和供销社垄断的经营格局被打破，由国营、集体、联合体、个人等构成了充满活力的多种经济成分、多种经营网络。同时，原来的按行政区域、商业系统建立的封闭流通体制被打破，极大地活跃了城乡的商品经济。

率先实行对外开放，以开放带动发展。广东的改革与开放相辅相成，共同缔造了广东经济发展的奇迹。中共十一届三中全会后，广东利用毗邻港澳、华侨众多的优势和中央给予的特殊政策，利用周边国家和港澳地区产业转换的有利时机，从1979年开始在邻近香港、澳门的宝安县、东莞县、中山县率先引进港澳厂商大办“三来一补”工业。此后，这种工业模式很快在珠三角地区普及，珠三角地区的乡镇企业大多都是“三来一补”企业。这种外向型

加工业成为当时珠江三角洲经济发展的主要支柱，在全国经济发展模式中独树一帜，被称为“珠江模式”。20世纪80年代中期，中央又决定将广东作为综合改革试验区，广东的外向型经济得到了进一步发展。对外开放，对广东省的农村经济发展起到了重要作用。首先，大力发展外向型农业，按照港澳市场和国际市场需求，调整产品结构和产业结构，引进优良品种和先进技术，大力恢复和发展了一批名、特、优、新品种，建立了一批农产品出口基地，是“三高”农业兴起的直接动因，对促进全省农业生产向商品化、效益化转变起了重要作用。其次，大量利用外资发展农业，“三高”农业项目成为外商竞相投资的热点。外资的加入完善了农业投资体系，有效弥补了国家和地方政府农业投入不足，保持了农业强劲发展的势头。再次，较早开拓了世界农产品市场，率先加入国际分工体系。与国际市场的紧密联系，推动了广东农村经济与国际接轨，促进了乡镇企业向资金和技术密集型企业转型，推动了农村现代化进程，进而带动内地农村发展。

积极对新建立的体制进行完善，大胆探索适合生产力发展的新机制。随着市场经济的发展，土地家庭均包制在广东的一些地方已经不适应市场经济的要求，开始制约农业生产进一步发展。为此，广东各级党政领导不断总结推广搞活承包权，实行适度规模经营的经验，并推广多种形式的股份合作经验。率先推行将社区集体经济变为社区股份合作经济，并在南海市实行“以土地为中心”的股份合作制，进一步深化集体产权制度改革。广东的这些做法已引起了全国瞩目，必将对全国农村改革开放进一步深化产生深远影响。

改革开放30年来，广东农村面貌发生了深刻变化：① 在经济体制上，从传统的计划经济向市场经济转变；② 在农村管理体制上，从行政管理为主向民主自治管理转变；③ 在乡村建设上，从城乡一体化向城市化转变。总之，广东的农村改革开放在成就自己的同时，更作为中国特色社会主义的实践基础、试验园地、经验土壤，承担着特殊的“广东责任”，贡献着独特的“广东价值”。

（三）广东农村改革开放的国际影响

改革开放前，广东绝大多数农村面貌贫穷落后，与广大亚非拉第三世界国家处于同等发展水平。改革开放后，短短30年间，广东农村发生了翻天覆地的变化，经济获得巨大发展，部分珠三角中心地带的乡村经济高度发达，接近中等发达国家水平，已经或正在实现城乡一体化。同样是第三世界国家，广东农村改革开放的成功，也许能为正在探索发展道路的其他发展中国家提供更具有意义和价值的借鉴和启示。

广东农村实现经济腾飞的起点就在于经济多样化，特别是工业化。长江三角洲的发展也同样证明，只有乡村工业化才能摆脱农业“过密化”，真正实现经济增长。① 问题在于，大多数第三世界国家都采取的是自上而下的工业化模式，农村人口只是消极地等待城市工业的扩张，将他们吸收为劳动力，因此，工业的发展总是伴随着大量农村人口的外移。中国与其他第三世界国家采取的策略略有差异：一方面，中国将经济发展重心放在城市，希望通过城市带动农村；另一方面，自新中国成立初就试图在农村集体组织中设立工业，在公社一级和大队一级开办集体企业。历史发展表明，这一发展路径是成功的。社队企业为乡村工业化打下了坚实基础，改革开放后的许多乡镇企业直接脱胎于原有集体社队企业，这种情况在广东尤为明显。以农村集体经济为主要的乡村工业，还对今天的乡村工业化产生着另一个重要影响，即在中国乡镇企业的发展过程中，集体经济基础未被动摇，反而随着乡镇企业的发展得到加强。

改革开放后，自下而上的乡村工业化和乡村城市化表现出强大的生命力，广东地方政府概括出来的“五个轮子一起转”，即县、镇、村、联户、个体一齐上的经验，便是这种指导方针的鲜明体现。事实证明，这种自下而上的发展方针不仅解决了乡村发展问题，而且还有力地促进了城市发展。

---

① 黄宗智：《长江三角洲小农家庭与乡村发展》，中华书局2000年版。

从乡村自身培养工业化和城市化，转变城乡经济发展思路，也许就是中国为其他第三世界国家贡献的经验。

广东的发展引起了其他社会主义国家的强烈兴趣，不仅越南、柬埔寨和朝鲜开始在一定程度上借鉴广东经验，紧跟中国的步伐前进，广东的经济改革也引起了当时苏联和东欧官员的关注。自1978年以来，每年都有好几个来自苏联和东欧的重要代表团访问广东，考察改革的进程。在苏联内部的辩论中，会引用一些关于广东和中国其他地区改革成功的报道，用以支持和帮助制定他们的改革方针。①

四、广东农村改革开放面临的问题

广东通过改革开放，使全省农业和农村发生了根本性变化，取得了举世瞩目的成就。但在新的时代背景和条件下，农业、农民和农村的问题并未完全解决，而是面临诸多问题与挑战。这些问题和挑战，不仅会对农业的进一步发展造成制约，而且会对广东经济的整体运行带来不良影响。广东农村改革开放面临的问题主要集中在：

（一）土地问题

土地制度作为农村经济制度体系和农业发展的基础制度，伴随着30年来的改革历程，一直是农村变革最根本的核心问题。从某种意义上说，家庭经营制度是一项未完成的产权改革。从包产到户到大包干的土地制度变革，实现了土地所有权与经营权的分离，并因此满足了农民对土地经营的真实权利。但国家并没有恢复和承认农民在上世纪50年代初期土改中所得到的“完整土地产权”——主要包括土地自由买卖、出租、典当、抵押、赠与、继承等权利。

① ［美］傅高义著，凌可丰、丁安华译：《先行一步——改革中的广东》，广东人民出版社1992年版，第468页。

理论界普遍认为，目前中国农村土地产权制度已经远远不能适应农村经济社会发展的需要，主要体现在农村集体土地所有权、使用权、转让权、收益权等权利不明晰，具体表现在集体土地所有权主体不明确。

自改革开放以来，中国农村土地产权制度改革一直陷入“两难选择”的困境：一方面，土地是农业最基本的生产要素和农民最基本的生活保障，在还没有其他手段可替代土地作为9亿农民最基本的社会保障时，稳定农民对土地的承包权，就是稳定农村社会的一项带有根本性的重大措施；另一方面，从长远发展看，稳定农民对土地的承包权这条路也走不通，解决人地矛盾主要应通过发展第二、三产业，发展小城镇，逐步减少农业人口，引导土地使用权在农户之间合理流动，运用市场机制促进生产要素流动来解决。正是由于我国在改变农村集体所有制问题上长期犹豫不决、停滞不前，导致了一系列“三农”问题：农民不愿意长期投资；农民对农村社区的人身依附；劳动力流动受到制约；土地经营规模的潜力不能利用；土地资源的严重浪费；乡村干部权力日益膨胀；乡村社会关系日趋紧张，等等。

在广东，土地制度导致的问题突出地表现在两方面：

1. 失地农民问题。

随着我国城市化、工业化和招商引资工作步伐的加快，大量农用地被征用，土地流失日渐严重，并由此形成了日益庞大的失地农民群体。这一问题在广东表现得尤为突出。自改革开放以来，广东经济得到了快速发展，但同时耕地流失也十分严重。1995—2005年来平均每年减少耕地2.5万公顷，1999年到2004年六年间，广东省的耕地面积从46657154.9亩减少到45552974.1亩，共减少1104180.8亩。此外，人口的持续快速增加和耕地的急剧减少，造成广东省人均耕地面积从1999年的0.64亩下降到2004年的0.44亩。如此大规模的土地流失，带来的直接后果之一就是失地农民的数量激增。

据广东省劳动保障厅农村社会保险处资料显示，广东失地农民

已达290多万人。广东失地农民的区域分布特点有：① 在经济文化中心的郊区较为集中，如广州、深圳的城郊。② 在经济较发达的珠江三角洲地区较为集中。珠三角是经济发展和招商引资的热点地区，土地被征用的数量较大，失地农民的数量也较多。③ 在欠发达地区的交通要道边缘和墟镇周边地区较为集中，如粤北、粤西高速公路沿线镇。①

如此大量的农民失去了赖以为生的土地，由此导致了一系列社会问题：① 征地补偿费偏低，难以维持基本生活。② 社会保障不到位，难以抵御失地风险。失去土地的农民失去了他们赖以生存、生活、生产的基本条件，也就丧失了基本生活保障，难以抵御市场经济条件下的各种风险。③ 失地失业，难以实现再就业。④ 单一的货币补偿方式，可解近忧，难解远虑。由于部分农民缺乏长远打算，往往在短期内把有限的安置费消费完，“坐吃山空”，甚至有部分人沦落到生活无着的地步。⑤ 矛盾激化，告状上访。2003年1月至2004年3月，全省各地群众到省委、省政府集体上访1600多批4.5万人次，其中因征地拆迁问题所引发的群众集体上访共608批次16176人次。②

失地农民问题的根源在于农村土地产权制度存在的重大缺陷，解决这一问题的根本方法就是改革当前的农村土地制度，以法律形式明确赋予农村集体土地产权主体及农民对土地的占有、使用、收益、处分和转让等权利，逐步建立起有利于维护农民权益、有利于保护耕地、有利于经济社会可持续发展的农村土地制度。

此外，建立健全失地农民社会保障制度也是有效的解决方式。为此，广东省政府下发了《关于做好就被征地农民就业培训和社会保障工作的通知》，提出在2006年底前，将全省被征地农民纳入基本养老保障范围。目前，深圳、东莞、珠海、中山、佛山、广州

---

① 白玉：《广东失地农民问题的思考》，《粤港澳市场与价格》2007年第3期。

② 肖莉：《广东土地信访问题成因与对策》，《广东省社会主义学院学报》2006年1月。

等已实施被征地农民的养老保障制度。

2. 土地股份制完善问题。

广东虽然在土地市场化做出了有益的探索，已经走到了土地股份制的阶段。但就是因为土地的产权不明，土地股份制也受到很大牵制，再也无法继续前行。在现行的土地制度下，土地的所有权归农村社区集体所有。这样，将土地资源折股量化，分配到农民个人头上，就涉及是否改变公有制性质的问题。因而，土地折股量化无法从根本上得到落实。目前的社区土地股份制一般都规定村民对配置的股份只拥有名义上的所有权，可以据此参加分红和有限管理，但没有处置权，不能转让、买卖、抵押，甚至不能继承。这实际上是分配形式的改变，没有触及产权制度改革。

产权残缺导致的问题有：

首先，由于缺乏明确的产权人格化主体，占大头的集体股一般都由少数村集体领导掌管，他们相应获得“大股东”身份，普通村民分得的股份寥寥无几，与农民的产权要求相去甚远，农民权益得不到保障，削弱了农民参与改革的积极性。

其次，由于股东并不享有真正的所有权，因而也难拥有“话语权”。虽然大多数实行股份合作制的村集体都设立了股东代表大会、董事会、监事会，并在章程中规定了“三会”的职责和权限，但在实践中，重大事项还是支委会或村委会说了算，农民群众参与管理和监督的权力得不到切实体现。

再次，分配中的平均主义严重，不能体现贡献和效率。按照农村股份合作制的一般规定，只要是本村村民，自然成为股东，并配送一定数量的股权，享受收益分红，个人不承担任何投资经营风险，持股的福利色彩较浓。这种户籍与股权紧密挂钩的股份合作制，使得股东缺乏风险压力，只注重分红的多少，不关心集体资产运营好坏，缺乏长远预期。这样，不仅不能体现贡献和效率，导致人口难以转移，制约农村城市化发展，而且在村民拥有投票权的自治条件下，对农村基层干部造成相当大的压力。

最后，封闭性明显，没有跳出社区经济的框框。目前，农村股

份合作经济组织几乎是封闭性的社区型组织，所有权、经营权与管理权合一，外部的资金、技术、人才、管理等难以注入，导致农村股份合作制的融资功能受到严重限制，社区股份合作制企业科技含量低，人才匮乏，管理水平低，运作不规范，仍未摆脱传统、封闭的管理方式，社区集体经济可持续发展缺乏后劲。

此外，土地产权残缺也关系到农业生产的经营组织问题。自从实行家庭承包责任制后，我国的农户经营就处于高度分散状态，经营规模小，组织化程度低，势单力薄，进入市场和保护自身利益都面临着一系列现实困难。加入世贸组织后，激烈的国际竞争使得小农经济的劣势更为明显。如何将小规模分散经营的农户有效组织起来，已经成为当前迫切需要研究解决的问题。而这一问题的关键，归根到底也在于土地问题。1998 年 10 月，中共十五届三中全会《中共中央关于农业和农村若干重大问题的决定》提出："从我国的基本国情出发，发展适度规模经营不能过多地在土地上做文章，而以农民的劳动联合和农民的资本联合为主的集体经济更应鼓励发展。"这等于是不让农村土地与资金、劳力、技术等生产要素市场联姻和有效配置。因此，全国农村各类专业合作经济组织普遍存在规模不大、覆盖面小、实力薄弱、管理不规范、解体过于频繁、稳定性差等问题。同样，农村金融体制改革收效甚微，农村科技推广制度难以生效，都与现行的土地制度纠结在一起。

体制方面的制约，除了土地制度之外，较为严重的还有城乡二元体制的制约。城乡二元体制的存在，对于农村劳动力转移，农村教育、农村医疗卫生、农民养老保险等事业的发展都造成很大的困难和障碍。同时，这一体制还导致农村经济在资源配置和国民收入分配中仍处于不利地位，农村居民和城镇居民在发展机会和社会地位等方面仍不平等。

（二）与社会主义市场经济体制相适应的农村基层行政管理体制和民主政治新体制尚未建立

当前，我国农村正在进行以乡镇机构、农村义务教育体制和县乡财政管理体制改革为主要内容的综合改革，实质上是调整中央与地方、国家与农民的利益分配关系，这场改革成功与否关键取决于中央、省、市、县、乡五级政府之间的“利益博弈”。因此，必须统筹考虑各方利益主体之间的关系协调，着力解决改革中所引发的各种问题，从而形成有效整合、协调一致的合作型博弈机制①，痛下决心彻底拔掉上层建筑不适应农村生产力发展的“拦路虎”。

农村基层行政管理体制难以理顺，主要是因为以下三个原因：① 分散的农民与组织起来的政府机构之间权利不对称，乡村干部权力膨胀，试图不断扩大对农民资源的占有；② 全局性的从上到下的干部人事任免体制和考核体制，使乡村干部只对上负责，不对下负责，而上级监督下级的成本又极为高昂，乡村干部很难得到真正约束；③ 农村市场化水平低，乡村干部掌握了大量的非市场资源，这些资源滋养和扩大了乡村干部的权力。值得注意的是，这三个因素造成的制度环境严重扭曲了乡村社会关系，导致不同程度的人身依附关系和基层乡镇政府负债运转。

乡村社会是民主政治发展最为困难的地方，必须充分估计中国乡村民主政治发展的艰巨性。以下情况都有可能对乡村民主政治造成不同程度的危害：① 选举很难改变一些地区乡村权势阶层滥用权力的现状；② 乡村党支部书记一般是行政村的掌权人，因此，直接选举村委会主任不见得能影响到农村的权威关系；③ 有的学者注意到，投票选举的范围越大，选举被操纵的可能性越大，老百姓参与投票的积极性越小；④ 尽管《村民委员会组织法》已经颁布10年了，但不少地方根本没有落实这项法律。

目前推行的乡村民主选举，还可能伴随下述变化：乡村富人政治将会强化；乡村宗族政治将会强化；同时，因为“村民自治”在中国推行时间不长，乡村的各种力量对这一制度还没有稳定的预期。乡村的强势集团面对乡村民主选举，或者还来不及作出反应，

① 张新光：《中国近30年来的农村改革发展历程回顾与展望》，乌有之乡网站，2007年1月15日。

或者没有把它当一回事，但随着乡村民主选举进一步制度化或形式化，强势集团将逐步作出反应，并将努力收复他们的失地。此外，农村经济发展所引起的人口变动对我国农村民主政治发展也会产生越来越大的影响。[①]

（三）农村教育、卫生、社会保障等社会事业发展滞后

首先，农村教育的滞后直接导致广东农村劳动力文化素质普遍不高，在市场竞争中处于劣势，就业不充分，制约着农民增收。2006 年末，广东全省农村劳动力资源总量为 3231.56 万人，其中，文盲 70.60 万人，占 2.18%；小学文化程度 868.05 万人，占 26.86%；初中文化程度 1791.52 万人，占 55.44%；高中文化程度 447.59 万人，占 13.85%；大专及以上文化程度 53.79 万人，仅占 1.66%[②]。而且，随着农村劳动力的外流，文化程度较高的农民几乎都外出务工了，留在农村从事农业生产的是文化程度较低的老年人和妇女，农村有面临衰落的危险，这种现象值得警惕。

其次，20 世纪 80 年代以来，随着改革的深入，农村三级卫生网中的县、公社（乡镇）两级在市场机制的作用下，为农村居民提供医疗、卫生、保健和卫生教育服务功能不断弱化，而村级的医疗站由于得不到财政的支持而处于瘫痪状态，使农村最基层的医疗、卫生、保健和卫生教育服务功能丧失，农村卫生状况不断恶化。加上农民缺乏卫生保健知识，生病不能得到正确及时的治疗，导致相当多的农村居民因病致残，丧失劳动能力。目前，在广东农村劳动力中存在相当部分老、弱、病、残的劳动者，使农村劳动力整体素质不高，劳动能力差，社会竞争力不强。

---

① 党国英：《新世纪中国农村改革：反思与展望》，新浪网，http://www.sina.com,cn.

② 广东省第二次全国农业普查主要数据公报，国务院发展研究中心信息网，http://drcnet.com.cn/DRCnet.common.web/DocView Summary.aspx? docid = 1723311&chnid = 3648&leafid = 3403&gourl = /DRCnet.common.web/Doc View.aspz.

再次，与城市日益完善的公共事业相比，农村公共事业的发展明显滞后，远远不能满足农村居民的需要。目前广东省特别是粤东地区，不少村内的文化、体育和环境等公共设施和小学硬件设备改造，主要靠本村在外创业成功的大老板捐资建设，因此，不同地区的农村公共设施建设和村内环境存在较大差别。部分受污染地区的农村饮水安全问题还存在，部分农户还没有用上自来水；落后地区部分农村卫生服务站不健全，新型合作医疗由于村民认识和宣传的不到位，参与的积极性不高。落后地区农村社会养老保险更是举步维艰，甚至山区和粤西等一些村干部养老问题都无法解决，现已成为舆论的焦点问题。

此外，在农业税费改革和取消农业税后，落后地区县乡财力有限，财政包袱大，各类农业专项转移支付的配套资金跟不上，农村基础设施和社会事业发展受到制约，发展缓慢。特别是在公共财政覆盖不到的村内农田水利建设如小水坝、支渠、毛渠和村内道路建设等方面资金严重缺乏。农业比较利益低下，有的农民外出打工，土地搁荒，使农业生产发展受到不同程度的影响。同时，农民种地积极性受到严重挫伤，农村种田大户和农村龙头企业难以培育。

（四）农业生态环境恶化

在广东，农业发展和生态环境之间的矛盾冲突已达到非常尖锐的程度。人增地减、环境恶化的趋势仍在继续，资源条件对农业发展的约束越显突出。具体表现在以下方面：

农业自然资源越来越短缺，主要表现在耕地资源短缺和水资源短缺。广东的耕地资源本来就十分有限，加上近年来工业化和城市化迅猛发展，每年都有大量土地被征用，耕地流失十分严重。近年来，农村水资源短缺也日益严重。广东水源丰富，尤其是珠三角地区河网密布，但由于环境污染，导致水质性缺水问题越来越严重，全省约有20%以上的农田灌溉水源受到污染，在一些地方已成为严重的社会问题，粤东地区尤为突出。据惠州市调查，该市80%的灌溉水源受到工业“三废”不同程度的污染，该市的主要灌溉

水源淡水河，已基本成为废河。更严重的问题在于，有部分地区被迫用污水灌溉，导致耕地受到污染。

生态的恶化，造成农业生产条件的恶化。一方面资源开发过度，利用不合理，滥砍森林，滥垦土地，导致水土流失，自然灾害频繁；另一方面大量工业“三废”直接排放，污染耕地、水域和空气，导致土壤有机质下降，土壤保水、保肥力也随之下降，动、植物生存环境遭到破坏，生物多样性受到威胁。由于环境污染，大量的氮磷元素进入华南沿海，造成沿海水体的污染和富营养化，甚至形成赤潮，破坏了水生生物的生存环境，导致局域水生生态系统的失调。

环境污染越来越严重。一是农村水环境污染较为严重，部分饮用水源水质恶化。全省约有20%的农田灌溉水源受到污染，局部地区污染严重。一些原来作为饮用水水源的河流，如淡水河、小东江、枫江、练江等因受污染已经失去了饮用水水源的功能。有120多万农村人口饮用不合格的水，个别地方还出现农民要买水喝的情形。二是耕地污染情况较为严重，主要表现为重金属污染继续存在，农药残留与难降解有机污染物污染正在加剧。广东省设定的基本农田保护监测点179个，监测面积84276公顷，其中污染点104个，土壤污染超标率58.1%。一些矿区周围土壤受到的污染尤为严重，土壤重金属含量超标高达44倍[①]。究其原因，污染主要来自三方面：①工业“三废”污染。2003年，广东省工业废气排放量为11074.78亿标立方米，工业污水排放量为14.89亿吨，工业固体废弃物排放量为2245.66万吨。酸雨现象日趋严重，而且酸度较强，全省pH均值4.29，酸雨频率为42.2%，酸雨量占总降水量的43.6%。这些污染主要由农业生态环境承受。②城镇生活废水废弃物污染。2003年，全省城镇生活污水排放量为39.76亿吨，处理率仅35%左右，生活污水严重污染了农业灌溉用水。城镇生

---

① 余新盛、温丽容：《广东省农业生态环境问题及其对策》，《广东农学通报》，广东省农学会网页。

活垃圾占用大量农用地，并因管理不善污染周边农田。一些地方直接用垃圾作为肥料，不但污染农业生态环境，还直接破坏耕地。③ 农业生产自身的污染。一方面是农药、化肥的污染。农药、化肥的使用量逐年增加，化肥的使用总量2003年为199.61万吨，每公顷用量在28公斤以上。而农药使用除30%～40%被作物吸收外，大部分以大气沉降和雨水冲刷的形式进入了水体、土壤及农产品中，造成农药残留污染。另一方面是畜牧业废弃物的污染。2003年，全省有各类畜禽养殖场501.874万家，畜禽存栏数约13.81亿头（只），大多数畜禽养殖场的废水直接排放。据统计，2003年全省畜禽养殖排放的污水为1.43亿吨，给生态环境造成较大压力，还浪费大量优质有机肥。[①]

食品安全问题突出。近年对广州市主要农贸市场蔬菜质量抽检结果表明，部分蔬菜有铅和锡等重金属含量超标问题。农药残留超标较严重，其中还有国家禁用的剧毒农药检出，叶菜类硝酸盐含量严重超标。1999年广州等五城市部分基本农田保护区水稻和蔬菜质量监测资料显示，被检测的大部分农产品受到污染，部分地方重金属污染十分严重。从全省商品茶叶抽检情况看，仍有一些茶叶滴滴涕含量超标，部分样品铅含量超标。[②]

（五）区域发展不平衡

广东省农村经济总体水平比较高，2005年广东农村居民人均年纯收入已经达到4600多元，在中国排名第三，是中国平均水平的1.49倍。[③] 但广东城乡之间，区域农村之间的经济差别较大，珠江三角洲、粤东粤西和北部山区农村社会经济各个方面表现出明显

---

① 朱缨：《正视农业资源、农业环境污染问题》，政协广东省委员会办公厅网页，http://www.gdzxb.gov.cn.

② 朱缨：《正视农业资源、农业环境污染问题》，政协广东省委员会办公厅网页，http://www.gdzxb.gov.cn.

③ 戴燕艳：《广东加快社会主义新农村建设的若干突出问题与对策思考》，《现代乡镇》2006年11月。

不同的发展阶段和特征。此外，农村内部也开始出现阶层分化，农户收入水平差距拉大。

首先，城乡差别扩大。随着城乡居民家庭年人均纯收入差距拉大，广东农村家庭年人均纯收入所占份额越来越少，相对贫困化的趋势渐趋明显。改革开放后，广东城乡差别明显扩大，以农村居民为1，城乡居民收入差距由1980年的1.72：1扩展为2000年的2.67：1，消费差距由2.18：1变为3.03：1。[①] 1995—2000年，虽然差距有一定缩小，但幅度并不大。与城镇相比，农村家庭生活消费的数量和范围相对显得越来越少和窄，层次和质量也相对变得越来越低和差。从全省平均水平来看，2000年农村家庭的恩格尔系数为49.8%，刚踏上小康线；城镇则为38.6%，已经进入富裕阶段，差距非常显著。

其次，地区间农户收入不平衡。相当一部分地区特别是边远地区和山区的农村处于低收入状态。“粤北—粤西—粤东—珠三角”这种由低到高的人均生产性纯收入地区排列格局始终没有改变；而且处于两极间的粤西、粤东，尤其是粤西农民的人均生产性纯收入增长有相对减缓和向粤北靠拢的趋势。从各市收入高低分层来看，高收入层中除有一个市属于粤东地区外，其余各市和超高收入层中的所有市都属于珠三角地区；在中等收入市中，粤西、粤北地区各有两个，珠三角和粤东各占一个；在低收入层中，粤西、粤东各两个市；而在超低收入层三个市中，粤西占一个，粤北有两个。由此可以发现，广东农村低收入家庭主要分布在粤西、粤北这些边远地区和山区。

此外，广东农村内部家庭贫富分化加大，农村低收入家庭增加，有相当一部分农村人口生活在贫困之中的现象也值得注意。国家统计局广东调查总队对全省2560户农村住户调查结果表明，“十五”时期，广东省农村住户中高、低收入户收入差距比明显扩大，

---

① 《对广东居民收入差距问题的认识》，广东省统计信息网，http://www.gdstats.gov.cn.

五年扩大了1.2倍。农村人均纯收入低于全省平均水平的户比重占六成。2005年，广东农村低收入户人均纯收入1886.4元，比2000年增长7.6%；而高收入户人均纯收入达10137.8元，比2000年增长38.7%，高低收入户收入差距比明显扩大。按收入类型的分组还表明，“十五”期间农业户的收入水平低于全省农村居民的平均收入水平10%左右，非农业户的收入水平则高于全省农村居民的平均收入水平5%左右。2005年，广东省以农业收入为主的住户约占农村住户的1/3①。广东省农村社会经济调查队对农村住户的抽样调查数据同样表明，1995—2000年，广东农村家庭人均年纯收入不平等指数明显上升，即在一部分农村家庭人均年纯收入增长的同时，农村低收入家庭也在增多。

五、广东农村改革开放目标与走向

（一）广东农村改革开放目标

把我国建设成为具有现代农业、现代工业、现代国防和现代科学技术的社会主义强国，实现社会的全面现代化，跻身于世界先进民族之林，是我国现在及今后很长一段时间要实现的奋斗目标。改革开放，则是实现这一宏伟目标的关键途径和手段。这一目标也是我国农村改革开放为之奋斗的方向。

1. 农村实现小康社会的目标。

这一目标是由我国农村社会发展的起点所决定的。在我国，在农村迈向现代化的过程中，必须经过一个由温饱型社会进入小康型社会的阶段。小康既是一个经济概念，又是一个社会概念。它反映了在社会生产力解放和发展的基础上，全体社会成员的生活水平达到丰衣足食，消费水平和质量进一步提高，社会内部各种关系和

① 《农村贫富差距5年扩1.2倍　六成农民收入低于平均》，《南方日报》2006年4月20日。

谐，社会风气良好，整个社会处于一种文明、健康、进步的状态。小康目标的实现，标志着进入现代化社会的开始。国务院有关部委根据我国实际情况制定了国家农村全面小康标准和监测方法，从经济发展、社会发展、人口素质、生活质量、民主法制、资源环境六个方面对各地农村发展情况进行监测评估。2004 年，广东农村全面小康实现程度为 46.7%，在全国 31 个省（区、市）中名列第 5 位。2004 年广东农村全面小康实现程度比上年提升 3.6 个百分点，提升速度在全国 31 个省（区、市）中居第 24 位，表明广东农村全面小康建设的推进步伐比较慢。2005 年，广东农村全面小康实现程度达到 53.9%。[①]

农村达到小康目标，具有举足轻重的地位。没有农民的小康，就不可能有全国人民的小康。就广东农村而言，目前珠三角与东西两翼及粤北地区在物质生活、收入分配和人口素质方面尚存在较大差距。因此，加快农村经济社会发展步伐，改善农村物质文化生活，努力实现小康的宏伟目标，仍然是农村改革开放，进而实现现代化的重要任务。

2. 农村基本建成现代化社会的目标。

现代化是指以现代工业、科学技术革命为推动力实现传统农业社会向现代工业社会转变，现代生产力渗透和影响到经济、政治、文化、思想各个领域并引起社会组织和社会行为深刻变革的过程[②]。有关现代化社会的标准，目前国内外尚无定论。一般而言，现代化包括以下四个方面的内容：

第一，经济现代化。首先是农业现代化。农业则建立起广泛采用现代生产工具、现代科学技术、现代生产组织形式和经营管理方法的生产体系，朝高值化、环境保护和环境美化等方向发展；其次是经济结构现代化，即经济增长由农业为主转变到以工业为主，第

① 《2004 年广东农村全面小康实现程度达 46.7%》，中国统计信息网，http://web.tongji.edu.cn；《广东统计年鉴 2006》，中国统计出版社 2006 年版，第 280 页。

② 方向新：《农村社会变迁论——当代中国农村变革与发展研究》，湖南人民出版社 1998 年版，第 346 页。

三产业比重越来越大。反映到农村三次产业结构上，即要求调整三次产业结构比例，降低农业总产值所占比重，同时提高第二、三产业所占比重。同时，工业基本实现劳动资料、工业部门结构和管理的现代化，从消费品工业向资本品工业方向发展，并向高新技术产业方向发展。

第二，城市化。社会结构转型是现代化的重要内容，其中很重要的一点就是城乡结构的优化，即城市化水平的进一步提高。城市生活是现代生活的主要形式，城市化是工业化和人类活动不断集中的必然趋势。工业生产要求劳动力的聚集和组织，也要求基础设施的集中，因此，工业化必然伴随公共设施的增加和生产生活环境的改善，必然导致城市化。随着工业化的发展，农业劳动生产率的提高，农业劳动力转移到城市，是社会发展的必然趋势，也是建立现代化社会的客观要求。

第三，社会组织日益发达和政治民主化。随着科学技术和工业化的发展，人们的社会活动日益繁多，各种社会组织也日益发达，并且社会组织逐渐向专门化、功能互补方向发展，以满足在社会分工日益细化的情况下社会协调发展的需要。同时，政治制度向民主化发展，农民居民的政治参与度日益提高，越来越多的农民居民将参与到管理自身社区事务和国家事务中来。

第四，人的现代化和生活方式的现代化。人的现代化，包括文化素质的现代化、行为方式的现代化以及人生态度的现代化。实现人的现代化，主要需从三方面着手努力：科学文化的进步、教育事业的发展和意识形态的建构。生活方式的现代化主要是指生活方式的高度文明化和高度合理化。同时，社会保障的社会化程度提高，社会安全覆盖面扩大。

（二）广东农村改革开放走向

现阶段，我国已初步建立起市场经济基本框架：价格信号主导调节资源流向，以生活资料、生产资料、信息和劳动力市场为代表的市场体系基本建立，市场机制已成为资源配置的基础性手段。民

营经济蓬勃兴起，并成为国民经济的重要力量，所有制改革取得重大突破，从宪法的高度确立了各种经济成分的平等地位。积极推广了各种形式的农村股份合作制，为农村市场体系的繁荣奠定了基础。优化投资环境，进一步扩大对外开放。社会保障体系逐步形成，一方面减轻了企业包袱，促使企业真正成为市场中的主体；另一方面促成了劳动力市场的有序、健康发展。以建立现代企业为目标的国有企业改革进一步深化。在收入分配领域实行按劳分配和按要素分配相结合。金融体系日益壮大，银行、证券、保险业取得长足发展。政府宏观调控手段和效率改善，政府部门转变职能的步伐加快。经过 30 年的发展，市场在各类资源配置中的基础性作用进一步加强①。但广东的市场经济体制还很不成熟，也很不完善：广东经济的工业化、市场化和国际化还仅仅是个开始。要素价格市场化滞后、市场秩序混乱、产业结构不适应市场体系有效运行、企业改革滞后、加入世界贸易组织后市场竞争与市场开放程度加深等因素，都对广东市场经济的发展具有一定不良影响。

此外，我国社会经济已进入一个新的发展阶段，农业和农村发展的时代背景和国内外环境都发生了很大变化。首先，社会总体经济实力增强，初步具备了对农业进行支持和保护的能力和条件。近年来，国家对“三农”的政策支持力度明显加大，延续了两千多年的农业税已经退出历史舞台，公共财政投入向保护支持农业的政策倾斜，农业正迎来“工业反哺农业、城市支持农村”的重大发展机遇。其次，中国已加入世贸组织，对外开放进一步加深，国内市场与国际市场融合加速，国内经济的运行与体制将受到全球经济波动与交往规则变化越来越大的影响和冲击。

因此，中国改革开放在实行 30 年后，其面对的主要矛盾、任务和条件已经发生了很大变化。它所面对的主要矛盾，已经不是 20 年前由计划经济向市场经济转轨时期产生的矛盾，而主要是市

① 王梦奎主编：《回顾和前瞻——走向市场经济的中国》，中国经济出版社 2003 年版，第 170～171 页。

场经济自身在运行过程中引发的各种社会冲突与矛盾；它的主要任务除了继续创新企业制度，发展与完善各类市场经济组织和市场体系，进一步发挥市场机制的作用外，更要特别重视在市场经济轨道上推进与市场经济相关的政府管理、宏观调控以及确保社会经济稳定运行的各种规章制度建设，以解决市场经济自身缺陷所带来的种种问题，如生态失衡、利益分化、区域差距扩大、社会矛盾加深等问题。

因此，从宏观上来看，广东农村改革开放的努力方向为：

1．走向规范化、法制化和民主化。

现代市场经济是高度规范化、法制化的经济，也是与高度的政治民主化相结合的经济。建立规范的市场经济秩序，全面推进市场经济的法制化，保障市场主体的择业自由、创业自由、契约自由和进出市场的自由，保证社会决策的民主化和科学化，实现宏观经济的平稳与协调，是形成完善、有效的社会主义市场经济体制的重要标志，也是中国市场经济未来演变的基本方向。

市场经济的规范化、法制化包含两方面内容：一是市场主体行为的规范化、法制化；二是政府行为的规范化和法制化。

市场主体行为的规范化、法制化的形成一般要经过三个步骤：① 市场参与者共同认可和自觉遵守具有自发性和非强制性的市场规则；② 社会对市场的进出、竞争和交易规则加以规定，通过公共行政权力把交易习惯或惯例转换成为具有行政强制性的市场规章制度；③ 对经过实践证明为有效的政府规章制度，由国家依照法定程序，以法律的形式予以确定，使之成为真正的市场制度。这样，由市场主体自发形成，以后又被大多数市场主体认可的行为规范，就被纳入法制化的轨道，具有了由社会自觉确立和由法律强制执行的性质。走到这一步，市场主体行为的规范化和法制化才算基本完成。不过，从动态的观点看，市场经济主体的规范化和法制化是个永远不会完结的过程，它会随社会经济的发展而不断发展。

推进政府行为的规范化、法制化，关键在于深化政府改革，转变政府职能，并在此基础上实现政府决策的科学化和政府行为监督

的民主化。

转变政府职能的具体内容包括：① 在观念上，从管制观念转变为服务观念。政府应强调自己的服务功能，应以创造良好的社会经济环境为主要职责。② 鼓励市场创新行为，变“禁止”性规定为“允许”性规定，只要法律没有禁止的行为都是被允许的。③ 明确政府边界与市场边界，改革投融资体制，建立公共财政。④ 加强法治，完善保护产权的法律体系，用立法和司法系统来约束政府行为。⑤ 削减行政性审批权，放开企业活力。⑥ 打破行政垄断，各种经济主体平等竞争。⑦ 发挥行业协会组织作用，减少政府对经济的直接干预。⑧ 转变政府职能与政府机构改革。⑨ 提供公共产品和公共服务，实施科教兴国的长远发展战略。⑩ 加强人民代表大会和社会舆论对政府行使权力的依法监督与民主监督，提高公民民主议政、民主参政、民主监督政府施政的程度，确保政府行为真正走上规范化、法制化的轨道。

2. 走可持续发展道路。

可持续发展战略是正确处理和协调人口、资源、环境、生态、经济、社会相互关系的共同发展战略，是人类生存与发展的必由之路，也是中国农村改革开放的发展方向所在。在农村改革开放中实施可持续发展，需要处理好以下问题：

第一，加强农业基础地位与发展多种经营并举，实现经济的可持续性。实行农村经济的可持续发展，必须保持农业生产的可持续性。首先，必须切实增加农业科技投入，改善农业宏观运行环境，逐步实现农业规模经营和农业机械化，提高农业经济的素质和效率，积极推进农业现代化进程。其次，促进农村经济综合发展，努力开展多种经营，实现农村经济的全面繁荣。

第二，创造良好的社会环境，实现社会的可持续性。根据农村实际，实现社会可持续发展，要着重注意三个问题：一是严格控制人口数量的增长，切实贯彻计划生育基本国策，逐步降低农村人口的自然增长率，减轻人口对资源、经济、社会和环境的压力；二是提高农村财富的公平分配程度，贯彻“效率优先，兼顾公平”原则，理顺收入分配关系，加大反贫困力度，建立社会保障机制，防止贫富差距悬殊、两极分化现象的产生；三是农业劳动力以适当速度从农业领域分离，加快农村人口城市化进程，转移农业剩余劳动力，是解决农民问题、促进农村社会发展的根本途径。

第三，合理利用资源与保护环境并重，实现生态可持续性。必须在农村改革开放中，处理好经济、社会发展与生态系统关系。在资源开发上，节约利用耕地，稳定和提高土壤肥力，合理利用水资源；在环境方面，严格执行有利于环境保护的产业政策、经济政策和技术政策，限制耗能高、污染严重产业的发展。加强绿化工作，提高森林覆盖率，同时大力发展生态农业，有效保护自然资源和维护生态环境，走经济发展和环境保护的良性循环之路。

3. 关注人的发展。

关注人的发展，首先要关注农业劳动者的充分就业，确保每一个愿意就业的人都有就业的机会。确保农业劳动者充分就业，一方面要充分放开就业市场，消除农村劳动力在地区间及行业间流动的各种人为障碍和制度障碍，让农业劳动者能够随生产资料的流动而自由流动；另一方面，要加快偏僻、落后的农村地区的交通、通讯等基础设施建设，努力改善落后农村地区的投资环境，以利于资金、资源与劳动力的双向流动与配置。此外，要让在就业竞争中处于弱势地位的农村劳动力充分就业，还要加强社会对农民群体就业的支持，普及基础教育，提供专业培训和就业指导，提高农民素质，提高他们的就业竞争力。

关注人的发展，其次要加快社会保障体系和保障机制的建设，建立完善的社会安全保障网络。对于农村社会中因老弱病残而丧失劳动能力的人口，以及收入过低的贫困者，社会有义务为他们提供基本生活保障。社会保障一方面让处于弱势的社会成员也能分享社会经济进步成果，另一方面也是保持社会稳定和可持续发展的客观要求。现阶段，包含最低生活保障、失业保险、医疗保险和养老保险以及特种救助、抚恤等在内的社会保障制度仅只在城市建立，而未能覆及广大农村，以致目前农村仍有大量贫困农民连基本的生存

权利都难以保障。为了解决这一问题，现在中国开始在农村地区初步推行农民养老保险制度、农村合作医疗制度和农村最低生活保障制度，力图为农村人口提供基本的社会保障。

关注人的发展，再次要推进收入分配制度的改革，建立“效率优先、兼顾公平”的收入分配机制。由于我国总体上存在着劳动力众多而资源短缺的状态，劳动力在与物质生产要素的比较中常处于弱势地位，因而政府必须立法保护劳动者，如制定最低工资制度、单位工作日最长工时，以及要求企业达到相应标准的劳动环境和劳动保护条件等。此外，由于不同群体拥有的生产要素差异很大，因而实际收入差距很大，并且有日渐扩大的趋势。农村居民，尤其是农村地区的纯农业劳动者，正在成为低收入群体的主体。因此，国家有必要在宏观层面上，通过国民收入再分配环节，控制和调节高低收入群体过大的差距。如调整税制，加大财政转移支付力度，支持落后农村地区的开发和发展等。

关注人的发展，还要加大社会对教育的投入，提高农村人口的文化素质，强化农村居民人力资源的开发和培养。广东农村居民的整体素质还不高，这是制约广东农村发展和整个国民经济发展的重要因素。这就需要不断深化农村教育体制改革，增加教育投入，提高农村居民的整体素质。

广东的改革开放已经进行了 30 年，特殊的政策让广东改革开放得以先行一步，并在相当长的时期内保持优势。但广东的改革开放的落脚点并不在于先行一步，而在于通过创造性的变革解决社会发展中遇到的问题，建构一个健康、合理、具有生机和活力的社会结构，使整个社会和全体人民能够得以协调发展，不断向历史的新高度迈进。

农村改革开放是中国改革开放的重要组成部分，农村改革开放与其他领域的改革开放有着内在的、紧密的联系。必须把农村改革开放置于改革开放全局，才能从根本上解决农村、农民、农业的问题，也才能解决整个中国社会经济发展的问题。

结语：从传统到现代

广东农村改革开放的过程，也是广东农村逐步走向现代化的过程。随着体制改革和向外部世界的开放，广东地区的农村，尤其是珠三角农村，开始从传统经济中剥离，走向现代化发展之路：在物质和文化上，置于西方的示范效应之下；在经济上，以现代商业和现代工业为主轴；在文化上，向工商社会的价值观念转移。事实上，尽管可能在如何界定“现代化”含义上存在偏差，国家和社会却在改革的现代化目标上达成了高度一致。

改革开放所引发的现代化进程带来了广东农村的巨变，它使缓慢变化的乡村社会过渡到一个快速变化的社会。为了把变化导入社会体系的自身运转，社会的整体配置被根本改变了。工业化和城市化打破了平静缓慢的乡村田园生活节奏，震撼和改变了整个社会结构。一种静态的平衡被一种动态的平衡所取代，从而造成持续的不平衡。工业化带来了一些社会变革，国家权力又对这些变革进行了确认，有时还加速了这些变革，但乡村社会的本质特征未能改变，改革并不能完全打破传统的乡土社会的社会结构和思想观念。从以血缘、地缘、礼俗为底色的乡土社会，过渡到以市场、理性、法制为特征的现代社会，是一个充满了断裂和新生的巨大变革。它不仅充满利益的摩擦，面临着文化的碰撞，也经历着社会关系的转型和重构。在吸收了一些新技术和接受了一些新的生产方式之后，农民希望重新创立一种持久的经营体制。但是从目前的情况来看，农民不仅远未重新找到传统的稳定，而且将经受技术革新和经济趋势带

来的长期变动。①

广东的农村改革开放是在市场化、全球化和地方化的背景下进行的，市场化是改革开放的根本动力，全球化是改革开放的内在要求和外部条件，地方化是改革开放的历史文化背景。这三者结合在一起，共同将广东推上了一条独特的现代化之路，深刻改变了广东农村的面貌。

从20世纪50年代初期到70年代末期，中国大陆实行的是严格的计划经济体制。这一经济体制内在的缺陷，严重限制了中国经济的活力，阻碍了中国生产力的发展。在“文化大革命”中，这种体制的弊端暴露无遗，各地要求变革的呼声日益高涨。“文化大革命”结束后，以邓小平为首的党内改革派掌握了中国政权。针对计划经济体制统得太多，管得太死的致命弱点，他们提出了以市场经济为方向的改革路线，以活跃生产，满足人民的需要。中共十一届三中全会的召开为市场化的推行廓清了道路，自此，市场化成为中国改革开放的根本动力，推动改革不断走向深入。

家庭联产承包责任制的实行迈开了市场化的第一步。家庭联产承包责任制的影响巨大而深远，不仅局限在经济关系和生产力领域，而且还重构了中国农村的社会结构，并对传统农民的社会心理产生多重影响。包产到户使得农民获得了充分的经营自主权，他们可以根据市场需求来处置他们的产品、资金，甚至作为劳动力的他们自己。市场上的农产品数量的丰富，对价格改革提出了要求。当时，国家对价格的管制是限制市场发展的主要因素，为了彻底搞活市场，广东在全国率先尝试开放农产品价格，获得了成功。由农产品价格开始，广东的物价和流通体制逐渐放开，最终形成由市场供求决定价格的机制，走出了建立市场经济体制的关键一步。与此同时，家庭联产承包责任制还增加了农民的收入和购买力，引发了他们对新生活的向往。农村剩余劳动力开始流向城市和乡镇企业寻求

① ［法］孟德拉斯著，李培林译：《农民的终结》，社会科学文献出版社2005年版，译者前言。

工作机会，希望借此减轻劳动强度，改变社会身份。

乡镇企业的异军突起，标志着富有中国特色的农村工业化的兴起和发展，它也是改革开放以来，推动广东农村从传统社会向现代社会转型最重要的因素。① 新技术、新能源、新设备等新生产要素的引入，促进了生产力的巨大发展，社会财富的增加和经济结构的改变。乡镇企业的发展，不仅吸收了大量农村剩余劳动力，还扭转了农村长达数百年的过密化发展模式。② 乡镇企业的兴起，推动了农村社会结构的分化，改变了长期以来中国农村单一的社会身份体系。社会学专家陆学艺对此进行过较为深入的研究，早在1989年，他就将农村社会分为农业劳动者、农民工、私营企业主、个体劳动者、雇工、农村智力劳动者、乡镇企业管理者和乡镇管理者八个阶层。此后，他又将这些阶层进行了进一步细分。③ 通过进厂做工或参与工厂的管理、销售，乡镇企业培养了广东农民的现代人格和行为模式。在工厂工作，需要具备一些必要的个人素质，如效能感，创新精神和适应变化的能力，合作精神，计划性和时间感，以及对他人尤其是人才的尊重。④ 乡镇企业扩大了农民的生活范围，将农民的生产和生活同外部市场、城市和整个社会直接联系起来。乡镇企业的工作人员，尤其是管理者和销售人员，需要去各个地方，与各种各样的人打交道，为企业的生存和发展争取市场。这样不仅增加了他们对外部世界的了解，而且还发展培养出较为成熟的与外界交往的能力。此外，闯荡市场，创办企业还培养了农民企业家们的市场观念，造就了一批农村中的“能人”。这些头脑敏捷、信息灵通，具有各种社会关系网络的能人，正在农村的经济、政治、文化生活中发挥着越来越重要的作用。

商品经济促进了新型社会关系和人际关系的形成。这种新型社会关系和人际关系奉行的是普遍主义的事本性原则，人们在交往中不仅只注重人本身，而且还受到利益的驱使，尤其是人背后的经济利益。随着商品经济的发展，人口流动加速，原有的血缘关系和地缘关系无法进一步满足乡民交往和工作的需要。而且，职业选择范围的扩大、生活的多样化，尤其是商品意识对社会的渗透，使得业

缘和友缘关系在农民生活中的重要性增加，并在一定程度上对传统的宗族血缘、地缘关系造成冲击。交往范围的扩大和业缘关系的形成，使得传统的人情和礼俗受到了挑战，广东农民的人际关系开始出现明显的契约化倾向，他们的法律意识也因此大为增强。

市场化也为农村民主法制的建设提供了可能。包产到户意味着农民的财产权和人身地位开始得到保障，而村民自治制度的确立和实施，则是国家在市场经济背景下对农民个人权利和保护的制度性承诺。随着改革的深化，农民的权益意识不断得到增强，对个人经济权益的维护，成为推动农村民主法制进程最直接和最深刻的动力。在一些实行股份合作制的农村，民主法制的发育程度也较高。这是因为，农村股份合作制以股份形式将集体财产量化到每个村民身上，村民都成为股东。这样，村民就会以股东身份参与集体资产运营和决策，大大加强村民对社区公共事务的关注程度。在涉及农民生产经营与产业结构调整的重大决策上，引入决策听证机制，将村务决策纳入多方利益主体公平博弈和多元权力主体相互制衡的过程中。村民和村干部在这个过程中学会了平等对话和相互协商，为民主走上制度化轨道奠定了良好的基础。

全球化是广东农村在改革开放中逐步走向现代化的重要条件，也是市场化的内在要求。中国的改革和开放是同步进行的，改革是针对原有的计划经济体制而言，开放则是针对中国以外的其他国家，尤其是西方发达国家而言。建立市场经济，需要资金、技术，更需要与世界市场接轨。不与世界其他国家建立起正常的经济贸易关系，中国的市场经济体制就无法得以建立。为此，中国政府决定设立一批经济特区，用以吸引外国投资者。由于分布在海外的华侨众多，广东和福建在对外开放中占据了先机。中央政府决定给予这两个省一些特殊政策，使它们能进行变革，以吸引海外华人、港澳同胞以及外国人。广东因为邻近香港，因而在对外开放中享有更多优势。从 1978 年中共十一届三中全会开始，到 1980 年，中国共建立了四个经济特区，其中三个在广东。事实证明，对外开放政策不仅使中国获得了改革急需的资金、技术，而且接触到了各种先进的文化和理念，经济特区成为中国了解世界的窗口。香港在中国对外开放中扮演了重要角色，成为连接中国内地与世界的桥梁。除了商业和物资领域以外，香港对于中国内地更具价值的在于传递各种令人信服的外部世界的信息和远景。香港的现代建筑、工作效率、清洁的环境、服务水准以及香港企业新式的管理方法都令中国内地钦佩不已。政府派遣大量干部访问香港，学习了解国际贸易、国际金融、国际市场发展和产品包装等方面的知识。

经济特区和随后设立的经济开放区吸引了大量国外企业前来投资。西方国家欢迎中国的对外开放政策，许多国家的商人垂涎中国的市场。当时，西方国家刚从经济萧条中走出，空闲资金较多，急需扩大海外市场，中国的改革开放为他们提供了福音。许多西方国家都对中国即将开始的大规模经济建设表示了兴趣，纷纷向中国政府试探有没有经济上合作的可能。1978 年 10 月，邓小平出访日本，引发了日本公司投资中国的热情。在中国的第一轮招商引资过程中，日本公司捷足先登，抢先与中国进行各种合资与合作。早在 1979 年，日本的日立、松下、富士通、三洋等大公司就开始进驻中国。美国企业紧随其后，可口可乐、运通公司、IBM 也开始在中国设立办事处，开展业务。① 经济特区和经济开放区承担起吸引外资的主要任务。1978 年设立的蛇口工业区是中国第一个对外开放的“工业区”，在不到两年的时间里，这个面积仅为 2.14 平方公里的小岛，进驻的企业已经超过百家。蛇口工业区兴建以后不到半年，深圳特区开始筹建。到 1986 年底，大约 760 家外国企业在深圳建立了自己的工业公司。1984 年，向外国投资者开放了 14 个沿海城市。

大量外国资本、企业的进驻，使广东成为中国全球化程度最高的地区之一。这些独资或合资的外国企业，不仅带来了中国改革开放急需的资金、技术，还带来了先进的管理方式和西方的思想观

① 吴晓波著：《激荡三十年》，中信出版社、浙江人民出版社 2007 年版，第 33 ~ 34 页。

念。在它们的引导下，中国开始进入世界市场，并学习、了解各种贸易技巧和规则。除了经济上的影响，与外国人频繁接触，还导致了生活方式的变化，人们开始接受并模仿“西式”生活，吃西餐，喝洋酒，过洋节。西方的电影和流行音乐大受年轻人的欢迎，甚至房屋的建筑风格和布局也开始向西方靠拢，以此来寻求提高生活质量。

华侨也是对外开放的重点吸引对象。华侨对祖国怀有深厚感情，在商业上获得成功的华侨大多十分乐意为中国的经济建设贡献自己的力量。同时，他们也看到了与中国合作的良好商业前景。情感和利益因素的双重推动，使华侨成为中国经济建设的主要外部支柱之一。事实证明，华侨对中国的对外开放也确实表现出了比世界其他各国更为巨大的热情，早期进入特区投资的几乎全是海外侨商。海外华人中几乎有80%来自广东，这是广东成为对外开放前沿，享有“特殊政策”的主要原因之一。1979年，海外华人和港澳同胞通过中国银行在香港、澳门和海外的分支机构向广东的汇款金额达7.45亿元。①

传统是孕育现代性的母体和温床。改革不是简单的经济制度和政治制度变革，其背后有自身的社会文化基础。改革开放以来，广东农村在物质、技术、政治意识形态等层面都发生了重大的变化，但人们在日常的交际和人与人的交往，特别是农村的社会结构和社会关系等并没有发生结构性的变化。指导人们行为的原则或规范的“社会结构”，在一定程度上对经济与文化的发展走向起着很重要的作用。

中国的社会结构具有差序格局的特质，这种特质与中国以家为社会基础是分不开的。中国社会中的人际关系，主要通过家的文化观念及其社会性的结构和功能体现出来，直到今天，家仍然是认识中国社会的关键词。尽管经过了长期的政治运动的冲击，但大部分

① ［美］傅高义著，凌可丰、丁安华译：《先行一步——改革中的广东》，广东人民出版社1992年版，第90页。

传统家族价值观念和习俗，还是通过一系列结构上的支持而保留了下来。社会学奠基人之一韦伯曾从文化分析的角度探讨过世界各个民族的精神文化气质与经济发展之间的关系。他认为，西方之所以能发展出理性的资本主义，其动力来自新教伦理，而中国的儒家却缺乏这种精神。因为长期以来以血缘结合和地缘结合为主体的社会生活，深深地影响着每个人的思想和行为，造成人们崇尚传统、注重人伦孝悌、以家族和同乡的好恶为是非标准的对内道德和对外道德的伦理二元性。所有这一切都与从事资本主义大生产的现代理性劳动组织的要求、以业缘为主实行人的组合必须奉行普遍主义的社会性道德相反，客观上必然会阻碍资本主义精神在中国的发生和发展。但20世纪80年代，深受儒家文明影响的亚洲“四小龙”开创的经济奇迹，迫使人们重新思考韦伯的论点。韩国学者金日坤曾指出，儒教文化的最大特点就是以家族集团主义作为社会秩序，以此成为支撑“儒教文化圈”诸国的经济发展支柱。①

广东是历史上宗族势力很强盛的地区。华南地区的宗族，是宋明理学在地方推行教化，建立正统性的国家秩序的过程中发展起来的。清中叶以后，珠江三角洲豪族赋役征解的变化，标志着宗法势力的日益强大。在广东许多地方，都拥有庞大、复杂、巨额族产和强大宗族意识的宗族，这些宗族具有一套完善的自成一体的组织形式。新中国成立后，在一系列政治运动的持续冲击下，广东宗族活动进入休眠时期，但宗族组织依然通过乡村社会农民的关系网络和基本社会组织，呈现于农村的日常生活和政治生活之中。改革开放后，中国农村的经济体制与村政模式发生重大变化，作为“传统”的社会组织的宗族以及同姓团体，以“祖先”为中心所表现出来的行为和礼仪出现了复兴甚至被重新创造的趋势。在广东农村，一些势力强大的宗族集团不仅大规模修复祠堂，甚至还出现跨地域的“联宗”，联合其他县市的同宗共同祭祖。宗族观念、关系网络深

① 参见麻国庆：《家族化公民社会的基础：家族伦理与延续的纵式社会》，《学术研究》2007年第8期。

深地渗入广东农村经济、政治、社会和文化的方方面面，今天广东农村存在的大部分问题，追根溯源，都与宗族存在着千丝万缕的关系。

经济方面，广东绝大多数私营企业采取的都是家族经营，据广东社科院2003年下半年对广东300家民营企业的调查，由“其他家族成员、亲戚或朋友”及“个人企业主”负责企业经营活动的企业占72.08%，仅有27.9%的民营企业经营活动由“外聘经理”负责。[①] 华侨是改革开放的重要支援力量，认祖归宗是他们对家乡经济建设热情支援的重要动机。华侨也是推动宗族复兴的重要因素，他们经常举行大规模的“寻根”活动，组织海外同宗回乡祭祖，对捐款修建祠堂非常热心。地方政府十分欢迎这种活动，因为这对地方上来说意味着经济机会，他们会趁机游说华侨回乡投资。

政治方面，传统宗族对村庄政治的参与在广东有着悠久历史，宗族势力的强弱主要表现为在农村政治体系中的角色重要与否。自20世纪80年代开始，国家推行农村基层民主，导入具有现代理性的村民自治制度。与此同时，宗族在全国范围内重建，出现了宗族权威与党政主体权威互动的局面。村民自治和村委会选举，为包括“宗族”在内的各种力量角逐村中公共权力提供了现实“平台”和合法性“入口”。宗族在遵从国家制定的游戏规则的前提下，参与村庄公共权力的角逐、参与村庄公共事务的管理，以这种方式被整合到国家的政治体系之中。同时，国家政权在乡村社会也因此获得乡村地方权威的认同和支持。目前，对行政村权力的分配与运行来说，宗族依然是不可忽视的基础性资源。

社会方面，改革开放以来，随着农村宗族的重建，群体性纠纷和械斗事件猛然上升，械斗成为危害农村社会秩序，影响农村稳定的一大破坏因素，也是宗族复兴的最大负面效应。据调查，1991年8月至1992年1月，广东全省共制止宗族、村界械斗事件100多宗。其中，湛江市制止了将要发生和已经发生的械斗86宗，并

① 广东民营企业现状调查，金羊网，2004年1月8日。

调处了宗族纠纷118件。[①] 此外，宗族对广东人口出生率居高不下和性别比例严重失调也密切相关。2000年，广东出生性别比高达130.30，比正常值上限107高出20多个百分点，仅略低于海南，高于全国第二位。究其原因，宗族观念浓厚在很大程度上仍然影响着人们的生育观念。在大部分农村，祠堂、祭祀等的存在，从客观上强化了男性的家庭、经济、社会地位，使得传宗接代的观念根深蒂固。同时，宗族还导致了其他一些相关的社会问题，如“外嫁女”问题，男性结了婚可以继续享受集体经济的股份分红，而女性一出嫁，股份分红就要被取消；男性可以把妻子的户口迁入本村，但女性则很难把丈夫的户口迁进来。在珠三角农村经济发达的地区，“外嫁女”问题已经成为越来越严重的综合性社会问题。

总之，宗族文化对广东农村的改革开放产生了正反两方面的影响。一方面，家族成员更容易建立共同利益和目标，从而更容易进行合作，也会加强企业或社会的凝聚力。同时，家族企业的产权制度使股权高度集中在家族手中，从而使企业具有无限扩张的动力。家族经营既能充分利用血缘关系和利益关系的双重合力，又能利用社区经济在地域上的特殊性，使之成为接受和推动工业文明的有效载体。再次，宗族制度是一种能够容纳现代化持续变迁与要求的较有弹性的制度形态，对于不同的经济形态和政治形态具有高度的适应性和灵活性。在欧美发达国家和台湾、新加坡等新兴工业国家和地区，都存在着很多与传统宗族相似或相近的宗族组织，它们吸收成员的原则具有高度的灵活性，宗族的管理体制也相当灵活。但宗族制度也有其固有的缺陷，如封闭落后，信用范围狭小，获取生产要素选择面窄等。因而，有人说宗族制度是乡村企业创业时期的温床和摇篮，扩张时期的桎梏和陷阱。此外，家族内外有别的伦理关系可能造成企业内部等等帮派体系和组织内耗，导致经营效率低下。再者，宗族带有宗族首领私人控制特征，与现代民主政治中的

---

① 萧唐镖：《宗族》，引自熊景明主编：《进入二十一世纪的中国农村》，光明日报出版社2000年版。

所有公民共同参与原则相悖，导致在基层组织中出现拉帮结派，以族代党，以族代政的情况，严重妨碍基层民主自治。

作为中国现代化进程的一部分，广东的改革开放已经进行了30年。在这30年间，广东的社会经济条件、社会结构以及农民的精神面貌、社会心理都发生了巨大改变，开始逐渐与现代社会接轨。但是，广东农民的传统观念和社会行为模式是在长期的历史发展过程中积累而形成的，它们的影响不会在短期内消除。在某些方面表现得十分“现代”的农村和农民，在另一些方面却带有浓厚的“传统”特色。变革使一些农村中的“能人”在表现出过人的胆识和能量的同时，依然不能摆脱某些小生产者的局限性，使他们在事业上的发展受到限制，表现出鲜明的“边际人”特征①。必须指出，任何社会变革都发生在特定的文化背景中，只有充分地认识到这一文化的特点，来龙去脉和发展趋势，才能在改造和扬弃已有文化的基础上，获得前进的动力和改革的成功。尽管传统和现代在习惯、信仰、制度和物质生产方式等方面存在明显差异，但二者并不是截然对立的两个极端，而是交织在一起的。从传统到现代，是一个长期、连续的过程。在现代化的过程中，传统既有阻碍与抗拒社会文化变迁，成为迈向新生活的障碍的一面，也有能够通过现代性的转换继续发挥其积极作用的一面。正确认识广东农村改革开放的条件和背景，有助于在农村改革开放过程中，处理好传统和现代，以及国家和社会的关系。

这套丛书从策划到完成，得到了广东省委常委、宣传部长林雄同志的大力支持。林雄部长对丛书提出了指导性意见，并多次过问丛书的进展情况。省委宣传部蒋斌副部长、省委宣传部理论处杜新山处长等对丛书的写作给予了具体指导。丛书立项作为广东社科基金规划项目，得到了广东省社科规划办的支持。在此一并致谢！

中山大学对这套丛书高度重视，成立了丛书课题组，由党委书

① 周晓虹著：《传统与变迁》，三联书店1998年版，第319页。

记郑德涛牵头，党委副书记梁庆寅具体负责，蔡禾教授、社科处李仲飞处长、刘运国副处长具体组织实施。从2007年4月到2008年8月，课题组先后召开了开题报告会和四次讨论会，丛书完成初稿之后，组织了校内外专家匿名审稿和会议审稿。这套丛书的顺利完成，是与上述同志和专家的关心、支持和辛勤劳动分不开的。

在此一并致谢！

周大鸣

附录：广东农村改革开放大事记

1979 年

1 月 8—25 日　广东省委召开四届三次常委扩大会议，讨论如何研究贯彻中共十一届三中全会精神，联系广东实际，实现党的工作重点转移到社会主义现代化建设方面来的问题。

1 月 21 日　据《南方日报》报道：广东从 1979 年开始在全省农村普遍推行“五定一奖”的经营管理制度，认真执行按劳分配的社会主义原则，按照社员劳动的数量和质量计酬。

2 月 10 日　农业部在广东新会县试办县农业技术推广中心。此后，广东全省开始有计划地分期开展建设县农技推广中心工作。

5 月 14—24 日　省委在广州召开四届三次常委扩大会议，传达中央工作会议精神，研究广东在经济体制改革中先走一步的问题。

5 月 20 日　《人民日报》发表题为《调动农民生产积极性的一项有力措施——关于广东农村实行“五定一奖”生产责任制的调查》的文章，对广东农村实行“五定一奖”生产责任制的做法给予肯定，指出这是我国农业体制改革的最初实验。

7月17日　省委、省革委会召开全省林区工作会议，提出应坚持宜农则农，宜林则林，因地制宜，适当集中的原则发展山区经济，维护谁造林谁所有的政策。

是年，湛江地委开始在渔区实行渔业体制改革，实行“三定一奖”生产责任制，初步调动了渔民的生产积极性。

1980年

1月10日　省政府颁布《关于农副产品采购若干问题的决定》，重新划定农副产品分类管理范围，将原来实行统一派购的118种一、二类产品减少为47种。

1月24日　中共中央总书记胡耀邦莅粤视察中山、珠海、顺德。

1月29日　广东省大城市郊区第一个农工商联合企业——广州市白云农工商联合公司宣告成立。

3月28日　省委、省政府作出《关于大力发展水产养殖业的决定》，对发展水产养殖提出14项政策性措施。

7月29日—8月8日　省委召开全省地委书记会议，讨论有关农村经济政策问题，决定在全省农村调整农业结构，改革管理体制，理顺农产品流通渠道，搞好经济，加快广东经济管理体制改革和经济发展步伐。此后，全省农村开始进行产业结构调整。

10月18日　省委发出通知，要求各级党委认真贯彻落实中共中央《关于进一步加强和完善农业生产责任制的几个问题》文件精神，把此项工作当作当前农村工作的重要任务抓紧抓好。同日，省政府印发《关于农副产品议购议销若干问题的暂行规定》。

12 月 4 日　《南方日报》发表题为《正确对待包产到户》的评论员文章，认为包产到户是发展生产，解决温饱问题的一种必要措施，不会脱离社会主义轨道，没有复辟资本主义的危险。

1981 年

1 月 19—22 日　省委召开地（市）、县委书记会议，要求各地因地制宜落实生产责任制，对已包产、包干到户的不要硬扭，可引导他们在专业分工基础上实行新的经济联合。

2 月 24 日　广东省政府颁布《关于实行“划分收支、分级包干”财政管理体制的实施办法》，决定从 1981 年起，除广州市、海南行政区、自治州、自治县、深圳、珠海市另有规定外，省对地、市、县实行“划地收支，分级包干”的新的财政管理体制，同时规定财政收支包干比例或定额补贴数，一定 5 年不变。

3 月 30 日　中共中央、国务院转发国家农委《关于积极发展农村多种经营的报告》，广东省在贯彻这一报告精神的过程中，改变“以粮为纲”的传统单一产业结构，扩大经济作物种植面积，积极开展林、牧、副、渔等多种经营。

4 月 10—18 日　省委召开地委管理农业的书记会议，贯彻全国林业会议精神，部署全省稳定的林权，落实林业生产责任制工作。

8 月 10 日　据统计，此时全省的 413423 个生产队中，实行小段包工的有 75838 个队，占总数的 18. 3%；联产到组、到户和专业承包的有 52563 个队，占 12. 7%；包产、包干到户的有 271039 个队，占 65. 6%；其他形式的有 10678 个队，占 2. 6%；分田单干的有 3305 个队，占 0. 8%。

9月2日　《南方日报》报道：至1981年7月底，全省农村储蓄存款达20.54亿元，人均储蓄额43.7元。南海、东莞、顺德、中山、广州市郊区5个县（区）的信用社员储蓄超亿元，其中南海县达1.29亿元，居全国各县（区）之冠。

12月31日　根据省工商管理局统计：全省农村个体工商户已有99680户，从业人员109196人，资金3157万元，营业额11888万元。

1982年

1月6日　省政府颁布《广东省农村（村庄）居民点规划要点》（试行草案），对村庄规划建设作了原则性规定。这是广东省村镇建设方面的第一个地方性法规。

5月1日　省委、省政府发出《关于整顿社队企业的指示》，要求各级党委和政府及有关部门，都要认识社队企业在国民经济中的重要地位和作用，关心和帮助社队企业健康发展。

12月17—25日　省委召开地（市）委书记会议，贯彻全国农业书记会议和农村思想政治工作会议精神。会议指出农业实行联产计酬的责任制，是一项伟大的变革。当前在农业问题上，要进一步解放思想，农村要继续放宽政策，着重抓好“承包专业化、大力发展农村商品生产、经济服务社会化”三环节。

1983年

1月5日　据《南方日报》报道：承包制已进入社队企业领域，成为社队企业管理的主要形式。承包的形式有集体承包、个人承包、合伙承包、经理或厂长承包、跨地区承包5种。

2月6—14日　中共中央总书记胡耀邦视察广东省的韶关、深圳、海南和湛江等地。

3月22日　省委办公厅、省政府办公厅联合发出《关于进行政社分设试点工作的通知》。8月1日，省委、省政府发出《关于政社分开、建立乡政府的通知》，全省全面开展农村政社分开、设区建乡工作。至1984年5月，此项工作在全省基本结束，人民公社被撤销。

3月28日　省政府发出《关于放宽农副产品的购销政策，畅通商品流通渠道若干问题的通知》，决定将36种一、二类统购统派产品调整为21种。

12月22日　广东开始在部分地区实行市领导县的体制。撤销佛山、汕头、韶关、湛江4个地区，在广州、佛山、江门、汕头、湛江、茂名、韶关等9市实行市领导县体制。

1984年

7月8—13日　省委、省政府召开全省乡镇企业工作会议。根据会议的统计，1983年全省乡镇企业已有8.8万个，从业人员215万，总收入72.7亿元，比1978年增长1.38倍。

7月　省政府转批省教育厅《关于改革普通教育的意见》，各市（地）、县进行教育领域管理体制改革的试验，根据基础教育由地方负责、分级管理的原则，高中、完中、职工高中由县管；初中、农（职）业初级中学和中心小学由区管，乡（原大队）管一般小学和学前教育，改变了过去“统得过多，管得过死”的弊端。

8月29日　省政府发出通知：规定再次放宽农副产品的购销政策，

将现行的23种统派统购产品缩减为13种；进一步放宽农副产品上市的运、销政策；调整农副产品奖售政策。同时，全面开放粮食市场，允许多渠道经营，允许出省出县。

9月28日　省委转批省委农村工作部《关于延长土地承包期，完善联产承包责任制的意见》。《意见》规定土地承包期一般延长到15年以上，允许社员协商转包责任田，对土地追加投资实行补偿制度。

11月16日　省委、省政府发布《关于贯彻执行中共中央中发〔1984〕19号文件的通知》，并开始对贫困地区给予优惠政策。

是年，深圳市宝安区万丰村开始公开招股，成立万丰实业集团公司，其股东包括集体、企业和个人。

1985年

1月11—18日　省政府召开全省财政税务工作会议，决定省对市、地、县全面实行“划分税种、核定收支、分级包干、一定五年”的新的财政管理体制。

1月30日　省政府决定：从1985年起，桑蚕茧取消派购，实行市场调节价格。

4月5日　省政府决定：从4月1日起调整农村粮油购销价格；1985年起，广东只对稻谷和主产区的小麦、玉米实行合同定购，其他粮食品种实行自由购销。

9月10日　省委、省政府颁发《关于县级综合改革若干问题的通知》。《通知》指出，当前县级综合改革的内容有：（一）建立镇乡

级财政体制；（二）改革区、镇管理体制，加快小城镇建设；（三）发展横向经济联系，进一步搞好城乡经济；（四）按照政企职责分开原则，改革县级行政管理体制；（五）搞好教育、科技、民政、干部人事、劳动制度等方面的改革。

11月19日　省委、省政府做出《关于加快造林步伐尽快绿化全省的决定》，要求全省5年消灭荒山，10年绿化广东大地。

11月22—28日　省委、省政府在韶关市召开全省第一次山区工作会议。

1986年

2月26日　省政府发出《关于山区利用外资、引进技术若干问题的通知》，决定对山区利用外资、引进技术等方面，给予一定优惠政策。

2月　省农业厅提出了开拓优质农副产品生产基地建设规划。此后，从1986年至1988年间，在国家计委、财政部、农牧渔业部的共同支持下，由省农业厅组织实施在全省建设了29个农牧业商品生产基地和名特优项目。这些基地对加快全省优质农牧业商品生产的发展起了示范和促进作用。

5月29日　省委、省政府发布《关于撤区建乡（镇）完善农村基层政权建设的通知》，要求于1986年完成全省范围内撤区建乡（镇）的工作，实行与全国一致的乡（镇）管村的行政管理体制。

6月10日　省政府转发省科委《关于"七五"期间我省实施"星火计划"的报告》。

7月10日　《南方日报》报道：广东的增城、新会、东莞、梅县和顺德5个市（县），被列为国家“七五”期间首批农业商品生产基地，其项目分别为优质米、柑橘、荔枝、沙田柚和花卉等。

8月19—23日　全省乡镇企业工作会议在广州召开。会议号召各地的区、乡、村、联户和家庭企业“五个层次一齐上”，互动竞争，互相促进，互相补充，使全省乡镇企业有更进一步的发展。

1987年

5月16—21日　省委、省政府在茂名市召开全省第二次山区工作会议。

12月24日　省政府发布《广东省农村合作经济组织合同暂行规定》。

1988年

7月16日　《南方日报》报道：肇庆市鼎湖区沙浦镇打破了按人头分田的“场包”惯例，实行口粮田和招包田的“两田分离”，使土地向种田能手集中。1987年，该镇农业总产值2823万元，比1984年增长53%。

9月6—9日　省委、省政府在肇庆市召开全省第三次山区工作会议。

1989年

5月22日　《南方日报》报道：中山市在坚持家庭联产承包责任制的基础上，积极推广“投包经营”的做法和经验，打破“人均

分包土地”格局，改分包为投包，取得了显著效果。

7月10日　经省委、省政府批准，新会县成为广东第一个实现绿化达标的县。1990年1月17日，国家林业部授予新会县“全国平原绿化先进单位”称号。

9月10—14日　省委、省政府在梅州市召开了全省第四次山区工作会议。

1990年

2月26—28日　省七届人大常委会第十二次会议审议通过了《广东省渔业管理实施办法》。

3月23日　经国务院批准，广东省第一个县级进出口商品检验机构——顺德进出口商品检验局正式成立。

5月7日　省政府发出《关于认真做好减轻农民负担工作的通知》。《通知》提出了减轻农民负担的具体要求和措施，并要求全省各级政府分别制定符合本地实际而又切实可行的具体办法。

6月8日　省政府颁布《广东农村2000年人人享有卫生保健发展规划》。

6月25日　中共中央总书记、国家主席江泽民视察了顺德县的乡镇企业。

同日，省政府发出《关于加强耕地保护和开垦工作的通知》，通过制定执行切实有效的措施，促使全省耕地面积逐步减少的趋势得到初步控制。

7月18日　省委、省政府发出《关于稳定、发展乡镇企业若干问题的通知》。《通知》重申，中共十一届三中全会以来，各级政府制定的有关扶持发展乡镇企业的政策，除中央、国务院有所规定者外，都要继续执行，任何部门不得随意改变或违反。

11月6日　顺德县桂洲镇被评为全国最佳乡镇。宝安县横岗镇、广州白云区石井镇、东莞市长安镇和梅县雁洋镇被评为全国乡镇之星。

11月20日　全省第五次山区工作会议在韶关市举行。

11月30日　顺德县成为广东第一个年财政收入突破4亿元的县，与江苏无锡、上海嘉定并列为全国3个年财政收入超4亿元的县份。

12月5日　省委、省政府作出《关于进一步支持山区和新建市发展经济的决定》。《决定》要求，建立市与市、县与县、乡镇与乡镇的对口扶持责任制。

1991年

2月18日　国家计委、农业部确定台山、高要、曲江、番禺、澄海5县为国家“八五”期间第一批商品粮基地县。至此，全省共有10个国家商品粮基地县。

3月12日　在全国植树造林表彰动员大会上，中共中央、国务院授予广东省“全国荒山造林绿化第一省”光荣称号。

4月28日　省政府作出《调整粮食购销政策的决定》，规定从1991年起，增加国家定购粮挂钩化肥数量和调整定购粮任务，让粮农得

到更多经济实惠。同时，提高粮食统销价格，对职工给予适当补贴。这一规定自5月1日起，在全省实施。

5月8日　粤北4个石灰岩山区特困乡镇共5万多农民，开始往惠阳、花县、三水、四会、曲江、英德和博罗等县，以及本县有土地可开发的地方进行扶贫移民。

5月14日　国务院批准南雄、始兴、乐昌、翁源、连山、连南、怀集、新兴、德庆、信宜10县列入全国第二批农村电气化县。

6月30日　广东省市县全部实现长途电话全自动直拨，新增电话、BP机、传真机用户居全国之首。

8月5日　国家科委批准广东省建立珠江三角洲高科技产业带。11月15日，省政府发出《关于建立珠江三角洲高技术产业带有关问题的通知》。珠三角产业带范围包括深圳、东莞、广州、佛山、江门、中山、珠海、惠州、宝安、番禺、南海、顺德、新会、惠阳8市6县。

10月4—8日　全省第六次山区工作会议在广州召开。

10月　经广东省人民政府报国家计委批准，紫金县被列为“八五”期间全国100个农村能源建设重点县之一。

11月29日　广东省首个以帮助贫困县和乡镇异地兴办实业，促进贫困山区脱贫致富为宗旨的扶贫试验区——广东省清远扶贫试验区经省人民政府批准成立。

12月14日　国家计委、农业部批准遂溪、海康、徐闻为国家“八五”期间第一批蔗糖基地县。

1992年

1月19—29日　邓小平视察深圳、珠海、顺德等地，发表一系列重要谈话，要求广东力争用20年时间赶上亚洲“四小龙”。

2月1日　国务院批准紫金、高州、饶平列入“八五”农村能源综合建设县。

2月11日　国家决定在广东省雷州半岛的徐闻、海康、遂溪和湛江市郊区4县（区）建立国家级二线南繁种子基地。

2月21日　全省基层供销社体制改革座谈会在顺德举行。会议决定将全省基层供销社隶属关系进行改革，实行所有权归所有者，管理权归乡镇，经营权归企业的新体制。

2月24—27日　省委召开工作会议，传达贯彻邓小平南方视察讲话精神。3月12日，省委、省政府作出《关于进一步扩大对外开放若干问题的决定》，决定将惠州的大亚湾、珠海的西区和横琴岛、广州的番禺南沙作为90年代进一步扩大开放的重点区域。

3月26日　省政府决定，改革全省粮食购销管理体制，从1992年4月1日起，全省粮食价格全部放开，不再向农民下达定购粮食任务和定购粮食价格，让农民根据市场需要安排生产和自由出售自己生产的粮食。

3月　南海市首先在罗村镇下柏管理区开展农村土地股份合作制试点，实施“一制三区”，在农民以土地经营权入股后，把全区土地集中起来，统一规划、管理和经营，把土地划分为农业保护区、工业开发区和群众商住区。至1995年3月，全市241个农村管理区（行政村）建立起合作经济组织1465个，推行农村股份合作制工

作基本完成。

5 月 8 日　亚洲首座甘蔗灌溉试验站在湛江雷州青年运河西涌管理所兴建。

5 月 9 日　韶关、清远两市的 12 个乡镇被列为国家农业综合开发项目区。

5 月 14 日　省政府决定，从下个榨季开始，放开蔗糖收购价格。

5 月 18 日　经国务院批准，撤销清远市郊区，成立清新县。

7 月 9 日　省物价局与有关部门研究决定，进一步放开省属管理的 282 种商品价格，下放部分劳务收费管理权限。

7 月 19—23 日　省政府全体（扩大）会议在广州召开，着重研究了转变政府职能，加快改革开放和建设的步伐问题。

7 月 27 日　《南方日报》载，雷州运河管理局鹤地水库经水利部检查，被认为是全国最大的网箱养殖基地。

8 月 8 日　国家统计局评定 1991 年中国农村综合实力百强县（市）揭晓，广东的南海、顺德、潮阳、番禺、宝安、台山、新会、揭阳、电白、化州、廉江、高州、三水、花县 14 个县（市）入围。

9 月 13—15 日　全省第七次山区工作会议在广州举行。

9 月 17 日　省政府批准顺德市为综合改革试点市。

9 月 26 日　省政府举行扩大开放新闻发布会，宣布国务院已批准将韶关、河源、梅州3市列入沿海经济开放区，同时将大亚湾、南沙两地区辟为经济技术开发区。至此，广东形成全省开放的格局。

11月6日　顺德市北滘镇获国家科委“国家星火技术密集区”和全国首个“国家星火科技产业示范区”称号。

11月24日　经国务院同意，清远扶贫经济开发试验区被列为全国首家农村改革试验区。

12月15日　《南方日报》载，汕头市1992年3.54万公顷双季稻平均亩产量达1033公斤，创历史最高纪录，成为全国第一个“吨谷市”。

是年，经国务院批准，顺德、台山、云浮、新会撤县设市。

1993年

1月16日　省政府颁布《广东省乡镇企业劳动保护规定》。

1月27日　《南方日报》报道：1992年全省集贸市场总数达3800个，成交额约400亿元，连续12年名列全国各省市之首。

4月26日　广东省首个“国家社会综合发展实验区”在顺德市桂洲镇挂牌。

5月30日　据农业部统计，广东顺德市、南海市、番禺市、新会市、原宝安县、广州市白云区、台山市进入全国乡镇企业百强县行列。

6月17日　据新华社报道，广东顺德市、南海市在1992年全国税

收收入超亿元的县（市）中分别名列第一和第二。

7 月 1 日　国务院批准广州番禺南沙经济技术开发区，惠州大亚湾经济技术开发区为国家级经济技术开发区。

9 月 14 日　省政府发出《关于粤北石灰岩特困地区人口迁移有关问题的通知》，要求 3 年内从省划定的粤北 47 个石灰岩乡镇，组织 10 万人外迁，其中清远 9 万人，韶关 1 万人，外迁户每户由政府补助 5000 元。

10 月 6—9 日　全省第八次山区工作会议在肇庆市召开。

12 月 9—11 日　中共广东省委七届二次全会在广州举行。会议通过了《关于加快建立社会主义市场经济体制若干问题的实施意见》，其中指出，农村股份合作制是广东省农村发展市场经济的重要选择，要以此作为明晰产权、保障农民合法权益、促进农村资源的合理流动和优化组合、稳定和完善以家庭联产承包责任为主的责任制和统分结合的双层经营体制、提高农业经济效益和壮大集体经济的重要措施，在全省大力推广。

12 月 27 日　广东省率先在全国实现全部乡镇通电。

12 月 31 日　广东提前两年实现“十年绿化广东”的目标，全省森林覆盖率达 53. 6% 。

是年，经国务院批准，开平、三水、罗定、潮阳、高州、花县、鹤山、四会、增城撤县设市。

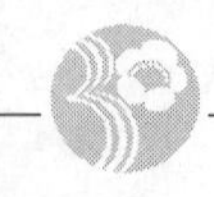

1994年

1月7日　省农村研究中心和南海市委联合举办土地股份合作制改革论证会。

3月2—4日　广东省城乡规划建设管理工作会议在广州召开。会议提出广东省城乡现代化建设的目标是：高起点规划、高标准建设、高效能管理。

5月4日，经国务院批准，海康撤县设市，更名雷州市。

6月8日—7月下旬　广东省遭受了历史上极为罕见的自然灾害。北江、西江发生百年一遇的特大洪水。龙卷风、台风、暴雨、洪涝、山洪暴发等先后全面袭击广东，损失惨重。

9月7日　全省各市财办主任会议在广州召开，会议决定大力发展连锁商业，这是在全省范围内推行流通体制改革的一项重大举措。

9月30日　省政府发出《关于企业全面实行劳动合同制的通知》。《通知》要求，从1994年起到1995年底，凡在广东省境内的各类企业，个人经济组织及其现有职工和新增职工，均应按《劳动法》规定，在平等自愿、协商一致的基础上，以书面形式签订劳动合同，确立劳动关系。

11月14—16日　广东省第九次山区工作会议在广州召开。

11月27日　据《中国社会报》报道，广东目前城市人口落户农村和乡镇企业就业者已达40万人以上，主要集中在农村人口收入高、福利待遇好的珠江三角洲地区。

是年，经国务院批准，英德、恩平、从化、高明、澄海、连县、阳春、惠阳、乐昌、吴川、兴宁、化州撤县设市。

1995 年

1 月 3 日　省政府颁布《广东省省级粮食风险基金管理办法》。

1 月 17 日　据《广东建设报》报道，占全省总面积近 1/4 的珠江三角洲，其城市化水平已达 41.7%，为全国城市化最高的地区。

1 月 23 日　经国务院批准，陆丰撤县设市。

2 月 23 日　据《南方日报》报道，1994 年广东集贸市场成交额 1 亿元以上的超级市场已有 116 个，成交额在 5000 万元或 1 亿元的有 150 个，形成了一批规模大、档次高、便于规范化管理的大型集贸市场，其中许多市场是“广货”的集散地。

4 月 7—8 日　省政府召开全省粮食工作会议，落实国务院关于“米袋子”省长负责制的各项措施。

6 月 8 日　经国务院和省政府批准，广东省农垦集团公司成立挂牌。

7 月 31 日　广东省机构改革和推行公务员制度工作会议在广州召开。随后，全省全面铺开市、县、乡镇机构改革和推行公务员制度工作。

9 月 22 日　世界首个应用电激导入法的抗虫玉米新品种在广东培育成功。专家称，该项研究成果达到世界先进水平。

11月19日　省政府决定，从1996年1月1日起，全省粮食部门实行两条线运行机制，将政策性业务和商业经营分开。

11月25—27日　由国务院发展中心组织召开的“中国山区发展战略国际会议”在梅州市举行。

12月3日　全省救灾救济工作会议在斗门县结束。会议提出，“九五”期间，广东要加快建立城乡居民最低生活保障制度的步伐。

12月19日　国家外经贸委宣布，五华县被联合国选为亚洲地区农业资源管理项目野外示范区。

1996年至今

1996年　广东省在恩平市召开全省合作医疗现场工作会，重新推进农村合作医疗的发展。

1998年起，广东农村开始实施最低生活保障制度。

1998年6月　国务院作出进一步深化粮食体制改革的决定，提出按保护价敞开收购农民余粮、粮食收储企业实行顺价销售、农业发展银行资金封闭运行三大政策，各省相继放开粮食价格、购销和市场。

1998年6月　广东省委、省政府决定，撤销农村管理区办事处，设立村民委员会，在全省农村统一实行村民自治。至1999年12月，广东省正式废止了具有地方特色的农村管理区体制，开始朝着村民自治的农村基层治理体制转变。

2000年3月　广东省农村税费改革领导小组成立，并选择兴宁、

四会和徐闻3个县（市）作为农村税费改革的先行试点县（市）。

2000年　广东省农村土地延包工作完成，农民普遍获得长达30年的土地承包经营权。

2000年　东莞市建立农民基本养老保险制度。

2001年　广东成为全国8个全面实行粮食购销市场化改革的试点地区之一。

2001年　云浮市将“商业保险”引入农村基础医疗卫生体系，实行由政府牵头推动的商业保险契约模式。

2002年4月　广州市花都区梯面镇五联村和联丰村成为广东省最先在村民委员会选举中实行选举观察的村庄。

2002年起，广东在全省范围内推行新型农村合作医疗制度。

2003年7月1日　广东省委、省政府根据广东实际情况，制定了《广东省农村税费改革试点方案》，在全省范围内全面推行农村税费改革。

2004年1月　广东省召开了全省城镇化工作会议，省委书记张德江主持会议并讲话，省长黄华华作了工作报告。同时，还成立了广东省城镇化工作领导小组，办公室设在省建设厅，并配备5个事业单位编制，经费纳入财政预算。

2004年　广东省人民政府下发《关于深化农业税改革的决定》，根据《决定》，珠江三角洲进行了免征农业税改革，粤东粤西及粤北山区的农业税税率由6%降为3%。

从2004年开始，广东省对种粮农民进行直接补贴，补贴分为粮食综合补贴和种粮大户补贴两种。

2005年1月1日起，广东全省取消农业税，比全国先行一步。

2005年4月　广东省全面启动第三届村民委员会换届选举，同时，选举观察制度在全省范围内推行。

2005年　广东省出台《广东省最低生活保障资金管理暂行办法》和《关于进一步落实我省农村最低生活保障制度的工作方案》等，对农村低保工作进行规范。

2006年10月28日　在第二届“中国全面小康论坛”上，云浮市以其在农村合作医疗领域做出的改革成绩，成为“中国政府十大创新典型”。

2007年1月22日　在全国新型农村合作医疗工作会议上，广州市番禺区被评为全国新型农村合作医疗先进试点。

截至2007年第一季度，广东省1391个乡镇中的20975个行政村的4935万农业人口中，已有4137万参加新型农村合作医疗体系，享受这一医疗保障的农业人口数占到总数的83.8%，居于全国的领先位置。

参考书目

1. 《中国新时期农村的变革·广东卷》，中共党史出版社，1998 年 11 月。

2. 《辉煌的二十世纪新中国大记录·广东卷》，红旗出版社，1999 年 9 月。

3. 关锐捷主编：《半个世纪的中国农业》，南方日报出版社，1999 年 9 月。

4. ［美］傅高义著，凌可丰、丁安华译：《先行一步——改革中的广东》，广东人民出版社，1992 年 8 月。

5. 黄宗智：《长江三角洲小农家庭与乡村发展》，中华书局，1992 年。

6. ［法］孟德拉斯著，李培林译：《农民的终结》，社会科学文献出版社，2005 年 1 月。

7. 周晓虹：《传统与变迁》，三联书店，1998 年 12 月。

8. 潘维：《农民与市场》，商务印书馆，2003 年 9 月。

9. 张新光：《中国近 30 年来的农村改革发展历程回顾与展望》，乌有之乡网站，2007 年 1 月 15 日。

10. 吴晓波：《激荡三十年》，中信出版社、浙江人民出版社，2007 年 1 月。

11. 潘作棣等著：《广东农村改革研究》，华南理工大学出版社，1992 年 6 月。

12. 卢荻：《广东改革开放启示录》，人民出版社，1993 年。

13. 广东改革开放搞活理论研讨会论文集编选组：《广东改革开放研究》，广东人民出版社，1988年。

14. 王光振、张炳申、赵瑞彰、左正、刘少波著：《广东四小虎》，广东高等教育出版社，1989年5月。

15. 许学强、刘琦、曾祥章等著：《珠江三角洲的发展与城市化》，中山大学出版社，1988年7月。

16. 周大鸣、郭正林著，潘恩强主编：《中国乡村都市化》，广东人民出版社，1996年。

17. 周大鸣编著：《现代都市人类学》，中山大学出版社，1997年。

18. 于建嵘著：《岳村政治——转型期中国乡村政治结构的变迁》，商务印书馆，2001年12月。

19. 周大鸣著：《渴望生存》，中山大学出版社，2005年2月。

20. 《"自由"的都市边缘人——广州市外来散工生存状况与社会保障研究》，中山大学中国族群研究中心，2004年6月。

21. 王光振：《珠江三角洲经济社会文化发展研究》，上海人民出版社，1993年6月。

22. 许卓云著：《先行一步的变革——广东市场经济发展的理论与实践》，广东人民出版社，2004年10月。

23. 王梦奎主编：《回顾和前瞻——走向市场经济的中国》，中国经济出版社，2003年10月。

24. 广东省委政研室经济组：《明确目标，扬长避短，把"两翼齐飞"的愿望变为现实——关于加快东西两翼经济发展的看法和建议》，广东省计划委员会编：《广东省东西两翼区域规划研究（上卷）》，广东经济出版社，1997年11月。

25. 广东省地方史志编纂委员会：《广东省志·农业志》，广东人民出版社，2002年。

26. 刘豪兴主编：《农村社会学》，中国人民大学出版社，2004年2月。

27. 方向新著：《农村变迁论——当代中国农村变革与发展研

究》，湖南人民出版社，1998 年 12 月。

28. 黄祖辉、林坚、张冬平等著：《农业现代化：理论、进程与途径》，中国农业出版社，2003 年 9 月。

29. 罗必良、温思美主编：《技术创新、制度创新与农村发展："新世纪中国农村经济发展"学术研讨会文集》，中国数字化出版社，2002 年。

30. 温思美：《山区农村经济发展的障碍与对策》，《广东山区开发理论与实践》，中山大学出版社，1997 年 12 月。

31. 马晓河：《我国农村税费改革研究》，中国计划出版社，2002 年 12 月。

32. 徐勇：《国家整合与社会主义新农村建设》，《社会主义研究》，2006 年第 1 期。

33. 《广东省政府工作报告（2007）》，广东省人民政府网站。

34. 《长江三角洲小农家庭与乡村发展》，中华书局，1992 年。